11-55
TY2

W9-DJO-269

5-29-75

THEOLOGIE UND RELIGIONSWISSENSCHAFT

THEOLOGIE
UND
RELIGIONSWISSENSCHAFT

Der gegenwärtige Stand ihrer Forschungsergebnisse
und Aufgaben im Hinblick auf ihr gegenseitiges Verhältnis

Herausgegeben von
ULRICH MANN

1973

WISSENSCHAFTLICHE BUCHGESELLSCHAFT

DARMSTADT

Bestellnummer: 4914
Schrift: Linotype Garamond, 9/11

© 1973 by Wissenschaftliche Buchgesellschaft, Darmstadt
Satz: Maschinensetzerei Janß, Pfungstadt
Druck und Einband: Wissenschaftliche Buchgesellschaft, Darmstadt
Printed in Germany

ISBN 3-534-04914-4

INHALT

B. Theologie und Religionswissenschaft

ULRICH MANN

ZUR EINFÜHRUNG

Schon im frühen neunzehnten Jahrhundert hatte sich eine rege und intensive Zusammenarbeit zwischen Religionswissenschaft und Theologie entwickelt, die sich durch viele Jahrzehnte hindurch ungestört weiter entfalten konnte. Diese Zusammenarbeit hat jedoch, wenigstens im deutschsprachigen Bereich, in den zwanziger und dreißiger Jahren unseres Jahrhunderts eine erhebliche Einbuße erlitten durch den gewaltigen Einfluß der dialektischen Theologie, welche den Begriff und die Sache Religion unters theologische Verdikt stellte. Doch abgerissene Fäden müssen wieder aufgenommen werden, und zwar da, wo sie liegengeblieben sind; das scheint überhaupt ein allgemeines Gesetz der Geistesgeschichte zu sein. Natürlich kann das nicht im Sinn einer einfachen Repristination gemeint sein; denn Geschehenes läßt sich nicht ungeschehen machen, Entwicklungsphasen lassen sich nicht nach rückwärts überspringen. Aber Unaufgearbeitetes läßt sich auch nicht beiseite schieben; Verdrängungen wirken sich nicht nur in der Psyche unheilvoll aus, sondern auch in der Wissenschaft.

Das Bedürfnis nach Wiederaufnahme der einstigen engen Zusammenarbeit wie nach weiterer Pflege derselben hat sich freilich, und zwar bei beiden Wissenschaften, nie ganz unterdrücken lassen; und so ist die Verbindung denn auch niemals gänzlich abgerissen. Von der Theologie aus konnte das ja auch gar nicht geschehen, wenigstens soweit es ihre historischen Disziplinen betrifft; auf religionswissenschaftliche Arbeit zu verzichten, hätte hier ja bedeutet, dem Anspruch moderner Forschung nicht mehr Genüge zu tun. Anders verhielt es sich freilich im Bereich der Systematischen Theologie, wo noch reichlich Nachholbedarf vorhanden ist. Auf der anderen Seite hat auch die Religionswissenschaft die Fäden nie völlig abreißen lassen, ja, sie ist es sogar gewesen, die, unüberhörbar vor allem seit Gerardus van der Leeuw, Friedrich Heiler und Joachim Wach, neue Gedanken über die religiöse Einstellung des Religionswissenschaftlers laut werden ließ, welche einfach das Gehör der Theologie forderten. So konnte es denn nicht ausbleiben, daß die Zusammenarbeit seit mehr als zwei Jahrzehnten im deutschsprachigen Gebiet an Intensität wieder zugenommen hat; daß sie im skandinavischen, niederländischen, angelsächsischen und französischen Bereich ohnehin nie so stark unterbrochen war wie hier, geht aus manchen der in diesem Sammelband vorgelegten Beiträge hervor. Im deutschsprachigen Bereich nun ist die Wiederbelebung der Zusammenarbeit ein auf jeden Fall bemerkenswertes Phänomen. Es sei nur kurz erinnert: Als Ernst Troeltsch, Adolf von Harnack und Rudolf Otto starben (1923, 1930, 1937), galten sie schon weithin als Zeugen einer vergangenen Epoche — um nicht zu sagen: waren sie vergessen! Das hat sich inzwischen glücklicherweise gründlich geändert. Dieser Änderung Ausdruck zu geben, ist auch der Sinn dieses Sammelbands.

Worin gründet das Bedürfnis nach der Zusammenarbeit zwischen Theologie und Religionswissenschaft?

Von der Theologie her gesehen ergibt sich folgendes Bild: Seit der zweiten Hälfte des achtzehnten Jahrhunderts hat sich ein radikaler Wandel des Geschichtsverständnisses vollzogen. War bis dahin die Historie nichts anderes als die Chronologie der rein kontingenten, im offenbarten Heilsplan vorgezeichneten „Großen Taten Gottes" (Apg 2, 11) gewesen, so rückte nun das theologische Geschichtsbild in eine ganz neue Perspektive, welche die Kontinuität der Humangenese mehr und mehr in den Blick nahm. Damit verschoben sich die theologischen Sachverhalte und rückten in den Aspekt des rein Historischen, die Heilsgeschichte wandelte sich zur Profangeschichte. Welche dogmatischen Implikationen diese Verschiebungen mit sich bringen, das ist seither ein noch lange nicht erschöpftes Thema, ja vielleicht das Grundthema aller Theologie geblieben, insbesondere aber ihrer dogmatischen Disziplin; es sei in diesem Zusammenhang auf die Darstellung des systematischen Sachverhalts im entsprechenden Beitrag des zweiten Teils verwiesen.

Wie immer auch die theologische Antwort auf diese Frage im einzelnen lauten mag, daran kommt kein wissenschaftlicher Theologe mehr vorbei, daß das Christentum nun Religion unter Religionen geworden ist. Die Zeit, da man sich mit dem einfachen Schema „Vera religio — falsae religiones" begnügte und unter den letzteren im wesentlichen das „abgefallene" Israel und den „antichristlichen" Islam verstand, ist schon mit der Aufklärung zu Ende gegangen — man denke an Lessings Ringparabel. Mit zunehmender Kenntnis Indiens und des Fernen Ostens wurde die Welt der Religionen unerwartet weit; durch die Erschließung der religionsgeschichtlichen Quellen erwies sich diese Welt als unerwartet alt: „Fern im Osten wird es helle, / Graue Zeiten werden jung" (Novalis).

Große, bislang kaum bekannte Religionen, vor allem die ägyptische und die altmesopotamische, Jahrtausende älter die biblische! Und die biblische Religion mit tausend Fäden in die altorientalische Religionsgeschichte verwoben! Diese Erkenntnis hätte eigentlich der traditionellen Theologie einen Schock bereiten müssen, wie er stärker nicht gedacht werden kann, und das nicht erst in den Tagen des Babel-Bibel-Streits, sondern spätestens ein gutes Jahrhundert vorher. War der Schock etwa ausgeblieben?

Keineswegs, aber er wurde von Anfang an, wie aus einer Art von Selbstschutzinstinkt, in weiten Kreisen der Fachtheologie verdeckt, und, wo es irgend ging, verdrängt. Man sollte das nicht billig tadeln, so reagiert nun einmal die Seele, die individuelle wie die kollektive, auf schockartige Erlebnisse. Das wichtigste bei dieser Entwicklung ist jedoch, daß es von Anfang an an bedeutenden Theologen nicht gefehlt hat, die auf eine echte Verarbeitung der neuen Situation drängten und selbst die Wege dazu wiesen. Diese neue Wegsuche aber bedeutete nichts anderes, als daß die Theologie sich intensiv in das Gespräch mit der Religionswissenschaft einließ, ja selbst in eine Forschungsarbeit eintrat, welcher die Religionswissenschaft wiederum Erhebliches verdankt.

Aber weit mehr. Man hatte in diesen theologischen Richtungen erkannt, daß nur der Speer, der die Wunde schlug, zur Heilung dienen könne; war es doch, im tiefsten Grund, eine religionswissenschaftliche Entdeckung gewesen, welche diesen Schock verursachte! Die Theologie muß das intensive Gespräch mit der Religionswissenschaft einfach deshalb führen, weil ihre eigenste Sache nunmehr zugleich als eine Sache der Religionswissenschaft erkennbar geworden ist. Seither ist die Theologie, ohne daß sie damit ihr eigenstes Thema preisgeben dürfte, auf religionswissenschaftliche Arbeit angewiesen und wird es bleiben.

Von der Religionswissenschaft her gesehen ergibt sich folgendes Bild: Die Religionswissenschaft hat es, so scheint es zunächst, erheblich leichter. Sie war zwar ursprünglich durchaus nicht frei von weltanschaulichen, ja ideologischen oder gar theologischen Präokkupationen gewesen — man denke an den sogenannten deutschen Idealismus wie an die Romantik —, doch schien das in der zweiten Hälfte des neunzehnten Jahrhunderts als Kinderkrankheit abgetan: Religionswissenschaft galt nun weithin als empirische und also grundsätzlich wertfreie Forschungsrichtung.

Wertfreiheit und reine Empirie werden nun freilich dem Religionswissenschaftler immer als Ideale wenigstens in einem Teilbereich seines Forschens vorschweben, daran ändert sich grundsätzlich nichts. Es fragt sich jedoch, wieweit sich sein Gegenstand, die Religion, diesem Ideal gefügig zeigt und wieweit er sich ihm, und zwar aus in seinem Wesen liegenden Gründen, entzieht. Mit dieser Frage stößt die Religionswissenschaft zur Grundfrage ihres Forschens vor, zur „Basis", wie man heute, meist recht ungeschützt, zu sagen pflegt. Der Vorstoß dieser Frage trifft vor allem in die religionsphilosophische Problematik hinein, von der sich die Religionswissenschaft niemals völlig frei machen kann, und, zuletzt freilich, auch in die theologische.

Eine Definition der Religion, die der philosophischen Begriffsbestimmung einigermaßen genügen kann, muß aus einsichtigen Gründen immer formal bleiben. Religion ist auf jeden Fall ein Ganzheitsverhältnis, und über dem Begriff der Ganzheit gibt es nichts noch „Gänzeres", ein genus proximum fehlt also. Religion ist „ganzheitliche Beziehung zum Ganzen", mehr läßt sich definitorisch nicht sagen.[1] Der Religionswissenschaftler entkommt auf keinem Weg der Zwangslage, die ihm von seinem Gegenstand her auferlegt ist: er muß empirisch einen Gegenstand erforschen, der seinem Wesen nach sich der empirischen Erhellung doch nur zum Teil gefügig zeigt. Er hat es, man darf sogar sagen: per definitionem, mit einem Gegenstand zu tun, der sich einem wirklichen Verstehen nur zugänglich zeigt, wenn zugleich seine transzendentale Wirklichkeit berücksichtigt wird. Dieser Sachverhalt hat schließlich dazu geführt, daß sich in der Religionswissenschaft selbst das Bedürfnis nach einer Ergänzung der rein empirischen Forschung unabweisbar anmeldete. Dieser Augenblick war endgültig gekommen, als Edmund Husserl seine Lehre von der Wesensschau in und aus den Erscheinungen (Phänomenen) entfaltete. Dies wirkte in der Religionswissenschaft als Impuls zu einer ganzheitlichen Erfassung des Forschungsgegenstands. So ergiebig die ältere, rein empirisch vorgehende Religionsforschung auch gearbeitet hatte, gegenüber dem energischen Postulat der Phänomenologie machte sich nunmehr doch ein Mangel bemerkbar: Was nützen noch so viele Einzelerkenntnisse, wenn sie nicht zu einem vertieften Gesamtverständnis führen? Es war gerade umgekehrt als in der Aufbruchsphase der vergleichenden Religionswissen

---

[1] Ich verweise in diesem Zusammenhang auf meine diesbezüglichen Ausführungen in dem Buch ›Einführung in die Religionsphilosophie‹, Darmstadt 1970.

schaft: Strebte diese schon seit Max Müller von der Idee zu den Fakten, so begann man nun, die Fakten nach dem Gültigen zu befragen.

So entdeckte die Religionsphänomenologie, angeregt hierin besonders von Wilhelm Dilthey, den „Hermeneutischen Zirkel". Wie das gemeint ist und was das zu bedeuten hat, geht am deutlichsten aus einem Wort von Siegfried Morenz hervor, der sagt: „In der Arbeit wurde mir deutlich, daß man selbst erfahren haben muß, was Religion sei und daß Gott sei, wenn einem das Gott-Mensch-Verhältnis ferner Zeiten aus den Quellen sichtbar werden soll."[2] Der Religionswissenschaftler muß selbst Religion haben, anders bleibt sein Forschungsgegenstand ihm zutiefst fremd.

Damit kann natürlich auf keinen Fall dies gemeint sein, daß nun ein unwissenschaftliches Element in die Forschung eingeführt werden solle und sich dort unkontrolliert auswirken dürfe. Der Religionswissenschaftler wird auch seine eigene Religion wissenschaftlich erhellen, wenn er sie für seine Forschung in anderen religiösen Bereichen nutzbar zu machen versucht. Damit aber treibt er Theologie; und damit haben wir auch schon den eigentlichen Grund gefunden, der die Religionswissenschaft veranlaßt, ihrerseits das Gespräch mit der Theologie zu suchen.

Dies bedarf freilich noch einer bestimmten Erläuterung, und zwar im Hinblick auf die Frage, was Theologie eigentlich sei. Nicht jedes theologische Selbstverständnis eignet sich als Basis für das partnerschaftliche Gespräch mit der Religionswissenschaft. Es gibt bekanntlich eine schier unübersehbare Fülle von theologischen Selbstprädikationen; wir können es uns hier ersparen, uns in diese Auseinandersetzung einzulassen, und wir brauchen es auch nicht. Denn wie immer heute der Theologe den Standort und Sinn seiner Wissenschaft bestimmen mag, er wird jedenfalls nicht bestreiten können, daß auf sie, und sei es nur unter anderem, eine Definition zutrifft, die wir im Anschluß an Karl Girgensohn so formulieren können: Theologie ist die wissenschaftliche Selbstdarstellung der christlichen Religion.

Wir könnten sogar daran denken, das Adjektiv christlich in unserer Definition wegzulassen, um damit auszudrücken, daß wir von jeder Hochreligion in unserer Zeit die Entwicklung einer im Vollsinn wissenschaftlichen Theologie erwarten und erhoffen. Wir dürfen dahingestellt sein lassen, wie weit die Ansätze zur Entwicklung von wissenschaftlicher Selbstdarstellung in außerchristlichen Religionen heutzutage gediehen

[2] Siegfried Morenz, Ägyptische Religion, Stuttgart 1960, S. IX.

sind; wir können auch die Frage unerörtert lassen, ob sich ein Terminus wie Theologie für Religionen ohne einen zentralen Hochgottglauben eigne; es steht jedenfalls fest, daß die christliche Theologie wissenschaftliche Selbstdarstellung der Religion ist und daß sie als solche sowohl das Gespräch mit der Religionswissenschaft suchen muß als auch ihrerseits sich für dieses Gespräch bereithält.

Das Gespräch ist für beide Teile unerläßlich. Die Theologie könnte gar nicht sein, was sie sein soll, nämlich wissenschaftliche Selbstdarstellung der Religion, wenn sie nicht unablässig in lernbereitem Austausch mit der Religionswissenschaft stünde. Aber auch die Religionswissenschaft könnte nicht sein, was sie sein soll, wenn sie nicht auf die wissenschaftliche Selbstdarstellung mindestens der christlichen Religion hörte.

Neben dieser theoretischen Begründung für das religionswissenschaftlich-theologische Gespräch gibt es noch zahllose ganz praktische Anlässe, und die sind es nun vor allem gewesen, die das Gespräch trotz des Einflusses der dialektischen Theologie nie wirklich abreißen ließen, und sie werden auch künftig beide Wissenschaften immer wieder zueinander führen. Die Theologie forscht selbst, vor allem in den biblischen Disziplinen und in der Missionswissenschaft, religionsgeschichtlich, im Fach Sozialethik religionssoziologisch, in der Praktischen Theologie religionspsychologisch; daß in der Systematischen Theologie, von Ausnahmen abgesehen, noch ein Nachholbedarf besteht, besonders in der theologischen Verarbeitung religionswissenschaftlicher Erkenntnisse, wurde schon erwähnt. Die Religionswissenschaft erhält von der Theologie also bedeutende konkrete Beiträge auf ihrem eigensten Forschungsfeld; ja, die Theologie ist, so gesehen, mit ihren einschlägigen Disziplinen überhaupt selbst ein Teil der Religionswissenschaft. Andererseits zehrt die Theologie, wie ebenfalls schon erwähnt wurde, von der religionswissenschaftlichen Arbeit ganz unmittelbar; in erster Linie von deren Forschung in den Bereichen Antike Religion und Alter Orient, aber durchaus nicht nur: die ganze Breite der religionswissenschaftlichen Arbeit hat für die Theologie fundamentale Bedeutung erhalten; denn die Theologie hat schon seit geraumer Zeit erkannt, oder wo noch nicht, da muß und wird sie in absehbarer Zeit erkennen, daß, ohne jede falsche Vermischung, ihre eigenste Sache zugleich auch die der Religionswissenschaft ist. Beide wohnen nämlich im selben Haus.

Die Idee, die diesem Sammelwerk zugrunde lag, war: zum einen, die Absicht, die Gesprächslage in ihrem heutigen Stand einem breiteren interessierten Leserkreis zur Kenntnis zu bringen; zum andern, den Gang des Gesprächs unmittelbar fördern zu helfen. Gerade dies letztere dürfte in mancher Hinsicht gelungen sein. Der Leser wird finden, daß in einigen Beiträgen kontroverse Positionen vertreten werden, was zu weiterer Diskussion führen sollte.

Es war den Verfassern der Beiträge völlig überlassen, ob sie die Verbindung zwischen ihrem Fach und dem Partnerbereich wissenschaftstheoretisch darlegen, aus der Arbeitspraxis heraus schildern oder an Hand der konkreten Themen und Forschungsaufgaben selbst deutlich machen wollten. Nur so konnte jene Lebendigkeit des Ganzen erreicht werden, welche sich in künftigen Diskussionen auszuwirken vermag.

Daß an eine vielleicht aus manchen Gründen wünschenswerte Vollständigkeit hinsichtlich der Zahl der zu bearbeitenden Sachgebiete von vornherein nicht gedacht werden konnte, bedarf kaum einer Rechtfertigung; dies hätte den Rahmen des Möglichen gesprengt. Es kam für das gemeinsame Gespräch vor allem darauf an, kompetente Vertreter der wesentlichsten Sachgebiete zu Wort kommen zu lassen. Allerdings mußte, gegenüber der ursprünglichen Planung, doch leider die eine oder andere Lücke in Kauf genommen werden, da mißliche Umstände die rechtzeitige Fertigstellung von Beiträgen verhinderten; in Anbetracht der starken Inanspruchnahme aller Verfasser durch wissenschaftliche Terminplanungen darf jedoch dankbar festgestellt werden, daß die ja immer zu befürchtenden Ausfälle an Zahl nur gering waren.

In einem Fall jedoch habe ich die schmerzliche Aufgabe, um besonderes Verständnis zu bitten. Professor Dr. Siegfried Morenz, der mir als einer der ersten seine Bereitschaft erklärt und die Zusage gegeben hatte, den Beitrag über die ägyptische Religion zu verfassen, ist am 14. 1. 1970 verstorben. Er wird in der Fachwissenschaft und bei seinen Freunden unvergessen bleiben. In diesem Sonderfall glaubten nun Verlag und Herausgeber, um des abgerundeten Gesamtbilds willen auf einige schon veröffentlichte Ausführungen von Siegfried Morenz zurückgreifen zu sollen, in denen sich der Autor schon vor Jahren in eindrucksvoller Weise über das Verhältnis seines Fachs und seiner eigenen Forschung zu theologischen Grundfragen geäußert hat. Für die freundliche Genehmigung des Nachdrucks sei dem Lambert Schneider Verlag in Heidelberg besonders gedankt.

Zum Schluß dieser Einführung möchte ich allen Verfassern der Beiträge meinen herzlichen Dank aussprechen. Es war mir ein großer Gewinn für meine eigene wissenschaftliche Arbeit und zugleich eine persönliche Freude, mich mit ihnen austauschen und als erster ihre Beiträge lesen zu dürfen. Ich weiß, welches Opfer an Zeit und Arbeit sie gebracht haben, und ich möchte hoffen, daß das fertige Gesamtwerk, welches ich, trotz der erwähnten Lücken, als ein rundes Ganzes zu bezeichnen wage, ihnen die aufgewendete Mühe als lohnend erscheinen lasse. Einen besonderen Dank darf ich noch aussprechen meiner Assistentin Fräulein Sigrid Großmann und den cand. theol. et phil. Jürgen Albrecht, Gisela Meier, Walter Sammel und Gudrun Willer für ihre Hilfe bei der Durchsicht und Korrektur sowie bei der Erstellung des Registers.

A. RELIGIONSWISSENSCHAFT UND THEOLOGIE

Karl Oberhuber

SUMER

Das Unterfangen, die Religion der Sumerer darzustellen, steht vor einer zweifachen Schwierigkeit: einmal die geschichtliche Abgrenzung für die Periode vorzunehmen, in der die sumerische Sprache eine lebende Sprache war und somit die schriftlichen Quellen als lebendige Zeugen sumerischen Geistesgutes zu uns sprechen, zum zweiten die Abschätzung zu finden, inwieweit sumerische Religion in der Flut sumerisch-sprachigen Schrifttums aus jener Zeit enthalten ist, in der das Sumerische nur mehr Kult- und Literatursprache geworden war, vergleichbar dem Lateinischen in den nachklassischen Epochen der abendländischen Geschichte. Denn ebensowenig wie das Kirchenlatein somit als Quelle für irgendeine historische Epoche der Religion der klassischen Antike herangezogen werden kann, ebensowenig erscheint es uns statthaft, wenngleich es selbst von Fachleuten so gehandhabt wird, das „nachsumerische" Literaturgut der Keilschriftdokumentation bedenkenlos als Quelle für die sumerische Religion heranzuziehen und zu verwerten, es sei denn in jenen Fällen, in denen späte Niederschriften oder Abschriften alter Texte, einwandfrei beweisbar, vorliegen. Aber selbst in diesen Fällen ist größte Vorsicht geboten, da zweisprachige Texte (sumerisch mit akkadischer Interlinearversion) mehrfach zeigen, daß das Sumerische mißverstanden wurde.

Der ersten Schwierigkeit meinen wir in der nachfolgenden Darstellung durch Abgrenzung des zeitlichen Raumes von den Anfängen schriftlicher sumerischer Quellen (ca. 2600 v. Chr.) bis zum Ende des Sumerertums (ca. 2000 v. Chr.) zu begegnen, ein Zeitraum, in dem die Herrschaft der Dynastie von Akkad (ca. 2340—2150 v. Chr.) somit eingebettet erscheint. Die zweite Schwierigkeit glauben wir in der Weise lösen zu können, daß wir nachsumerische Quellen nur in dem Maße heranziehen, insoweit darin altes sumerisches Traditionsgut, soweit es uns noch transparent erscheint, sich fortsetzt und noch nicht im allgemeinen Verschmelzungsprozeß mit dem Gedankengut anderer kulturtragender Kräfte aufgegangen ist.

Am Beginn der sumerischen Schriftdokumentation sehen wir uns einem bedeutsamen religionsgeschichtlichen Phänomen gegenüber, das zugleich einen der interessantesten und faszinierendsten Prozesse in der Entwicklung von Religionen darstellt: die Quellen liefern untrügliche Zeugen für den Wandel kultischer Verehrung von Totems oder totemartiger Symbole als Manifestationen numinoser Macht (sum. *me*)[1] zum Kult von anthropomorph vorgestellten Gottheiten. Diesen Prozeß präzisiert B. Landsberger folgend: „Die Menschengestalt der Götter, die Ersetzung lokaler Numina durch kosmische und Naturgottheiten, und ihre Vereinigung zu einem geschlossenen Göttersystem bilden die markanteste Leistung der frühdynastischen Kultur und geben der sumerisch-babylonischen Kultur für alle Zeiten ihr Gepräge"[2], während in der der frühdynastischen Periode (~ 2700—~ 2600 v. Chr.) voraufgehenden sog. Dschemdet-Nasr-Zeit (~ 2800—~ 2700 v. Chr.) noch „totemartige Symbole"[3] verehrt wurden. B. Landsberger bezweifelt, daß es tragfähige Beweise „für anthropomorphen Polytheismus schon in den Perioden Uruk und Dschemdet-Nasr" gegeben habe und daß es möglich wäre, die Kultembleme dieser Epochen „als Symbole menschlich vorgestellter Götter" zu deuten.[4]

Mit dem Hervortreten der anthropomorphen Gottheiten wurde der numinose Machtbegriff *me* den einzelnen Gottheiten zugeordnet: „das *me* der einzelnen Götter ist nach ihren Funktionen differenziert, es strahlt in mystischer Weise von Göttern und Tempeln aus, wird als eine Substanz vorgestellt, durch Embleme symbolisiert, kann von einem Gott auf den andern übertragen werden . . . Der Tempel der Sumerer . . . zog durch das Fluidum des ihm anhaftenden *me* den Frommen magisch in seinen Bann."[5]

Die Struktur früher Personennamen zeigt instruktiv die Phasen dieses Prozesses:

1. Numen im Totem oder, allgemein ausgedrückt, Machtträger wirksam vorgestellt („numinoses Erlebnis" — „*Kratophanie*"[6]): Typus *me.si* „voll des Numens";

---

[1] K. Oberhuber, Der numinose Begriff ME im Sumerischen (1963).
[2] B. Landsberger, RFLHGA 3 (1945) 151.
[3] B. Landsberger, RFLHGA 3, 150.
[4] B. Landsberger, WdO 1 (1950) 366 Anm. 31 (auf S. 367) sub 4.
[5] B. Landsberger, RFLHGA 3, 154.
[6] M. Eliade, Die Religionen und das Heilige. Elemente der Religionsgeschichte (1954) S. 19—60.

2. Numen identifiziert mit dem Totem bzw. Machtträger („*Hierophanie*" [6]): Typus *me.nun* „Numen *nun*", *me.inin* „Numen *inin*", *me.nisaba* „Numen *nisaba*", *me.an* „Numen *an*", *me.abzu* „Numen *abzu*";

3. Anthropomorphem dem Totem bzw. Machtträger appropriiert („*Theophanie*" [6]): Typus *a-nunak-ene* „*progenies* (anthropomorphisiert) des *nun*(-Totem)".[7]

Die Tatsache, daß, wie gezeigt, erst in der frühdynastischen Periode der Anthropomorphisierungsprozeß sich abspielte, lehrt gleichzeitig, daß die vor dieser Periode im Bereich des Vorderen Orients gefundenen Frauenfigurinen nicht nach weitverbreiteter Meinung als 'Muttergöttinfigurinen' aufgefaßt werden können, sondern nur als Machtkonzentrationen oder Machthalter, die in kritischen Phasen des landwirtschaftlichen Zyklus (Interregnum zwischen Ernte und Aussaat) Objekte besonderer kultischer Observanz gewesen sind, wofür ihre massenweise kunstlose Fabrikation und die Fundlage (in Wohngebieten, nicht in Tempeln) beredtes Zeugnis geben.[8]

Totemartige Symbole für Gottheiten begegnen uns selbst noch am Ende der sumerischen Epoche (ca. 2000 v. Chr.) in der Bauhymne des Gudea von Lagaš: das Emblem *urim* des Gottes Ninĝirsu, das Emblem *saĝ.alima* des Sonnengottes Utu sowie die Totems *(šurin)* der drei Clans von Girsu, die Gudea für den Bau des Tempels Eninnu aufbietet (Cyl. A 14, 7—27):

das *šurin* des Clans Ninĝirsus, namens *lugal.kur.dúb* „König, der das *kur* erzittern macht",

das *šurin* des Clans der Göttin Nãži, namens *u₅.kù* „heiliger Steven"(?) und das *šurin* des Clans der Göttin Inin, namens *aš.me* „Scheibe".[9]

Die ersten schriftlichen Zeugen für Totemsymbole *(šurin)* finden sich bei Eanatum von Lagaš (ca. 2470—2440 v. Chr.), wo mehrmals nach militä-

---

[7] Der Einwand, der gegen diese Auffassung vorgebracht wurde („ME im Sumerischen wird niemals Gott: es gehört und es hat immer in die Sachklasse gehört", J. van Dijk, OLZ 1967, 243), ist mit dem Hinweis auf eine frappante Entwicklung in der Bezeichnung für „Gott" im Bereich des Germanischen zu entkräften: germ. *guda* (Neutrum!) * „das Angerufene", got. *guþ* (Maskulinum!) „Gott" (die ursprüngliche neutrische Form noch im Plural *guda* erhalten), altisl. *god, gud* (Neutrum) „heidnischer Gott", *gud* (Maskulinum) „(christlicher) Gott" (J. Pokorny, Indogermanisches etymologisches Wörterbuch 413).

[8] K. Oberhuber, FuF 38 (1964) 52—56.

[9] B. Landsberger, WZKM 57 (1961) 17[64]; 12 (sub A).

rischen Siegen über Gegner vom Aufrichten des Totemsymbols durch den Stadtfürsten als Zeichen der geistigen, dynamistischen, nicht direkten, mechanistischen Besitzergreifung[10] durch die Gottheit berichtet wird.

Das Totemsymbol, ob als Standarte (wie z. B. bei Gudea) oder als Pfahl (vgl. etwa die in frühen Siegelbildern häufige Darstellung des Schilfringbündeltotems bei Heiligtümern der Göttin Inin), ist das sichtbare machthaltige Zeichen, durch das ein Numen einen Ort und damit auch seine Bewohner als machteigen kennzeichnet.

Die sumerische Polis hat, eine jede für sich, ihren eigenen lokalen Kult für ihre nach Namen und Emblemen unterschiedenen lokalen Gottheiten[11], über denen wenige „große Götter" die Funktionen der Weltregierung ausüben. Die Lokalkulte werden erst nach der Reichseinung unter der ersten babylonischen Dynastie (Hammurabi 1792—1750 v. Chr.) zugunsten einer straffen Hierarchie des Pantheons zurückgedrängt, innerhalb welcher die alten Lokalgottheiten dem Kreise der großen Gottheiten untergeordnet werden.

Zwei Göttertriaden bilden die große Götterwelt: der Himmel(sgott) *An(u)*, der Götterkönig und Weltenherr und Lenker aller Geschicke *Enlil* (sumerisiert aus *Ellil*) und der Gott des Wasserreichs, der Schöpfung, der Weisheit und der Beschwörung(skunst) *Ea* oder *Enki*, die erste Göttertrias. Ihr gesellt sich als vierte Gottheit die Muttergottheit *Ninḫursaĝ* hinzu. Die zweite, „kleine" Trias bilden: *Nanna* oder *Sîn* (Mondgott, Gott der Omina), *Utu* oder *Šamaš* (Sonnengott, Gott des Rechts und der Orakel) sowie *Inin* oder *Ištar* (von Haus aus Tochter des *An*, sekundär Tochter des Mondgottes *Nanna*) (Venussterngöttin mit den Ressorts Geschlechtsleben und Krieg), deren unglücklicher Geliebter und Gatte *Dumuzi* — *Tamuz* (Hirten- und Vegetationsgott) ist. In nähere Verwandtschaft zur Sonnengottheit rückt der Wettergott *Iškur* oder *Adad* oder *Wēr* sowie der Gott des Krieges, der (seuchenhaften) Krankheit und Herr der Unterwelt *Nergal* oder *Era*.[12]

Da das anthropomorphe Pantheon dem Ordnungsprinzip der Genealogie und Filiation unterworfen war, wurde so gut wie jeder großen Gottheit ihr andersgeschlechtlicher Partner zugewiesen: dem *An(u)* trat *Antu*

---

[10] B. Landsberger, RFLHGA 3, 154.

[11] B. Landsberger bei Lehmann-Haas, Textbuch zur Religionsgeschichte (1922) S. 277.

[12] B. Landsberger, op. cit. 278; RFLHGA 3, 151.

als Gemahlin zur Seite, zu *Enlil* wurde *Ninlil* gestellt, deren Sohn *Ninurta* war, selbst Repräsentant des jugendlich-heldenhaft-kämpferischen Göttertyps; *Enkis* Gemahlin hieß *Damkina*, Stammelternpaar des *Marduk*, der als oberster Gott und Weltenschöpfer nachmals (erste babylonische Dynastie) die Rolle *Ellils* übernimmt und als *Enkis* Sohn Gott der Beschwörungskunst wird. Sein und seiner Gemahlin *Ṣarpānītu* (urspr. Lokalgottheit einer Stadt *Ṣarpan*) Sproß ist *Nabû*, der zu einem Gott der Schicksalsbestimmung und der Schriftweisheit wird. Als seine Gemahlin zieht *Tašmētu* in die Götterwelt ein. Als *Nergals* Gemahlin erscheint *Ereškigal* („Herrin der Unterwelt") oder *Māmīt* (Hypostase: der personifizierte Eidschwur). *Nannas* Gemahlin heißt *Ningal*, ihr Sohn *Nusku*, dessen Bereich das Feuer ist (auch als *Gibil* hypostasiert). Des Sonnengottes Braut ist *Aja*.

Die Lokalgötter z. B. der Polis Lagaš, aus der die meisten Texte für die eigentliche sumerische Epoche stammen, werden zu den aufgeführten großen Gottheiten in typologische Beziehung gesetzt: so wird die Göttin *Nāži* zur Tochter *Enkis*, *Ninĝirsu* („Herr von Girsu") (kein echter Name, sondern Appellativ), Hauptgott des Pantheons von Lagaš, nach alter Tradition Sohn *Enkis*, wird nachträglich mit *Ninurta* in eins gesetzt und somit zum Sohn *Ellils*. Sehr alte weibliche Gottheiten (Muttertypen) im Pantheon von Lagaš sind z. B. *Bawu* und *Gatumdug*, die wohl chthonisch aufzufassen sind. Die großen Götter sind sozusagen „Götterpersönlichkeiten", die eine jede je ein großes Kultzentrum haben (der Sonnengott hat sowohl im Norden als auch im Süden Babyloniens ein Kultzentrum), während die kleinen lokalen Gottheiten Göttertypen oder „Typengötter" darstellen („jugendlicher Held", „Wesir", „Vegetationsgott"), die ursprünglich unter verschiedenen Namen in den einzelnen Kultstädten verehrt werden, ehe sie miteinander kontaminiert wurden.[13] Bei der Kontaminierung bzw. Synkretisierung halfen Mythen mit, so z. B. bei der Ineinssetzung der *Ninḫursaĝ* mit *Ninlil*, die als Herrin über die von *Ninurta* bezwungenen Steine den Namen *Ninḫursaĝ* „Herrin des Gebirges" erhält.

Die einzelnen Ressorts, die in der vorstehenden Aufzählung der Götter genannt wurden — Kosmisches, Atmosphärisches, Elementares, Schöpfung, Beschwörung, Omenkunde, Orakel, Recht, Weisheit, Kampf und Krieg, Vegetation, Geschlechtsleben, Krankheit, Unterwelt, Schicksalsbestim-

---

[13] B. Landsberger, RFLHGA 3, 151.

mung, Schriftweisheit —, umfassen bereits die Hauptbereiche der menschlichen Existenz und Umwelt, insoweit sie gestaltend und verändernd in das Dasein des Menschen eingreifen. Es ist die Wirkungsweise einer anthropomorphen Götterwelt, in der die einzelnen Götter als Ressortverwalter fungieren, womit der anthropomorphistische Polytheismus die Endstufe seiner Entwicklung erreicht hat, in der gleichzeitig der Keim zu seinem Untergang liegt. Wir haben es hier primär mit dem Phänomen der „Naturvergötterung" zu tun, worin „unnahbare Mächte in menschengestaltige höhere Wesen verwandelt" werden, und sekundär mit dem Phänomen der „Kulturvergötterung"[14], worin Elemente der materiellen Kultur zu Spezialgöttern werden und die Götter in göttliche Förderer menschlicher Kultur umgedeutet werden, wie F. R. Kraus ausgeführt hat. Hierunter fallen die Hypostasierungen, z. B. „Macht im Getreide *(nisaba)*" personifiziert „Göttin Nisaba".

Für die Bezeichnung des numinosen Erlebnisses als des Erlebens des *tremendum* hat das Sumerische eine sehr subtile, das kreaturhafte Empfinden präzise treffende Bezeichnung gefunden: *su.zi*, eig.* „das Sich-sträuben der Körperhaare"[15], „Erschauern, Schauer".

Das Verhältnis des Stadtfürsten zu den Gottheiten entspricht seiner Stellung als Verwalter der Polis im Namen des Stadtgottes, als „oberster Sachwalter der Götter"[16] und *(t)e(n)si* („Stadtfürst")[17]. So ist z. B. die Göttin Bawu, die „Liebe Frau", der Schutz und Schirm, unter den sich der Stadtfürst Urukagina stellt, sie nimmt seine Gebete huldvoll auf, ihre Liebe zu Urukagina ist ohne Grenzen, sie ist es, die Urukagina als (jungfräuliche) Mutter zum Hirtentum (= Herrschertum) geboren hat, sie ist die Braut von Eridu und geht Urukagina voran, sie ist seine Fürbitterin, sie ist seine Mutter.[18] Bawu, eine Gottheit mit stark betontem Mutteraspekt, wird nachmals zur Gemahlin des Ninĝirsu, des Hauptgottes der Polis Lagaš; von Haus aus ist sie „jungfräuliche Mutter"[19]. Außerdem sind Rechtsprechung und Schicksalsentscheidung Komponenten ihres Gottheitscharakters[20].

---

[14] F. R. Kraus, JNES 19, 118—120.

[15] CAD 21, 158 b; TCS 3, 58.

[16] OBI 2, 87 I 34—35; vgl. CAD 1/1, 35 a.

[17] CAD 7, 266 b.

[18] CIRPL N 2; Ukg. 61; 53; 54; 56; 51; 52; 46; 42.

[19] TCS 3, 106 zu 269.

[20] A. Falkenstein, AnOr 30, 63—67.

Mehr oder weniger durchgehend, geradezu toposhaft, kehrt in den Inschriften der Stadtfürsten der sumerischen Polis (Lagaš, Ur) die Aufzählung der Vorzüge des Herrschers als Gabe von Gottheiten wieder: Ellil, der Weltenkönig und Götterherr, sowie Ninĝirsu, Fürst der Exorzisten, und Nāži, die Weltenherrin, statten den Stadtfürsten mit Macht und Zepter aus und verleihen ihm das Königtum; Ellil, die Weltenherrin Inin, Ninĝirsu, Utu geben ihm einen (guten) Namen; der Herrscher ist von der Gottheit (Nāži, Ellil, Ninĝirsu) auserkoren, aus „36 000" Menschen hat ihn Ninĝirsu ausgewählt; es ist ihm das „Wort" der Gottheit (Ninĝirsu) enthüllt worden; er ist ein Mann nach dem Herzen Ellils; er ist 'Verwalter' des (Wegepatrons) Ḫendursaĝ; er ist vor allem von Enki, dem Herrn des mythischen Süßwasserozeans *Abzu*, dem Herrn von Eridu, mit Weisheit ausgestattet; er ist der Versorger der Inin.[21]

Ein charakteristisches Motiv in diesen frühen Königsinschriften, das in der Titulatur der altmesopotamischen Könige fortlebt, ist der Anspruch des Herrschers auf die Gotteskindschaft: der Herrscher bezeichnet sich als leiblichen Sohn der Gatumdug, der Alten Frau von Lagaš;[22] Gudea sagt von sich: „eine Mutter habe ich nicht — meine Mutter bist du (Gatumdug), einen Vater habe ich nicht — mein Vater bist du (Gatumdug)."[23] Der Herrscher bezeichnet sich als Sohn Ninĝirsus oder der Nisaba, er ist mit der Muttermilch der Göttin Ninḫursaĝ genährt, Ninḫursaĝ hat ihn auf ihre heiligen Knie gesetzt (zum Zeichen der Kindesadoption).[24]

Eine zentrale Vorstellung in der sumerischen Religiosität ist die von einem „persönlichen" Gott, den jeder Mensch als Schutzgott in sich hat. Der Mensch hat daher sein Leben so einzurichten, daß ein harmonisches Verhältnis zwischen ihm und seinem persönlichen Gott besteht, damit dieser sich nicht erzürnt von ihm abwende.[25] Nur im Zustande der Harmonie mit seinem persönlichen Gott ist es dem Menschen überhaupt möglich, sich an die Gottheiten des Pantheons zu wenden, um Hilfe in den Nöten des Lebens zu erbitten; er ist sozusagen der Fürbitter des Menschen vor den Göttern. Es ist unschwer, in dieser Vorstellung vom „persön-

---

[21] passim in CIRPL; OBI 2, 86; 87; 89; 90; 93; Gudea, Cyl. A XVII 11.
[22] Gudea, Cyl. A XVII 13—14.
[23] Gudea, Cyl. A III 6—7.
[24] passim in CIRPL (Ean., Ent.) und OBI 2 (Lugalzagesi).
[25] B. Landsberger in Lehmann-Haas, Textbuch zur Religionsgeschichte 278; E. I. Gordon, Sumerian Proverbs 307.

lichen" Gott eine elementare Art von Religiosität zu erkennen, die älter ist als die Religiosität, die sich auf die offiziellen Gottheiten des Pantheons bezieht. Ist diese die Art der Religiosität der offiziellen Keilschriftliteratur (des „Kanons"), so ist der Bereich jener urtümlichen und echten Volksreligiosität die „private" Literatur (wie z. B. Brief- und Weisheitsliteratur), etwa im Sprichwort: „Ein unordentliches Kind — seine Mutter sollte es nie geboren haben, sein (persönlicher) Gott sollte es nie geschaffen haben." [26] Der „persönliche" Gott, der auch eine der inferioren Gottheiten sein kann, wie z. B. der „Hausgott" Šul.utul der alten Herrscher der Polis Lagaš, ist es nach sumerischer Ansicht also auch, der den Menschen im Mutterschoß geschaffen hat.

Nicht bei allen anthropomorphen Gottheiten sind wir in der Lage, das ihnen zugrundeliegende Numen zu erkennen. Um so wichtiger wird daher für die Religionsgeschichte die Erforschung jener Gottheiten sein, bei denen die Rückführung zum ursprünglichen Numen möglich ist.

Die große Gottheit des Alten Mesopotamien, die in ihrer Herkunft faßbar erscheint, ist der mit verschiedenen Funktionen und Ressorts ausgestattete Gott *Ea* (oder *'A'a*), sumerisch *Enki* (<*en* (Anthropomorphisierungsfaktor) + *kin* „Herr *kin*") (nachmals als *en.ki[k]* „Herr der Erde" aufgefaßt), der Gott der Magie und Weisheit, aber auch der alte Schöpfergott und damit Gott der Schicksalsbestimmung. Seine Gattin ist *dam.kina* („Gemahlin des *kin*") oder *dam.gal.nuna* („'Groß'gemahlin des *nun*"). Seine Kultstätte war, wie die Schreibung des Ortsnamens Eridu *(nun.ki)* eindeutig zeigt, Sitz eines uralten Baumkults mit Verehrung eines Stangentotems *nun*, dargestellt als stilisierter (Baum)stamm. Der *nun(-Totem)*-Kult von Eridu darf ein hohes Alter für sich in Anspruch nehmen, da nach dem Ausgrabungsbefund Eridu die längste ununterbrochene Kulttradition (bis ins 5. Jahrtausend v. Chr. zurück) aufweist; er war somit von beherrschender Geltung. So hieß denn auch die Götterwelt kraft dieses Primates des *nun*-Kultes in Eridu *a.nuna* „*nun(-Totem)*-Generation" oder „*progenies* des *nun(-Totems)*", mit der die *an(-Totem)*-Theologie mit Hauptgöttin Inin der Polis Uruk in Konkurrenz geriet. Dieser Prozeß fand seinen literarischen Niederschlag in der sumerischen Mythe „Inin und Enki" [27]. Von einem heiligen Baum(*kin*) in Eridu erzählt eine Kultlegende: „Ein dunkler *kin*-Baum wuchs in Eridu, an dieser heiligen Stätte

---

[26] E. I. Gordon, Sumerian Proverbs 1. 157 und S. 307.

[27] S. N. Kramer, PAPS 85, 322: 12; SM 64—68; The Sumerians 160—162.

ward er erschaffen, sein Glanz war wie der von grünem Lapislazuli, über den *Abzu* hingebreitet" [28]. „Die *a.nuna*, die 'großen' Götter, haben in deiner (Enkis) Mitte (ihren) Wohnsitz aufgeschlagen" [29].

Als Mutter Enkis erscheint *Namu*, die Personifikation des Urozeans; sie ist die „Urmutter von Himmel und Erde" [30] und die Stammutter aller Götter [31].

Abzu („Rand [der Welt]", „Süßwasserabgrund") war der Name des Grundwasserozeans, der, in der Mythe personifiziert, von Enki bezwungen wird. Als Triumphator über seine Feinde fungiert Enki bei der Erschaffung des Universums: über dem *Abzu* errichtet er seine Kulthütte. Der Aspekt Enkis als Bezwinger der Feinde und siegreicher Triumphator überrascht; er fügt sich nicht recht in den Aspekt des menschenfreundlichen, gütigen und weisen Gottes ein, der z. B. nach der verheerenden Flut wegen der gewalttätigen und unüberlegten Vernichtung der Menschen schwere Anklage gegen den Gott Ellil erhebt.

Ein uralter Text, der tief in der Magie wurzelt, weitgehend unverständlich, spricht vom „heiligen Rohr": „Das heilige Schilfrohr ... das Laubwerk des Schilfbaums ... der Stamm (des Schilfbaums) ... Stätte des *nun*(-Totems) ... das *inin* (genannte) Schilfrohr(bündel) ... dein (des Schilfbaums) Stamm ist eins mit Enki" [32], worin die Ineinssetzung des Schilf(rohr)baums mit Enki in Hinblick auf den uralten Baumkult von Eridu von besonderer Wichtigkeit ist.

In einem anderen magischen Text [33] begegnet gleichfalls der Baumkult — in diesem Falle ist der Baum eine Tamariske —, worin das Bild des „Himmelsbaums" an schamanistische Vorstellungen (Weltenbaum) gemahnt: „Tamariske des Schilfröhrichts, Himmelsbaum, an reiner Stätte gewachsen, an deinem Stamm bist du eine Zeder, an deinem Laubwerk ein ... -duftbaum." [34]

Als Meister der Beschwörung fungiert Enki im *enuru* genannten Haus, dessen Name irgendwie mit Exorzismus zu tun hat.

---

[28] CT 16, 46: 183—186.
[29] EWO 200—201.
[30] TRS 10: 36—37.
[31] SEM 116 I 16.
[32] SAK 6 h.
[33] PBS 1/2, 123, dazu vgl. Th. Jacobsen, JNES 2, 118.
[34] B. Landsberger, WZKM 57, 18/19 Anm. 66.

Die Zuweisung der drei Ressorts Schöpfung, Magie und Weisheit an die Gottheit Enki bedingt den Primat seines Ranges und seine Priorität. Eine umfangreiche Dichtung aus nachsumerischer Zeit[35], die auf altererbtem Traditionsgut ruht, schildert die souveräne Stellung Enkis bei der Erschaffung des Kosmos: „Herr des *Abzu* (Z. 1), Schicksalbestimmer (2), großer *nun*, Herr des Wohlstands, Herr der Weisheit (41)"; sein Lieblingsaufenthalt sind die Marschen (Zeilen 107 f.).

Als rettender Gott ist Enki allein in der Lage, die in die Unterwelt dahingegangene Inin, die leblos an einem Pfahl hängt, mittels seines Lebenswassers und seiner Lebensspeise am dritten Tage wieder zum Leben erwecken zu lassen (Mythe von Inins Gang in die Unterwelt).[36]

Enki hat das Menschengeschlecht aus Lehm über dem *Abzu* geformt[37], andernorts erschafft Enki Wesen aus dem Schwarzen unter seinem Fingernagel[38].

Sehr instruktiv ist der folgende Abschnitt aus der schon erwähnten Dichtung ›Enki und die Weltordnung‹: „Mein (Enkis) Vater, der König von 'Himmel und Erde', ließ mich in 'Himmel und Erde' manifest werden, mein Ahnherr, der König aller *kur*(-Heiligtümer), hat alle Numina konzentriert und mir eingehändigt; aus dem Ekur, dem Hause Ellils, habe ich die Kunstfertigkeit zu meinem *Abzu* in Eridu gebracht. Ich bin die gute *progenies,* vom 'großen Wildochsen' gezeugt, der erstgeborene Sohn des 'Himmels'."[39]

Ein neuer Aspekt des Gottes Enki ergibt sich aus einer erst jüngst von S. N. Kramer verständlich gemachten Stelle des Epos ›Enmerkar und der Herr von Aratta‹[40], worin Enki als Akteur bei der Sprachverwirrung fungiert. Nach Kramer war das Motiv Eifersucht und Rivalität mit Ellil, dessen Kosmos einmütig und harmonisch war:

Einstmals gab es keine Schlange, keinen Skorpion,
keine Hyäne, keinen Löwen,

[35] I. Bernhardt-S. N. Kramer, WZJ 9, 231—256; A. Falkenstein, ZA 56, 44—113.

[36] S. N. Kramer, PAPS 85, 300 f. und 310 f.

[37] S. N. Kramer, SM 68—72; The Sumerians, 149—151.

[38] S. N. Kramer, PAPS 85, 300 und 310; 219—220; SM 94.

[39] EWO 61—67.

[40] Enmerkar and the Lord of Aratta, Z. 136 ff.; Or NS 39, 103—110.

keinen Wildhund, keinen Wolf,
gab es nicht Angst, nicht Schrecken,
der Mensch hatte keinen Rivalen.
Damals haben die Länder Šubur, Ḫamazi,
das einmütig sprechende Sumer, das große Land der numinosen Macht
    des *nun*(-Totem)-tums,
Uri, das angestammte Land,
das Land Martu, in Ruhe daliegend,
das gesamte Universum, die Menschen einmütig
Ellil in einer Sprache lobgepriesen.
Da hat der *a.da*('gegen'(?))-*en*, der *a.da-nun*, der *a.da-lugal*,
Enki, der *a.da*-Herr, der *a.da*-Fürst, der *a.da*-König,
der *a.da*-Herr, der *a.da*-Fürst, der *a.da*-König,
Enki, der Herr des Wohlstands, dessen Weisungen zuverlässig sind,
der Herr der Weisheit, der das Land versteht,
der Anführer der Götter,
begabt mit Weisheit, der Herr von Eridu,
die Rede in ihrem Mund verdreht, hat Streit hineingelegt
in die Rede der Menschen, die (bisher) eine einzige war.[41]

Das rivalisierende Moment hat Enki nicht bloß mit Ellil, sondern auch mit Inin von Uruk gemeinsam, wie ich schon oben angedeutet habe. Die nachträgliche Deutung des Namens Enki als „Herr (der) Erde" ist sinnvoll und naheliegend erst durch die Gegenüberstellung zu kosmisch-astralen Gottheiten, wie sie mit *an* „Himmel(gott)" (wozu, wenn *an* wirklich von Haus aus „Himmelsgott" bedeutet hätte, im semitischen Akkadisch die entsprechende semitische Bezeichnung gewählt worden wäre und nicht die Bezeichnung *anu*), *en.líl* „Herr Luft(hauch)" und Ištar „(Morgen/Abend)-stern", gleichfalls sekundär — der ältere Name *ešdar* gehört nicht dem astralen Bereich an — sich anboten. Es gibt Anzeichen dafür, daß primär keiner der aufgeführten Namen der Gottheiten kosmisch-astral war: für Ellil lassen sich Spuren für Herkunft aus einem alten Steinkult geltend machen, wie die Bezeichnung seines Hauptheiligtums in Nippur *ekur* noch erkennen läßt („Haus des (heiligen) Steinberges")[42]; *an* ist ursprünglich

[41] S. N. Kramer, Or NS 39, 108 f.
[42] Vgl. die Untersuchung von H. Piesl, Vom Präanthropomorphismus zum Anthropomorphismus (1969).

die Bezeichnung eines architekturalen Elements der Schilfbauarchitektur, vergleichbar in der Steinbauarchitektur mit dem „Schlußstein"[43], wie die sonst unverständliche Bezeichnung des Hauptheiligtums der Inin in Uruk *eana* („Haus des *an*") zeigt; der Name Inin selbst weist auf eine ursprünglich chthonische Gottheit, da dem Namen die Bezeichnung eines architekturalen Elements der Schilfbauarchitektur („Schilfringbündel") zugrunde liegt;[44] der Name der Göttin wurde zu Recht als *nin.ana* „Herrin des *an*" verstanden, zu Unrecht aber als „Herrin des Himmels" = „Himmelskönigin" gedeutet, was der Identifizierung mit der Sternengöttin Ištar entgegenkam.[45]

Inin steht einem Baumkult sehr nahe, wenn sie nicht überhaupt aus einem solchen hervorgegangen ist. Altes Mythengut bringt sie unmittelbar mit einem Baum zusammen, den sie liebevoll aufzieht, der ihr aber durch Dämonen, die sich darin einnisten, verlorenzugehen droht, bis der Heros Gilgameš rettend eingreift,[46] der zum Lohn für die Dämonenaustreibung von Inin die Gunst erhält, sich aus dem Holz des Baumes zwei Gegenstände (nach B. Landsberger[47] Reifen und Stecken als Spielzeug, nach J. Makkay[48] Trommel und Schlegel, das Instrumentarium des Schamanen) anfertigen zu lassen. Irnini, eine andere Erscheinungsform der Inin im Gilgameš-Epos (Tafel 5 I 6), hat ihrem Namen nach, **eren-inin, ** „Zeder-Inin", mit der heiligen Zeder *eren* zu tun, deren Fällung durch Engidu das schwerste Sakrileg darstellt.

In der Person der Inin vereinigen sich zwei zunächst unvereinbar scheinende Aspekte: Geschlechtsleben und Liebe auf der einen und Kampf auf der anderen Seite. Zwar ist gegenüber einer einseitigen Zuweisung des Fruchtbarkeitsaspekts an Inin Vorsicht geboten,[49] aber die längst geäußerte Ansicht, daß der Fruchtbarkeitsaspekt, die sexuelle Komponente, im Religiösen in der Welt der Ackerbaukultur ihre Wurzel habe, behält ihre Gültigkeit; demgegenüber ist das Kriterium der Nomadenkultur der Aspekt des Kampfes, aus dem das Neue, der Kosmos durch den siegreichen

---

[43] Vgl. K. Oberhuber, Die Keilschrift 151 f.

[44] Ebd. 153.

[45] Vgl. auch I. Bernhardt-S. N. Kramer, WZJ 9, 252[11].

[46] S. N. Kramer, Gilgamesh and the *ḫuluppu*-tree (1938).

[47] WZKM 56, 124—126.

[48] Alba Regia 6—7, 29 ff.

[49] B. Landsberger, WdO 1, 366[31]: „sind nicht fast alle sumerisch-babylonischen Götter 'gods of fertility'?"

Helden im Kampf zwischen Licht und Dunkel aus dem Blute des erschlagenen Gegners geschaffen wird.[50]

Zwei Momente der Inin-Mythologie stellen in der gesamten Göttermythologie und -vorstellung, nicht bloß des altmesopotamischen Raumes, religionswissenschaftliche Unica dar. Das eine wurde bereits oben bei Erwähnung der Mythe von „Inins Gang in die Unterwelt" aufgezeigt: das Sterben und Wiederauferstehen der Göttin Inin, nachdem sie drei Tage am Pfahl gehangen, dank Besprengung mit Lebenswasser und Lebensspeise, die Enki bereitstellte:

> die kranke Frau ward zu einem Leichnam,
> der Leichnam hing an einem Pfahl . . .
> nach drei Tagen und drei Nächten . . .
> sechzigmal mit Lebensspeise, sechzigmal mit Lebenswasser
> besprengten sie (den Leichnam) und Inin stand auf.[51]

Das zweite singuläre Phänomen ist die Defloration einer Göttin durch einen Menschen: die diesbezügliche Mythe erzählt von einem Gärtner. Dieser entdeckte eines Tages in der Nähe seines Gartens die von ihrer Wanderung ermüdete Inin in erquickendem Schlaf. Er wohnt ihr bei. Nach ihrem Erwachen des Geschehenen innegeworden, schickt sie drei schreckliche Plagen über das Land.[52] Das bisher ungeklärte, einzig dastehende Geschehen erinnert in seiner Voraussetzung an den gleichfalls noch unklaren Anfang eines Epos: „Als die Götter (noch) (unter den) Mensch(en) waren."[53]

Mythen sind Ätiologeme, die demnach ihren Ausgangspunkt, ihr auslösendes Moment im Endergebnis sehen, deren Verständnis also aus der Analyse vom Ende her zu gewinnen ist. Somit ist in dieser Mythe von der Schilderung der Plage der blutführenden Flüsse auszugehen. Blutrot fließende Flüsse und Wasserläufe sind ein Naturphänomen des Iraq, wenn zur Flutzeit die Ströme vom mitgeführten rötlichen Schlamm rote bis dunkelrote Färbung zeigen. In der Phantasie des Nichtautochthonen erscheint dieses ihm unerklärliche beängstigende Phänomen der Natur als

---

[50] Vgl. M. de Ferdinandy, Die Mythologie der Ungarn, in: Wörterbuch der Mythologie 255.

[51] S. N. Kramer, PAPS 85, 299: 167 f.; 169; 301: 271 f.

[52] S. N. Kramer, FTS 66—70; ArOr 17/1, 399—405.

[53] CT 46, 1: 1, dazu W. v. Soden, Or NS 39, 311 ff.

Blutfluß, den er sich nur als Strafe der Götter für ein Vergehen der Menschen deuten kann. Es ist bezeichnend, daß in der anthropomorphistischen Mythisierung als Ursache ein sexuelles Vergehen gesetzt wird, hier an der Göttin Inin begangen, die somit, und das ist eine wichtige Information aus dieser Mythe, als chthonische Gottheit gewertet wird, deren Körper in einer kühnen Vision mit den grünenden Gartenauen beidseits des Flusses verglichen wird,[54] der nun infolge des sexuellen Sakrilegs der Defloration der Göttin „wegen ihrer (d. i. der Göttin) *pudenda*" [55] Blut führt.

In noch anderer Weise ist es mit der Göttin Inin eigens bestellt. Wir haben oben als ihren unglücklichen Geliebten und Gemahl Dumuzi-Tamuz genannt und ihn (B. Landsberger folgend) als Hirten- und Vegetationsgott bezeichnet; dagegen hat A. Falkenstein zu zeigen versucht, daß Dumuzi ein Mensch gewesen sei und daß erst im späteren Tamuz-Bild zwei ursprünglich zu trennende Gestalten aufgegangen seien.[56] Es hält schwer, in dem eigenartig spannungsgeladenen Verhältnis zwischen Inin und Dumuzi auf anthropomorphistischer Ebene Göttin und Mensch als Akteure zu sehen. Sicher bleibt nur, daß hierbei Inin die führende Rolle spielt und das Geschehen bestimmt. Denn in jenem Mythos, in dem die seltsame Spannung zwischen beiden am offenkundigsten wird, in „Inins Gang in die Unterwelt", ist es gerade Inin, die über ihren Gemahl das Todesurteil spricht und ihn den Dämonen preisgibt, damit er als Ersatzperson an ihrer Statt in die Unterwelt gebracht werde, damit sie freikomme. In dieser Not richtet Dumuzi sein ganzes Vertrauen auf Rettung vor dem unausweichlich Drohenden auf den Sonnengott Utu:

> Utu, du bist der Bruder meiner Gattin, der Gemahl deiner Schwester
> bin ich . . .

---

[54] Vgl.: „wenn das junge Mädchen sitzt, ist es ein blühender Garten von Apfelbäumen" (Liebeszauber, A. Falkenstein, ZA 56, 116: 7); „wenn sie (Bawu) . . . sitzt, ist sie . . . ein schöner Garten, der reiche Früchte trägt" (Gudea, Cyl. B V 14—15, A. Falkenstein, ZA 56, 122); vgl. ferner Hhld. 4, 12; „ein Garten, der verschlossen, ist meine Schwester Braut, ein Born, verschlossen; ein Quell, versiegelt" und ebd. 15 f.: „Ein Brunnen mit lebendigem Wasser und Bäche, die vom Libanon herniederrieseln, sind meine Gartenquelle . . . Durchwehe meinen Garten, daß sein Balsamduft hinströme! In seinen Garten komme mein Geliebter, genieße seine Früchte, die so köstlich!" (P. Rießler).

[55] S. N. Kramer, ArOr 17, 404 Text Zeile 4—5.

[56] A. Falkenstein, CRAI 3, 41—65, bes. 62 f.

Wenn du (jetzt) meine Hände in Gazellenhände wandelst,
wenn du (jetzt) meine Füße in Gazellenfüße wandelst,
dann werde ich mich zum Hause der „Alten" (d. i. Geštinana, die
Schwester Dumuzis) retten.[57]

Utu erhört seine Bitte, Dumuzi erreicht das ihm rettend erscheinende Haus
der „Alten", aber er scheint den Dämonen dennoch nicht entkommen zu
sein, denn er fungiert (nach einem anderen Text) als einer der sieben
Unterweltgötter.

Uns will scheinen, daß zumindest eine wesentliche Komponente, wenn
nicht überhaupt das ursprüngliche Anliegen, im Inin-Dumuzi-Mythos die
von der Natur vorgegebene Antagonie zwischen Ackerbaukultur und Polis
einerseits und Hirtennomadenkultur und Steppe anderseits bildet, das
Leitmotiv im Denkbild des alten Mesopotamiers, das immer wieder unter
dem Bilde oder der Allegorie von wetteifernden Akteuren literarisch
seinen Niederschlag gefunden hat, sei es in der Mythe, wie hier, sei es in
der sog. Rangstreitliteratur („Dumuzi [Hirte] und Enkimdu [Bauer]",
„Tamariske und Dattelpalme", „Mutterschaf und Getreide", „Emeš [Som-
mer] und Enten [Winter]"), für die, offenbar aus dem (überheblichen)
Gefühl der Überlegenheit der Ackerbaukultur über die Hirtennomadenkultur heraus, „der Sieg des scheinbar Schwächeren charakteristisch ist"[58].

Der Mond als das dem Auge am größten erscheinende Gestirn war auch
für den altmesopotamischen Bereich infolge seines (unerklärlichen) Phasen-
zyklus als Regler und (Zeit)messer Gegenstand besonderer Betrachtung
und Verehrung, wie der semitische Name des Mondgottes *Sîn,* älter *Su'en*
(sumerisch *Nanna*) noch dunkel ahnen läßt.

Der Mond als Orientierungsmittel für Anbau und Ernte der Feldfrüchte
(drei Mondphasenzyklen für die Ausreifung der Saat) war für den Meso-
potamier ein von der Natur vorgegebenes Zeitmeßsystem und die Grundlage für ein zuverlässiges Zeitmaß (Mondjahr) überhaupt. Der Mond war
für den Flachlandbewohner Regler (ein Mondphasenzyklus Menstruation
der Frau) und vermeintlicher Beeinflusser des Ackerbaus und somit Helfer,
Förderer und Spender von Acker- und Flursegen sowie Fruchtbarkeit
(dreimal drei Mondphasenzyklen Ausreifung des menschlichen Samens):
unter diesem Aspekt erlangt der Mond schon früh religiöse Verehrung.

---

[57] Vgl. A. Falkenstein, CRAI 3, 55.
[58] B. Landsberger, JNES 8, 296[153].

Die Vorstellung vom Mond als Fruchtbarkeitsspender eignet naturgemäß einem Ethnikon der Tiefebene oder Steppe, dem die Sonne als zerstörende Kraft erscheinen mußte. Kulturgeschichtlich sowie religionsgeschichtlich ist von besonderem Interesse und bedeutsam, daß in der Gestalt des altmesopotamischen Mondgottes der periodisch stärker hervortretende Aspekt der Fruchtbarkeit aufs engste mit dem dominierenden Aspekt des Zeitmessers verquickt war und daß die Zeitnormung, die 'Wieder'holung gewisser Fixpunkte ('heilige' Zeiten), die geeignete und einzig denkbare Voraussetzung zur Ausbildung eines Kalenders, das dominierende Element im Wesen der Gottheit gewesen zu sein scheint.

Die Mondphasentage (1., 7., 15., 28. des Monats) galten ursprünglich als Feiertage, erst später bekamen sie die Geltung von Unglückstagen. Zum 1., dem „Neulichttag", fand am Vorabend eine Neulichtfeier statt mit einem Gazellenopfer, dies wohl an einer Opferstelle unter freiem Himmel, „wohl im Hinblick auf die spitzen 'Hörner' des jungen Mondes gewählt" [59], aber auch in Tempeln wurden Feste gefeiert, so in Lagaš zu Ehren Ningĩrsus im Haus des Pfeilorakels [60], zu Ehren Bawus im 'Neulichthaus' in ihrem Quartier 'Heiligenstadt', ein Fest, das eine Nacht und zwei Tage dauerte, sowie eine dreitägige Feier zu Ehren Nãžis im 'Neulichthaus' in Nina.

Der zweite Phasentag, der 7. des Monats, war ursprünglich Feiertag, er wurde später (in nach-altbabylonischer Zeit) zu einem besonderen Unglückstag, an dem dem König strenge Verbote in bezug auf Speisen, Kleidung, Opfer sowie Einschränkung der Herrschertätigkeit auferlegt wurden und Verbote bezüglich Orakelanfragen und ärztliche Tätigkeit zu beachten waren.

Der dritte Phasentag, der 15. des Monats, war der Tag der Vollmondfeier, ein „Tag der Herzensberuhigung (der Götter)", in erster Linie der Inin heilig, deren heilige Zahl eben 15 war.

Der 28. des Monats war der Tag des „Schlafengehens", d. h. des Verschwindens des Mondes; er war dem Enki heilig und war gleichzeitig der Tag des Verschwindens des Nergal, wozu ein anderer mythologischer Hintergrund gehört: der Mondgott Sîn weilt während der Zeit seines Verschwundenseins in der Unterwelt, deren angestammter Herr Nergal (im Tausch?) mittlerweile auf die Oberwelt kommt. Der 28. war der Unglückstag schlechthin.

---

[59] B. Landsberger, KK 107.
[60] Gudea, Cyl. A X 17 f.

Eine monatlich wiederkehrende Feier fand z. B. am 4. (mit einer Vigil am 3. des Monats) statt, der 13. war bereits ein Teil der Vollmondfeier, am 14. (den Gottheiten Ninlil und Nergal heilig) fand ein nächtliches Opfer statt. Der „dies irae" war nachmals der 19. mit strengem Speise- und Opferverbot (ursprünglich der Göttin Gula heilig), mit Opfern an Ninurta und Gula. Der 20. war ein Feiertag des Sonnengottes (heilige Zahl 20). Der 27. war Feiertag der Namu (Personifikation des unterirdischen Ozeans), der Mutter Enkis.

Da die sumerische Polis, eine jede für sich, ihren eigenen lokalen Kalender hatte (Nippur, Uma, Lagaš, Ur), sind uns aus der Periode der sumerischen Polis zahlreiche Monatsnamen überliefert, deren Koordinierung sich dadurch schwierig gestaltet, daß in den einzelnen Stadtstaaten verschiedene Jahresanfänge mit bis zu zwei Monaten Verschiebung geltend waren. Der lokale Kalender, der später allgemeine Geltung erlangte, war der von Nippur[61]. In diesem Kalender hießen die einzelnen Monate:

1. Monat „des Bewohnens bzw. des Bewohners des Heiligtums";
2. Monat „des Betreibens der von Rindern gezogenen Bewässerungsmaschinen", wahrscheinlich mit einem am 21. gefeierten „Prozessionsfest mit einem von Rindern gezogenen Wagen", einem Hauptfest Ellils; Opfergaben waren Wein (bzw. Honig) und Fisch;
3. Monat, „in dem der Ziegel in die Form gelegt wird" (nach der für diese Tätigkeit günstigen Jahreszeit benannt);
4. Monat „der Aussaat";
5. Monat „der Feuerbereitung (?)";
6. Monat, benannt nach einem Inin-Fest in Nippur, wohl lokale Variante der allgemeinen Inin-Feier im 6. Monat, ursprünglich wohl ein Naturfest (mit mythologischem Hintergrund?);
7. Monat „der Schicksalskammer", nach dem vollständigen Namen wohl ein Fest des Mondgottes(?) enthaltend;
8. Monat „des Öffnens (für die Bewässerung) der Bewässerungsröhren" mit Feier in Nippur (für Ellil und Ninlil); Rationspendung in der Nacht;
9. „Pflügemonat(?)";
10. nach einem Fest benannt;
11. Monat des Emmers;
12. Monat der Getreideernte.

---

[61] Hierzu B. Landsberger, KK 24—38.

Aus den Lokalkalendern seien nur einige Monatsbezeichnungen genannt:
„Monat, in dem der glänzende (oder: weiße) Stern von (seinem) Kulmina-
tionspunkte herabsinkt", ein Monatsname, der besonderes Interesse verdient, weil er „die älteste astronomische Hindeutung" [62] enthält.

Aus dem Lokalkalender von Lagaš:

„Monat des Festes des Gersteessens der Nãži" [63];

„Monat des Festes des Vorhofes": Neujahrs- und Vermählungsfest Ninĝirsus mit Bawu, mit Darbringung des 'Mahlschatzes' an die Brautgöttin; [64]
der Monat „mit Spendung von Wolle an Bawu" ist wohl identisch mit der
Monatsbezeichnung „Gebäude der Schafschur" [65];

„Monat, in dem Bawu in ihren neuen Tempel (ein)zog" [66];

Monat, „in dem Ninĝirsu in seinen neuen Tempel im Antasura (ein)-
zog" [67];

Monat, „des Gazellenessens";

Monat der Klagefeier des Ninazu, mit mythologischem Hintergrund,
eine Vorform des späteren Tamuz- bzw. Adonis-Sommerfestes (Ab-
sterben der Vegetation mythisiert), der Monat des Hinabsteigens des
Ninazu in die Unterwelt und Besuch der Gattin Ereškigal oder der
Mutter; [68]

Monat der Freudenfeier des Ninazu, wohl feierliche Begehung der Rückkehr des Ninazu aus der Unterwelt; [69]

Monat mit Prozessionsfest der Inin von Uruk auf der Festbarke [70]; schließlich noch drei Monatsnamen mit Beziehung zu einem Tamuz-artigen
Hürdengott:

Monat des Festes des Hürdengottes bzw. Monat des „Herrn der Hürde",
Monat der Klagefeier des Hürdengottes und Monat, in dem der Herr
„aus der 'Hürde' (aus)zog" mit Bezug auf einen Umzug des Hürdengottes.[71]

---

[62] B. Landsberger, KK 41 mit Fn. 3.
[63] KK 46.
[64] KK 52.
[65] KK 60.
[66] KK 60.
[67] KK 60.
[68] KK 70.
[69] KK 70 f.
[70] KK 74.
[71] KK 81 f.

Mit der Auswahl von „heiligen Zeiten" des altsumerischen Kalenders sind wir schon in den Bereich des Kults eingetreten, und wir sind dabei notgedrungen heiligen Stätten begegnet.

Die altsumerische Tempelanlage — neben dem Großtempel gab es auch kleinere kultische Massivbauten —, die übrigens auf altüberkommenen kultischen Traditionen ruht und im wesentlichen unverändert beibehalten wurde, bestand aus Toranlage, äußerem und innerem Tempelhof, von wo man in die Vorcella und sodann weiter in die Cella, das Allerheiligste, gelangte, wo sich das *barag* befand, „in einer für uns mystischen Vorstellungsweise die Wohnstätte der Gottheit"[72]. In der Cella stand auf einem Postament die Statue der Gottheit, daneben das Emblem der Gottheit, auf einem Postament stehend, das vielfach als Altar bezeichnet wurde, dem Symbolsockel. Ein besonderer Altar war nicht vorhanden, sondern wurde wahrscheinlich jeweils improvisiert. In der Regel war der gläubigen Menge der Zutritt zum Bild der Gottheit versagt. Es gab für sie nur zwei Möglichkeiten, der Gnade, die Götterstatue zu schauen, teilhaft zu werden: entweder durch Einlaß in den Tempel bei der Zeremonie der „Toröffnung" oder aber wenn die Götterstatue in feierlicher Prozession aus der Cella herausgeführt wurde (z. B. beim *akitu*-Fest). Ein notwendiger Bestandteil der altmesopotamischen Tempelanlage war der Stufenturm, die Ziqqurrat, die Treppe für die Gottheit bei ihrem Herniedersteigen aus dem Himmel zu den Menschen (vgl. in der Bibel Jakobs Traum von der Himmelstreppe, Gen 28, 12), wo sie auf der Höhe der Ziqqurrat sich den Menschen zeigte (Epiphanie), ehe sie die Stufen niederstieg, um in ihrem Tempel Wohnung zu nehmen. Außerdem gab es aber auch im Freien gelegene Kultplätze, in deren Mitte eine Art Sockel (nicht Altar) stand.[73]

Der feierliche Einzug der Götterstatue in ihren Tempel ist ein so bedeutsames Ereignis, daß lange Zeit Jahre danach benannt zu werden pflegten.[74]

„Das Wesen des Tempelfestes entspricht durchaus dem anthropomorphen Charakter der sumerisch-akkadischen Götterwelt."[75] Der Ausdruck für „Fest" im Sumerischen *(ezem)* bedeutet „festgesetzte (Zeit)", dem der Charakter der Wiederholung, der Wiederbegehung, des Periodischen anhaftet, gleichzeitig aber die Festesfreude mitmeint.[76] So enthalten die

---

[72] B. Landsberger, ZA 41, 293².
[73] B. Landsberger, ZA 41, 293—296.
[74] Vgl. bspw. RLA 2, 140—146 passim.
[75] B. Landsberger, KK 3.
[76] KK 9.

Freudenfeiern der Götter dieselben Momente wie die der Menschen: Besuch, Prunkkleidung, Festopfer, Kopulation von Gott und Göttin, worin die Primitivität dieser Riten sich besonders kraß dokumentiert; auch das fröhliche Festtreiben gehört dazu.[77] Ein mythologischer Hintergrund ist dem Freudenfest von Haus aus fremd, wo vorhanden, jedenfalls sekundär; es ist kultischen Ursprungs.

Nur die Klagefeier, die zweite Gattung von Kultfesten, hat einen mythologischen Hintergrund, da die Klagefeier von einer Fiktion (bei der Trauer) um eine Gottheit ausgeht, nämlich daß sie ihre Stätte gewaltsam infolge Verdrängung durch eine andere Gottheit oder freiwillig im Zorn über die Menschen verlassen habe (Motiv des „zürnenden Gottes", Hintergrund häufig ein historisches Ereignis). Im ersten Fall liegt das Motiv des „sterbenden Gottes" vor (doch wird der Ausdruck „sterben" nie von einer Gottheit gebraucht). So steht die Tamuz-Mythe „stellvertretend für alle Göttermanifestationen in Vegetation und atmosphärischen Erscheinungen" (Wandel der Natur und Sonnenlauf) (B. Landsberger). Der Terminus technicus der Totenfeier, der eigentlich „Speisung" bedeutet, wird auch für die Klagefeier verwendet, z. B. Bawu, Vegetationsgottheit Ninazu, Hürdengott Lugalamaš.[78]

Die ältesten Bildzeugen, die Kulthandlungen darstellen, zeigen den Kultoffizianten völlig nackt, eine Auffassung vom Dienst an der Gottheit, deren Ursprünge tief im magischen Bereich wurzeln („ungebrochene geheimnisvolle Macht" des nackten Körpers, „Lösung von allen Bindungen", Weiterleben dieser Vorstellung in der teilweisen Entblößung des Körpers in der Liturgie (A. Bertholet) oder Furcht vor in der (profanen) Kleidung sich möglicherweise verbergenden, die Aura der Gottheit verunreinigenden Substanzen und bösen Mächten; Übergang zum (geweihten) Kultornat). In den Texten ist davon keine Rede mehr.

Der ranghöchste Priester im Kult ist der Hohepriester der Gottheit, sumer. *en* (das Schriftzeichen ist das Bild eines wichtigen Kultemblems), oder (weiblich) *nin(.dig̃ir)(.a)* „Frau (,die) eine Gottheit (ist)". Die Einsetzung des *en* oder der *nin.dig̃ir* in das Amt ist ein so denkwürdiges Ereignis, daß nach ihm Jahre benannt werden. Die Erwählung in das Amt erfolgt durch Orakelbefragung in der Eingeweideschau. Für ihn wie für andere wichtige Priester z. B. (Exorzist) ist körperliche Untadeligkeit und

---

[77] KK 3—6.
[78] KK 3—6.

edle Abkunft unabdingbares Postulat; der König setzt ihn in sein Amt ein. In ununterbrochener Tradition bleibt die *en-* bzw. *nin.digir*-Institution gewahrt: schriftliche Zeugnisse reichen von der Einsetzung der Tochter Sargons von Akkad (2334—2279 v. Chr.) Enḫeduana und der Tochter Naramsîns von Akkad (2254—2218 v. Chr.) Enmenana als Hohepriesterinnen des Mondgottes Nanna in Ur bis zur Einsetzung der Tochter Nabûna'ids (555—539 v. Chr.) Enu-erišti-Nanna. Es ist zu beachten, daß männliche Gottheiten weibliche *en*-Priester hatten und weibliche Gottheiten männliche *en*-Priester, mit der einzigen Ausnahme des Gottes Ellil in Nippur, der stets einen männlichen *en*-Priester hatte.

Das Verhältnis des *en* bzw. der *nin.digir* zur Gottheit sehen die Texte unter dem Bilde einer Hochzeit.[79] Von hier hat die weitverbreitete Meinung von einer festen Institution einer „Heiligen Hochzeit" in Form eines alljährlich beim Neujahrsfest zwischen Herrscher und Priesterin in der Rolle von Tamuz und Inin tatsächlich vollzogenen hochzeitlichen Beilagers ihren Ausgang genommen. Mag sein, daß das Faktum der geschlechtlichen Bipolarität zwischen Gottheit und Hohempriester eine solche Auffassung zu stützen schien, wenngleich diese, wie gesagt, für Ellil keine Gültigkeit hatte. Aber weder halten die dafür herangezogenen Texte einer kritischen Prüfung der in eine solche Richtung gelenkten Interpretation stand noch sind die zur Stützung einer solchen Theorie gedeuteten und verwerteten bildlichen Darstellungen in dieser Weise zu interpretieren.[80]

Ein hoher Rang muß ferner dem *saĝa*-Priester zugesprochen werden, da in der Polis Lagaš der *en*-Priester der Göttin Nǎzi anscheinend ebenfalls diese Bezeichnung führte.

Ferner werden in den Texten (neben vielen nicht näher zu erklärenden Priesterbezeichnungen) erwähnt: der Traumdeuter *ensi,* der die Träume (besonders im Tempelschlaf, wo sich der Ratsuchende im Tempel zum Schlaf niederlegt (Inkubationsschlaf): der „Liegende" genannt, z. B. Eanatum und Gudea von Lagaš) zu deuten hat; der Ekstatiker *(maḫ)* verschiedener Gottheiten, der in Trance Mundorakel von sich gibt; der Exorzist *(išib)* (z. B. des Niĝirsu), dessen Metier die Beschwörung *(én)* ist; der Eingeweideschauer *(azu)* *(šu.ĝíd)* (eigentlich der das Eingeweide des Lammes prüfend untersucht); der Schlangenbeschwörer *(muš.laḫ)*; der „Schaffer" *(agrig).*

---

[79] CAD 4, 173 b und 179 b.
[80] K. Oberhuber, Gedenkschrift W. Brandenstein (1968) 269—275.

Im Kultzusammenhang stehen der *gala*-Offiziant, der in den Texten in seltsam abträglicher Wertung erscheint, sowie der *kur.gara* (akk. *assinnu*): beide fungieren als Kultsänger. Sogar in der Sprichwortliteratur wird der *gala* reichlich mit Sarkasmen bedacht, die u. a. auch den Verdacht auf rituelle Sonderrollen (sexuelle?) nicht ganz ausschließen.[81] Beim *kur.gara* handelt es sich schwerlich um einen Kult-Kastraten (und Hierodulen?), der zur Päderastie herhalten mußte,[82] sondern um Frauenrollen 'für Männer im Kult' (CAD 8, 558 f.; 1/2, 341 f.).

Der Kult bediente sich verschiedener Geräte (Kultsymbole), die ihre eigenen Namen hatten und zum Zeichen ihres Weihecharakters in den Texten mit dem Gottheitsdeterminativ versehen werden konnten: „Thron Ellils", „Wer-ist-gleich-Ellil?"[83], „kunstreiches(?) Gebirge, mit dem Himmel wetteifernd"[84] waren Namen für Ellilkultsymbole; ein Kultsymbol der Bawu hieß „heiliger Schäferhund" in Hinblick auf den Hund als Symboltier dieser Göttin (weshalb sie später mit der Göttin Gula kontaminiert werden konnte)[85]. Unter anderen Kultgeräten ist auch eine heilige Leier für Inin[86] und ein nicht näher zu bezeichnendes Kultsymbol *(nun.me.te.ana)* für den Mondgott Nanna[87] zu nennen. Berühmt ist der „'fünfzig'köpfige Streitkolben" des Ninĝirsu[88] sowie der „Thron der Nāži"[89].

Unter den kultischen Praktiken nahm die Eingeweideschau einen hervorragenden Platz ein, wie schon oben bei der Wahl des *en*-Priesters erwähnt wurde. Aus den Abnormitäten eines Eingeweide- bzw. Leberbefundes (Lamm oder Zicklein) las der Kundige den Willen der Gottheit heraus, denn für ihn waren die Abnormitäten die Zeichen der Götterschrift, des von der Gottheit in die Eingeweide bzw. Leber eingeschriebenen göttlichen Willens, nach dem das menschliche Handeln sich ausrichten mußte.

---

[81] E. I. Gordon, Sumerian Proverbs 2. 99 m. S. 311.; 2. 100.
[82] KK 10[1].
[83] KK 37.
[84] KK 27[4].
[85] KK 51[11].
[86] RLA 2, 145: 89.
[87] RLA 2, 145: 94.
[88] RTC 192 r 4; 193 r 4; 194 r 3; 199: 3 und 198 r 13.
[89] RTC 200 r 21.

Der Wille der Gottheit wurde in alter Zeit außerdem auf dem Wege des Pfeilorakels *(ti.ra)* ergründet [90], wie aus dem berühmten Kriegsbericht Eanatums von Lagaš anschaulich hervorgeht.

Die Opfermaterie (für gewöhnlich Lamm, Zicklein, Fische, Tauben; Getreide, Mehl, Brot; Wein, Bier, Schnaps; Honig, Öl; Datteln; die Texte nennen aber auch Ochsen, Kühe, Kälber als Opfermaterie und auch das Schwein, was auf die Marschenfauna hinweisen könnte) wird mit Duftharzen appliziert, und Eanatum berichtet dreimal, daß er die Augen von Opfertauben mit Antimonglanz *(kohl)* (sum. *šembi*) bestreichen ließ.[91]

Die Opfer wurden zu verschiedenen Tageszeiten (Vormittag, Tageskühle = Nachmittag und in der Nacht) dargebracht. Man unterschied Speiseopfer, Schlachtopfer und Libationen.[92] Für die Aufnahme der Speisen für die Göttermahlzeit waren kostbare Gefäße vorgesehen. Zweck der Opfer war, wie in Weiheinschriften ungezählte Male ausgesprochen, sich der Huld der Götter zu versichern und die Erhaltung des eigenen Lebens zu erwirken.

Die Magie als Versuch des Menschen, die ihm feindlichen Kräfte und Einflüsse zu binden und zu bannen, nahm breiten Raum ein; unter den Dämonen kommt dabei dem Dämon der Krankheit und des Todes *(namtar)* eine besondere Stellung zu. Zum Schutze gegen alle bösen Mächte (Dämonen) und Behexungen dient die Beschwörung als Wortzauber (Formel) und Bildzauber, wohl vielfach kombiniert. Figurinen des Feindes werden angefertigt, um an ihnen zu tun, was dem Feinde gilt, oder aber auch, was möglicherweise für Figurinen von nackten Frauen gilt, um die Dämonen vom Menschen auf diese Figurinen abzulenken.

In den Bereich der Magie gehört ebenso wie das Zwingen auch das Meiden von Machthaltigem, d. h. das ängstliche Bemühen, Häßliches, Abträgliches, andern anhaftendes Gebrechen nicht zu nennen und auszusprechen, z. B. die Meidung des Wortes „blind" im Alten Mesopotamien, wie B. Landsberger dargetan hat.[93] Die Meidungssphären sind *tabu*, „ausgenommen", der Mensch darf sie nicht verletzen (der Sumerer sagt „essen"). Das Sumerische verwendet zur Bezeichnung des Begriffs tabu denselben

---

[90] W. W. Struve, 25. Orientalisten-Kongreß (Moskau) 1, 178—186, bes. 181.
[91] CIRPL, Ean 1 XVIII 2—3; XXI 14—15; r I 33—34.
[92] KK 5¹; 104¹.
[93] B. Landsberger, MAOG 4, 319 und 320.

Ausdruck wie für Krankheit.[94] Am besten illustriert diese Vorstellung die
bekannte sumerische Mythe von Enki und Ninhursaǧ, worin der Gott
Enki infolge Genusses verbotener, tabuierter Kräuter von Krankheit be-
fallen wird, zu deren Heilung *ad hoc* göttliche Wesen erschaffen werden,
u. a. gegen die Rippenkrankheit die „Herrin der Rippe", worin S. N. Kramer den literarischen Vorwurf für die biblische Rippengeschichte um die
Erschaffung der Eva erkannt hat;[95] sie reicht allerdings nicht zur völligen
Klärung der Entstehung der Rippengeschichte in allen Aspekten aus.[96]
Nichts verrät deutlicher das Nachwirken einer totemistischen Clan-Struk-
tur in diesen altsumerischen Vorstellungen über die altsumerische Polis
hinaus als das Wissen um das Speiseverbot von Tabuiertem und strengste
Observanz von Speiseverbot von Tabuiertem für den Eingeweihten, jene
Vorstellungsebene, von der aus der Weg zum Opfermahl und Speise-
sakrament führt.[97] Tabuiert können auch Personen sein, z. B. bestimmte
Frauenklassen im Alten Mesopotamien, deren Bezeichnungen wiederum
den Ausdruck tabuiert (*gig* = krank) enthalten, in Verbindung mit einem
Ausdruck für Geschlechtsteil *(nu)*, womit die exklusive Weihe dieser Personen an eine Gottheit (o. ä.) gemeint sein könnte.[98]

Mit der Übertretung eines Tabus stört der Mensch eine Ordnung, er
versündigt sich. Der Begriff „Sünde" *(nam.tag)*, bereits in altsumerischer
Zeit bezeugt, bedeutet eigentlich „Eingriff (sc. in die bestehende Ordnung)" und kennzeichnet auf diese Weise sowohl das Wissen oder Überzeugtsein vom Bestehen einer Ordnung als auch die Vermessenheit und
das Ungeheuerliche, in diese Ordnung eingreifen zu wollen.

Den Menschen umgeben aber auch gute Geister *(lama, alad)*, die ihm
eingeboren sind. Wir haben uns darunter Personifizierungen für uns ge-
läufigere Begriffe wie „Glück" u. ä. vorzustellen.[99]

Die religiöse Welt des alten Sumer hat sich uns als ein Doppeltes zu
erkennen gegeben: die Religiosität mit dem offiziellen Kult der großen
Götter in Tempeln und die private Religiosität mit der Verehrung und
Hinordnung des Menschen zu seinem „persönlichen" Gott, ein Wesenszug

---

[94] CAD 7, 57 b.
[95] S. N. Kramer, Enki and Ninhursag (1945).
[96] K. Oberhuber, Festschrift K. Finsterwalder (1971) 457—460.
[97] E. Reuterskiöld, Die Entstehung der Speisesakramente (1912).
[98] CAD 7, 271 a.
[99] A. L. Oppenheim, Ancient Mesopotamia 198—206.

des Religiösen, der von Anfang an in der Verehrung des Numens und der numinosen Macht da war und in den offiziellen Kult hineinzuwirken vermochte. Wir sehen darin ein Ursprüngliches, von dem die religiöse Welt des alten Sumer (aber auch die des späteren Mesopotamien) geprägt wurde: es ist der Glaube und der Kult eines einzigen Göttlichen im menschlichen Sein, einer einzigen Göttlichkeit, nach B. Landsbergers Definition eines „Monotheiotetismus" [100] (nicht Monotheismus), der das Lebensgefühl des alten Mesopotamiers zu seiner historischen Größe zu formen vermocht hat.

Abkürzungen: AnOr = Analecta Orientalia (Rom) / ArOr = Archiv Orientální (Prag) / CAD = The Assyrian Dictionary of the University of Chicago / CIRPL = E. Sollberger, Corpus des inscriptions 'royales' présargoniques de Lagaš Genève 1956 / CRAI = Compte rendu de la rencontre assyriologique internationale / CT = Cuneiform Texts from Babylonian Tablets (London) / Ean = Eanatum / Ent = Entemena / EWO = Enki und die Weltordnung / FTS = S.N. Kramer, From the Tablets of Sumer (1956) / FuF = Forschungen und Fortschritte (Berlin) / JNES = Journal of Near Eastern Studies / KK = B. Landsberger, Der kultische Kalender der Babylonier und Assyrer (1915) / MAOG = Mitteilungen der Altorientalischen Gesellschaft / NS = nova series / OBI = H. V. Hilprecht, Old Babylonian Inscriptions (1896) / OLZ = Orientalistische Literaturzeitung (Leipzig) / Or = Orientalia (Rom) / PAPS = Proceedings of the American Philosophical Society (Philadelphia) / PBS = University of Pennsylvania, the Museum, Publications of the Babylonian Section / RLA = Reallexikon der Assyriologie / RFLHGA = Revue de la Faculté de Langues, d'Histoire et de Géographie (Ankara) / RTC = F. Thureau-Dangin, Recueil de tablettes chaldéennes (Paris 1903) / SEM = E. Chiera, Sumerian Epics and Myths (Chicago 1934) / SM = S. N. Kramer, Sumerian Mythology (Philadelphia 1944) / TCS = Texts from Cuneiform Sources / TRS = H. de Genouillac, Textes religieux sumériens du Louvre / Ukg = Urukagina / WdO = Welt des Orients / WZJ = Wissenschaftliche Zeitschrift der Friedrich-Schiller-Universität Jena, gesellschafts- und sprachwissenschaftliche Reihe / WZKM = Wiener Zeitschrift für die Kunde des Morgenlandes / ZA = Zeitschrift für Assyriologie und verwandte Gebiete.

[100] Islamica 2, 369.

JEAN NOUGAYROL

EINFÜHRENDE BEMERKUNGEN ZUR
BABYLONISCHEN RELIGION

Nicht wenige bedeutende Werke[1] bieten eine Gesamtdarstellung der babylonischen Religion; aber da sie schon vor längerer Zeit veröffentlicht wurden,[2] können sie die neuesten Untersuchungen und Forschungsergebnisse noch nicht berücksichtigen. Die Veröffentlichungen auf dem Gebiet der Assyriologie zeichnen sich nun aber dadurch aus, daß ihre Zahl von Jahr zu Jahr wächst. Da sind zunächst die Entdeckungen im eigentlichen Sinn in den zahlreichen archäologischen Ausgrabungsstätten im Vorderen Orient: neue Forschungsvorhaben oder die Weiterführung von schon mehr oder weniger lang andauernden Forschungsarbeiten;[3] dazu kommen laufend Veröffentlichungen von bisher unbekannt gebliebenen Dokumenten, die in Museen aufbewahrt werden — etwa im Britischen Museum, dessen reicher Schatz an Keilschrifttafeln noch lange nicht erschöpft ist.[4] Die

[1] Zum Beispiel B. Meissner, Babylonien u. Assyrien 2, 1925; G. Furlani, La religione babilonese e assira (2 Bde.), 1928 und 1929, wo die frühere Bibliographie ausführlich zitiert wird; und besonders E. Dhorme, Les religions de Babylonie et d'Assyrie, 1945.

[2] F. M. Th. de Liagre Böhl in: RGG³ 1, 1956, Sp. 812—822 und ChrRel³ 2, 1961, 441—498; A. L. Oppenheim in: V. Ferm Forgotten Religions, 1950, 63—79, und sogar S. H. Hooke, Babylonian and assyrian religion, 1953 (dessen Veröffentlichungen neueren Datums sind als die unter Anm. 1 angeführten Werke) sind nicht so ausführlich und wollen die alten Werke nicht ersetzen. R. Labat, RPO 1970 ist in Wirklichkeit eine Auswahl religiöser Texte. Für die Arbeiten von J. Bottéro vgl. unter Anm. 62.

[3] A. Parrot, Archéologie mésopotamienne 1, 1946, ergänzt durch Clés pour l'archéologie, 1967, 21—97, desselben Autors vermitteln eine Gesamtschau dieser Entdeckungen. Die archäologische Chronik des AfO erlaubt seit langen Jahren, ihnen Schritt für Schritt nachzugehen.

[4] R. Borger HKL 1, 1967, stellt bis auf ganz wenige Ausnahmen die Bibliographie — Ausgabe (und Übersetzung) — der sumerisch-akkadischen Keilschrifttexte jeglicher Herkunft, die bis 1965 veröffentlicht wurden, zusammen.

Kenntnis der babylonischen Religion wächst nicht nur ständig, sie wird auch vertieft, besonders seitdem man 1956[5] und 1959[6] begonnen hat, die ersten eigentlichen Wörterbücher der akkadischen Sprache herauszugeben. Schließlich gilt es natürlich, auch die Fortschritte zu berücksichtigen, die gleichzeitig für die Randgebiete Mesopotamiens (etwa Syrien, Anatolien oder Iran) erzielt worden sind,[7] und besonders die neuen Erkenntnisse in der Sumerologie, die eng mit der Erforschung der babylonischen Religion verbunden sind.[8] Die Fortschritte auf den verschiedenen Gebieten drücken sich auf verschiedene Weise aus: in der Veröffentlichung neuer Dokumente oder Kulturdenkmäler oder auch in verbesserten und ergänzten Neuauflagen bereits bekannter Werke und endlich in den Versuchen einer Synthese. In bezug auf diesen letzten Punkt muß man jedoch sagen, daß die Arbeiten nur langsam vorangehen. Die Beschäftigung mit einer Aufgabe dieser Art scheint weniger dringlich: wozu soll man größere Komplexe untersuchen, wenn man von vornherein weiß, daß sie unvollständig sind,

[5] The assyrian dictionary (Universität Chicago): bis heute sind 10 der 20 vorgesehenen Bände erschienen; diese Zahl wird aber sicher überschritten.

[6] W. von Soden, Akkadisches Handwörterbuch: zwei Drittel sind veröffentlicht (9 Lieferungen).

[7] Auch wenn man sich nicht für die Lokalkulturen interessiert, und angesichts der Tatsache, daß das Babylonische und in zweiter Hinsicht auch das Sumerische besonders im 2. Jahrtausend internationale Sprachen geworden waren und in jenen Gebieten die Sprache der Gebildeten darstellten. Es nimmt also nicht wunder, daß einige Elemente der religiösen babylonischen Literatur dort entdeckt worden sind und nur oder hauptsächlich in Versionen bekannt sind, die aus jenen Gegenden stammen. Ein schönes Beispiel lieferte erst kürzlich der „Psalm" Ugaritica 5, 1968, Nr. 162, W. von Soden UF 1, 1969, 191—193.

[8] Das sumerische Substrat findet sich dort überall (vgl. unten S. 37 f.). Es kommt auch zuweilen vor, daß derjenige, der einen sumerischen Text in die akkadische Sprache übernimmt, die normale Entwicklung des Textes nicht mehr versteht oder vernachlässigt, um nur einen bilderreichen Teil beizubehalten, der darum schwer zu erklären ist. Das ist bekannt für die 12. Tafel des Gilgameš-Epos (ninivitische Version), vgl. zuletzt J. Nougayrol, L'épopée babylonienne (La poesia epica et la sua formazione 1970) 851. Für die „Höllenfahrt der Inanna-Ištar" können wir heute mit Recht annehmen (S. N. Kramer, The sacred mariage rite, 1969, 121 und 156), daß die mythologische Grundlage des jahreszeitlichen Rhythmus von Sprießen, Blühen und Vergehen, in der die Höllenfahrt ursprünglich nur eine Episode darstellte, dem neuassyrischen Schreiber nicht mehr deutlich war.

und wenn zu befürchten ist, daß neue Entdeckungen von heute auf morgen jedes Ordnungssystem durcheinanderbringen können? An dieser Lage ist auch der besondere Entwicklungsgang der assyriologischen Forschung nicht unschuldig. Sie ist zunächst im Schatten der biblischen Exegese gewachsen, und es genügt, mit einem Wort auf die langen Grundsatzdiskussionen über Babel-Bibel oder den Panbabylonismus hinzuweisen,[9] um klarzumachen, mit wieviel Mühe sie ihre Autonomie errungen hat.[10] Diese nutzlosen Streitereien sind zwar beigelegt, aber ihre Auswirkungen waren noch zu lange zu spüren, besonders in der noch immer bestehenden Tendenz, sehr breite Gebiete erfassen zu wollen, die den Forschungsgebieten des Alten Testamentes entsprechen oder auch nicht. Inzwischen wurden aber viele Zweifel laut, was den wahren Wert jener Arbeiten angeht, die sich ein so hohes Ziel gesteckt haben. Jede zusammenfassende Darstellung der babylonischen Religion muß diesen Zweifeln Rechnung tragen.

Diese Arbeiten postulieren zunächst die Einheit der Religion. Kürzlich hat nun aber A. L. Oppenheim heftig Kritik geübt an dieser (apriorischen) Einheit: „Es gibt nicht 'die Religion' Mesopotamiens, die man untersuchen könnte, sondern nur eine Gruppe ... verschiedener religiöser Manifestationen, jede in ihrem besonderen sozialen, regionalen und kulturellen Rahmen. Die Religion der Theologen, des Königs und seines Hofes, die des Städters und Bauern einerseits, die des Südens und Nordens, der Randgebiete, Ebenen und Vorgebirge andererseits. Die der untergehenden Kleinstädte, die der blühenden Großstädte, die der mächtigen Tempel usw. Jede hat ihre eigene innere Entwicklung und ihre freundlichen und feindlichen Beziehungen, von denen jede einzelne sorgfältig untersucht werden

---

[9] Die Widerlegung durch W. von Soden ZA 51, 1955, 130—166 und 52, 1957, 224—234 eines Hauptargumentes von H. Zimmern zur Stützung des „Christus-Mythos" kann als letztes Echo dieser Diskussion angesehen werden. Über den allgemeinen Einfluß „Babylons" auf die Bibel gibt es jetzt sehr verschiedene Ansichten, vgl. z. B. S. N. Kramer, Sumerian literature and the Bible (AnBibl 12, 1959, 185—204), an W. G. Lambert, A new look at the babylonian background of Genesis (JThS ns 16, 1965, 287—300).

[10] Die ausführlichste Sammlung von Dokumenten und Kulturdenkmälern, die wir zur Verfügung haben, ANEP und ANET (letzter Ergänzungsband 1969), bezieht sich noch in ihrem vollständigen Titel und leider auch in ihrer Auswahl auf das Alte Testament, wie übrigens fast alle Sammelbände dieser Art.

muß, um eine gültige Aussage machen zu können."[11] Wenig später[12] zögerte der gleiche Autor nicht, folgenden Untertitel zu wählen: ›Warum eine 'mesopotamische Religion' eigentlich nicht geschrieben werden darf‹. Dabei betonte er besonders die Unzulänglichkeit unseres Informationsmaterials und ging darüber hinaus auf die unüberwindlichen Hindernisse ein, die uns ein Denken entgegenstellt, das so weit von dem unseren entfernt ist.[13] A. L. Oppenheim ist natürlich weder der erste noch der einzige Assyriologe, der einige dieser Schwierigkeiten aufführt. Schon 1916 zum Beispiel hatte O. Schroeder geschrieben: „Eine Darstellung der 'babylonischen Religion' schlechthin mit Geltung für alle Zeiten und alle Orte ist heutzutage noch ein frommer Wunsch."[14] E. Dhorme wußte um dieses grundsätzliche Problem und glaubte, er könne es folgendermaßen lösen: „Es wäre illusorisch, versuchte man für jede Epoche und jede Gegend den Aufbau des (babylonischen) Pantheons und Kultus festzulegen. Ohne die Einwirkung historischer Ereignisse bestreiten zu wollen, müssen wir doch klar erkennen, daß es ihnen nicht gelingt, den Gang einer religiösen Tradition zu unterbrechen, die uns in ihren Text- und Bilddokumenten, die sie in jedem Jahrhundert hervorbringt, wesentlich homogen und fortlaufend erscheint."[15] In neuerer Zeit hat auch F. R. Kraus die Religion als „die größte Beständigkeit" der babylonischen Kultur bezeichnet und dabei darauf hingewiesen, daß sich die Grundelemente der Religion, wie etwa der Schutzgott und Lokalgott, das Pantheon und Pandämonium, die Magie und Weissagekunst im Laufe von 2000 Jahren kaum verändert haben.[16]

Ist es möglich, diese verschiedenen Gesichtspunkte zu vereinen und daraus eine praktische Folgerung zu ziehen? Schon der recht polemische Ton, den A. L. Oppenheim gewählt hat, läßt darauf schließen, daß er im Grunde weniger eine Forschung verwerfen als vielmehr ihre Methoden

---

[11] Assyriology — why and how? (Current Anthropology 1, 1960, 409—422) 420.

[12] Ancient Mesopotamia, 1964, 171—183.

[13] Ancient Mesopotamia, 1964, 183.

[14] Das Pantheon der Stadt Uruk in der Seleukidenzeit ... (SPAW ph. h. 49, 1916) 1180.

[15] Vgl. oben Anm. 1., 7 f. Es fällt auf, daß E. Dhorme seine Arbeit von 1945 immerhin: *les* religions ... betitelt und nicht mehr wie 1910: *la* religion.

[16] Wandel und Kontinuität in der sumerisch-babylonischen Kultur, 1954, 17—19.

von Grund auf erneuern will.[17] Seiner Ansicht nach sollte man sich zunächst die verschiedenen Aspekte der religiösen Formen vornehmen und erst dann untersuchen, ob sich aus den Ergebnissen wirklich eine Gesamtschau gewinnen läßt. Dieser Weg ist schwieriger und langwieriger, aber er entspricht eher dem normalen Verlauf einer wissenschaftlichen Untersuchung.[18] Es bleibt die Frage, ob er für uns gangbar sei, oder ob er es immer sei. Und eine zweite Frage schließt sich an: Wieviel Vertrauen können wir den Schreibern schenken, auf die sich unsere Forschung ja fast ausschließlich stützt? Sind sie wirklich Sprachrohr ihrer Zeit, oder spiegeln sie nur ihr wahrscheinlich engbegrenztes Milieu? Heute neigt man dazu, die allgemeine Bedeutung ihres Zeugnisses in Zweifel zu ziehen und besonders in ihren religiösen Schriften viel mehr Literatur zu sehen als wirkliche Religion.[19] Es läßt sich jedoch kaum leugnen, daß von einem bestimmten Zeitpunkt an — der auch unser Ausgangspunkt ist — die „Schule" und ihr „Geist" in den Hintergrund treten mußten und daß die Schreiber im Dienst des Palastes, des Tempels oder sogar bei Privatfamilien weitgehend die Gedanken ihrer Herren ausdrückten und weniger ihre eigenen. Natürlich kommt der größere Teil der Bevölkerung in ihren Aussagen kaum zu Wort, und wir können nur auf Umwegen an jene Schichten herankommen. An dieser Stelle vor allem tritt nun die nichtspezifische Information vermittelnd ein: etwa die Personennamen, die meist auf Götternamen beruhen, die Grußformeln in Briefen, die Schwurformeln in Verträgen und hier und da auch weltlich ausgerichtete Schriften, die bestimmte religiöse Fragen anschneiden. Andere gewagtere Wege erlauben vielleicht auch, einige Gedanken jenen zum Schweigen verurteilten Massen zuzuschreiben, die selbst nicht gebildet waren und sich nur in seltenen und ganz alltäglichen Fällen an Gelehrte wenden konnten. Die Priester und besonders die Zauberer und Wahrsager kamen dem Verlangen sicher nach mit Praktiken, die für sie Nebeneinkünfte darstellten. Ließen sie sich umgekehrt auch von den Massen inspirieren? Sind es die Massen oder hauptsächlich die Massen,

---

[17] Vgl. schon J. Nougayrol, Semitica 13, 1963, 5—20.

[18] Für die neuesten Studien über die Pantheons und Lokalkulte vgl. D. O. Edzard, Pantheon und Kult in Mari (15. RAI, 1967, 51—71) 52 Anm. 1.

[19] Vgl. z. B. B. Landsberger in: City invincible, 1960, 98; F. R. Kraus, JNES 19, 1960, 132, Forum der Letteren 3, 1962, 206—216; A. L. Oppenheim, Ancient Mesopotamia, 1964, 174—177. Über die Literatur im Dienst der Religion und Magie vgl. dagegen E. Reiner und H. G. Güterbock, JCS 21, 1967=1969, 257; W. W. Hallo, 17. RAI, 1970, 117.

die sie dazu bewegen, zum Teil wohl volkstümlichen Glaubensauffassungen — etwa dem Dämonenglauben — mehr und mehr Raum zu geben oder neben den „neuen" Gottheiten, die dem Kulturstand entsprechen, gewisse Kräfte im Hintergrund zu dulden, die den Naturkräften näher stehen und daher unheimlicher sind?

Während die Erforschung der « milieux », die A. L. Oppenheim wünscht, voraussichtlich nur sehr mühsam vorwärtskommen wird, da die entsprechende Information fehlt, müßte die Untersuchung der lokalen und zeitlich aufeinanderfolgenden Aspekte der babylonischen Religion eigentlich ziemlich schnelle Fortschritte machen. Viele Keilschrifttafeln können in der Tat situiert und datiert werden, teils genau dank einiger ausdrücklicher Angaben, teils annähernd mit Hilfe äußerer Kriterien wie Schrift, Schreibweise oder Stil. Dabei muß allerdings zwischen Gelegenheitsschriften und Überlieferungsstücken unterschieden werden. Die ersteren wurden sozusagen über dem Denken geschrieben. Die anderen dagegen können viel früher entstanden sein als die Abschrift, die wir davon besitzen. Da die Form fast immer verjüngt und zumindest in einigen Punkten der jeweiligen Mode angepaßt wurde, ist die Untersuchung jener äußeren Kriterien ziemlich fruchtlos. In solchen Fällen sind wir nicht in der Lage, das Original zu datieren, sondern nur die Abschrift, die oft durch ihr « colophon » als solche gekennzeichnet ist mit bibliographischen Angaben, die in anderer Hinsicht wervoll sind. Nun gehört aber fast die gesamte Literatur der babylonischen Religion im eigentlichen Sinne zu den Überlieferungsstücken.[20] Der Ursprung solcher Dokumente stellt damit vor Probleme,[21] die kaum anders als auf indirektem Wege und durch Annäherung zu lösen sind: entweder stützt man sich auf Reste alter Formen — aber die literarische Sprache als solche birgt in Babylon wie überall viele solcher Restformen in sich —, oder man zieht aus Gelegenheitsschriften teilweise Parallelen heran, die allerdings selten und wenig überzeugend sind, oder man nimmt schließlich ein allgemeines Schema der „Ideengeschichte" zu Hilfe, das zwangsläufig umstritten bleibt.

[20] Vgl. z. B. W. von Soden, Das Problem der zeitlichen Einordnung akkadischer Literaturwerke (MDOG Nr. 85, 1953, 14—26).

[21] Neben der oben Anm. 20 zitierten Arbeit vgl. auch von demselben Autor, Religion und Sittlichkeit nach den Anschauungen der Babylonier (ZDMG 89, 1935, 143—69), Zweisprachigkeit in der geistigen Kultur Babyloniens (SOÄW ph. h. 231. Bd., 1. Abh. 1960) 8—11 usw.

So ist denn eine Geschichte der babylonischen Literatur und folglich auch der babylonischen Religion mehr als fünfzig Jahre nach der Bemerkung von H. Zimmern noch immer „ein Ding der Unmöglichkeit" — oder fast,[22] und es ist kein Wunder, daß es zum Beispiel trotz vieler Arbeiten bisher nicht gelungen ist, sich auf die Epoche zu einigen, der man die Abfassung des Weltschöpfungsepos verdankt, eines Meisterwerks, das alle anderen übertrifft. Folgt man den bekanntesten Autoren, so schwankt man immer noch zwischen dem Ende der Dynastie Hammurapis (17. Jahrhundert) und der Regierungszeit Nebukadnezars des Ersten (Ende des 12. Jahrhunderts), auch wenn man die extremen Hypothesen beiseite läßt.[23] Andererseits stellen sich einige Assyriologen sogar die allgemeinere Frage, ob die Entwicklung, die der babylonischen Religion zugeschrieben wird, nicht weitgehend eine optische Täuschung ist, die aus unserer Unwissenheit entspringt: „Wenn wir die immer zahlreicher werdenden Zeugnisse in Betracht ziehen, müssen wir ... das Ende der altbabylonischen Epoche (17. Jahrhundert) als Entstehungszeit fast aller uns bekannter literarischer Texte betrachten."[24]

Wir kommen später auf die Frage zurück, was unter diesen Zeugnissen zu verstehen ist, die in der Tat „immer zahlreicher" werden. Vergleichen wir zunächst, was wir wissen und was wir nicht wissen. Da wir von fast nichts ausgegangen waren, von dem seltenen, oft gestörten Echo, das uns

[22] W. von Soden MDOG Nr. 85, 1953, 14.

[23] G. Furlani, Miti babilonesi e assiri, 1958, 7 f., kann durch neuere Auffassungen ergänzt werden. Da die Erhöhung Marduks das Hauptanliegen des Epos ist, zögern noch viele Assyriologen, seine Entstehung zu weit von der „religiösen Reform" zu trennen, die Hammurapi zugeschrieben wird. B. Landsberger dagegen scheint gegen Ende seines Lebens einige Zweifel an diesem Standpunkt gehegt zu haben — so seine (unveröffentlichte) Mitteilung an das AOS am 14. 4. 1965. H. Schmökel RA 53, 1959, 183—204, und L. Matouš ArOr 29, 1961, 30—34 sind unabhängig voneinander und auf sehr verschiedenen Wegen zu einem Datum gekommen, das nach der altbabylonischen Zeit liegt. Besonders aber W. G. Lambert, The reign of Nabuchadnezzar I: a turning point in the history of Ancient Mesopotamia (The seed of wisdom, 1964, 1—3), und A new look at the babylonian background of Genesis (JThS ns 16, 1965, 287—300) hat sich bemüht, das Epos „nicht vor 1100" anzusetzen. W. von Soden scheint jetzt zwischen dem 15. und 16. Jahrhundert zu schwanken (MDOG Nr. 96, 1965, 45, und Or ns 38, 1969, 424 Anm. 2).

[24] E. Reiner und H. G. Güterbock, The great prayer to Ishtar and its two versions from Boğazköy (JCS 21, 1967=1969) 256.

die klassische Antike und die Bibel lieferten, glaubten wir lange Zeit, unsere Information sei sehr umfangreich. Aber neben den Schriften, die uns zugekommen sind oder hoffentlich eines Tages zukommen, wird immer ein dunkles, fast undurchdringliches Gebiet bestehen bleiben, das der mündlichen Überlieferung.[25] Es handelt sich dabei einerseits um Ideen, die im Zweistromland so geläufig waren, daß es unnötig schien, ihnen in irgendeiner Form Ausdruck zu verleihen — der „Zeitgeist"; im Gegensatz dazu standen andererseits grundsätzliche Lehrmeinungen, die die Babylonier vielleicht nicht schriftlich verbreiten wollten, falls sie überhaupt fähig waren, sie zu formulieren.[26] Und welcher Bruchteil der Texte selbst ist uns überhaupt zugänglich? So stehen wir manchmal vor einem völlig unerwarteten Text, das heißt einem Text, der in keiner Beziehung zu unserer bisherigen Dokumentation steht, wie zum Beispiel eine Theogonie, die sich auf Vatermord und Inzest gründet, deren Parallelen wir also bei Hesiod und nicht im Zweistromland suchen müssen,[27] die uns aber doch daran erinnert, daß der Aufstieg zur höchsten Macht bei einigen Göttern auch anderswo manchmal von einer gewissen Zweideutigkeit umhüllt ist.[28] Es kommt auch vor, daß, wie in der Rede Gilgameš̌s an Ištar,[29] laufend auf Mythen angespielt wird, die wir nicht kennen. Und vor allem können wir schließlich diese Seite unserer Unwissenheit genauer einschätzen, wenn

[25] Einen kurzen Blick auf diese Tradition wirft J. Laessøe, Literacy and oral tradition in Ancient Mesopotamia (Studia ... Ioanni Pedersen, 1953, 205—218). Für den sehr alten Übergang vom Wort zur Schrift vgl. andererseits S. N. Kramer, The Sumerian, 1963, 272 z. B.

[26] Die Frage wurde kurz diskutiert von der 1. RAI, 1951, 6—12. Über das eigentliche Problem vgl. z. B. die entgegengesetzten Standpunkte von S. N. Kramer, Sumerian Mythology, 1944, 73 f., JCS 2, 1948, 47—49 und Th. Jacobsen, JNES 5, 1946, 151 f. (= HSS 21, 1970, 129—131).

[27] W. G. Lambert und P. Walcot, Kadmos 4, 1965, 64—72. Es kommt öfter vor, daß ein anscheinend recht bemerkenswertes Stück in einem eigentümlichen Ton uns erst sehr unvollständig bekannt ist, z. B. die Klage einer jungen Frau über ihren (?) frühen Tod S. A. Strong BA 2, 1893, 634.

[28] Es scheint in der Tat nicht unmöglich, daß die gewohnheitsgemäße, feierliche Übertragung der höchsten Macht auf einen „Kämpfer" wie Ninurta-Ningirsu oder Marduk heftigere Kämpfe verdeckt und verbirgt — das entsprach dem Gedanken von der Einigkeit der Götter, der von einem bestimmten Zeitpunkt an voll anerkannt wurde.

[29] Etwa in der neuesten Übersetzung des Epos, A. Schott (und W. von Soden) Das Gilgamesch-Epos, 1970, 51 f.

ein glücklicher Zufall uns bestimmte „Kataloge" in die Hände fallen läßt. Daraus geht aber zugleich klar hervor, daß das Verhältnis von Bekanntem und Unbekanntem sehr stark variiert, und das heißt wohl, daß der Zufall bei archäologischen Entdeckungen eine große Rolle spielt. Auch ein beachtlicher Teil der „Serien", die ein Beschwörer der Spätzeit kennen mußte,[30] ist uns zumindest dem Titel nach vertraut. Ein analoger, also recht befriedigender Schluß kann aus einer Liste von (grundlegenden) Schriften und Autoren gezogen werden, die kürzlich neu zusammengestellt wurde.[31] Damit stimmt die Schlußfolgerung überein, die sich aus verschiedenen sumerischen Katalogen ziehen läßt.[32] Andererseits aber finden wir, obwohl uns noch etwa dreißig Bußpsalmen zugänglich sind, deren Anfangsworte (incipit) nur ein- oder zweimal in den etwa fünfzig Anfangsworten, die von mehreren Fragmenten entsprechender Kataloge angeführt werden,[33] — hier ist der Anteil der unbekannten Texte also beträchtlich. Ein anderer Katalog, der religiöse Lieder aufführt,[34] zitiert und ordnet fast ausschließlich Stücke, die wir nicht kennen. Man möchte gern den Schluß ziehen können, daß uns bis auf einige Ausnahmen die bedeutendsten Werke oder Gattungen der babylonischen Religionsliteratur zumindest ausschnittweise zugekommen sind. Wenn ein Text „klassisch" genug war, ist es wahrscheinlich, daß wir ihn dank der Fülle der Abschriften kennen — das ist der positive Aspekt einer Literatur, die auf Überlieferung beruht.

[30] Zu diesen Leitfaden für die Beschwörungskunst (KAR Nr. 44) vgl. R. Borger HKL 1, 97 f., und in Verbindung dazu « l'Almanach de l'exorciste », BRM 4, Nr. 19—20 (HKL 1, 57) und seine Parallele STT 2 Nr. 300. Zu dem eigentlichen Inhalt einiger dieser „Serien" vgl. zuletzt R. D. Biggs ŠA.ZI.GA (TCS 2, 1967) 11, und Fr. Köcher AfO 21, 1966, 13—20.

[31] W. G. Lambert, Ancestors, authors, and canonicity (JCS 11, 1957, 1—14), A catalogue of texts and authors (JCS 16, 1962, 59—77), vgl. auch W. W. Hallo, New viewpoints on cuneiform literature (IEJ 12, 1962, 13—26).

[32] Vgl. z. B. W. W. Hallo, On the antiquitiy of sumerian literature (JAOS 83, 1963) 169, für eine Bibliographie dieser Texte zu der man hinzuziehen kann St. Langdon RA 22, 1925, 123 (Rm 2.220).

[33] St. Langdon, Babylonian liturgies, 1913, Nr. 115, 138 f., und RA 22, 1925, 119—125.

[34] Zum „Hymnenkatalog" KAR Nr. 158, vgl. die Bibliographie HKL 1, 100 und dazu die zahlreichen Hinweise auf diesen Text von M. Held, JCS 15, 1961, 1—26; 16, 1962, 37—39 sowie die genaueren Angaben über die Musikrubriken von A. D. Kilmer, AS 16, 1965, 267 f.

Aber die vollständige Kenntnis eines verhältnismäßig langen Textes ist immer noch recht selten: das (neuassyrische) Gilgameš-Epos zum Beispiel ist uns trotz zahlreicher Zeugnisse fast zur Hälfte unzugänglich. Dieses Epos ist, wie schon lange hervorgehoben wird, ein treffendes Beispiel für den altbabylonischen Ursprung der literarischen Texte.[35] Es lassen sich noch viele andere aufzählen, etwa, auf dem Gebiet der mythischen oder legendären Erzählungen der Anzu-Mythos[36] und das Atraḫasis-Epos[37], die Etana-„Fabel"[38] usw.[39] In einigen Fällen können wir bisher nur auf eine mittelbabylonische Version zurückgreifen, aber das ist wohl nur eine Stufe in ihrer Entwicklung: so bei der Adapa-„Fabel"[40], dem Nergal- und Ereškigal-Mythos[41]. Ebenso kann man Stücke beurteilen, von denen wir nur eine sumerische und spätakkadische Version besitzen wie für die Höllenfahrt der Inanna-Ištar[42]. Die fast einzigen Werke, für

[35] Vgl. P. Garelli (Hrsg.), Gilgameš et sa légende, 1968, besonders J. R. Kupper, 97—102. Heute läßt sich die dort aufgestellte Bibliographie (L. de Meyer, 7—30) ergänzen durch F. M. Th. de Liagre Böhl, RLA 3, 364—372 (1968), und J. Nougayrol, L'épopée babylonienne (La poesia epica ... 1970) 839—858.

[36] Vgl. zuletzt R. Labat, RPO, 1970, 80—93.

[37] Das Werk von W. G. Lambert und A. R. Millard, Atra-hasīs: the babylonian story of the Flood, 1969, hat eine lange Folge von Forschungsarbeiten gekrönt und andere hervorgerufen, wie J. Siegelovà, Ein hethitisches Fragment des Atra-ḫasīs Epos (ArOr 38, 1970, 135—139). Für einige Gesamt- oder Einzelkritiken vgl. G. Pettinato, Die Bestrafung des Menschengeschlechts durch die Sintflut (Or ns 37, 1968, 165—200), und Oriens Antiquus 9, 1970, 75—83; W. von Soden, 16. RAI 1970, 142—46, Or ns 38, 1969, 415—432, mit einer Antwort von W. G. Lambert, ebd. 533—538, und der Verteidigung von W. von Soden, Or ns 38, 1970, 311—314; L. Matouš, ArOr 37, 1969, 1—7 und 38, 1970, 74—76, usw. Solche Richtigstellungen sind unvermeidlich und bisweilen fruchtbar.

[38] Vgl. zuletzt R. Labat, RPO, 1970, 294—305, dessen Bibliographie (296, Anm. 1) zu ergänzen ist durch J. V. Kinnier Wilson, Iraq 31, 1969, 8—17.

[39] Das gilt auch für einige Epen über Sargon von Akkad, vgl. z. B. die Bibliographie bei J. Nougayrol, L'épopée babylonienne (La poesia epica ..., 1970) 855 f.

[40] Vgl. R. Labat, RPO, 1970, 287—294.

[41] Vgl. R. Labat, RPO, 1970, 98—113.

[42] Vgl. zuletzt A. Falkenstein, in: Festschrift Werner Caskel, 1968, 97—110; S. N. Kramer, The sacred mariage rite, 1969, 107—133 und 154—161; R. Labat, RPO. 1970. 258—265. Das „Gegenthema", die Erhöhung der Inanna-Ištar scheint analoge, aber viel differenziertere Phasen gekannt zu haben. Vgl.

die zumindest in ihrer Gesamtdarstellung bis heute keine Vorstufen bezeugt sind, sind wohl das Weltschöpfungsepos[43], die Unterweltvision[44] und der Irra-Mythos[45]. Wir können übrigens mit gutem Grund annehmen, daß dies Gelegenheitsschriften, ja sogar Propagandastücke sind.

Wenden wir uns den verschiedenen Pantheon-Konzeptionen zu, die in langen Listen mit Götternamen erfaßt sind, so stehen wir vor einer chronologischen Abstufung, die vom ältesten Sumer bis zu den jüngsten Epochen reicht.[46] Viele aus der Praxis hervorgegangene Traditionen scheinen andererseits zumindest bis in die altbabylonische Zeit zurückzureichen. Das gilt zum Beispiel für die Weissagekunst, die zu jener Zeit in ihren Grundlagen und den meisten ihrer Methoden schon ganz ausgebildet ist.[47] Die Kultrituale sind weiterhin sehr viel schlechter belegt, aber das einzige wirklich explizite Zeugnis, das wir für die Frühzeit besitzen,[48]

W. W. Hallo und J. Van Dijk, The exaltation of Inanna, 1968, 61 (und J. Van Dijk, in: Syncretism, 1970, 194—197) einerseits und B. Hruška, Das spätbabylonische Lehrgedicht „Inannas Erhöhung" (ArOr 37, 1969, 473—522, besonders 490) andererseits.

[43] Vgl. R. Labat, RPO, 1970, 36—70 in Erwartung der angekündigten Neuausgabe von W. G. Lambert, JSS 13, 1968, 106 Anm. 1, die schon in Angriff genommen ist (Keilschrifttext: W. G. Lambert und S. B. Parker, *Enuma eliš* . . ., 1966).

[44] W. von Soden, Die Unterweltvision eines assyrischen Kronprinzen (ZA 43, 1936, 1—31, vgl. HKL 1, 495 f. und die (teilweise) Übersetzung von R. Labat, RPO, 1970, 94—97).

[45] L. Cagni, L'epopea di Erra, 1969, nimmt die früheren Ausgaben wieder auf und vervollständigt sie (vgl. 9 f., und für den Keilschrifttext Studia Pohl 5, 1970).

[46] Für diese Listen vgl. W. G. Lambert, RLA 3, 473—479 (1969), der zu Recht auf ihren doppelten Gesichtspunkt verweist, den theologischen und lexikographischen, und auch auf die Tatsache, daß ihr Wert erst voll erkannt wird, wenn sie gemeinsam und gründlich untersucht werden. Vgl. in diesem Sinne auch J. Van Dijk, Le motif cosmique dans la pensée sumérienne (Acta orientalia 28, 1964) 1—16.

[47] Vgl. z. B. J. Nougayrol, in: La divination en Mésopotamie ancienne . . ., 1966, 6—9, und: La divination (A. Caquot und M. Leibovici Hrsg.) 1, 1968, 25—30, denen jetzt eine lange bibliographische Ergänzung beigefügt werden müßte.

[48] G. Dossin, Un rituel du culte d'Ištar provenant de Mari (RA 35, 1938, 1—13).

weist zahlreiche Analogien mit den jüngsten Zeugnissen auf.[49] Auf dem Gebiet der Magie dagegen stört gerade die Fülle der Informationen am meisten; die Dokumente sind noch schlecht geordnet und überhaupt schwer zu ordnen,[50] aber die altbabylonischen Zeugen fehlen dabei nicht, und häufig finden wir sie in späteren Zusammenstellungen wieder.[51] Sogar für die „leidenden Gerechten", die als typische Vertreter des „kassitischen" Geistes angesehen werden, lassen sich zumindest die Wurzeln weiter zurückverfolgen.[52] Damit eng verknüpft, gehen wohl auch die Bußpsalmen auf eine frühere Epoche zurück[53] — die „leidenden Gerechten" sind in

[49] Für einen kurzen bibliographischen Überblick über die Kultrituale vgl. J. Van Dijk, Heidelberger Studien zum Alten Orient, 1967, besonders 334 f. Besonders für das eigentliche, mittlere oder spätere Assyrien ist in der Tat seit einigen Jahren unsere Information angewachsen dank F. K. Müller, Das Assyrische Ritual 1 (MVAG 41/3, 1937); R. Frankena, *Tākultu* . . ., 1954 (Anhang in BiOr 18, 1961, 199—207); G. Van Driel, The Cult of Aššur, 1969, usw. (vgl. Van Driel, ebd., 51—73). Allerdings ist der Vergleich der verschiedenen Lokaltraditionen auf diesem Gebiet besonders heikel (Van Driel, ebd. 154).

[50] Zu einem ersten Versuch in diesem Sinne — d. h. der über die Einteilung in „Serien" hinausgeht, die die Assyrer-Babylonier schon selbst vorgenommen haben — vgl. z. B. E. K. Ritter, AS 16, 1965, 299—321, die versucht, bis zu einem gewissen Grad die medizinisch-magischen von den mehr medizinischen Texten zu trennen.

[51] Einige neuentdeckte und besonders bezeichnende Beispiele finden sich bei A. Goetze, An incantation about diseases (JCS 9, 1955, 8—18); B. Landsberger (und Th. Jacobsen), An old babylonian charm against *merḫu* (JNES 14, 1955, 14—21, und 17, 56—60). Wir kennen nun auch das ursprüngliche Modell CT 44 Nr. 33 (+) 32 (mit M. Civil, JNES 28, 1969, 72) zu einer Sammlung magischer Formeln, die bisher nicht vor der Spätzeit bezeugt war: ASKT Nr. 11 (HKL 1, 185); STT Nr. 210—212 und 214—217, usw.

[52] Vgl. J. Nougayrol, Une version ancienne du « Juste souffrant » (RB 59, 1952, 239—250, wiederaufgenommen von W. von Soden, Or ns, 1957, 315—319 und MDOG Nr. 96, 1965, 46—48). Für ein sumerisches weniger deutliches Modell vgl. S. N. Kramer, Man and his god (VT Suppl. 3, 1955, 170—182) und für weitere Überreste W. G. Lambert, BWL, 1960, 10.

[53] E. R. Dalglish, Psalm fifty-one in the light of ancient Near Eastern patternism, 1962, dessen — wenn auch sehr lange — Bibliographie vom babylonischen Standpunkt aus ergänzt werden muß durch die von G. Castellino, Le lamentazioni individuali . . ., 1939, nimmt mit A. Falkenstein noch an, daß diese Form sich in der „kassitischen" Periode herausgebildet hat. Heute allerdings scheint es, als hätten zumindest sehr ähnliche Gebete schon früher bestan-

gewisser Hinsicht nur ihre literarische Weiterentwicklung. Auch die
Beschwörungsgebete, die man lange für Produkte der Spätzeit gehalten
hat,[54] und zumindest einige große Gebete[55] sind früher anzusetzen. So
scheint in der akkadisch-religiösen Literatur die grundlegende schöpfe-
rische Phase mit der ersten babylonischen Dynastie zu Ende zu gehen, und
man kann annehmen, daß schon in dieser Zeit alles zum ersten Mal gesagt
oder erahnt worden ist.[56]

Muß man noch weiter zurückgehen, um, wenn nicht einen Bruch, so doch
wenigstens eine einschneidende Wende zu entdecken? Man denkt natürlich
sogleich an die „sumerisch-akkadische Berührung", und alle Forscher sind
sich völlig einig in dem generellen Urteil, daß es im Zweistromland keine
besondere, von der sumerischen Religion getrennte babylonische Religion
gibt oder, anders gesagt, daß die akkadische Literatur — in jenem Land,
in dem jede Art von Literatur dem Sinn und meist auch der Form nach

den. Vgl. z. B. CT 44 Nr. 24 (mit M. Civil, JNES 28, 1969, 72). Man kann sogar
nicht umhin, ihren Ton und einige ihrer charakteristischen Formeln in dem neu-
sumerischen Psalter (?) von W. W. Hallo, JAOS 88, 1968, 71—89 wiederzufinden.
Der auf akkadisch verfaßte altbabylonische Gebetsbrief (?) TCL 1 Nr. 9 (W. von
Soden, SAHG, 1953, 269 und 387; RLA, 166 [1964]) ist wohl ein Teil dieses
Psalters oder eine verwandte Parallelschrift. Vgl. auch unten Anm. 55.

[54] Vgl. besonders das Beispiel, von dem wir ausgegangen sind (oben Anm. 24)
und das altbabylonische (auf sumerisch verfaßte) Modell einer Abweichung von
dieser Form: es ist an einen persönlichen Gott gerichtet CT 44 Nr. 14 (mit
M. Civil, JNES 28, 1969, 71).

[55] Die von W. G. Lambert, AfO 19, 1960, 55—60, neu herausgegebene alte
Parallele CT 44 Nr. 21 (mit W. Röllig, BiOr 22, 1965, 34) zu einem großen
Gebet an Marduk — der Parallelismus gilt nur teilweise, ist aber gesichert —
ist um so interessanter als sie an einigen Punkten unbestreitbar scheint. Dieses
ausgezeichnete Stück bestätigt damit auch die Existenz der Bußpsalmen für die
Frühzeit (W. von Soden, RLA 3, 167 f. [1964]).

[56] Es sieht also trotz gewisser Anzeichen so aus, als habe es in der babylonischen Literatur nur *ein* großes schöpferisches Zeitalter geben können (trotz
W. von Soden, MDOG Nr. 85, 1953, 22 und W. G. Lambert, BWL, 1960, 13,
der allerdings für die „kassitische" Zeit das Adjektiv „konstruktiv" und nicht
mehr „schöpferisch" gebraucht). Aber auch das ist nur eine Vermutung: Mehrere
der „neuen" altbabylonischen Zeugnisse, die wir eben erwähnt haben, stehen zu
isoliert, um einen echten Beweis darzustellen, und sind nicht gründlich erforscht
worden.

mehr oder weniger religiös ist — „undenkbar" ist ohne ihr sumerisches Vorbild.[57] So wäre zunächst ihr großes, offizielles Pantheon undenkbar, das zum Beispiel bis zuletzt Marduk der Geburt nach an zweiter Stelle beläßt und Assur, zumindest direkt, keinen Platz unter seinen „3.600" Göttern zuweist. Auch die großen Zeremonien und Liturgien der babylonischen Religion wären undenkbar ohne die sumerischen Hymnen, die sie bis zum Schluß durchziehen. Undenkbar auch viele ihrer literarischen Genres, wie etwa die königlichen Inschriften, die großen „Weisheiten", die Beschwörungsformeln usw. Undenkbar schließlich ihre großen Themen wie die Sintflut; ihre großen Helden wie Gilgameš oder Etana usw.[58]

Schaut man jedoch näher hin, entdeckt man ziemlich große Unterschiede. Die alten Götter behaupten sich oft nur, indem sie Namen und Ort wechseln. Enki zum Beispiel wird Ea und besiegt schließlich in der Person seines Sohnes Asalluḫi-Marduk seinen alten Rivalen Enlil.[59] Fast keiner der großen Mythen, keine der analogen altbabylonischen Erzählungen und fast kein wichtiger religiöser Text jener Zeit übersetzt ein sumerisches Vorbild ins Akkadische. Ja mehr noch: die überaus zahlreichen sumerischen Mythen verschwinden nahezu alle vor — 1500[60], wie übrigens auch die großen kollektiven Klagelieder oder die großen Königshymnen. Und in dem, was mehr oder weniger erhalten bleibt, ändern sich Ton und Darstellung.

Die Assyriologen sind sich weder über die Art jener Veränderungen einig noch über die Epoche, in der sie stattfinden. Um diesem unklaren Zustand ein Ende zu bereiten, haben mehrere Forscher versucht, einerseits die „reine" sumerische Religion[61] und andererseits den akkadischen Faktor

---

[57] A. Falkenstein, in: Die Literaturen der Welt, 1964, 17.

[58] Außer dem Etana der Dynastielisten vgl. die Bemerkung von W. G. Lambert, JCS 11, 1957, 7, über den Verfasser Lú.nanna.

[59] Für die frühere Phase dieser Rivalität vgl. S. N. Kramer, Enki and his inferiority complex (Or ns 39, 1970, 103—110).

[60] Ein solches Verschwinden scheint dagegen für einen akkadischen Mythos eine Ausnahme darzustellen (die „Agushaya-Tafel", zuletzt R. Labat, RPO, 1970, 228—237).

[61] Z. B. Ch. F. Jean, La religion sumérienne d'après les documents sumériens antérieurs à la dynastie d'Isin, 1931, und N. Schneider in Chr. Rel³ 2, 1961, 383—439. Ch. F. Jean äußert immerhin Bedenken gegen die in Frage stehende „Reinheit".

zu bestimmen, soweit man ihn herauslösen kann, und ihn mit seinen semitischen Quellen in Verbindung zu bringen.[62] Aber diese Wege sind schwierig. Die sumerisch-akkadische Symbiose reicht sehr weit zurück, und die Annahme, daß die reine sumerische Religion bis fast zur amoritischen Wanderung weiter besteht, ist sicher ein Paradox, da die bloße Existenz der viel früheren Akkad-Dynastie diese Behauptung widerlegt. Diese Dynastie zum Prüfstein des akkadischen Faktors zu machen, ist nicht weniger riskant.[63] Überhaupt kommt man auf der einen wie auf der anderen Seite nur zu einem Ergebnis, wenn man von fast allen rein religiösen Dokumenten absieht, die im allgemeinen erst später auftauchen.[64]

Eine ähnliche Zeitverschiebung gibt es übrigens in der Folgezeit noch einmal. Die akkadische Literatur ist uns ebenso wie die sumerische[65], wenn auch in geringerem Maße, meist erst sehr spät bekannt: den nachsumerischen Traditionen von Nippur oder Ur entsprechen in diesem Punkt die neuassyrischen Bibliotheken, besonders die in Ninive, die uns bei weitem den größten Teil unserer Dokumente liefert. Bis auf einige Ausnahmen wie Mythen oder Hymnen und besonders Urkunden über die Weissagekunst, sind bis heute die altbabylonischen Zeugnisse viel spärlicher gesät. Noch weniger Dokumente findet man für die Übergangszeit, deren Bedeutung wir, im Vergleich mit den beiden angrenzenden Epochen, eher ermessen als feststellen können, da wir uns auf einige Überreste der

[62] Vgl. J. Bottéro, La religion babylonienne, 1952 (der Titel sollte lauten [S. 1]: la religion des sémites de l'antique Mésopotamie), und Les divinités sémitiques anciennes en Mésopotamie, in: S. Moscati, Le antiche divinità semitiche, 1958, 17—63 mit den Bemerkungen und Bedenken von S. N. Kramer, Sumero-akkadian interconnections: religious ideas (Genava ns 8, 1960, 271—283).

[63] Der amoritische Einfluß zum Beispiel wurde hervorgehoben von W. G. Lambert, BWL, 1960, 8—13 und JThS ns 16, 1965, 288 f. Über die wahrscheinlich mittelmeerländische (kanaanäische) Quelle des kosmischen Rahmens im Weltschöpfungsepos vgl. auch Th. Jacobsen, JAOS 88, 1968, 104—108.

[64] So kommen die sumerischen Mythen in ChrRel[3] 2, 1961, 383—498, nirgends vor: N. Schneider verwirft sie als zu spät, Fr. M. Th. de Liagre Böhl als vorbabylonisch.

[65] W. G. Lambert, BWL, 1960, 8, sieht in der Mischna ein Parallelbeispiel, das sich aus den gleichen Gründen herleitet: Die schriftliche Bewahrung eines bedrohten kulturellen Erbes.

fraglichen Zeit stützen müssen, die recht häufig peripheren Ursprungs sind.[66] Bei diesem Vergleich fällt zunächst auf, daß die Texte in der Frühzeit im allgemeinen unabhängig voneinander bestehen, während wir sie in der jüngeren Epoche auf längeren Tafeln zusammengestellt finden und oft sogar in „Tafelserien", deren Gliederung und Inhalt von da an feststehen. Heute weisen allerdings recht zahlreiche Indizien darauf hin, daß jener „Kanon" in Wirklichkeit mindestens auf die Zeit um — 1300 zurückgeht.[67] Wir können also sagen, daß das „kassitische" Zeitalter eine ungeheure Sammlertätigkeit entfaltet hat, das heißt, daß die Schreiber jener Epoche — die noch zu wenig erforscht ist — die früheren Schriften gesammelt, ihrem Wesen nach zusammengestellt und durch Überleitungen verbunden haben; sie haben wohl auch neue Elemente hinzugefügt, wenn sie es für nötig hielten.[68] So kommt es, daß viele jener eifrigen Redaktoren später für die eigentlichen Autoren gehalten wurden.[69] Haben sie den Schriften auch einen anderen Geist eingehaucht? Diese Frage ist oft bejaht worden. Seit den Veröffentlichungen, auf die wir oben hingewiesen haben, ist unsere Antwort nuancierter. Wir sagen lieber, daß die „kassitische" Epoche die Themen, die sie geerbt hat, vor allem erweitert hat.

Um wieder auf das allgemeinere Problem der „sumerisch-akkadischen Berührung" zurückzukommen, wollen wir jetzt die grundsätzlichen Unterschiede in Erinnerung bringen, die die einzelnen Autoren hinter den gemeinsamen Formen beider Religionen sehen. Nach A. Falkenstein zum Beispiel[70] sind folgende sichere Kriterien für die babylonische Frömmigkeit im engeren Sinne — sowohl in ihrer akkadischen als auch in ihrer sumerischen Gestalt —: das Lautwerden des individuellen Gebetes im offiziellen Kult, die Einführung der Gebete in die Beschwörungskunst, die völlig neue Vorherrschaft des Sonnengottes als höchstem Richter und, als

---

[66] Über ein letztes, erst kürzlich entdecktes Beispiel vgl. J. Nougayrol, La lamaštu à Ugarit (Ugaritica 6, 1969, 392—408, besonders 404 ff.).

[67] Vgl. A. Falkenstein und W. von Soden, SAHG, 1953, 16; ausführlicher: W. von Soden, MDOG Nr. 85, 1953, 22 (mit den Bedenken von W. G. Lambert, JCS 11, 1957, 8 f.); breiter ausgeführt bei A. Falkenstein, MDOG Nr. 85, 1953, 7 und W. W. Hallo, IEJ 12, 1962, 21—26, JAOS 88, 1968, 73.

[68] Diese letzteren Arbeiten sind kurz zusammengefaßt bei W. G. Lambert, AfO 23, 1970, 39 z. B.

[69] W. G. Lambert, JCS 11, 1959, 1—14.

[70] Besonders deutlich in MDOG Nr. 85, 1953, 12 f.

Schlüssel für alles übrige, die nicht weniger neue Verbindung des Leidens-begriffes mit dem Sündenbegriff.[71] Für den theologischen Bereich stellt W. von Soden fest, daß die sumerischen Götter sich von den babylonischen durch ihr Wesen und folglich durch ihre Zahl unterscheiden: sie über-nehmen sehr differenzierte Aufgaben im Dienst einer überpersönlichen und absolut statischen Weltordnung, während die babylonischen Götter per-sönlichen Machtwillen entwickeln: „Dabei setzte schon früh, spätestens um 1800, ein Ethisierungsprozeß ein: Man gewann in Babylon immer mehr die Überzeugung, daß die Götter ihren Machtwillen in den Dienst der Bereitschaft zur Erhaltung des Lebens stellten."[72] Solche Schlußfolgerun-gen sind anfechtbar.[73] Sie stützen sich zwar sicher auf solide Grundlagen,

[71] Über diesen letzten Punkt vgl. A. Falkenstein seit Die Haupttypen der sumerischen Beschwörung (LSS NF 1, 1931) 58, und später noch oft (SAHG, 1953, 36 f., usw.). W. von Soden (z. B. ZDMG 89, 1935, 157 f.), E. Bergmann, ZA 57, 1965, 40, P. Garelli, Le Proche Orient asiatique, 1969, 299, und viele andere Assyriologen sind mit ihm einer Meinung.

[72] W. von Soden in: J. Henninger, Über Lebensraum und Lebensform der Frühsemiten, 1968, 54. Vgl. auch früher SAHG, 1953, 48—55; Zweisprachig-keit . . ., 1960, 7 und 13 f.; MDOG Nr. 96, 1965, 45 f. W. G. Lambert, BWL, 1960, 5—7 betont in ähnlicher Weise die wachsende Einigkeit und Moralität der Gottheiten, sowie die Entwicklung der Mittlerschaft der persönlichen Götter gegenüber den Dämonen, aber das schließt nicht aus, daß „vielleicht einige sumerische Denker über die Lehre hinausgegangen sind", die sie empfangen haben.

[73] So kann man besonders A. Falkenstein S. N. Kramer VT Suppl. 3, 1955, 7 f. entgegenhalten: „Die Lehrer und Weisen [von Sumer] glaubten und lehrten, daß die Leiden des Menschen das Ergebnis seiner Sünden und schlechten Hand-lungen seien." Th. Jacobsen, PAPS 107, 1963, 473—484 = HSS 21, 1970, 39—46 und 319—334, der sich auf denselben Text stützt, schreibt etwas vor-sichtiger dem „zweiten Jahrtausend" das Schuld- und Verantwortungsgefühl zu, das in dem Text hervortritt. Andererseits betont S. N. Kramer in AnBibl 12. 1959, 194 f. die Wichtigkeit des persönlichen Gottes in der sumerischen Religion nach B. Landsberger, Die geistigen Leistungen der Sumerer (Universität Ankara, Revue de la Faculté des Langues . . . 3, 1945, 150—158), dessen Schlußfolgerung schon sehr klar war: „Die Vorstellung, daß jeder Mann seinen Schutzgott und seine Schutzgöttin habe, geht schon in die Zeit des klassischen Sumerertums zurück. Verunreinigt oder versündigt sich der Mensch, so verlassen ihn die Schutzgötter; nun muß ein magischer Zwang auf die Schutzgötter ausgeübt werden, in den Leib des Menschen zurückzukehren" (S. 155).

lenken aber vielleicht von anderen ab. Die Alternative: sumerisch oder akkadisch (semitisch) scheint überhaupt ziemlich künstlich zu sein: sie beschränkt die Zahl der „ethnischen" Faktoren des Problems, gerade indem sie ihnen zuviel Gewicht einräumt. So kann man schließlich fragen, ob die — unbestreitbare — Entwicklung der Religion im Zweistromland nicht besser unabhängig von jenen „nationalen" Einteilungen untersucht würde, die, zumindest im kulturellen Bereich, eher unsere Kenntnis und Unkenntnis widerspiegeln als echte historische Gegebenheiten.[74] Es ist anzunehmen, daß ein eingehenderes Studium der Lebensbedingungen, das diese jedoch nicht in den Vordergrund rückt, künftig mehr Licht auf jene Entwicklung werfen wird. So läßt sich die wachsende Personalisierung der Götterfiguren und der Frömmigkeit wohl eher durch die Entwicklung der persönlichen Macht, des Privatbesitzes oder seiner Bedingungen rechtfertigen als durch die Vorherrschaft einer bestimmten ethnischen Gruppe.[75]

Besondere Abkürzungen: **AS** = Assyriological studies (Chicago) / **ASKT** = Akkadische und sumerische Keilschrifttexte . . . (P. Haupt) / **BA** = Beiträge zur Assyriologie / **BRM** = Babylonian records in the library of J. Pierpont Morgan / **BWL** = Babylonian wisdom literature (W. G. Lambert) / **CT** = Cuneiform texts from babylonian tablets (British Museum) / **HKL** = Handbuch der Keilschriftliteratur (R. Borger) / **HSS** = Harvard semitic series / **KAR** = Keilschrifttexte aus Assur religiösen Inhalts (E. Ebeling) / **LSS** = Leipziger semitistische Studien / **PAPS** = Proceedings of the American philosophical society (Philadelphia) / **RAI** = Rencontre assyriologique internationale / **RPO** = Les

---

[74] W. G. Lambert, BWL, 1960, 7—9 verläßt diese traditionellen Rubriken nicht, interpretiert sie aber dynamischer und überzeugender. Die Sumerer — man sollte lieber sagen: die Sumerographen — geben dem religiösen Konservatismus Ausdruck, dem gegenüber nach und nach neue Ideen Gestalt gewinnen, die durch die Gegenwart der Amoriter gefestigt werden. Sicher ist, daß die beiden Strömungen sich lange in recht verschiedenen geographischen Räumen entwickeln.

[75] Wie wir schon kurz in Semitica 13, 1963, 5—10 und mit mehr Einzelheiten für einen bestimmten Sektor in La divination en Mésopotamie ancienne . . ., 1966, 5—19 erwähnt haben, hemmen die großen ungelösten Probleme wie die, die wir hier angeführt haben, die grundlegenden Forschungen nicht. Das läßt sich noch besser beurteilen, wenn man in der fortlaufend erscheinenden Keilschriftbibliographie der Or ns nachschlägt, um so leichter als diese jetzt methodisch geordnet ist (Heft 28, 1967 und folgende).

Religions du Proche-Orient (R. Labat) / **RSO** = Rivista degli studi orientali / **SAHG** = Sumerische und akkadische Hymnen und Gebete (A. Falkenstein und W. von Soden) / **STT** = Sultantepe tablets (O. R. Gurney usw.) / **TCL** = Textes cunéiformes (aus dem Louvre). / **TCS** = Texts from cuneiform sources / **UF** = Ugarit-Forschungen.

SIEGFRIED MORENZ

ÄGYPTEN

Wie alle Erforschung alter Kulturen ist auch die des pharaonischen
Ägyptens eine historische Wissenschaft. Darunter versteht man nicht zuletzt eine Haltung, die sich des ständigen geschichtlichen Wandels bewußt
ist, der sich auch hinter einer scheinbar gleichbleibenden Formenwelt unablässig vollzieht. An Dingen, die anschaulich sind, läßt sich der Wandel
von jedem Betrachter ablesen, der richtig zu sehen vermag. In einer unverkennbaren Stilentwicklung wird das sichtbar, was wir Geschichte der
ägyptischen Kunst nennen. Man braucht nicht Ägyptologe zu sein, um ein
Werk der Flachkunst des Alten Reiches von einem solchen der 18. Dynastie
zu unterscheiden, und bei einiger Hingabe lernt der Kunstbetrachter auch
innerhalb des Alten Reiches ein Bild der 4. Dynastie und ein solches der
6. in ihrer Eigenart erkennen. Es ist demgegenüber um ein vielfaches schwieriger, die Strecke zu ermessen, die zum Beispiel das Gottkönigtum und damit
mittelbar auch das Verhältnis des Ägypters zu seinen Göttern von der 4. zur
6. Dynastie und gar erst vom Alten Reich zum Neuen Reich hin durchlaufen hat. Im günstigen Falle können wir auch dafür Zeugnisse der bildenden Kunst heranziehen, um an sich Unsinnliches zu versinnlichen, und
wo es möglich ist, werden wir es tun. Aber hier hat der sinnliche Bereich
nur eine Art Kontrollfunktion; er erlaubt hie und da Proben aufs Exempel
zu machen. Das Exempel selbst haben vor allem die Texte zu lösen, die
jedenfalls das unentbehrliche Wort sprechen. Ihre höchst verschiedenen
Gattungen müssen sachgerecht verbunden werden, und im Anschluß daran
sind Beiträge aus allen Lebensbereichen, darunter vor allem gesamt-
geschichtliche Erwägungen heranzuziehen, um den Lauf der ägyptischen
Religionsgeschichte freizulegen und zu beschreiben. Nun kann man den
Ägyptologen kaum vorwerfen, daß sie an der Geschichtlichkeit des alt-

Siegfried Morenz, Gott und Mensch im alten Ägypten. Heidelberg: Lambert
Schneider 1965. Die hier abgedruckten Auszüge S. 40—44. 45—50. 52. 53—54.
56. 58. 59. 62—63. 68—70 mit Genehmigung des Verlages.

ägyptischen Lebens vorbeisähen. Ich habe eher den Eindruck, daß sie
wenigstens im Bereich der ägyptischen Religion eher das Wesen aus dem
Auge verlieren, das heißt entweder das allgemein und stets Gegebene im
Verhältnis von Gott und Mensch oder die in unserem ersten Kapitel ge-
zeichnete Grundstruktur der ägyptischen Religion oder auch beides sich
nicht gegenwärtig halten. Wenn irgendwo, so gilt aber hier der Grundsatz,
daß man dieses tun und jenes nicht lassen soll. Das ist freilich leichter
gesagt als getan. Will man die Erscheinungen einer Religion herausarbeiten, dann muß ein anderer Standort und auch eine andere Art der Darstellung gewählt werden, als wenn deren historischer Wandel im Ziel der
Betrachtung steht. Wir können darum kaum etwas anderes tun als unseren
Standort wechseln, das heißt nacheinander an Werden und Wesen der
Dinge herangehen. Auch können wir die Dinge nicht durchweg von beiden
Seiten anschauen. Um es ehrlich zu sagen: In vieler Hinsicht sind wir und
bin jedenfalls ich noch nicht soweit. Um aber auch keine Illusionen zu
erwecken: In mancher Hinsicht werden sich die Gegenstände nach ihrer
Art und der Möglichkeit unserer Quellen immer einem Zugriff entziehen.
Diese zweiseitige Darstellungsweise erfordert freilich vom Leser ein hohes
Maß an Mitarbeit. Er muß sich auf Schritt und Tritt klarmachen, daß alles
Werden zugleich ein Sein war, alles Sein zugleich im Werden stand. Gott
wurde nicht nur transzendent, er war es auch. Der Zauber formte sich nicht
nur, er bestand auch. Die Ordnung (Maat) füllte sich nicht nur mit Gehalten an oder wechselte ihre Funktion, sie war auch zu jeder Zeit eine verbindliche Norm und so weiter. Natürlich werden wir uns bemühen, im
Sein auch das Werden nach Maßgabe des Möglichen zur Darstellung zu
bringen. Jetzt aber wollen wir das Wagnis beginnen, die Geschichte ägyptischer Religion wenigstens in jener großen Linie zu zeichnen, die im Sinne
unseres Buchtitels das Verhältnis zwischen Gott und Mensch von einer
gewaltigen Spule ablaufen läßt.

Wieviel für ein rechtes Verständnis darauf ankommt, Wesen und Werden so auseinanderzuhalten, daß eines das andere nicht überblendet, wird
sofort durch eine Vorerwägung deutlich werden, die sich an der Überschrift dieses Kapitels entzündet. Da ist einerseits vom Lauf Gottes,
andererseits vom geschichtlichen Horizont des (ägyptischen) Menschen die
Rede. Mit diesem Bild — und selbstverständlich ist es nur ein Bild! —
hoffen wir zunächst einmal ausgedrückt zu haben, daß es uns um den
wechselnden Standort Gottes in menschlicher Sicht geht, daß wir aber eine
absolute und auch unwandelbare Existenz Gottes nicht in Frage und im

wörtlichen Sinne nicht zur Debatte stellen. Wir wollen das Werden des Verhältnisses zwischen Gott und Mensch erfassen, bilden uns aber nicht ein, damit das Wesen Gottes selbst bestimmt zu haben, das außerhalb der Geschichtlichkeit steht und nur in sie hineinwirkt. Als Forscher können wir in bezug auf Gott sowieso nichts anderes tun als ein geschichtlich faßbares Verhältnis zum Menschen beschreiben. Aber indem wir das tun, bricht wiederum das Problem von Wesen und Werden auf. Denn wir haben einerseits dem Gesetz des Werdens nachzuspüren, das in der Begegnung des Menschen mit Gott waltet, sollen aber auch wissen, daß jede Zeit unmittelbar zu Gott ist. Wir zeichnen eine Linie, die einem beständigen Positionswechsel folgt. Aber die Linie besteht aus Punkten, die in etwa das Leben einer Generation bezeichnen und deren Verhältnis zu Gott als ein Sein und Wesen, nicht als ein Werden und Wandeln bestimmen. Der glaubende Mensch braucht sich bei solch religionsgeschichtlicher Betrachtung, der natürlich in entsprechender Weise auch die Weltreligionen der Gegenwart unterzogen werden, nicht verletzt zu fühlen. Was in allen diesen Fällen geschieht, ist eine Analyse, und Bestand hat auf Erden nun einmal nur das, was einer Analyse standhält.

Vom Lauf Gottes im geschichtlichen Horizont des Ägypters sprechen heißt den Rahmen der ägyptischen Möglichkeiten ins Auge fassen. Nun sehen wir uns veranlaßt, die ägyptische Religion als Kultreligion und den Menschen darin als „Agierenden" zu bezeichnen. Man muß es genauer sagen: Der eigentlich Agierende ist der König, der freilich durch Übertragung seiner priesterlichen Funktionen an einen über das Land verbreiteten Priesterstand das kultische Handeln auf breiter Front in den menschlichen Bereich rückt. Und dieser König ist am Beginn der geschichtlichen Zeit in den Jahren der Schrifterfindung als „Horus" Verkörperung des falkengestaltigen Weltgottes, den er seinerseits dadurch über andere Göttergestalten erhob. Auf diese Weise aber ist die Gottheit nicht nur im Sinne der Nationalreligion für die ägyptische Gesellschaft da, sie ist auch in ihr gegenwärtig und kraft der Mittlerstellung des Königs so gut wie der Rolle des rituellen Handelns verfügbar (immanent). In späteren Abschnitten der ägyptischen Geschichte haben sich indes die Verhältnisse stark verändert. Wir treffen auf Zeugnisse, die in kräftigen Tönen der Allmacht Gottes das Wort reden, und wir beobachten, daß die religiöse Stellung des Königs in Tat und Wahrheit trotz Bewahrung überkommenere Formeln entscheidend gemindert und Gott zugleich in ein unverfügbares Draußen gerückt ist, von dem aus er zwar jederzeit wirken, aber vom Menschen nur

noch im demütigen Gebet erreicht werden kann (transzendent). Diesen
Lauf Gottes aus der Immanenz in die Transzendenz gilt es in seinen
wesentlichen Merkpunkten nachzuzeichnen. Wenn wir dabei von „Gott"
reden, so mag der kritische Leser nicht zuletzt im Hinblick auf die Abbil-
dungen zahlreicher verschieden gestalteter und benannter Götter fragen,
welchen Gott wir denn meinen und ob wir berechtigt sind, die Vielzahl
der Erscheinungen auf eine Einzahl zu bringen. Ungeachtet des theologischen Bemühens, das der Ägypter aufwendete, um hinter der Vielfalt
seines Pantheons die Einheit Gottes zu formulieren, und das wir an seinem
Orte kurz darstellen müssen, kann und soll hier dies gesagt werden: Der
Lauf aus der Immanenz in die Transzendenz ist der Schicksalsweg der
ägyptischen Gottheit schlechthin. Mögen die großen Götter des Landes,
also der Sonnengott Re, der besonders geprägte Schöpfergott Ptah (zugleich Herr der alten Hauptstadt Memphis), später der Götterkönig Amun
von Theben immerhin die Bahn und den Bann gebrochen und die Entwicklung bestimmt haben, es sind ihnen doch dann auf diesem Wege alle Götter
nachgefolgt. Wir vermeiden das Wort „Gottesbegriff", denn im religiösen
Leben gibt es Göttergestalten, aber keine Gottesbegriffe. Deshalb sprechen
wir, um eine allgemeine Formel zu finden, vom Zug zur Transzendenz
der ägyptischen Göttergestalt. Nun hat Transzendenz im philosophischen
Sprachgebrauch bestimmte Gehalte angenommen; es braucht nur an die
Begriffswelt Kants erinnert zu werden. Deshalb sei von vornherein betont,
daß wir für die ägyptische Religion das Herausrücken Gottes aus einer
ursprünglichen Verkörperung durch den königlichen Repräsentanten der
ägyptischen Gesellschaft und aus einer Verfügbarkeit durch seinen Priesterstand meinen. Damit soll gar nicht geleugnet, sondern es mag im Gegenteil
betont werden, daß der nach draußen und oben gerückte Gott jedem
beliebigen Frommen nunmehr viel eher als früher zwar nicht verfügbar,
aber erreichbar wird. [...]

Wenn wir nun den Lauf Gottes zur Transzendenz beschreiben wollen,
so versteht es sich aus der Sache, daß wir damit zugleich ein Stück
Geschichte des ägyptischen Gottkönigs nachzeichnen müssen. Man kann
auf Gottheit und König das Wort anwenden, das Johannes der Täufer von
Jesus sagte: „Er muß wachsen, ich aber muß abnehmen" (Joh 3, 30). Doch
soll das nicht Selbstzweck sein, und die stete Heranziehung anderer
Bereiche wird deutlich machen, daß es sich um einen religionsgeschichtlichen
Vorgang von größter und breitester Tragweite handelt, der mit dem
König zugleich die ägyptische Gesellschaft und jedes ihrer Glieder betrifft.

Wir hatten oben mitgeteilt, daß der König in der Frühzeit „Horus"
betitelt war und daß diese Fassung göttlichen Königstums nach Ausweis
der zugehörigen Namen („Kämpfer", „Schwingen-Spreizer" und anderer)
fast möchte man sagen: buchstäblich verstanden worden und jedenfalls
lebendig gewesen ist. Daneben kann aber nicht übersehen werden, daß aus
der gleichen Zeit zahlreiche Göttergestalten bezeugt sind, daß also die
Gottheit keineswegs nur im König verkörpert war. Hier liegen die unent-
behrlichen Ansatzpunkte für einen Lauf der Dinge, der schließlich das
Königtum zur Erde, die Götter aber in eine über die Erde hinausreichende
Position führt.

Selbstverständlich hat es dabei eine unverächtliche Rolle gespielt, daß
die Könige, ganz simpel gesagt, von Natur Menschen waren. Diese ihre
begrenzte Daseinsform wird zum Beispiel dann spürbar, wenn der Tod
ihren Weg kreuzte. Wir meinen jetzt nicht ihren eigenen Tod, dessen
Konsequenzen uns etwas später beschäftigen müssen. Es geht um ihr Verhalten in dem Falle, daß vom plötzlichen Tode eines Menschen ihrer
nächsten Umgebung berichtet wird. Da scheint uns bezeichnend, daß König
Neferirkare zum Sonnengott Re betet, als sein Wesir Uaschptah vom Tode
ereilt wird und der „Horus der Lebenden" für ihn nichts tun kann.[1] So
hat denn bereits das Alte Reich zwar nicht in lehrhaft-dogmatischer
Form — das wäre ägyptischer Art zuwidergelaufen —, aber durch einen
im ganzen folgerichtigen Sprachgebrauch (Wahl verschiedener Bezeichnungen) zwischen dem König als Amtsträger und der einmalig-begrenzten
Person des Herrschers Unterscheidung geübt.[2] Für spätere Zeiten gilt
dieser Sprachgebrauch nicht, doch liegen dann zum Teil sehr viel drasti-
schere Zeugnisse für die Menschlichkeit des Königs vor, der im Spiel der
politischen Kräfte jederzeit von tödlicher Bedrohung betroffen werden
kann. Die erschütternden Worte, die dem ermordeten Amenemhet I., dem
doch so kraftvollen Reorganisator des ägyptischen Einheitsstaates am
Beginn der 12. Dynastie und des zweiten Jahrtausends, als Lehre an seinen
Sohn und Mitregenten Sesostris I. in den Mund gelegt werden, sprechen
eine klare Sprache: „Vertraue nicht einem Bruder, kenne keinen Freund
und schaffe dir keinen Vertrauten. Dabei ist kein Nutzen."[3] Es bleibe

---

[1] Urk I 42.
[2] H. Goedicke, Die Stellung des Königs im Alten Reich = Ägyptologische
Abhandlungen 2, 1960.
[3] Pap Millingen I 3/5.

dahingestellt, wieweit diese natürliche Anfälligkeit des Gottherrschers im
Zuge der Entfaltung einer Hochkultur von ausgesprochen rationalem
Charakter dazu beigetragen hat, ihn zugunsten transzendenter Gottheit
abzuwerten. Sicher handelt es sich um einen Vorgang, der auch, aber
keineswegs nur psychologisch zu erklären ist. Bei jeder Transzendierung
liegt ja zwangsläufig zugleich eine Verweltlichung und Ent-Heiligung des
irdischen Lebens vor (man denke an die Spätantike!), und vor diesem
Hintergrund vor allem haben wir die trotz formaler Bewahrung tatsäch-
liche Verweltlichung und Entgöttlichung des ägyptischen Königtums zu
sehen. Mit dem letzten Satze ist zugleich angedeutet, daß es sich bei der
Transzendierung in Tat und Wahrheit um ein umfassendes geschichtliches
Schicksal handelt. So ist zu erwarten, daß wir in dem gesamten diesbezüglichen Geschehen zwischen Mensch und Gott sehr verschiedene Erscheinungen auf einen Generalnenner bringen müssen, der dann an seinem
Teile ein wesentliches Stück ägyptischer Religionsgeschichte abbildet.
Bleiben wir zunächst noch bei der Wandlung des Gottkönigtums und
erinnern uns, daß der König (faßbar seit Djedefre, zwischen Cheops und
Chephren, also in der 4. Dynastie) den alsbald in den Vordergrund
rückenden und für diese spätere Stufe kennzeichnenden Titel „Sohn des
Re" erhält. Es treffen mehrere, hier nicht darzulegende Gründe zusammen,
die uns zu dem Urteil nötigen, damit sei der König als ein irdischer Regent
bezeichnet, der seinem heiligen Vater für die Amtsführung verantwortlich
ist. Auf dem Wege von der offenbar in sich selbst ruhenden, „naturgegebenen" Verkörperung des Gottes im König zu dessen Unterordnung gegenüber dem (als Göttergestalt mit Horus verfließenden) Sonnengott es
bedeutende Stationen gegeben. Sie haben sich erst einer tief eindringenden
Forschung erschlossen und sind auch nicht einfach darzustellen.[4] In der
Verbindung mit dem Mythos um Osiris (dem nachmaligen Totengott und
Vater des Horus) hat der König bereits aufgehört, aus sich heraus „Horus"
zu sein. Er bedarf jetzt des Rituals, um zum Horus gemacht zu werden,
der die Nachfolge des Gottes Osiris als des eigentlichen Königs antritt.
Mit dem Ritualvollzug, konzentriert in den Krönungsfeierlichkeiten,
eignet er sich den mythischen Vorgang (Präzedenzfall) an, woran überdies
die Aktivität des Menschen und die Verfügbarkeit der Gottheit in der
Kultreligion sichtbar wird. Ein entsprechender Ritualvollzug macht den

---

[4] Ich muß auf meine in der Hinsicht ebenfalls rekapitulierende Studie Die
Heraufkunft des transzendenten Gottes in Ägypten, S. 10 ff., bes. 14 verweisen.

Herrscher dann bei seinem Tode zu Osiris. Bei seinem Eingang wie bei seinem Ausgang fehlt ihm also nunmehr die Selbstverständlichkeit des Gott-Seins. Er hat angefangen, die Göttlichkeit zwar nicht zu borgen, aber doch von außen, das heißt von Göttern eigenen Wuchses, hereinzuholen. Wann dieser Vorgang eingetreten ist, läßt sich nur ungefähr bestimmen. Die Verbindung mit dem Osirismythos hat in der 3. Dynastie stattgefunden, aber unter Zoser, dem Herrn der Stufenmastaba von Saqqara, noch nicht zu Folgerungen in der sakralen Baukunst geführt. Denn Zoser ist in naiv-ungebrochener Weise als Gottkönig unter Beigabe steinerner Abbilder seiner Residenzstadt bestattet worden. Unter Snofru aber, dem Begründer der 4. Dynastie, haben Macht und Notwendigkeit des Rituals als Mittlers der Göttlichkeit den königlichen Grabbauten (in Dahschur gelegen) die Formen einer Prozessionsbühne für die osirianischen Bestattungszeremonien aufgezwungen. Mag der Re-Kult auch in anderem Boden als der Osiris-Dienst wurzeln, so haben doch beide ihren Anteil an der Minderung des Königs und der Steigerung Gottes. Denn nachdem Osiris den König (als Horus, Sohn des Osiris) gleichsam zu seinem Gefolgsmann herabgezwungen hatte, nötigte ihn Re schon durch seine Natur als Sonnengott in die Rolle eines für das irdische Geschehen verantwortlichen Sohnes. Es kann nicht wundernehmen, wenn — hörbar zum ersten Male in der Lehre des Ptahhotep[5] — von nun an in Ägypten die Rede davon ist, daß es einst eine Zeit gegeben habe, da die Götter auf Erden als Könige regierten. Bekanntlich ist dieser Gedanke später in die wissenschaftliche Form von Königslisten eingedrungen, denen man eine Götterdynastie voranstellte. Nichts vermag deutlicher zu machen als dies, daß die Könige des hohen Alten Reiches wohl noch durch Riten göttlich waren, daß man die Gottheit selbst als Herrscher im Lande aber bereits verloren wußte. Ein solcher Verlust mußte weitreichende Folgen nach sich ziehen. Eine ihrer schwerstwiegenden ist das Ende der naiven Vorstellung eines Fortbestandes der diesseitigen Daseinsform über den Tod hinaus. Wir müssen wenigstens eben andeuten, daß die Vorstellung vom lebenden Leichnam mit all seinen irdischen Bedürfnissen und ihrer Befriedigung bis zum Ende des ägyptischen Heidentums, ja bis in christliche Zeit und sogar (als Versorgung mit Speise und Trank) beim heutigen Fellachen weiterwirkt. Aber wie die Unterordnung des Königs unter den Sonnengott im Alten Reich das Neue und Lebendige gegenüber der frühzeitlichen naturgegebenen

[5] Pap Prisse Z. 89.

Göttlichkeit des Herrschers als Horus gewesen ist, so wurde die Grund-
schicht eines bruchlos verlängerten Diesseits jetzt von einer Trennung
zwischen Diesseits und Jenseits überlagert. Zeichen dafür ist das Aufkommen eines Totengerichts, vor dem sich jeder zu verantworten hat. Wir
haben Grund zu der Annahme, daß diese Einrichtung bereits in der Lehre
des Ptahhotep bezeugt ist. Ein doppelsinnig angelegter Text lautet nach
der für unseren Zusammenhang wesentlichen Fassung: „Man straft den,
der die Gesetze (der Ordnung, Maat) übertritt, (doch) dem ›Habgierigen‹
(= Bösen) scheint das etwas Fernes. Die Bosheit kann (zwar) die Lebens-
zeit andauern, doch nie ist das Vergehen unversehrt (im Jenseits) gelan-
det."[6] Ein bis zum Tode treues Erdenglück, das dem Habgierigen namentlich im unrechten Gewinn von Schätzen zugeflossen ist, sagt nichts mehr
aus über das trotz scheinbarer Ferne unerbittliche Schicksal im Jenseits,
in dem man nach ägyptischem Sprachgebrauch „landet". Dieser Prüfung
aber wurde nicht etwa nur Hinz und Kunz unterzogen, sondern ebenso
der König. Dafür gibt es zwar nur mittelbare, aber nicht minder schwer-
wiegende Zeugnisse. Ihre Mittelbarkeit versteht sich daraus, daß der König
— und in seinem Gefolge später jeder Ägypter — Scheu trug, seine ewige
Existenz auf die fragwürdige Grundlage einer Nachprüfung seines gerechten Lebens zu stellen. Vielmehr haben er und nach ihm Hans Jedermann die Macht der Ethik abgefangen, die ihre Maßstäbe nicht aus dem
gesellschaftlichen Rang und Erfolg innerhalb des in seiner Diesseitigkeit
ruhenden Gemeinwesens, sondern aus absolut gesetzter Ordnung durch
den transzendenten Gott bezog. Sie haben sie abgefangen durch die Macht
des Rituals, die ja der ägyptischen Kultreligion in die Wiege gelegt war.
Vorgang und Grundgedanke sind dabei sehr einfach gewesen. Da der
König beim Tode rituell zu Osiris gemacht wurde, Osiris aber vor einem
Göttergericht im Prozeß obgesiegt hatte, eignete er sich auf diesem Wege
seine Rechtfertigung im Gericht an. Seine alte naturhafte Göttlichkeit tat
ein übriges, ihn dem Spruch eines Göttergerichts sogar zu überheben. Die
Untertanen aber folgten ihm auf diesem Wege nach, indem sie im Begräb-
nis rituell zu Osiris, damit zugleich zum König gemacht wurden.[7] Eine

---

[6] Pap Prisse Z. 90/2; G. Fecht, Der Habgierige und die Maat in der Lehre
des Ptahhotep, 1958, S. 15 ff.

[7] Man vergleiche die Öffnung des zunächst den Götterverwandten vorbehalte-
nen Elysiums für jeden Frommen in der Orphik: M. P. Nilsson, Griechischer
Glaube, 1950, S. 34.

solche Nachfolge hatte bei ihrer Spannung zur Wirklichkeit einen noch höheren Grad von ritueller Manipulation, weil eben ein Rang hergestellt werden mußte, der tatsächlich niemals vorhanden gewesen war. Was den König betrifft, so zeigt uns gerade seine anmaßende Behauptung, er unterstehe einem jenseitigen Richterspruch nicht, die Furcht und damit den Glauben an die Existenz solcher Sprüche, deren ernste Wirklichkeit der um sein Fortleben besorgte Herrscher zugunsten einer anderen Ebene abdrängt. Wir lesen da: „Nicht wird eine Sitzung in dem Richterkollegium des Gottes um (des Königs NN) willen abgehalten. Der König NN ist einer, der auf sich selbst steht, der Älteste der Götter." „Verhöre König NN nicht ..., daß er nicht dein Schreibrohr zerbreche und deine Palette zerstöre." [8] Die Ebene, auf der hier Zuflucht gesucht wird, ist unverkennbar die alte volle Göttlichkeit des Herrschers. Zugleich aber ist es das Ritual, denn was einst selbstverständlich gewesen war, muß jetzt, als Spruch gefaßt, dem Toten ins Grab beigeschrieben und von ihm notfalls gelesen werden. Hatte der König seit der 3. Dynastie des Rituals bedurft, um seine Göttlichkeit herbeizuführen, so muß er jetzt — wir stehen am Ende der 5. und in der 6. Dynastie — das Ritual zu größerer Sicherheit in seine Grabräume schreiben lassen. Der kundige Leser spürt, daß wir damit zugleich den sogenannten Pyramidentexten, also jenem Spruchgut, das die Versorgungsliturgie für den toten König und das der Vergottung des Herrschers dienende Begräbnisritual umfaßte, eine ganz bestimmte Deutung gegeben haben. Wir halten sie für unabweislich und würden sie sonst nicht einem Buche einverleiben, das sich erst in zweiter Linie an den Fachmann wendet. Wenn den als solchen nicht neuen Ritualen schriftliche Dauer verliehen wird und sie dem toten König in Stetigkeit verfügbar gemacht werden, so darf man daraus folgern, daß jetzt nicht einmal mehr der beim Begräbnis erfolgte Vollzug der Rituale zur Vergöttlichung des Herrschers ausreichte. Es bedurfte dazu vielmehr einer massiven Sicherung, die nur noch die Permanenz des niedergeschriebenen Spruchtextes gewährleisten konnte. Demnach sollten diese ältesten Totentexte dem Könige, dem sie ja vorbehalten waren und aus dessen Sphäre sie stammten, etwas Entsprechendes leisten wie später die sogenannten Sargtexte und das dann aus ihnen entstandene Totenbuch den Privatleuten. Geleistet werden sollte also die Gewinnung des Heils kraft ritualer Vergöttlichung, aber unabhängig vom

[8] Pyr 309b ff., 2029 ff., vgl. H. Junker, Pyramidenzeit, Das Wesen der altägyptischen Religion, 1949, S. 80 ff. und 91 ff.

Totengericht. Das Totengericht indes, und damit lenken wir in unsere Hauptlinie zurück, war damals als Idee geformt worden und schickte sich an, den König ebenso zu bedrohen wie jeden seiner Untertanen. Zugespitzt ausgedrückt: Das Totengericht entstand, als der König seinerseits Untertan geworden war — Untertan eines Gottes, dessen Macht und Gedanken um so vieles höher waren als die der Menschen, wie der Himmel höher ist als die Erde. Trotz aller Verunklärung durch das Ausweichen des Ägypters ins angestammte Ritual ist in der 5. Dynastie das allgemeine und verbindliche Totengericht faßbar. Es erleuchtet wie ein greller Blitz die Kluft, die nunmehr ein Jenseits vom Diesseits abgesondert hatte, und der über menschliche Verfügbarkeit hinaufrückende Gott ist oberster Gerichtsherr der großen Armee. Der Zusammenhang zwischen dem in die Transzendenz rückenden Gott und dem Totengericht mag auf dem Hintergrund einer Kontrastdiagnose deutlich sichtbar werden: Der klassische, das heißt von Einflüssen der Volksreligion freie Buddhismus kennt kein Totengericht, aber er kennt ebensowenig Gott als den absoluten, vom Menschen geschiedenen Herrn. Seine Götter sind potenzierte Menschen und überdies weder Schöpfer noch Ziel der Welt.

Das Totengericht bekundet einen Bruch zwischen Diesseits und Jenseits. Es wäre die Schwelle einer anderen Welt geworden, hätte es sich nicht vom Ritualismus abfangen lassen. Zwar beschränkt es sich auf den einzelnen und betrifft nicht mit einem Schlage die Menschheit oder doch wenigstens die ägyptische Gesellschaft. Es bildet, um die Fachausdrücke einzuführen, eine individuelle Eschatologie aus, nicht eine universelle. Aber indem es im Prinzip allgemein verbindlich erscheint, zwingt es einen jeden zu seiner Zeit unter den Maßstab der Ordnung (Maat), die nicht mehr auf den die irdische Gesellschaft repräsentierenden König, sondern auf den überweltlichen Gott bezogen ist und damit wie ein Hebel von draußen in die ägyptische Welt hineinreicht. Um es schon hier zu sagen: wie ein Hebel, der Lagen verändern soll, die nicht mehr von sich aus in Ordnung sind.

Wenn das so ist, drängt sich die Frage auf, ob im gleichen religionsgeschichtlichen Zusammenhang wie am Ende so auch am Anfang der Dinge ein Bruch sichtbar werde. Die Frage stellen heißt in den Bereich der Schöpfungslehren hineinschauen. Wir müssen uns darauf beschränken, wenigstens diejenige herauszuheben, die auf Grund einer Verbindung verschiedener Argumente um die Wende der 5. zur 6. Dynastie (also in der als kritisch erkannten Zeit) angesetzt werden darf und die in einzigartiger Weise Gott zum souveränen Herrn eines Werkes macht, zu dem er selbst nicht gehört. Es ist die Lehre um Ptah von Memphis, der die Welt durch das Wort erschafft. Indem er die Dinge benennt, treten sie in die Wirklich-keit. Nur im Zuge einer systematischen Darstellung könnte deutlich wer-den, wie schroff sich diese Lehre von anderen unterscheidet, die Gott viel mehr als Anfang eines Werdens denn als Schöpfer eines Werkes erscheinen lassen und die im ägyptischen Denken und Vorstellen niemals beiseite gedrängt wurden. Wir müssen uns damit begnügen, den historischen Ort eines Zeugnisses zu kennzeichnen, das Gott den Schöpfer neben Gott den Richter stellt. Überdies läßt sich manches zugunsten der Annahme vor-bringen, daß die ägyptische Lehre einer Schöpfung durch das Wort, die erst im Ausgang des 8. Jahrhunderts (unter dem Äthiopenkönig Schabaka) wieder ans Licht gezogen wurde, zusammen mit einzelnen ägyptischen Motiven auf den biblischen Schöpfungsbericht der Priesterschrift (Gen 1, 1—2, 4a) eingewirkt habe.[9] Daran mag auch der Außenstehende ermessen, wie stark die Züge der Transzendenz sind, die Ptah im Horizont seiner Verehrer angenommen hatte.

[...]

Man hätte sich eigentlich nicht darüber wundern sollen, und doch hat es nicht zuletzt für den Sachkenner etwas Überraschendes, wenn der entschei-dende Ausbruch Gottes aus der rituell regulierbaren Gegenwärtigkeit in der ägyptischen Gesellschaft bereits im Alten Reich erfolgt ist. Die Betrach-tung der ägyptischen Bildkunst lehrt ja eindrucksvoll genug, daß der kenn-zeichnende Lauf der Dinge, der Puls der ägyptischen Geschichte schon an der Stilentwicklung des Alten Reiches abgelesen werden kann und daß es nur wenige prinzipiell neue Erscheinungen, im übrigen aber lediglich Stei-gerungen des bereits damals Verwirklichten sind, die im Fortgang der Ge-schichte ägyptischer Bildkunst sichtbar werden. Bei aller Rücksicht auf gewisse Eigenständigkeiten der verschiedenen Lebensbereiche mußte daher eine Entsprechung unter anderem im Ablauf von Religion und Bildkunst erwartet werden, und sie ist in der Fülle des religiösen Geschehens im Alten Reich tatsächlich vorhanden. Da außerdem bildende Kunst nicht nur als ars sacra thematisch im Dienste der Religion steht, sondern demzufolge auch von deren Problemen betroffen ist, darf man erwarten, den jeweiligen Stand der Dinge mitunter in Lösungen der Bildkunst abgespiegelt zu finden. Dafür bietet uns der Vergleich zweier Königsstatuen ein Beispiel, wie man

---

[9] S. Herrmann, Die Naturlehre des Schöpfungsberichts, Erwägungen zur Vor-geschichte von Genesis 1 = ThLZ 86, 1961, Sp. 413 ff.

es sich deutlicher kaum vorstellen kann. War in der 4. Dynastie, also am
Anfang der Heraufkunft des transzendenten Gottes, in den bekannten
Falken-Statuen des Chephren die Einheit des Königs mit „Horus" vom
Künstler noch ungebrochen empfunden worden (soweit das Beieinander
von Mensch und Falke nicht doch schon die Sonderung in eine Zwei sichtbar macht!), so ist nach Ablauf der entscheidenden Strecke dieses Schick-
salsweges in der 6. Dynastie Phiops I. vom Horusfalken streng getrennt,
der isoliert von ihm und außerdem quer zu ihm sitzt. Ein solches Bildnis
sagt unverblümt, daß der König zwar noch „Horus" heißt und darum
Anspruch auf das Falken-Zeichen hat, daß er aber nicht mehr „Horus"
ist, das heißt die Gottheit nicht mehr verkörpert und deshalb in angemessenen Abstand vom bloß titularen Zeichen gerückt wurde. Zur gleichen Zeit
zeigt sich übrigens der Herrscher vor der Gottheit kniend dargestellt, der
er die Opfergefäße darbringt. Derselbe Phiops I., den wir vom Horusfalken abgetrennt sehen, ist der erste König, der uns in dieser Haltung der
Demut vor den Göttern erscheint, aber er macht den Anfang in einer
langen Reihe von Nachfolgern, die auf solche Weise ihr wahres Verhältnis
zur Gottheit kundmachen. Es kennzeichnet die Geschichte ägyptischer
Religion, daß diese Linie ins Alte Reich hinaufführt und dort ihren Ursprung hat, wo auch der Ausbruch Gottes in die Transzendenz erfolgt war.

Wir sagten, das Alte Reich habe der Zukunft nur wenige prinzipiell
neue Erscheinungen übriggelassen. Vielleicht die wichtigste unter ihnen ist
die Erfahrung des Zusammenbruches der in Jahrhunderten gewachsenen,
wenn auch gewiß nicht statischen Ordnung, dessen materielle Not und
soziale Problematik die Geister hellwach gemacht und eine große Literatur
ins Leben gerufen hat. Diese vom Historiker aus Verlegenheit so genannte
erste Zwischenzeit oder erste Wirre, auf deren vielbehandelte Geschehnisse
wir hier nicht eingehen können, hat Gott als den über der Welt stehenden
Herrn bereits gekannt. Er war ihr überliefert. Mit besonderer Spannung
treten wir daher der Frage gegenüber, wie sich der in den Strudel der
Gärung gerissene Mensch ihm gegenüber verhalten, wie er ihn angeschaut
und empfunden hat. Es werden zwei Haltungen sichtbar, denen jedenfalls
das eine gemeinsam ist, daß sie Gott als Herrn des Geschehens sehen und
ihn dafür verantwortlich wissen. Wer den Weg, den es mit Welt und Menschen genommen hat, als verfehlt oder gar hoffnungslos ansieht, erhebt den
Vorwurf an Gott, dem es an Einsicht oder auch Entschlußkraft gefehlt
habe, sein mißratenes Werk wieder zu zerstören: „Ach hätte er doch (der
Menschen) Charakter im ersten Geschlecht erkannt, dann hätte er dagegen

den Fluch geschleudert und den Arm erhoben."[10] Tatsächlich ist um diese Zeit der Mythos zum ersten Male erwähnt und wohl auch aufgekommen, daß der Sonnengott das aufsässige Menschengeschlecht bis auf einen Rest vernichten ließ.[11] Wer dagegen freundlichere Erfahrungen gemacht hat, preist den Schöpfer und Erhalter als guten Hirten, wie der königliche Lehrer für Merikare: „Wohlversorgt sind die Menschen, das Kleinvieh Gottes. Er hat Himmel und Erde um ihretwillen erschaffen, er hat für sie das Krokodil des Wassers beseitigt, er hat die Luft erschaffen, damit ihre Nasen leben können. Seine Ebenbilder sind sie, aus seinem Leibe hervorgegangen. Er geht am Himmel auf um ihretwillen, er hat die Pflanzen für sie erschaffen und die Tiere, Vögel und Fische, um sie zu ernähren ... Er hat das Licht um ihretwillen erschaffen und segelt (am Himmel), damit sie sehen können. Er hat sich eine Kapelle hinter ihnen errichtet, und wenn sie weinen, so hört er es."[12] Es liegt nahe, das alte (erste) Zeugnis einer dunklen Umwelt, das jüngere (zweite) einer schon lichter gewordenen zuzuweisen. Die tiefste Sicht aber ist dort gelungen, wo Gottes Wirken von geschichtlichen Erfahrungen unabhängig angeschaut und alles Elend auf menschliches Versagen zurückgeführt wird. Sie leuchtet uns aus einem Text entgegen, der in das Corpus der Sargsprüche geraten, der Nachwelt aber gerade dadurch bewahrt geblieben ist. Danach ruft der Schöpfergott in die Auseinandersetzung um sein Wirken die bis auf den heutigen Tag faszinierenden Worte hinein: „Ich tat vier gute Dinge im Torbogen des Horizonts: Ich machte die vier Winde, auf daß ein jeder Mensch (aus ihnen) atme in seiner Zeit. Das ist das erste. Ich machte die großen Flutenwasser, auf daß der Arme Verfügung darüber habe gleich dem Großen. Das ist das zweite. Ich machte jeden Menschen seinem Nächsten gleich. Ich gebot ihnen nicht, daß sie Übles täten, (sondern) ihre Herzen waren es, die mein Wort übertraten. Das ist das dritte. Ich machte, daß ihre Herzen ablassen sollten, den Westen (das heißt das Jenseits) zu vergessen, auf daß den Göttern des Totenreiches (?) Opfergaben dargebracht würden. Das ist das vierte."[13] Mit dieser überraschend großartigen und zugleich niederschmetternden Rechtfertigung Gottes (Theodizee) ist der Schöpfer der Welt und Herr des

[10] Mahnworte 12, 2.
[11] Pap Ermitage 1116 A, Z. 32 = Lehre für Merikare; uns erst aus dem Neuen Reich als Ganzes bekannt.
[12] Ebd., Z. 130.
[13] CT VII, 1961, 462d/464e.

Totengerichtes zwar ins irdische Getriebe hineingerückt, zugleich aber durch seine Machtfülle wie durch die Reinheit seines Willens vom Menschen tief geschieden. An seiner unantastbaren Wesenheit wird die Schuld nicht erst der Toten, sondern der Menschen überhaupt offenbar, und seine Güte schuf nicht nur alle Dinge, sondern setzte auch eine heilvolle Ordnung fest. Es liegt auf der Hand, daß mit solchen Lehren dem frommen Ägypter ein Glaubensgehalt angeboten wurde, der ihn fortan tragen konnte.

Alle diese Zeugnisse brachten zur Sprache, wie Gott zu den Menschen im allgemeinen steht oder wie die Menschen gleich welchen Ranges ihn sehen; von der Rolle des Königs war dabei höchstens beiläufig die Rede. Tatsächlich hatte das Königtum in der ersten Zwischenzeit sowohl im Zuge seiner uns bekannt gewordenen religiösen Abwertung wie auf Grund seiner geschichtlichen Schicksale (Ohnmacht, Zerspaltung, Machtkampf) ideologisch einen Tiefpunkt erreicht. Er wird vor allem in der Lehre kenntlich, nach der sich die Königswürde jetzt wie ein Stück irdischen Eigentums vererbt.[14] Daß der Menschheit ganzer Jammer damals auch den König angefaßt und vor allem, daß der König dies auch ausgesprochen hat, hörten wir schon mit den Worten, die nach einer literarischen Fiktion der ermordete Amenemhet I. von drüben herüber zu seinem Sohn Sesostris I. sprach. Hundert Jahre später hatte die Geschichte der Bildkunst eine Stufe erreicht, die in den berühmt gewordenen Bildnissen Sesostris' III. und Amenemhets III. der menschlichen Persönlichkeit, damit aber auch den menschlichen Grenzen angemessenen Ausdruck verlieh. Trotzdem ist die Göttlichkeit des Herrschers im Mittleren Reich erneut formuliert worden; man hat seine Position ideologisch aufgewertet. Göttlicher Auftrag trat an die Stelle irdischen Erbganges. Aber damit ist zugleich gesagt, daß der längst als Herrscher über die Welt hinaufgerückte Gott im Mittleren Reich von vornherein Linie und Grenzen göttlichen Königtums bestimmte. Von Wiederherstellung des Alten kann keine Rede sein; es wäre ja auch gegen alle geschichtliche Regel. Die Neigung der Gottheit zu dem ihr untergebenen König soll von nun an dessen Würde begründen.[15] Gott ist Geber des Amtes, er „gibt" auch jeden seiner Träger, das heißt, er setzt ihn ein.[16]

---

[14] H. Brunner, Die Lehre vom Königserbe im frühen Mittleren Reich = FS Grapow, 1955, S. 4 ff.

[15] Im ganzen richtig bearbeitet von J. Omlin, Amenemhet I. und Sesostris I., Diss. Heidelberg, 1962.

[16] Oft; z. B. Sinuhe B 70.

[...]

Auf dem Wege zum Neuen Reich erhält das Verhältnis zwischen Gottheit und König wiederum einen neuen Ausdruck, und auch er ist für den geschichtlichen Sternenstand ungemein bezeichnend. Der König wird jetzt als Abbild Gottes gesehen und Abbild Gottes genannt. Die Wurzeln dieser Vorstellung liegen tief verzweigt, und ihr Wachstum ist noch nicht bis ins Letzte geklärt. Wir sagen nur, was uns sicher scheint, und das genügt für unsere Linienführung vollauf. Da darf vor allem auf den Befund der Texte hingewiesen werden. Sie zeigen im Alten Reich und Mittleren Reich noch keine Spuren des fraglichen Sachverhaltes, bekunden ihn jedoch seit der frühen 18. Dynastie und tun dies alsbald so häufig, daß man vermuten möchte, es handle sich der Sache nach um einen neuen Titel des Königs. Er wäre dann freilich in die längst abgeschlossene, also kanonisch gewordene fünffältige Titulatur des Pharao nicht mehr in gebührend fixierter Form aufgenommen worden. Damit mag auch zusammenhängen, daß der Sachverhalt mit einer Reihe verschiedener Fachausdrücke bezeichnet wird. Das älteste (mir bekannte) sichere Zeugnis stammt von einem König Rahotep aus der frühen 17. Dynastie, von dem gesagt wird: „Re hat dich als sein Abbild eingesetzt." [17] Nimmt man hinzu, daß in der 13. und 17. Dynastie (also in der sogenannten zweiten Zwischenzeit oder Wirre, aber außerhalb der Hyksosgeschlechter) mehrere Herrscher in ihrem Namen ein Element tragen, das am ehesten mit „Bild des Re" zu übersetzen ist, dann wird man mit Zuversicht das Aufwachsen der neuen Vorstellung den Jahrzehnten nach dem Ende des Mittleren Reiches zuweisen. Was ihre Deutung betrifft, so darf man sich, wie einst auch beim Titel „Sohn des Re", nicht verblüffen lassen. Uns Heutigen scheinen beide Benennungen Göttlichkeitsprädikate von hohem Rang zu sein, innerhalb der ägyptischen Linie aber kennzeichnen sie jeweils einen Abstieg. War schon der Sohn der Gottheit entschieden weniger als die Gottheit selbst, so ist ein Bild der Gottheit weniger als der Sohn. Denn solcher Bilder gab es viele im Lande. Recht besehen, ist der König damit auf die Stufe der Kultbilder herabgerückt, die jeder Tempel hatte. „Der Gott dieses Landes ist die Sonne am Horizont, ihre Abbilder aber sind auf der Erde", sagt eine Lebenslehre der späten 18. Dynastie. [18] Tatsächlich waren jene Könige, die nach dem Sturz aus der geschichtlichen Mächtigkeit „Bild des Re" hießen, kümmerliche Existenzen, die nicht nur

---

[17] W. M. Fl. Petrie, Koptos, 1896, T. XII 3,8.
[18] Ani VII 16.

dem Namen nach, sondern auch in Wirklichkeit aus einem geborgten Glanze lebten. Doch geht es uns gar nicht allein um das johanneische Gesetz vom Wachsen und Abnehmen, nach dem der König verliert, was der Gott gewinnt. Es geht wenigstens ebenso um die Transzendierung Gottes, die sich ja recht klar darin äußert, daß Urbild und Abbild getrennt werden und nur das letztere noch auf Erden gegenwärtig ist. [. . .]

[. . .] Mit dem Neuen Reich bricht die hohe Zeit der persönlichen Frömmigkeit und ihrer ungenierten Bekundung an. Beter und Gebete, Bekenntnis begangener Sünde und Dank für erfahrene Gnade begegnen uns häufig genug in den Denkmälern. Davon wird später einzelnes zu sagen sein, wenn diese Erscheinungswelt auszubreiten ist. Jetzt haben wir wiederum den Bezug auf die gleichzeitige Gotteswirklichkeit in den Blick zu nehmen, und auch da darf behauptet werden, daß der transzendente Gott dieser vorgerückten Stunde Ägyptens der rechte Partner des einzelnen Frommen gewesen ist. Denn indem Gott in Tat und Wahrheit über das Mittlertum des Königs weit hinausragte, wurde jeder einzelne im wahrsten Sinne des Wortes unmittelbar zu Gott, und Gott wurde zur Festung des Menschen, die allein den Lebensstürmen trotzt. Auf kleinen, schlichten Zeugnissen ihrer Frömmigkeit haben die Ägypter ihren damaligen Hauptgott Amun eine „Zuflucht des Herzens" genannt.[19] Bei alledem muß freilich zugestanden werden, daß Gott, der sich der Verfügbarkeit durch König und Gesellschaft ein gut Stück entzogen hatte, gerade deshalb jetzt dem Gläubigen zur Verfügung stand, der ihm in angemessener Haltung begegnete. Wir begnügen uns also nicht mehr mit der herkömmlichen und richtigen, aber etwas billigen Kennzeichnung des Individualismus als eines Spätlings geschichtlicher Entwicklung, sondern sehen diese Erscheinung schicksalhaft mit der gleichzeitigen Geschichte menschlicher Gottesbegegnung und Gotteserfahrung verbunden. Mag man vom eigenen Standort aus solche persönliche Frömmigkeit, die an die Seite des herkömmlichen und selbstverständlich ungeschmälert fortlebenden offiziellen Kultus trat, hochschätzen oder nicht — eines ist gewiß: Je stärker persönliche Frömmigkeit aufleuchtete, desto mehr wuchs auch die Möglichkeit persönlicher Unfrömmigkeit. Es schied sich oberhalb oder außerhalb des Kultvollzuges eine Glaubenselite von den religiös Gleichgültigen ab. Wir sagten schon einleitend, daß es uns aufgegeben sei, ein Bild der Glaubenselite zu zeichnen, dabei aber nicht zu vergessen, daß nunmehr Unglaube

---

[19] E. Drioton, Amon — réfuge du coeur = ZÄS 79, 1954, S. 3 ff.

als Möglichkeit bestand, auch wenn er nicht bekundet oder beurkundet wurde. Aber sogar die Gesellschaft selbst erfuhr damals eine Trennung, die sich außerdem recht gut fassen läßt. Wir meinen die Auseinanderentwicklung von Kirche und Staat, von der man längst gesehen hat, daß sie eines der großen innenpolitischen Themen des Neuen Reiches gewesen ist. In der Zeit Echnatons und Nofretetes, des Herrscherpaares von Amarna, hat sie bei besonderer Konstellation zu einer ganz eigenen Katastrophe geführt (Bruch mit der Amunspriesterschaft von Theben), hat aber auch vorher und nachher gewirkt und in der späteren Ramessidenzeit das Mark des Reiches mit ausgezehrt. Es scheint mir in hohem Grade bezeichnend zu sein, daß man über der politischen und wirtschaftlichen Seite den religiösen Grund, daß man über der Erscheinung das Ding an sich völlig vergessen hat. Deshalb betone ich hier mit allem Nachdruck, daß die Auseinanderentwicklung von Staat und Kirche, die in der Person des Königs vom Ursprung her ideologisch zusammengebunden waren, letztlich in dem gründet, was wir nun schon so vielfältig als Herauskunft des transzendenten Gottes erfahren haben. Schlagwortartig gesagt: Ein transzendenter Gott braucht eine Kirche. Und auf die besondere Gegebenheit bezogen: Da der König in Tat und Wahrheit nicht mehr Gott ist, muß Gott ein eigenes Regiment führen. Deshalb ist es ein Symbol, daß das Königtum des Neuen Reiches im Gottesstaat des Amun ausmündete, den der Hohepriester dieses obersten Gottes regierte. Freilich ist es nicht minder symbolisch, daß damit das Ende eines großen Reiches bezeichnet und besiegelt war. Am transzendenten Gott scheitern letztlich alle menschlichen Formen.

[. . .]

Des Menschen Herz ist widerspruchsvoll wie das Leben, und Religionsgeschichte ist deshalb noch weniger eine bloße Sache der Logik als profanes Geschehen. Die Ägypter, ohnedies jeder dogmatischen Folgerichtigkeit abhold, machen davon keine Ausnahme. So dürfen wir uns nicht wundern, wenn in der gleichen Spätzeit, die Gott als transzendenten Herrn der Welt sah, der sich nur durch Demut und Gebet (dann allerdings von jedem Frommen) erreichen ließ, und die dementsprechend das Ideal des „Schweigers zur rechten Zeit" ins Religiöse vertiefte, ausgerechnet der Zauber ins Kraut schoß. Das scheint ungeheuerlich zu sein, denn Zauber beruht ja auf der Überzeugung, daß der Mensch durch Wort und Handlung über Götter oder Mächte nach seinem Willen verfüge. Wir werden in einem eigenen Abschnitt darzulegen haben, daß der Zauber seinem Wesen nach das entartete Geschwister des ägyptischen Ritualismus ist. Aber gerade damit sagen wir ja, daß er aus Kräften entstand, die einen integrierenden Bestandteil der Struktur ägyptischer Religion bildeten. Wenn er in der Spätzeit blühte, so heißt das nichts anderes, als daß der Grundton im Volke durchgehalten wurde, der anfangs alles war. Wir sagten schon, daß es eine Glaubenselite gewesen ist, die der Unmittelbarkeit des einzelnen zum transzendenten Gott innewurde. Wir müssen hinzufügen, daß es auch eine vielleicht engbegrenzte religiöse Elite war, die für ihr Leben und Verhalten die Folgerung aus diesem Innewerden zog, indem sie sich in Demut beschied. Es wäre nicht einmal verwunderlich, wenn der Widerstreit zwischen herkömmlicher, überdies nur allzu menschlicher Einflußnahme auf die Dinge und still vertrauender Ergebung in Gottes Willen mitten durch den einzelnen hindurchgegangen sein sollte. Kein Forscher kann die Hand dafür ins Feuer legen, daß ein frommer Ägypter, der zu seiner allmächtigen Gottheit betete, nicht in besonderer Lage doch einmal zum Zauberer gegangen ist. Umgekehrt war es keinem Priester, der im Ritual auf die Gottheit einzuwirken vermochte, zur Kenntnis zu nehmen oder selbst zu erfahren verwehrt, was etwa Amenope über göttliche Allmacht und menschliche Bescheidung gesagt hatte. Der transzendente Gott hatte die Spannung zwischen Einst und Jetzt, zwischen Ritual oder Zauber und gläubigem Vertrauen hochgetrieben, hatte die Geister geschieden und sogar den einzelnen gespalten oder zweischichtig gemacht. Mit seinem Lauf und allen seinen Folgen prägte er die Geschichte Ägyptens, sofern sie Bewußtseinsgeschichte war, und gab ihr eine Spannung, die zu hoher Sensibilität führte und darin schöpferisch und schließlich leidvoll war. Erfahrung des transzendenten Gottes scheint mir unabdingbare Voraussetzung für das Entstehen einer von Spannung und Sensibilität durchpulsten Hochkultur zu sein, Voraussetzung aber auch für deren Ende, indem sie die betroffenen Menschen zwangsläufig um die Frische und Unbekümmertheit eines tätigen Schaffens bringen mußte. [...]

Abkürzungen: **CT** = The Egyptian Coffin Texts, edited by A. de Buck and A. H. Gardiner (Oriental Institute Publications 34 ff.), Chicago 1935 ff. / **FS** = Festschrift. / **Pap** = Papyrus. / **Pyr** = Die altägyptischen Pyramidentexte, neu herausgegeben und erläutert von K. Sethe, Leipzig 1908 ff. / **ThLZ** = Theologische Literaturzeitung, Leipzig (Berlin und Leipzig) / **Urk** = Urkunden des ägyptischen Altertums, Leipzig (Berlin) / **ZÄS** = Zeitschrift für ägyptische Sprache und Altertumskunde, Leipzig (Berlin und Leipzig).

HANS MARTIN KÜMMEL

DIE RELIGION DER HETHITER

Grundzüge und Probleme

Die Wissenschaft von der Geschichte und Kultur der Hethiter, die Hethitologie[1], ist ein relativ junger Zweig der Altorientalistik. Erst seit gut einem halben Jahrhundert arbeitet die Forschung mit Erfolg an der Erschließung der schriftlichen und materiellen Hinterlassenschaft aus dem Gebiet des alten Hethiterreichs, und wenn auch für die Religion der Hethiter mehrere gute Zusammenfassungen des neueren Erkenntnisstandes[2], z. T. innerhalb von Gesamtdarstellungen[3], vorliegen, so muß doch gerade für eine Fragestellung wie die dieses Sammelbandes zu Anfang darauf hingewiesen werden, wieviel noch an philologischer Vorarbeit zu leisten ist, bevor die Sicherheit der Aussage anderer, benachbarter Disziplinen erreicht werden kann. Die Bibliographie des letzten Jahr-

[1] H. G. Güterbock, RGG[3] 3, 303—5.

[2] E. Laroche, Recherches sur les noms des dieux hittites = RHA fasc. 46 (1946—47) [Rech.]; H. G. Güterbock, Hittite religion. In: Forgotten religions, ed. V. Ferm, New York 1950, 83 ff.; ders., Religion und Kultus der Hethiter. In: Neuere Hethiterforschung, hrsg. v. G. Walser, Wiesbaden 1964 (= Historia, Einzelschriften Heft 7), 54 ff.; H. Otten, Die Religionen des alten Kleinasien. In: HO, 1. Abt., 8. Bd., 1. Abschn., Lf. 1, Leiden/Köln 1964, 92 ff. [HO I/8]; E. v. Schuler, Kleinasien. Die Mythologie der Hethiter und Hurriter. In: WbMyth I, 141 ff.; H. Otten, The religion of the Hittites. In: Historia religionum, ed. C. J. Bleeker-G. Widengren, Vol. 1, Leiden 1969, 318 ff.; G. Steiner, Art. Gott D., RlA 3, 547 ff. — Die beste Sammlung übersetzter Quellen bleibt ANET[3] 1969, 120 ff. 201 ff. 318 ff. 346 ff. 393 ff. 497 f. 519 ff. 529 f. (A. Goetze).

[3] A. Goetze, Kleinasien, München [2]1957 [Kl.[2]]; H. Otten, Das Hethiterreich. In: Kulturgeschichte des Alten Orient (H. Schmökel), Stuttgart 1961, 313 ff.; O. R. Gurney, The Hittites. Rev. ed. Harmondsworth 1962; E. u. H. Klengel, Die Hethiter. Wien-München 1970. — Die in dieser und der vorausgehenden Anmerkung zitierten Werke sind im folgenden nicht immer ausdrücklich aufgeführt.

zehnts zeigt deutlich den hohen Anteil primärer Quellenarbeit in diesem
Forschungsbereich: Rund ein Fünftel der heute publizierten, knapp siebzig
Bände mit Autographien keilschriftlicher Texte[4] aus der alten Hauptstadt
der Hethiter, *Hattusa* (heute *Boğazköy*, amtlich seit 1937 *Boğazkale*), ist
erst im letzten Jahrzehnt erschienen, und die jährlichen Grabungen in
Boğazköy erbringen stets neue Tafeln und Tafelfragmente (z. B. im Jahre
1962 über 2000 Stücke), so daß jede heute publizierte Bearbeitung den
Charakter des Vorläufigen tragen muß. Darum auch fehlt bis heute ein
eigentliches Belegwörterbuch der hethitischen Sprache[5], darum konnte nur
in Einzelfällen eine textkritische Wertung mehrfach überlieferter Texte
versucht werden. Während der größte Teil der Texte aus der Zeit des
hethitischen Großreiches (14./13. Jh. v. Chr.) stammt, wurden erst neuerdings die seltenen alten (seit ca. 1600) und älteren Tafeln gründlicher
untersucht und für eine sprach-, stil- und literargeschichtliche Einordnung
ausgewertet[6], doch zeigen diese neuesten Untersuchungen zusammen mit
der von ihnen abhängigen letzten Diskussion um die hethitische Chronologie[7] bemerkenswerte Ergebnisse, die schon heute manche Umdatierung

---

[4] **KBo** = Keilschrifttexte aus Boghazköi. Lpz./Bln. 1916 ff. (innerhalb der
Reihe WVDOG) / **HT** = Hittite texts in the cuneiform character from tablets
in the British Museum. London 1920. / **KUB** = Keilschrifturkunden aus
Boghasköi. Bln. 1921 ff. / **VBoT** = Verstreute Boghazköi-Texte, hrsg. v.
A. Götze. Marburg 1930 / **IBoT** = Istanbul Arkeoloji Müzelerinde bulunan
Boğazköy Tabletleri. 3 Bde. Istanbul 1944—54. / **ABoT** = Ankara Arkeoloji
Müzesinde bulunan Boğazköy Tabletleri. Istanbul 1948.

[5] J. Friedrichs „Hethitisches Wörterbuch" versteht sich selbst nur als „Kurzgefaßte kritische Sammlung der Deutungen hethitischer Wörter".

[6] A. Kammenhuber, Hethitisch, Palaisch, Luwisch und Hieroglyphenluwisch.
In: HO 1. Abt., 2. Bd., 1.—2. Abschn., Lf. 2, Leiden 1969, 119 ff. passim;
O. Carruba, Die Chronologie der hethitischen Texte und die hethitische Ge-
schichte der Großreichszeit. In: ZDMG Suppl. 1, 1 (1969) 226 ff.; H. Otten-
Vl. Souček, Ein althethitisches Ritual für das Königspaar, Wiesbaden 1969 =
StBoT 8; H. Otten, Sprachliche Stellung und Datierung des Madduwatta-Textes,
ibid. 1969 = StBoT 11; E. Neu, Ein althethitisches Gewitterritual, ibid. 1970 =
StBoT 12; Ph. H. J. Houwink ten Cate, The records of the early Hittite empire
(c. 1450—1380 B. C.). Istanbul 1970; A. Kempinski-S. Košak, WO 5 (1970)
191 ff.

[7] H. Otten, Die hethitischen historischen Quellen und die altorientalische
Chronologie = Akad. d. Wiss. u. d. Lit., Abh. der Geistes- u. Sozialwiss. Kl.

von bisher scheinbar sicher datierten Texten erforderlich machen und das Desiderat einer Literatur- und v. a. einer Religionsgeschichte hethitischer Texte noch etwas weiter in die Ferne rücken.

So muß denn ein gewisser Vorbehalt liegen über dem Folgenden, und es wird gleichzeitig verständlich werden, warum wir uns Beschränkung auferlegen, warum mehr allgemeine als Einzelergebnisse genannt werden. Vollständigkeit kann dabei nicht angestrebt sein. Andererseits ergibt sich aus diesem Stande der Forschung, daß die aus Übersetzungen und Sekundärliteratur geschöpfte Auswertung hethitischer Texte von fachfremder Seite nur zu leicht und manchmal unvermeidlicherweise verzerrte Schlüsse ergibt. Sie sind hier im allgemeinen nicht behandelt worden.

Jede Darstellung hethitischer Religion wird zudem begrenzt durch die Einseitigkeit der Quellen. Zur Verfügung stehen fast ausschließlich die in den Ruinen der ehemaligen Hauptstadt der Hethiter, Hattusa, gefundenen, in Keilschrift geschriebenen Texte, die anscheinend beinahe ausnahmslos aus königlichen Archiven in Tempel und Palast stammen. So beziehen sich auch die Dokumente religiösen Inhalts vorwiegend auf den König und die Kulte des Hofs, und selbst diejenigen magischen Ritualtexte, die an sich für jedermann verfaßt sind, stellen eine Auswahl für die Bedürfnisse eben desselben Personenkreises dar. Dennoch mag man hier gelegentlich etwas erfassen können von dem sonst fast völlig unbekannten Volksglauben und von den religiösen Bräuchen hethitischer Provinzen, über die auch die archäologischen Denkmäler für sich allein kaum und selbst im Zusammenhang mit gleichzeitigen textlichen Zeugnissen nur bedingt etwas auszusagen vermögen.

Die Hethiter, wie wir jenes Volk mit indoeuropäischer Sprache zu bezeichnen uns gewöhnt haben, das im 2. Jahrtausend v. Chr. vom inneren Anatolien aus ein bedeutendes Reich eroberte und trug, treten erstmals zu Beginn jenes Jahrtausends auf, ihre früheste eigene Tradition (etwa seit dem 17. Jh. v. Chr.) zeigt ihre Religion jedoch bereits in einem Zustande so fortgeschrittener Anpassung, daß er uns heute aus ihren Textzeugnissen kaum noch ein sicheres Erfassen und erst recht keine Rekonstruktion des genuin Hethitischen mehr erlaubt. So läßt sich eigentlich neben einigen göttlichen Personifikationen wie „Nacht" *(išpant-)*, „Tag *(šiwat-)* und

1968/3, Mainz-Wiesbaden 1968; dazu H. G. Güterbock, JNES 29 (1970) 73 ff.; vgl. auch A. Kammenhuber, Or NS 39 (1970) 278 ff.; H. Otten, ZA 61 (1971) 233 ff.

„Getreide" *(ḫalki-)* nur ein Göttername nennen, der etymologisch sicher zu den indoeuropäischen Bestandteilen der hethitischen Sprache gehört, *Šiušummi* = „unser Gott", auch er ein ursprüngliches Appellativum, der zudem außer seiner Nennung in der frühesten Tradition überhaupt keine Rolle mehr spielt.

Wenn trotzdem die weiteren fremden und adaptierten Schichten der hethitischen Religion auch heute noch teilweise sichtbar gemacht werden können, so verdanken wir das wohl dem für historische Entwicklungen und Zusammenhänge offenbar besonders aufgeschlossenen Bewußtsein der Hethiter. Eine wichtige Hilfe dabei sind nämlich einerseits die Benutzung und ausdrückliche Angabe fremdsprachiger Rezitationen in Ritualtexten, andererseits die häufige Nennung lokaler Zuordnung von Gottheiten, Kulten und Ritualtraditionen.

Bereits in der frühen Zeit hethitischer Anwesenheit in Anatolien wurde gewiß die Gruppe der *„Götter von Kanesch"* [8] übernommen, zusammen mit dem *„Sänger von Kanesch",* der ja auffälligerweise hethitisch (in der Ausdrucksweise der hethitischen Texte *„Nesisch",* d. h. nach Art der Leute von *Nesa*) singt. Doch ist diese Schicht bereits in sich heterogen, treten doch in ihr neben den oben genannten göttlichen Personifikationen mit hethitischen Namen und der schwer faßbaren Gottheit *Pirwa* [9] auch Götter auf, die wir einer altkleinasiatischen Substratschicht zuschreiben dürfen. Dieses Bild aus den hethitischen Texten wird bestätigt durch eine Analyse des Onomastikons der altassyrischen Texte aus Kanesch im 19./18. Jh. v. Chr.

Die großen Götter des Staatskultes schon des althethitischen Reichs (ca. 1650—1500) entstammen aber der für die hethitische Religion wohl bestimmendsten Schicht, der einheimisch-kleinasiatischen, die wir nach ihrer Kultsprache als *(proto-)hattisch* (nach dem heth. *hattili*) benennen.[10] Zu ihr gehören die beiden Hauptgottheiten des offiziellen Kults, der *Wettergott Taru* und die *Sonnengöttin von Arinna, Wurusemu*. Allerdings bleibt weithin offen, welche Gottheiten dieser Gruppe im engeren Sinne zum protohattischen ethnischen und sprachlichen Element zu stellen sind und wieweit wir sie besser im weiteren Sinne als „(alt)anatolisch" oder

---

[8] A. Goetze, Language 29 (1953) 263 ff.; 30 (1954) 359 f.; vgl. E. v. Schuler, WbMyth I 175; H. Otten, StBoT 13, 32.

[9] H. Otten, HO I/8, 101 m. Anm. 1; vgl. E. v. Schuler, l. c. 190 f.

[10] E. Laroche, Rech. 19 ff.; E. v. Schuler, l. c. 174; zur Sprache s. jetzt A. Kammenhuber, HO I/2, 1—2, 2, S. 429 ff.

„asianisch" zusammenfassen sollten. Eine besonders auffällige und sicher alte[11] Erscheinung in gewissen Texten ist die ausdrückliche Nennung je zweier Namen protohattischer Gottheiten, von denen der eine „unter Menschen", der andere „unter Göttern" gelten soll,[12] wobei der letztere oft nur ein Epitheton ist. Immerhin scheint es doch ein früher Versuch, die Andersartigkeit der kosmischen Ebenen in der konkreten Benennung deutlich werden zu lassen.

Gottheiten beider genannten Gruppen treten auf in der spärlich belegten Sprachschicht des *Palaischen*[13] (heth. *palaumnili*), der indoeuropäischen Nachbarsprache des Hethitischen, die im Nord(west)en des hethitischen Reichs seit althethitischer Zeit nachweisbar ist. Ihr allein eigen und charakteristisch ist der Gott *Ziparwa/Zaparwa*.

Vorwiegend jünger sind die Belege für die im Bereich der dritten indoeuropäischen anatolischen Sprache, des *Luwischen* (heth. *luwili*)[14], bezeugten Gottheiten[15], die hauptsächlich im Süden Kleinasiens verehrt wurden und hier in der Namengebung der einheimischen Bevölkerung bis in die römische Zeit weiterlebten[16].

Schon um 1600 v. Chr. hatten die Hethiter durch die Kriegszüge Hattusilis I. nach Nordsyrien und deren Beute Kenntnis von der dort aufblühenden churritischen Kultur, ihren Göttern und Mythen erhalten, doch gewinnt sie erst im hethitischen Großreich wesentlichen Einfluß im hethitischen Kerngebiet, besonders im 13. Jh., wo *churritische Gottheiten*[17] sogar teilweise anstelle der entsprechenden altkleinasiatischen traten[18] und churritische Ritualtradition in Hattusa gesammelt wurde.

[11] H. Otten, HO I/8, 100.
[12] E. Laroche, JCS 1 (1947) 187 ff.; J. Friedrich, Göttersprache und Menschensprache im hethitischen Schrifttum. In: Sprachgeschichte und Wortbedeutung (Fs. A. Debrunner), Bern 1954, 135 ff.
[13] Siehe jetzt O. Carruba, Das Palaische, Wiesbaden 1970 = StBoT 10.
[14] H. Otten, Zur grammatikalischen und lexikalischen Bestimmung des Luvischen, Bln. 1953; E. Laroche, Dictionnaire de la langue louvite, Paris 1959.
[15] E. Laroche, ibid. 126 ff.
[16] Ph. H. J. Houwink ten Cate, The Luwian population groups of Lycia and Cilicia Aspera during the Hellenistic period. Leiden 1965; L. Zgusta, Anatolische Personennamensippen, Prag 1964.
[17] E. Laroche, Rech. 43 ff.; H. Otten, HO I/8, 102 ff.
[18] Vgl. zu der Götterreihe des Felsheiligtums von Yazïlïkaya zuletzt E. Laroche, RHA fasc. 84—85 (1969, ersch. 1970) 61 ff.

Wohl vorwiegend durch churritische Vermittlung und auf dem Weg über den nordsyrischen Raum, jedoch möglicherweise auch direkt[19], gelangten auch *babylonische Gottheiten*[20] und religiöse Texte[21] zu den Hethitern, scheinen aber keine besondere Bedeutung erlangt zu haben. Ganz für sich steht eine kleine Gruppe von Texten, die innerhalb des Rituals Sprüche „auf Babylonisch" (heth. *babilili*), d. h. in einem verballhornten Akkadisch, enthalten.[22]

Sehr gering blieb auch der Einfluß *kanaanäischer Götter*[23] in Anatolien. Die bisher gefundenen Belege für Kanaanäisches in Hattusa beschränken sich auf geringe Mythenfragmente um *Elkunirsa ('El qōnē 'eres), Ašertu* und um den Berg *Pišaiša*[24], und auf indirekte Zeugnisse wohl im churritischen Mythenkreis um *Kumarbi*, z. B. mit der Nennung des Berges *Hazzi* = *Mons Casius*[25].

Als weitere Komponente hethitischer Götterwelt werden oft noch *Indra*, *Varuna* und die *Nāsatyas* genannt, eine Gruppe *arischer Gottheiten*[26], die jedoch nur in der Schwurgötterliste des Mattiwaza-Vertrags erscheinen, wo sie offenbar zu den Landesgöttern des churritischen Vasallen M. gerechnet werden. In Kult und religiösen Texten der Hethiter fehlen sie sonst völlig und können also kaum zu den hethitischen Göttern gezählt werden. Nur in Schwurgötterlisten zu belegen sind ja auch z. B. gewisse babylonische Gottheiten wie Enlil und Ninlil[27]. Unzweifelhaft in rein hethitischem Kontext belegt ist dagegen ein Gott *Akni-*, für den man gern an den altindischen Feuergott *Agni-* gedacht hat.[28] Wohl zu Recht ist diese Zuordnung umstritten[29].

---

[19] Vgl. zu solcher Möglichkeit Verf., StBoT 3, 97 f. 188.

[20] E. Laroche, Rech. 119 ff.; H. Otten, HO I/8, 104 f.

[21] H. G. Güterbock, JAOS 78 (1959) 237 ff.; E. Reiner-H. G. Güterbock, JCS 21 (1967, ersch. 1969) 255 ff.

[22] Vgl. Verf., ZA 59 (1969) 321 ff. zu KUB 39, 69—96 etc.

[23] E. v. Schuler, in: La Siria nel tardo bronzo, ed. M. Liverani, Rom 1969, 115 f.

[24] H. Otten, MIO 1 (1953) 125 ff.; MDOG 85 (1953) 59 ff.; H. A. Hoffner, RHA fasc. 76 (1965) 5 ff.; J. Friedrich, JKF 2 (1952) 147 ff.

[25] E. v. Schuler, WbMyth I, 171 f.; H. Otten, in: Neuere Hethiterforschung, 22.

[26] Siehe jetzt die analytische Bibliographie von M. Mayrhofer, Die Indo-Arier im alten Vorderasien, Wiesbaden 1966, s. vv.; A. Kammenhuber, Die Arier im Vorderen Orient, Heidelberg 1968, v. a. 143 ff. 233 f.

[27] Vgl. StBoT 3, 87. 191.

[28] H. Otten-M. Mayrhofer, OLZ 60 (1965) Sp. 545 ff.

[29] A. Kammenhuber, Die Arier, 150 ff.; K. Riemschneider, StBoT 9, 43 ff.

Die obige Scheidung ist, mag sie sich auch auf direkte Hinweise durch Reste fremder Kultsprachen und Kultorte stützen, dennoch gewiß weitgehend nur Ergebnis moderner wissenschaftlich-historischer Analyse und Rekonstruktion, die dem religiösen Bewußtsein eines Hethiters der Großreichszeit kaum angemessen sein dürfte, faßte man doch diese Vielzahl lokaler und regionaler Göttersysteme ganz bewußt als die „tausend Götter des Hatti-Landes" zusammen, sah sie also, ohne ihre verschiedene Herkunft und ihre jeweils anderen Zuständigkeitsbereiche zu verkennen, dennoch als einheitliches Pantheon.

Freilich fehlt es dabei nicht an Versuchen eigener Systematisierung solcher Vielzahl. Schon innerhalb der einzelnen Göttergruppen läßt sich eine Ordnung nach Familien beobachten, wobei die Verehrung einer Dreiheit eines göttlichen Paares mit Kind anscheinend bis in vorgeschichtliche Zeit zurückreicht [30], aber besonders im altkleinasiatischen (Sonnengöttin von Arinna — Wettergott — Mezulla o. a.) und churritischen (Tešup — Chepat — Šarruma) Bereich die Götter an der Spitze des Pantheons meint. [31]

Neben allgemeineren Subsumtionen wie „alle oberen/unteren, männlichen/weiblichen (im Mythos auch großen/kleinen) Götter, alle Fluß-/Berggottheiten, Götter des Himmels und der Erde (= Unterwelt), alle Götter des Landes NN", ist man sich aber auch der typologischen Ähnlichkeit bestimmter Götter aus verschiedenen lokalen Panthea trotz ihrer unterschiedlichen Eigennamen bewußt gewesen. So stehen nicht selten in Festritualen oder Schwurgötterlisten lange Reihen etwa von „Wettergöttern" [32] hintereinander, nur differenziert durch Epitheta, attributive Genetive (z. B. „Wettergott des Blitzes/Donners" o. ä.) oder Ortsnamen, gelegentlich sogar abschließend zusammengefaßt als „alle Wettergötter". Hier mag man vielleicht die Vielzahl lokaler Baalskulte im syrisch-palästinensischen Raum vergleichen, die jedoch wohl nie in ähnlicher Weise zusammengefaßt worden sind. Leider schreiben die keilschriftlichen Texte den Gottesnamen fast stets nur als Ideogramm (dU bzw. d10, oder dIM/IŠKUR), so daß wir seine jeweilige Lesung meist nicht kennen. Dasselbe Problem stellt sich im hethitischen Großreich z. T. sogar für die großen Wettergötter, proto-

---

[30] H. G. Güterbock, in: Forgotten religions, 85; H. Otten, HO I/8, 96.
[31] Anscheinend repräsentiert dabei jeweils die Göttin das chthonische Element (H. G. Güterbock, in: Neuere Hethiterforschung, 59).
[32] E. Laroche, Rech. 108 ff.; vgl. H. G. Güterbock, in: Forgotten religions 88 f.

hattisch *Taru*, luw. *Tarḫunt-*[33], churrit. *Tešup*, deren Lesung an der Einzeltextstelle oft nur aus dem kulturellen Kontext erschlossen werden kann, was jedoch nicht auf einer synkretistischen völligen Gleichsetzung dieser Götter beruht.

Kann man bei den sog. „Wettergöttern" von ihrer gemeinsamen Hauptfunktion aus, nämlich durch Regen und Gewitter Fruchtbarkeit und Leben zu garantieren, weithin auch mit wesensmäßiger Ähnlichkeit der verschiedenen lokalen Ausprägungen rechnen,[34] was auch etwa von der weiten Verbreitung des *Stiers als Symboltier* des Wettergottes bestätigt wird,[35] so ist bei anderen Göttertypen trotz analoger einheitlicher keilschriftlicher Namensschreibung ihre Entsprechung weniger klar. Überhaupt erweist sich hier die Vorliebe hethitischer Schreiber für ideographische oder akkadische traditionelle Schreibungen, die so hilfreich war für die erste Entzifferung, als schwer überwindbares Hindernis. Das altkleinasiatische Pantheon kannte neben dem himmlischen (oberirdischen) männlichen Sonnengott *Eštan* (heth. *Ištanu-*) mindestens eine weitere mächtige Sonnengottheit, die als *„Sonnengottheit der Erde"* an der Spitze der unterirdischen Gottheiten steht und wohl den nächtlichen Aspekt der Sonne repräsentiert. Die wichtigste Göttin im protohattischen Bereich, die *Sonnengöttin von Arinna*, scheint mit ihr weitgehend identisch.[36] Andererseits wechselt deren Name gelegentlich auch mit der reinen Unterweltsgottheit *Lelwani*[37] in deren weiblicher Form, die ihrerseits durch die akkadischen Schreibungen *ALLATUM* bzw. EREŠ.KI.GAL[38] vertreten sein kann. Nur unvollkommen deckt sich so das Bild der altkleinasiatischen Hauptgöttin mit der churritischen Götterherrin *Chepat*, und dennoch ist sie wohl z. T. von jener abgelöst worden[39]. Gerade für das Verhältnis dieser beiden Gottheiten aber ist uns einer der sehr seltenen Belege für echten *Synkretismus* innerhalb der sonst weit mehr pluralistisch angelegten Religion der Hethiter überliefert:

---

[33] Die früher vertretene Lesung **Datta* ist wohl zugunsten von *Tarhunt-* aufzugeben (vgl. E. J. Gordon, JCS 21, 1967 [ersch. 1969] 83 ff.).

[34] H. G. Güterbock, in: Forgotten religions, 84; vgl. A. Vanel, L'iconographie du dieu de l'orage, Paris 1965, 5 f.

[35] Von hier führen die Traditionen bis zu Juppiter Dolichenus, vgl. H. G. Güterbock, l. c. 89; H. Otten, HO I/8, 95 m. Lit. Anm. 4.

[36] J. G. Macqueen, Anatolian Studies 9 (1959) 175 ff.

[37] H. Otten, JCS 4 (1950) 119 ff.

[38] Vgl. Verf., StBoT 3, 34 f.

[39] So z. B. offenbar im Götterzug von *Yazılıkaya*, vgl. o. Anm. 18.

„Sonnengöttin von Arinna, meine Herrin, aller Länder Königin! Im Hatti-Lande setztest du (dir) den Namen Sonnengöttin von Arinna, in dem Lande ferner, das du zu dem der Zeder machtest (= Nordsyrien/ Obermesopotamien), setztest du (dir) den Namen Chepat."[40]

Ebenso schwierig ist eine Abgrenzung des Einflußbereichs der churritischen *Šaušga* gegen die anderen weiblichen Gottheiten mit der Schreibung *dIŠTAR*, sicher ist allerdings unter ihnen die *Ištar von Ninive*[41] als assyrische fremde Göttin zu erkennen, ebenso sicher, zumindest ursprünglich, die Ištar in den Ritualen mit „*babilili*"-Sprüchen als die babylonische, doch bestehen in diesen Ritualen bereits Beziehungen zum Kultort *Šamuha*[42], für den *Šaušga* belegt ist. Klarer dagegen scheint bei den meist nur *d30* geschriebenen *Mondgottheiten*[43], daß der Mondgott im eigentlichen Anatolien keine besondere Bedeutung hatte, auch wenn ein protohatt. Mythos vom Mondgott *Kašku* überliefert ist, daß der heth.-luw. Mondgott *Arma* besonders in luw. Personennamen belegbar ist, daß aber der churrit. *Kušuch* mit Kultzentren bis nach Obermesopotamien (v. a. Harran mit seiner eigenen Mondgott-Tradition) eine wichtige Rolle als Schwurgott, „Herr des Eides", in den Götterlisten der hethitischen Staatsverträge übernahm.[44]

Ein besonderes Problem stellen die zahlreichen, ähnlich wie die Wettergötter durch Epitheta und Ortsangaben unterschiedenen Gottheiten, die sich hinter der Schreibung *dKAL* (bzw. *dLÁMA*) verbergen. Die in der Wissenschaft konventionelle Übersetzung „Schutzgott(heit)" leitet sich ausschließlich von den, hauptsächlich späteren, babylonisch-assyrischen Vorstellungen der *Lamassu* (= *dLÁMA*)[45] als eines torbeschützenden göttlichen Mischwesens ab. Dagegen stehen hinter den verschiedenen *dKAL*-Gottheiten in Anatolien einerseits sicher bestimmte Götter mit uns gelegentlich bekannten Eigennamen[46], andererseits scheint es durchaus möglich, daß „*dKAL*" oft nicht viel mehr heißen soll als „Lokalgottheit/

---

[40] KUB 21, 27 I 3—6.

[41] E. Laroche, Rech. 95; E. v. Schuler, WbMyth I, 180.

[42] Verf., ZA 59 (1969) 323 f.

[43] E. Laroche, Divinités lunaires d'Anatolie, RHR 148 (1955) 1 ff.

[44] Verf., StBoT 3, 38 ff.

[45] Dazu W. v. Soden, Baghdader Mitteilungen 3 (1964) 148 ff.

[46] Inara-, vgl. E. Laroche, Rech. 100; vgl. noch u. zu *Zitharija* und *dKAL* KUŠ*kuršaš* und *dLÁMA.LÍL* = *Runda*.

spezielle Gottheit von ..."[47]. Auf welcher Gleichung die Übernahme der Ideogrammschreibung [d]KAL beruht, ist ungeklärt.

Noch eine weitere Ordnungskategorie für die Götterwelt muß genannt werden: Es ist dies die Vorstellung von älteren, früheren und jüngeren, späteren Göttern, von einer Ablösung der entmachteten vorausgehenden *Göttergeneration*, die in die Unterwelt verbannt wird, durch die nächste. Besonders im churritischen Mythos um Kumarbi vom „Götterkönigtum im Himmel"[48] kommt diese Vorstellung zum Ausdruck und wirkt weiter bis in Hesiods *Theogonie*[49]. Treten dabei als erste Generation die babylonischen Götter *Anu* und *Alalu* auf und weisen so auf mesopotamische Verbindungen, so ist eine andere feste Gruppe von „früheren *(karuileš)*/ewigen *(uktureš)* Göttern" schwer in einen der oben genannten Kulturkreise einzuordnen und stellt gewiß einen Rest eines auch geschichtlich älteren Substrats dar. Ein spezielles Ritual für diese unterirdischen Gottheiten ist uns erhalten,[50] und sie haben in den kompendiösen Götteraufzählungen der Schwurgötterlisten am Ende hethitischer Staatsverträge ihren festen Platz.

Von bildlichen Darstellungen der Götter wissen wir v. a. aus den sog. Bildbeschreibungen der Kultinventare[51], wenig nur aus erhaltenen archäologischen Denkmälern. Mit Ausnahme des Wettergottes und seines Sohnes, die ausdrücklich auch als Stierfigur bzw. „Kalb" bezeugt sind, werden ausschließlich anthropomorphe Bilder genannt. Den jeweiligen Göttern *heilige Tiere* sind offenbar häufig als Attribut beigegeben, vielleicht als Nachklang älterer Vorstellungen, doch sei darauf hingewiesen, daß auch

[47] Zu beachten ist noch, daß ein bilinguer Text aus Ugarit akkad. [d]KAL heth. mit *šena-* „Figur, Statue" übersetzt (s. Verf., Ugarit-Forschungen 1 [1969] 163).

[48] H. G. Güterbock, Kumarbi. Zürich-New York 1946, 6 f.; ders., in: Mythologies of the Ancient World, ed. S. N. Kramer, Garden City, N. Y. 1961, 155 ff. u. 179, Anm. 24 (Lit.).

[49] H. Schwabl, Die griechischen Theogonien und der Orient. In: Éléments orientaux dans la religion grecque ancienne, Paris 1960, 39 ff.; P. Walcot, Hesiod and the Near East, Cardiff 1966, 1 ff.

[50] H. Otten, ZA 54 (1961) 114 ff.; H. G. Güterbock, in: Neuere Hethiterforschung, 55 f.

[51] C. G. v. Brandenstein, MVÄG 46/2, Lpz. 1943; dazu H. G. Güterbock, Or NS 15 (1946) 482 ff.; ders., in: Forgotten religions, 87; L. (Jakob-)Rost, MIO 8 (1963) 161 ff.; 9 (1964) 175 ff.

die frühen Grabungsschichten Anatoliens menschenförmige Idole erbrachten. Neben eigentlichen Götterbildern müssen jedoch auch *Kultsymbole* rituelle Verehrung genossen haben, wie etwa der „Schild" (bzw. „Vlies") des *Zitharija* oder des mit ihm teilweise identischen ᵈKAL ᴷᵁˢ*kuršaš*[52]. Nicht überall dürften in den lokalen Heiligtümern Statuen gestanden haben: „Falls es in dem Ort eine Statue des Wettergottsohns oder einen Wettergott-Tempel gibt ..." (KUB 9, 15 II 25 f.); sehr zahlreich sind jedenfalls die textlichen Belege für *Stelen, Baitylia* oder ähnliche heilige (skulptierte?) Steine[53] sowie *Rhyta*[54]. Nur textlich nachweisbar ist auch die Verehrung deifizierter Gegenstände, so besonders des *Throns*[55].

Täglicher Kult und königliches Festritual entsprachen solchen anthropomorphen Vorstellungen. Eine detaillierte Instruktion für Tempelbedienstete motiviert gar die gegebenen Anweisungen mit dem Satz: „Ist (etwa) die Sinnesart von Mensch(en) und Göttern verschieden voneinander? Das nicht, sondern (ihre) Sinnesart ist ein und dieselbe!"[56] Im nur wenigen Menschen und nur indirekt zugänglichen, von tiefen Fenstern erhellten Allerheiligsten wurde der Gott täglich gewaschen und gespeist, gleich nebenan war seine Bettkammer, wo nächtlich eine Lampe brannte. Die großen Feste, die der König in jahreszeitlichem Rhythmus zu begehen hatte, zwangen ihn zu weiten Rundreisen durch die wichtigsten Kultorte um die Hauptstadt Hattusa.[57] *Libation* von Wein und anderen Getränken, *Opferung* von Tieren — beides mit demselben hethitischen Wort *šipand*-bezeichnet, also doch wohl Opferung durch Kehlschnitt, freilich anscheinend ohne besondere Riten um das Blut selbst[58] — und Brechen von verschiedenartigem Backwerk waren die wesentlichen Handlungen, Kult-

---

[52] H. Otten, Festschrift J. Friedrich, Heidelberg 1959, 353 ff.; StBoT 13, 31 f.

[53] Siehe jetzt die Zusammenstellung von M. Darga, RHA fasc. 84—85 (1969, ersch. 1970) 5 ff.

[54] O. Carruba, Kadmos 6 (1967) 88 ff., v. a. 96 f.

[55] A. Archi, Studi Micenei ed Egeo-anatolici, fasc. 1, Rom 1966, 76 ff.

[56] KUB 13, 4 I 21 f.; vgl. H. Otten, Hethitische Totenrituale, Berlin 1958, 122; A. Kammenhuber, ZA 56 (1964) 158.

[57] H. G. Güterbock, JNES 19 (1960) 80 ff.; ders., in: Neuere Hethiterforschung 62 ff.; vgl. zu hethitischen Festen allgemein ders., in: Actes de la XVIIᵉ Rencontre Assyriologique Internationale (Brüssel 1969) 175 ff.

[58] D. J. McCarthy, JBL 88 (1969) 167 ff. Zu *šipand*- siehe jetzt A. Goetze, JCS 23 (1970) 77 ff. — Zum Problem eventuellen Menschenopfers vgl. Verf., StBoT 3, 150 ff., dazu K. K. Riemschneider, OLZ 65 (1970) 258 f.

mähler mit Musik, Tanz und offenbar gelegentlichem szenischem Spiel[59] gehörten dazu. Der hethitische Ausdruck LUGAL-*uš* ᵈNN *ekuzi*, wörtlich übersetzt „Der König trinkt *den* (Gott) NN" bildet ein philologisches Problem[60], weil eine kausative Übersetzung „läßt den NN trinken" ebenso wie eine Umdeutung zum Dativ „für den NN" grammatisch und lexikalisch unzulässig scheint, für ein Verständnis als eine Art Kommunion als Sakrament aber jede Stütze fehlt, vielmehr kaum ein Zweifel besteht, daß eine Art Libation mit Trinken gemeint ist.

Menschlich dargestellt sind die Götter auch in den *mythologischen Texten* aller Sprachschichten,[61] und wenn hier auch nicht ausführlich auf Mythen eingegangen werden kann, so sollen doch zwei religionsgeschichtlich bedeutsame Erscheinungen genannt werden: 1. Die myth. Erzählungen aus altanatolisch-protohattischer Tradition finden wir ohne Ausnahme eingebunden in rituelle bzw. magische Texte, z. B. ist der Mythos vom Drachenkampf (*„Illujanka"*)[62] nur als aitiologische Legende zum *purulli*-Fest innerhalb von dessen Festritualtext überliefert, und der Mythos vom verschwundenen Gott[63] fungiert als eine Art Analogiebericht in magischen Texten, die zur Herbeirufung eines fernen Gottes dienen. Ganz im Gegensatz dazu sind die Mythen der Churriter und, durch sie meist vermittelt, die hethitisch bezeugten epischen Texte der Babylonier stets für sich allein, ohne kultisch-magischen Bezug, tradiert worden, gehören also im engeren Sinne zur Literatur.[64] Obwohl neuerdings neben Fassungen des Gilgamesch-Epos[65] auch Fragmente des Atrachasis-Epos in Boğazköy nachgewiesen werden konnten,[66] fehlt z. B. das mythische Motiv der Schöpfung und

[59] Verf., StBoT 3, 160 f. m. Lit.

[60] H. G. Güterbock, in: Forgotten religions, 96.

[61] H. G. Güterbock, Hittite Mythology. In: Mythologies of the Ancient World, ed. S. N. Kramer, Garden City (N. Y.) 1961, 139 ff.; vgl. H. Otten, in: Neuere Hethiterforschung 20 ff.

[62] A. Goetze, ANET 125 f.; ders., Kl.² 139 f.; vgl. H. Otten, HO I/8, 115.

[63] H. Otten, Die Überlieferungen des Telipinu-Mythus. Lpz. 1942 = MVÄG 46/1; ders., in: Neuere Hethiterforschung 22.

[64] H. Otten, ibid. 21; H. G. Güterbock, in: Mythologies of the Ancient World 172 f.

[65] H. Otten, in: Gilgameš et sa légende, ed. P. Garelli, Paris 1960, 139 ff.; ders., Istanbuler Mitteilungen 8 (1958) 93 ff.; vgl. ders., in: Neuere Hethiterforschung 20.

[66] J. Siegelová, ArOr 38 (1970) 135 ff.

Sintflut in hethitischen Texten völlig, während die Erschaffung des Menschen und seine Schicksalsbestimmung durch eine Göttinnengruppe (ᵈGulšeš) — ähnlich wie in einer der babylonischen Traditionen — jetzt auch hethitisch belegt scheint.[67] 2. Läßt sich durch die Verbindung zum purulli-Fest eine jahreszeitliche Fixierung des Drachen-Mythos nachweisen,[68] so ist offenbar der genannte *Mythos vom verschwundenen und wiederkehrenden Gott,* der parallel für verschiedene Götter, v. a. *Telipinu* und *Wettergott,* überliefert ist, frei von einem solchen *seasonal pattern,* was zu beachten ist, wenn man einer Verbindung über die kanaanäischen Mythenfragmente in Boğazköy und ugaritische Mythen bis zu den späteren Attis-Adonis-Traditionen nachgehen will. Betont werden muß dabei allerdings auch, daß im hethitischen Mythos weder von einer Geliebten noch von einem Sterben, d. h. also auch nicht von Auferstehung die Rede ist.[69]

Unsterblichkeit ist es ja auch, was Götter hauptsächlich von den Menschen unterscheidet, zwar nie ausdrücklich in Texten ausgesagt, aber evident z. B. gerade bei der Vorstellung der „früheren Götter", die dennoch weiter leben und wirken, wenn auch an anderem Ort in anderer Funktion. Kennzeichnend für göttliche Wesen andererseits ist übernatürliche Wirkung im Sinne des Mana-Begriffs der Religionswissenschaft; das hethitische Wort *parā ḫand(and)atar* meint sowohl den Zustand göttlicher Gerechtigkeit und Rechtleitung wie konkretes göttliches Eingreifen etwa im militärischen Bereich durch übernatürliche Erscheinungen. *p. ḫ.* kann auch durch göttliche Einwirkung auf Menschen, v. a. den König, übertragen werden, der dann als *parā ḫandant-* Instrument göttlicher Macht ist.

Wesen und Geschichte der einzelnen Gottheiten, ihrer Kreise und Verehrung sind bisher nur in wenigen einzelnen Fällen monographisch behandelt worden.[70] Hier liegt eine wichtige Aufgabe für die künftige Forschung.

Götter und Menschen stehen zueinander im Verhältnis von Herr und Knecht. Eine wesentliche Aufgabe der Knechte aber ist es, (im Kult) für

---

[67] H. Otten-J. Siegelová, AfO 23 (1970) 32 ff.

[68] H. G. Güterbock, in: Neuere Hethiterforschung 61.

[69] Ders., in: Forgotten religions 101 f.; Neuere Hethiterforschung 60 f.

[70] Hier mögen außer den in den Anm. 36, 37, 43 und 115 genannten Arbeiten noch genannt werden: zu *Huwaššanna:* H. G. Güterbock, Oriens 15 (1962) 345 ff.; zum *Wettergott von Halab:* H. Klengel, JCS 19 (1965) 87 ff.; zum *Wettergott von Nerik* und seinem Kreis: V. Haas, Studia Pohl 4, Rom 1970; zur Göttin *Wišurijant-:* O. Carruba, StBoT 2, Wiesbaden 1966.

regelmäßige und reichliche Nahrung und Unterhalt ihrer Herren zu sorgen und diese dadurch freundlich zu stimmen, wie es deutlich in der schon erwähnten Tempeldienstanweisung steht: „Wenn der Diener vor seinen Herrn hintritt, dann ist er gewaschen und hat sich sauber gekleidet. Er gibt ihm zu trinken oder er gibt ihm zu essen, und weil jener Herr ißt und trinkt, ist er in seinem Sinn entspannt." [71] Die umgekehrte Abhängigkeit der göttlichen Herren von den Diensten ihrer Knechte kommt zum Ausdruck in einem Gebet während einer Notzeit, als Mensch und Vieh dahinstarben und Heiligtümer verwaisten: „[Was] habt ihr Götter damit ge[tan]? Die Pest habt ihr [ins Land] hereingelassen. Nun stirbt auch das [gan]ze Land Hatti, dann macht euch keiner (mehr) Brotspende und Trankopfer. Die Bauern, die Feld und Flur der Gottheit bestellten, sind gestorben, fernerhin bestellt und bewässert keiner (mehr) Feld und Flur der Gottheit" [72] etc.

Wille und Plan der Götter wird auf mancherlei Weise erfahrbar: Durch *Traumerscheinungen der Gottheit* [73], durch den Mund *gottheitsbesessener Menschen* [74] und durch *übernatürliche Zeichen* tun Götter selbst kund; durch Auswertung von *Omina*, für die man weitgehend auf babylonische Tradition vertraute,[75] und durch *Orakel*anfragen ließen sich vom Menschen aus konkrete Antworten über die Zukunft erreichen. Durch *Gelübde* [76] und in *Gebeten*, für die man nach Anlaß, Inhalt und Form eine differenzierte Terminologie entwickelt hatte,[77] versuchte man die

---

[71] KUB 13, 4 I 22—26; vgl. auch KlF I, 216 f. Z. 4 f.

[72] KUB 24, 3 II 3′ ff. (ergänzt nach Dupl. KUB 30, 13 Vs. 1 ff.), vgl. O. R. Gurney, AAA 27 (1940) 26 f.

[73] A. L. Oppenheim, The interpretation of dreams in the Ancient Near East. Philadelphia 1956, 254 f. (H. G. Güterbock); vgl. E. Laroche, Syria 40 (1963) 288 ff.; Verf., StBoT 3, 109 f.; A. Goetze, Kl.² 147 f.; auch künstlich herbeigeführt als Traumorakel.

[74] A. Götze, KlF I, 218 Z. 3; O. R. Gurney, AAA 27 (1940) 26 Z. 20; A. Goetze, Kl.² 147 übersetzt den heth. Terminus *šiunijant-* (zu *šiuni-* „Gott") als „Enthusiasmierter".

[75] A. Goetze, Kl.² 148 ff., vgl. Verf., StBoT 3, 189 f. und K. K. Riemschneider, StBoT 9, Wiesbaden 1970.

[76] H. Otten — Vl. Souček, StBoT 1, 1 f. 36 f.

[77] E. Laroche, La prière hittite. In: Annuaire. École prâtique des Hautes Études, Sciences religieuses, 72 (1964—65), 3 ff.; mit Recht hält z. B. Ph. H. J. Houwink ten Cate, Numen 16 (1969) 83 die lexikalischen Einengungen der Termini bei Laroche für überspitzt.

Götter zu beeinflussen und von ihnen Gesundheit, Nachkommenschaft und langes Leben, aber auch die Erfüllung bestimmter Bitten zu erlangen. Einige Könige haben sich als besondere Schützlinge (auch in der Titulatur als „Liebling des (Gotts) NN" ausgedrückt) bestimmter Gottheiten betrachtet, so bei Muwattalli des Wettergotts *pihaššašši*, bei Hattusili III. der *IŠTAR (Šaušga) von Šamuha*, deren Förderung und Wohlwollen sie ihre Leistungen zuschreiben, denen gegenüber sie sich aber auch besonders verantwortlich fühlen. In Gebeten an diese Gottheiten wird oft das Bild von Herr und Knecht ersetzt durch das von Sohn und Eltern.[78] Gelegentlich wurden Gebete auch an Gottheiten niederen Ranges als Gebetsmittler[79] gerichtet, die sich bei der eigentlich gemeinten höheren Gottheit für das Anliegen des Beters einsetzen sollen. Umgekehrt ordnen auch die persönlichen Gottheiten ihren Schützlingen in besonderen Fällen eigene Schutzgottheiten zu.[80]

Überhaupt hat der König unter den Menschen auch religiös eine Sonderstellung. Er ist oberster Priester der Staatsgötter, die Berufung zum „*Priester*" scheint gelegentlich sogar synonymer Ausdruck für den Antritt der Königsherrschaft zu sein.[81] Ihm obliegt persönlich die Durchführung der großen Kultfeste, für die er sogar Feldzüge unterbricht. Ihr Versäumnis wird als schwere Verfehlung durch göttliche Strafe am ganzen Lande geahndet.[82] Der König ist göttlicher Beauftragter für das dem Gott gehörende Land: „Der Tabarna, der König, ist den Göttern angenehm. Das Land gehört dem Wettergott. Himmel, Erde (und) Mannen gehören dem Wettergott. Er machte den Labarna, den König, zum Beauftragten und gab ihm das ganze Land von Hattusa."[83] Und ähnlich: „Mir, dem Könige, vertrauten die Götter, Sonnengottheit und Wettergott, das Land

[78] H. Otten, HO I/8, 107 m. Anm. 3; bei einem Teil der Belege sicher nur aus babylonischer Tradition übernommen (KUB 24, 3 I 46, cf. AAA 27, 24; KUB 31, 127 I 21), vgl. H. G. Güterbock, JAOS 78 (1959) 239. 244.

[79] H. G. Güterbock, in: Forgotten religions 99; Ph. H. J. Houwink ten Cate, Numen 16 (1969) 88 f.

[80] A. Götze, Hattušiliš = MVÄG 29/3, Lpz. 1925, 10 f. I 37 f. (durch Traum angekündigt).

[81] Verf., StBoT 3, 43 f.; Ph. H. J. Houwink ten Cate, Numen 16 (1969) 86.

[82] So etwa im sog. 2. Pestgebet des Mursili (A. Götze, KlF I, 208 f. § 3, 5); vgl. auch A. Götze, Die Annalen des Muršiliš = MVÄG 38, Lpz. 1933, 20 f. (KBo 4, 3 I 16 f.).

[83] IBoT I 30, 1 ff., vgl. H. G. Güterbock, in: JAOS Suppl. 17 (1954) 16.

und mein Haus an. Als König werde ich mein Land und mein Haus beschützen."[84]

Kriegszüge werden im Auftrage der Gottheit geführt, die den König „bei der Hand nimmt", im Kampf den Truppen seines Landes „vorausläuft"[85] und ihnen in riskanten Situationen gar durch *Zeichen*[86] ihre Hilfe und Erfolg verspricht. Geschichte spielt sich so parallel auf göttlicher und menschlich-irdischer Ebene ab und wurde gar häufig von den auch in religiösen Dingen rechtlich denkenden[87] Hethitern als eine Art Rechtsstreit[88] verstanden. Vertragsbruch ist darum ebenso wie kultische Verfehlung Ursache für göttlichen Zorn und Strafe.[89]

Auch wenn bis heute eine eingehende, gattungs- und literaturgeschichtliche Untersuchung der hethitischen historischen Texte fehlt, so läßt sich doch schon als eines von deren sicheren Ergebnissen erkennen, daß Rechtfertigung des königlichen Handelns vor der Gottheit ein entscheidendes, wenn nicht das wesentliche, Motiv hethitischer Geschichtsschreibung war. Schon in Hattusilis I. bilinguen Annalen (Ende 17. Jh. v. Chr.)[90] nimmt die Aufzählung der den heimischen Göttern geweihten Beute einen wichtigen Platz ein. Der Sinn der sog. Zehnjahresannalen Mursilis II. (Ende 14. Jh. v. Chr.) wird durch deren Einleitung und Schluß ausgesprochen: „Zur Sonnengöttin von Arinna erhob ich (betend) die Hand ... Und die Sonnengöttin von Arinna erhörte mein Wort, und sie trat zu mir hin; da besiegte ich, sobald ich mich auf den Thron gesetzt hatte, diese umliegenden Feindländer in 10 Jahren und schlug sie." ... (Am Schluß:) „Seit ich mich auf den Thron meines Vaters gesetzt hatte, war ich schon 10 Jahre

---

[84] KUB 29, 1 I 17 ff., vgl. O. R. Gurney, in: Myth, Ritual and Kingship, ed. S. H. Hooke, Oxford 1960, 113 f.

[85] So schon in den Annalen Hattusilis I. KBo 10, 1 Vs. 14 f., vgl. H. Otten, MDOG 91 (1958) 79 (s. u. Anm. 90).

[86] Zum Beispiel durch den „Donnerkeil" (GIŠkalmišana-) des Wettergottes KBo 4, 3 II 16 ff. (Götze, Annalen des Muršiliš, 46 f.), vgl. E. Neu, StBoT 12, 47 f.; ein anderes Zeichen bei A. Götze, Ḫattušiliš, 50 f., KBo 6, 29 II 31 ff.

[87] E. Laroche, La prière hittite, 17; Ph. H. J. Houwink ten Cate, Numen 16 (1969) 92 f.

[88] A. Goetze, Kl.² 127 m. Anm. 10; vgl. aber auch etwa KUB 4, 1 I 19 ff.

[89] So gilt z. B. der Bruch der Vereinbarung über Kuruštama nach A. Götze, KlF I, 208 ff. als eine der Pestursachen.

[90] Siehe vorläufig H. Otten, MDOG 91 (1958) 75 ff. zu KBo 10, 1—3; vgl. F. Imparati-Cl. Saporetti, Studi Classici e Orientali (Pisa) 14 (1969) 40 ff.

König, und diese Feindländer besiegte ich in 10 Jahren mit eigener Hand. Diejenigen Feindländer aber, die die königlichen Prinzen und Generale besiegten, sind nicht dabei. Was mir die Sonnengöttin von Arinna, meine Herrin, hinfort zuteilt, das werde ich ausführen und (vor der Gottheit!) niederlegen." [91]

In solchem Sinne will offenbar der historische Bericht der Annalen verstanden sein, als Erzählung vom Wirken der Gottheit, von göttlichem Auftrag und königlicher Durchführung und wohl auch als Dank und Ruhm für Erreichtes. Noch deutlicher und persönlicher gefärbt leitet Hattusili III. (ca. 1280—1250) seine große Selbstrechtfertigung ein: „Der IŠTAR göttl. Walten (*parā handandatar*, s. o.) will ich aussprechen, und die Menschheit soll es hören, und in Zukunft soll unter den Göttern meiner Majestät (wörtl. „meiner Sonne"), des Sohnes, Enkels, Nachkommen meiner Majestät der IŠTAR (besonders) ehrfürchtige Verehrung sein." [92]

Freilich wird es gerade hier schwer zu entscheiden, wieweit die religiöse Form sich aus *persönlicher Frömmigkeit* oder etwa aus politischer Klugheit ableiten läßt, kann man doch an den hethitischen Texten allgemein beobachten, daß gerade bei denjenigen bedeutenden hethitischen Herrschern, deren Thronrechte nicht unumstritten waren und die daher ihr Handeln nicht ohne weiteres aus dem allgemeinen Auftrag des Königtums zu motivieren vermochten, die eigenen historischen Berichte besonders reichlich vorliegen. [93] Bei der Reihe überlieferter Gebete Mursilis II. glauben wir jedoch das Maß und die Entwicklung [94] religiöser Erschütterung und das Suchen nach der wahren Ursache des in einer damals grassierenden Seuche offenbaren Gotteszorns fassen zu können, trotz aller literarischen Abhängigkeit der Form [95]. Politische und kultische Verfehlungen des Vaters Suppiluliuma I. werden vom Sohn Mursili als *Sünde* begriffen, die

---

[91] A. Götze, Die Annalen des Muršiliš, 20 ff., 136 f. (KBo 3, 4 I 22 ... 27—29. IV 45—48).

[92] A. Götze, Ḫattušiliš 6 f. Z. 5—8. Siehe jetzt H. Cancik, Mythische und historische Wahrheit, Stuttgart 1970, 65 ff.; A. Archi, The propaganda of Ḫattušiliš III. In: Studi Micenei ed Egeo-Anatolici 14 (Rom 1971) 185 ff.

[93] H. Otten, Abh. Akad. Mainz (s. o. Anm. 7), 116.

[94] H. G. Güterbock, RHA fasc. 66—67 (1963) 61 f.; Ph. H. J. Houwink ten Cate, Numen 16 (1969) 82 ff., v. a. 97 f.

[95] Vgl. O. R. Gurney, AAA 27 (1940) 9 ff.; H. G. Güterbock, JAOS 78 (1959) 237 ff.

er als vererbbar in eigene persönliche Verantwortung übernimmt. Das Eingeständnis allerdings soll die Götter zur Versöhnung und Verschonung der Überlebenden führen: „Wettergott von Hatti, mein Herr, ihr Götter, meine Herren! Es ist nur zu wahr, daß der Mensch sündig ist. Mein Vater sündigte und verstieß gegen das Wort des Wettergottes von Hatti, meines Herrn. Aber ich habe in keinem Falle gesündigt. Es ist jedoch nur zu wahr, daß die Sünde des Vaters auf seinen Sohn fällt. So ist meines Vaters Sünde auf mich gefallen. Ich habe nun gestanden vor dem Wettergotte von Hatti, meinem Herrn, und vor den Göttern, meinen Herren: Es ist wahr, wir haben es getan. Und da ich meines Vaters Sünde gestanden habe, möge die Seele des Wettergottes von Hatti und der Götter, meiner Herren, wieder besänftigt sein!" [96]

Kein Unschuldiger soll unter der Strafe des Sündigen leiden: „Wer auch immer den Göttern (Anlaß zu) Groll und Zorn, wer etwa ihnen gegenüber nicht ehrfürchtig (ist): Es sollen nicht die Guten mit den Schlechten umkommen! (Sondern) wenn es eine Stadt war oder ein Haus oder ein Mensch, so [laßt], ihr Götter, (nur) diese allein umkommen!" [97] In voller Klarheit spricht Hattusili III. die Spannung zwischen göttlichem Willen und menschlicher Not der Entscheidung aus: „Ob das dem Willen der Götter entsprach, oder ob es nicht ihrem [Willen entsprach], ich habe jedenfalls ..." [98]

Nicht nur durch seine Funktion zu Lebzeiten war der König von seinen Untertanen unterschieden. Sterblich wie sie, ging er dennoch nicht bei seinem Tode als schattenhafter Totengeist zur Unterwelt, sondern nur er als König [99] *„wurde Gott"*, d. h. ging in die himmlische Sphäre ein. Das bezeugt expressis verbis indirekt ein Passus aus dem Ersatzkönigsritual, wo der z. Z. im Königsamte ersetzte wahre König die Götter bittet: „Nun laß mich zu meinem göttlichen Geschick zu den Göttern des Himmels ein und [laß] mich frei aus der Mitte der Toten(geister)!" [100]

---

[96] A. Götze, KlF I 214 f. § 9, 1—6.

[97] KUB 24, 3 II 54—59 (O. R. Gurney, AAA 27, 30 f.).

[98] H. Otten, HO I/8, 107.

[99] Teilweise wohl auch die Königin, da verstorbene Königinnen nach den Opferlisten ebenfalls Opfer erhalten. Unsicher in der Deutung sind die oft dafür zitierten Texte KBo 2, 15 // KUB 25, 14, s. Verf., StBoT 3, 16, zuletzt Ph. H. J. Houwink ten Cate, Numen 16 (1969) 91.

[100] Verf., StBoT 3, 62 f. Z. 18 f., cf. ibid. S. 91; H. Otten, in: Historia religionum, I, 322.

Wie dieses himmlische Jenseits aussah, mag man vielleicht den hethitischen Totenritualen, die uns Verbrennung und Beisetzung eines Königs schildern, entnehmen.[101] Leider sind uns Texte zum Thronbesteigungsritual[102] nur bruchstückhaft, eigentliche *Krönungsriten* nur in der Imitation der Ersatzkönigsinvestitur[103] erhalten, so daß wir solche für das Selbstverständnis hethitischen Königstums und seines religiösen Hintergrunds wichtigen symbolischen Handlungen nicht auswerten können.

Als vergöttlichte Ahnen empfangen die verstorbenen früheren Könige auch regelmäßige Opfer.[104] Eine *Vergöttlichung* eines hethitischen Königs zu Lebzeiten freilich ist nicht nachweisbar und unwahrscheinlich, auch wenn man darauf hat schließen wollen aus dem Herrschertitel ᵈUTU^{ŠI} „Meine Sonne", der stets mit Gottesdeterminativ geschrieben wird, was aber reine Schreibtradition sein dürfte, da er zusammen mit dem Symbol der *geflügelten Sonnenscheibe*[105] (in den hieroglyphenhethitischen Inschriften) sicher aus fremdem Einflußbereich stammt. Ebensowenig läßt sich aus der priesterlichen Kulttracht des Königs, die genau der der Sonnengottdarstellung entspricht,[106] auf Vergöttlichung schließen.

Kult und Gebet sind stets mit rituellen Handlungen verbunden, die zunächst die Gottheit herbeilocken und dann den Bitten Nachdruck verleihen sollen, ja meist im magischen Sinne erzwingbar machen. *Magie* für sich allein spielt eine entscheidende Rolle beim Versuch der Abwehr lebensbedrohender böser Mächte wie Krankheiten und Seuchen, besonders aber gegen bösen Zauber, Verleumdung und „Unreinheit" aller Art. Es soll hier nicht die ganze Fülle hethitischer magischer Praktiken und Motivierungen, die zu beträchtlichem Teil den Provinzen entstammen, aufgeführt[107], sondern nur einiges aus neuerer Erkenntnis genannt werden. So ist es

---

[101] H. Otten, Hethitische Totenrituale, Berlin 1958, 15 f. 139 f.; ders., OLZ 1962, Sp. 229 ff.

[102] H. G. Güterbock, JAOS Suppl. 17 (1954) 17; Verf., StBoT 3, 43 ff.

[103] KUB 24, 5 Vs. 20′ ff., s. Verf., StBoT 3, 10 f. u. 29 ff.

[104] H. Otten, MDOG 83 (1951) 47 ff.; ders., Abh. Akad. Mainz (s. o. Anm. 7), 103 f.

[105] A. Goetze, Kl.² 89; vgl. jetzt H. Gonnet-Baǧana, Anadolu 11 (1967, ersch. 1969) 167 ff.

[106] S. Alp, JCS 1 (1947) 164 ff.; A. Goetze, ibid. 176 ff.; vgl. O. R. Gurney, in: Myth, ritual and kingship, 116; H. G. Güterbock, JAOS Suppl. 17 (1954) 16.

[107] Siehe A. Goetze, Kl.² 151 ff.

besonderer Erwähnung wert, daß die Hethiter offenbar den (z. B. im akkadischen Bereich üblichen) Schritt zur dämonhaften Personalisierung solcher Mächte meist nicht (z. B. „Unreinheit, Behexung, böse Zunge" usw.) oder nur verallgemeinernd (etwa „irgend ein Gott des Feindlandes" o. ä.[108]) vollzogen haben. Besonders transparent wird die Einbringung von mehreren primär unpersönlichen magischen Vorstellungen in die personale Götterkonzeption bei den hethitischen Ersatzritualen[109]: Das sicher aus babylonischer Tradition übernommene Motiv der befristeten Einsetzung eines *Ersatzkönigs als Substitut* für den König, weil man während dieser Frist aus der Vorhersage von Omina Gefahr für diesen erwarten muß, ist hethitischen Vorstellungen angepaßt worden. Dabei hat man das ganz andere magische Motiv der *Elimination* von Unheil durch Übertragung auf einen später weggejagten tierischen Unheilsträger mit dem Substitutionsmotiv teilweise verbunden. Eben dies „*Sündenbock"*-motiv ist für sich allein aus hethitischen Texten gut belegt, wobei sich das primäre magische Ritual und seine Adaptation an persönliche Götter beobachten läßt.[110] Das Sündenbockmotiv seinerseits hat seine Parallele im alttestamentlichen Ritus von Lev 16, 5 ff. Weitere mögliche Beziehungen zwischen hethitischem und syrisch-palästinensischem Raum durch gemeinsame Kulttermini sind in der neuesten Forschung wahrscheinlich gemacht worden.[111] Möglicherweise liegen aber auch hethitischer und altisraelitischer Geschichtsschreibung mehr als zufällige gemeinsame Ansätze zugrunde.[112] Doch bedürfte ein fundierter Vergleich zunächst gerade auf hethitologischer Seite einer weiter fortgeschrittenen Quellenauswertung.

Wieviel und ob etwas von der Religion der Hethiter des 2. Jahrtausends durch die syrischen Kleinfürstentümer, an denen als Nachfolgestaaten der

---

[108] So v. a. in den Pestritualen, s. Verf., StBoT 3, 116 f.

[109] Verf., Ersatzrituale für den hethitischen König, Wiesbaden 1967 = StBoT 3; ders., Ersatzkönig und Sündenbock, ZAW 80 (1968) 298 ff.

[110] ZAW 80 (1968) 310 ff.

[111] H. A. Hoffner, Hittite *tarpiš* and Hebrew *terāphîm*, JNES 27 (1968) 61 ff., vgl. ders. The linguistic origin of Teraphim, Bibliotheca Sacra 124 (1967) 230 ff.; ders. Second millennium antecedents to the Hebrew 'ôb, JBL 86 (1967) 385 ff.

[112] A. Malamat, Doctrines of causality in hittite and biblical historiography, VT 5 (1955) 1 ff. Vgl. jetzt H. Cancik, Mythische und historische Wahrheit, Stuttgart 1970, 46 ff.

alte *Landesname Hatti* haften blieb bis hin zu den biblischen *Ḥittīm* [113] und deren interpoliertem Stammvater [114], nach dem Zusammenbruch des hethitischen Reichs um 1200 v. Chr. und deren Aramaisierung zu Beginn des 1. Jahrtausends v. Chr. erhalten blieb, läßt sich ihren recht einseitigen hieroglyphenhethitischen und phönizisch-aramäischen Inschriften kaum entnehmen. Sicherer scheint eine weitere Wirkung churritisch-hethitischer Mythologie nach Westen, während von hethitisch bezeugten Gottheiten außerhalb des inneren Kleinasien nur wenige nachweisbar sind in späterer Zeit, wie etwa *Kubaba* in etwas unklarer Entwicklung zu *Kybele* [115]. Freilich darf man wohl manche Wesenszüge späterer andersnamiger Gottheiten [116] oder gar ihre Namen an Hethitischem anknüpfen [117].

Zusätzliche Abkürzungen: **AAA** = Annals of Archaeology and Anthropology (Liverpool) 1908 ff. / **JKF** = Jahrbuch für kleinasiatische Forschung. 1—2 (1950—52, Heidelberg) / **KlF** = Kleinasiatische Forschungen. Hrsg. v. F. Sommer u. H. Ehelolf. Bd. 1 (Weimar 1930). / **StBoT** = Studien zu den Boğazköy-Texten. Wiesbaden 1965 ff. Vgl. dazu Anm. 4 und die Kurztitel in Anm. 2—3.

[113] Davon abgeleitet die heute üblichen Bezeichnungen Hethiter, Hittites, etc.
[114] Gen 10, 15, vgl. auch H. Donner, Fs. J. Friedrich, 126.
[115] H. G. Güterbock, in: Forgotten religions 94 f.; E. Laroche, in: Éléments orientaux dans la religion grecque ancienne, Paris 1960, 113 ff.; vgl. H. Otten, HO I/8, 118 f.; E. v. Schuler, WbMyth I 183 f.
[116] Vgl. etwa den Typ des bogenschießenden Seuchengotts bei heth. *Jarri* und westkleinasiatisch *Apollon* (cf. Verf., StBoT 3, 101[53]).
[117] Zur Verbindung anatolisch *Runda* o. ä. — *Artemis* vgl. H. Otten, HO I/8, 117; O Carruba, Anatolico Runda, Studi Micenei ed Egeo-anatolici, fasc. 5 (1968) 31 ff.

WOLFGANG RÖLLIG

DIE RELIGION ALTSYRIENS

Theologie und Religionswissenschaft greifen nirgends so eng ineinander ein wie gegenwärtig bei der Erforschung der Religion Altsyriens. Wird biblische Theologie verstanden als eine im AT und im NT gleichermaßen überlieferte Offenbarung, so ist die Form ihrer Überlieferung und sind die Inhalte dieser Überlieferung ohne ihre Umwelt nicht oder nur sehr mangelhaft verständlich. Diese Umwelt aber ist im engeren Kreis Kanaan, im weiteren Syrien. Dessen Religion hat in Mythus und Ritus unzweifelhaft Israel beeinflußt, positiv dort, wo Israel Elemente syrischer Religion übernahm, durch die Negation dort, wo Propheten und religiöse Erneuerer sich gegenüber jedem fremden Einfluß auf die reine, die am Sinai erfahrene Offenbarung des einen Gottes beriefen. So wie die Geschichte Israels nur ein Teil der Geschichte Syriens im Altertum ist, so ist die Religion dieses Volkes Teil der Religion des syrischen Raumes. Zu Recht nimmt deshalb heute die syrische Religion eine Schlüsselstellung ein bei der Deutung und Erforschung alttestamentlicher Religion. Das müßte zur Folge haben, daß für unsere Zwecke die gesamte syrische Religion zur Darstellung gelangte, doch ist das in dem beschränkten Rahmen dieses Beitrages nicht möglich, ja nicht einmal nötig, da gerade kürzlich eine ausgezeichnete Religionsgeschichte dieses Raumes erschienen ist.[1] Deshalb beschränke ich

---

[1] Hartmut Gese, Die Religion Altsyriens, in: Religionen der Menschheit 10/2, Stuttgart 1970. — An älteren zusammenfassenden Darstellungen seien erwähnt: R. Dussaud, Les religions des ... Phéniciens et des Syriens, Sammlung Mana Bd. II (Paris 1949) 355 ff.; M. J. Dahood, Ancient Semitic Deitis in Syria and Palestine, Studi Semitici 1 (Rom 1958): J. Gray, The Legacy of Canaan (²1965); M. H. Pope-W. Röllig, Wörterbuch der Mythologie, hrsg. von H. W. Haussig, Bd. 1 (1965) 219 ff.; O. Eißfeldt, Kanaanäisch-ugaritische Religion, in: Handbuch der Orientalistik VIII/1 (Leiden 1964) 76—91; W. F. Albright, Yahweh and the Gods of Canaan. A Historical Analysis of Two Contrasting Faiths (London 1968); H. Ringren, The Religion of Ancient Syria, in: Historia Religionum, A Handbook for the History of Religions, Bd. 1 (Leiden 1969) 195 ff. — Vgl.

mich hier darauf, die drei mir wesentlich erscheinenden Epochen der syrischen Religionsgeschichte in großen Zügen darzustellen und ihre spezifische Problematik aufzuzeigen, ohne daß Einzelheiten in extenso diskutiert werden.

I

Eine der großartigsten Entdeckungen dieses Jahrhunderts auf archäologischem Gebiet waren und sind die Ausgrabungen von Ugarit[2], die uns in völlig unerwartetem Umfang Einblick nehmen lassen in die religiösen Verhältnisse Syriens in der 2. Hälfte des 2. Jt. v. Chr., d. h. in der Zeit vor der Staatenbildung in Israel. Die zahlreichen religiösen Texte, vornehmlich episch-mythischer Natur, die hier in einer frühen Form der Alphabetschrift festgehalten waren, scheinen in einem so unerwartet reichen Maße auch Teile biblischer Tradition widerzuspiegeln, daß heute keine alttestamentliche Arbeit mehr glaubt, an Ugarit vorübergehen zu können, der englische Gelehrte G. R. Driver einen Pan-Ugaritismus an die Stelle des längst verblichenen Pan-Babylonismus treten sieht.[3]

Es ist deshalb nur zu berechtigt, wenn gegenwärtig Stimmen laut werden, die vor einer Überschätzung des ugaritischen Materials warnen, darauf hinweisen, daß unsere Kenntnis der Texte noch weithin schlecht ist und alle weittragenden Schlüsse, die aus ihnen gezogen werden, von Zeit zu Zeit revisionsbedürftig werden.[4] Viele Texte sind lexikalisch und grammatisch noch nicht sicher erschließbar, selbst die Folge der auf einzelne

---

ferner: M. J. Mulders, Kanaanitische Goden in het Oude Testament (Den Haag 1965); A. Caquot, Problèmes d'histoire religieuse, in: La Siria nel Tardo Bronzo (Rom 1969) 61 ff.; R. Du Mesnil du Buisson, Études sur les dieux phéniciens hérités par l'empire Romain (Leiden 1970).

[2] Ausgrabungsberichte werden seit 1929 regelmäßig in der Zeitschrift „Syria" publiziert, Gesamtergebnisse und Texte in Ugaritica I—VI (1939—1969); Le Palais royal d'Ugarit II—V (1955—1965). Die Texte in Alphabetschrift liegen (mit Ausnahme der in Ugaritica V publizierten) gesammelt vor in A. Herdner, Corpus des Tablettes en cunéiformes alphabetiques I. II (Paris 1963), ferner bei C. H. Gordon, Ugaritic Textbook, Analecta Orientalia 38 (1965).

[3] Journal of Semitic Studies 10 (1965) 116 f.

[4] Siehe etwa A. Caquot, in: La Siria nel Tardo Bronzo (Rom 1969) 61 ff. und in Les religions du proche-orient (Paris 1970) 356 ff.

Tafeln verteilten Episoden ist oft nicht klar zu rekonstruieren. Deshalb wird im folgenden auch darauf verzichtet, Details zu bieten, selbst dort, wo sie gegenwärtig gesichert erscheinen.

In Ugarit tritt uns nun eine Stufe der kanaanäischen Religion entgegen, die charakteristisch ist für die zweite Hälfte des 2. Jt. v. Chr. Sie ist aber in ihren wesentlichen Inhalten mit den späteren Stufen so eng verbunden, daß sie hier im Mittelpunkt der Betrachtung stehen muß.

Wenn aber von Stufen gesprochen wird, so sollte vorausgesetzt werden, daß es eine oder mehrere Vorstufen gab. Von diesen ist auch eine bekannt, sie hat allerdings keinen für uns faßbaren Ausdruck in Literaturwerken gefunden. Lediglich Namen[5] geben uns mit ihren theophoren Elementen und Prädikationen einigen Einblick in das Pantheon der frühen Kanaanäer, die als 'Amoriter' aus altbabylonischen Texten bes. der Gegend um Mari am mittleren Euphrat bekannt sind und die dort in der 1. Hälfte des 2. Jt. v. Chr. nomadisierten. Die Feststellung ist nicht unwesentlich, daß es sich hierbei nicht nur aufgrund der Sprache, sondern auch nach den Indizien des Pantheons um „Kanaanäer" handelte. Hier sind neben Verwandtschaftstermini mit theophorer Bedeutung (ab „Vater", ah „Bruder", hammu „Onkel") und vergöttlichten Gebirgszügen (Bisir = Ğebel Bišrī und E/Abeh = Ğebel Hamrīn) schon Götter wie Addu (Hadad), Erah/Jarih (Mondgott), Dagan, Anat, Salim, Jam (Meer), Rašap, Hauron usw. belegt, die schon zahlenmäßig bei der Bildung der Namen dominieren, also eine gewisse Vorrangstellung besaßen. Allen voran steht aber El, auch wenn nicht leicht zu entscheiden ist, wann es sich bei seiner Nennung um den Eigennamen oder um das Appellativum handelt, dagegen tritt verhältnismäßig stark der Sonnengott Sams (Šamš) zurück. Eine bedeutende Rolle spielen Wetter- und Gewittergötter, wobei schon örtliche Sonderentwicklungen zu beobachten sind; so stehen neben Adad noch Mer/Wer und Lim[6]. Obgleich eine eingehende Untersuchung des amoritischen Pantheons noch fehlt, wird auch sie bei dem bisher vorliegenden Material keine Antwort auf die Frage geben können, wie das Verhältnis der Gottheiten zueinander war, welche Inhalte sich mit den verschiedenen Erscheinungsformen im einzelnen verbanden und vor allem, welche kultische

---

[5] Zuletzt: H. B. Huffmon, Amorite Personal Names in the Mari Text (Baltimore 1965) mit reicher Literatur.

[6] Zu Mer/Wer s. D. O. Edzard, Wörterbuch der Mythologie 1, 135 ff., zu Lim s. W. Röllig, Biblische Zeitschrift NF 12 (1968) 123—127.

Relevanz sie jeweils hatten. Erscheint es demnach wichtig, diese frühen
Zeugnisse kanaanäischer Religion zu beachten, so treten sie doch weit
zurück hinter dem, was Ugarit an aussagekräftigem Material anbietet.

Diese Stadt (heute Rās esch-Schamra „Fenchelkap"), an der syrischen
Küste gegenüber der Insel Zypern gelegen, ist zwar schon eine alte Gründung, doch wurde durch die Grabungen bisher vor allem die spätbronze-
zeitliche Schicht zwischen 1400 und 1200 v. Chr. mit bedeutenden Palast-
anlagen und zwei Tempeln aufgedeckt. Mykenischer Einfluß zeigt sich in
den Grabkammer unter den Wohnhäusern und in der Keramik, ägyptischer Einfluß in der Ikonographie. Das kleine, wohlhabende Königreich
hat es verstanden, sich in der Zeit der Kämpfe zwischen den Hethitern
und Ägyptern um die Vorherrschaft in Nordsyrien eine relativ große
Unabhängigkeit zu bewahren.[7] Es ist dennoch nicht wahrscheinlich, daß
wir es hier mit einer zentralen Stadt, etwa auch für Religion und Kultur,
zu tun haben, lediglich die Gunst der Überlieferung, die uns aus dieser
Stadt zahlreiche literarische Texte religiöser Natur in der ihr eigenen
Sprache und Schrift bewahrt hat, rückt sie in den Mittelpunkt des
Interesses.

Deuten wir die Texte richtig, so scheint zwischen der 'amoritischen'
Vorstufe der kanaanäischen Religion und der in Ugarit greifbaren Stufe
vor allem ein bedeutsamer Unterschied zu bestehen: Das Zurücktreten des
Hochgottes El[8] zugunsten von Baal, einem Fruchtbarkeits- und Wettergott
recht vielseitiger Art[9]. Dabei wird diese Gewichtsverlagerung aber nur
indirekt spürbar, offiziell offenbar nicht zur Kenntnis genommen. Die
Liste der Götter Ugarits, die uns in einer akkadischen und einer ugaritischen Fassung erhalten ist und die hierarchische Gliederung bewahrt hat[10],
beginnt mit einem „El des Vaters" (il abi), dessen mögliche Verknüpfung

---

[7] Zur politischen Geschichte s. M. Liverani, Storia de Ugarit nell'età degli
archivi politici, Studi Semitici 6 (Rom 1962); H. Klengel, Geschichte Syriens
im 2. Jahrtausend v. u. Z. II (1969) 326 ff.

[8] O. Eißfeldt, El im ugaritischen Pantheon (1951); Ders., El und Jahwe,
Kleine Schriften Bd. 3, 386 ff.; M. H. Pope, El in the Ugaritic Texts, Supl.
Vetus Testamentum 2 (Leiden 1955).

[9] A. Kapelrud, Baal in the Ras Shamra Texts (1952); M. J. Mulders, Baʿal in
het Oude Testament (1962); R. Hillmann, Wasser und Berg. Kosmische Verbindungslinien zwischen dem kanaanäischen Wettergott und Jahwe, Diss. Halle
1965.

[10] J. Nougayrol, Ugaritica 5, 42—64; 320—322.

mit dem „Gott der Väter" schon oft erörtert worden ist[11]. Es folgt der eigentliche „El", danach Dagan, eine schon im amoritischen Pantheon dominierende Getreidegottheit, der in Ugarit wahrscheinlich ein herausgehobener Tempel geweiht war. Erst an dritter Stelle nennt die Liste den Adad bēl ḫuršān Ḥazzi „Baal, Herr des Saphon-Berges" (Ǧebel el-Aqra', ca. 50 km nördlich Ugarit), gefolgt von 6 weiteren, wohl lokalen Erscheinungsformen des Baal. Die Liste nennt dann — neben einigen in der Deutung kontroversen Gottheiten — den Mondgott Sîn/Jariḫ, den Gott der Weisheit Ea/Kothar, zwei hurritische Götter und erst an ziemlich später Stelle die Göttinnen Ašratum/Ašerat, den 'vergöttlichten Mutterleib', und Anatum/Anat, noch später Ištar/Aštart.

Dies ist die offizielle Tradition, auch vor dem Fund der Liste bereits erschließbar aus Opferlisten und der an ihnen ablesbaren Wertigkeit der Gaben. Anders ist jedoch die Szene in den mythologischen Texten, besonders dem umfangreichen Baal-Zyklus. Hier ist zwar El noch immer Haupt der Götterversammlung, aber eigentlich aktiv ist vor allem Baal, der — nach dem bruchstückhaften und in der Reihenfolge der Tafeln nicht leicht zu rekonstruierenden Text[12] — von Jamm, dem Meer-Gott herausgefordert wird, wobei ihm sein Herrschaftsanspruch bestritten wird. Die Kontroverse kulminiert in der Forderung des Jamm nach einem Palast, der sein Königtum nach außen hin demonstrieren soll. Es kommt zum Kampf, in dem Baal über Jamm, das von dämonischen Wesen unterstützte Meereschaos, siegt — so wie Jahwe über den Chaosdrachen[13]. Die Tradition dieses mythischen Geschehens reicht aber noch weiter, so nach Ägypten, wo der Astartepapyrus in ägyptischer Einkleidung ein ähnliches Geschehen berichtet[14], und nach Kleinasien, wo der Kumarbi-Mythos im Ullikummi-Lied vom Kampf zwischen dem Göttervater Kumarbi und

[11] J. Nougayrol, op. cit. 45 f. mit Literatur; R. de Vaux, El et Baal, le dieu des pères et Yahwe, Uagritica 6, 501—517.
[12] Nach der Rekonstruktion, wie sie zuletzt H. Gese, Die Religionen Altsyriens 51 ff. nach A. Herdner, CTA vorgeschlagen hat, vgl. aber A. Caquot und M. Sznycer, Les religions du proche-orient 380 ff. mit anderer Reihenfolge der Tafeln. [Vgl. jetzt auch P. J. van Zijl, Baal. A Study of Texts in Connection with Baal in the Ugaritic Epics. AOAT 10 (1972).]
[13] Hinweise bei H. Gese, Religionen 60 f.
[14] A. H. Gardiner, Studies presented to F. L. Griffith (1932) 74 ff., s. O. Kaiser, Die mythische Bedeutung des Meeres in Ägypten, Ugarit und Israel (²1962).

dem hurritischen Wettergott Tešub berichtet, der — nach gewaltigem
Kampf mit dem mythischen Ungeheuer Ullikummi — wahrscheinlich
·gleichfalls die Herrschaft erringt.[15] Selbst in der griechischen mythologischen Überlieferung ist in der Typhon-Sage ein deutlicher Reflex des in
Ugarit greifbaren syrischen Mythologems greifbar, hier mit Sieg des Zeus,
des gegenüber Chronos und Gaia jüngeren Repräsentanten der Götterwelt[16].

Neben Baal steht Anat, die Jungfrau, seine Gefährtin[17]. Sie ist es, die
in der Götterversammlung bei El den Bau des Palastes, nunmehr für
Baal, endgültig durchsetzt, so daß sich der Gott gegenüber Mot (Tod),
dem Repräsentanten des sommerlichen Absterbens der Vegetation, brüsten
kann: „Ich allein bin es, der herrscht über die Götter, daß fett werden
Götter und Menschen, satt werden die Bewohner der Erde." Anat ist es
auch, die ihren Gefährten Baal, nachdem er trotz dieser prahlerischen Rede
von Mot verschlungen wurde, zunächst mit magischem Ritual bestattet,
dann sich erneut auf die Suche nach ihm begibt und den Gott Mot, als sie
ihn schließlich trifft, umbringt und in einem Verfahren, das die Gewinnung des Brotgetreides nachvollzieht, zerkleinert[18]. Dies hindert nicht
daran, daß der Mythos schließlich außerdem erzählt, daß Baal auf dem
Berge Sapon den Todesgott nochmals besiegt. Der Inhalt des Mythos wird
auf diese Weise besonders unterstrichen und durch die Wiederholung ein-
dringlicher gemacht: Der Teil des Vegetationszyklus, der durch Sommer-
dürre, Reifezeit und Ernte charakterisiert wird, findet in Mot seinen
Repräsentanten, im Ernten und Früchtegewinnen wird der Grund gelegt
für die Wiederkehr und Belebung der Vegetation durch den Winterregen,
dessen Spender der als Sieger gefeierte Baal ist.[18a]

[15] H. G. Güterbock, Kumarbi, Mythen vom churritischen Kronos (1946); ders.,
The Song of Ullikummi, Journal of Cuneiform Studies 5 (1951) 135 ff.;
6 (1952) 8 ff.
[16] J. Dörig-O. Gigon, Der Kampf der Götter und Titanen (1961).
[17] Vgl. besonders: U. Cassuto, The Goddess Anath (hebr.) 1950; A. Herdner,
Remarques sur la deesse ᶜAnat, RES 1942/45, 33 ff.; J. Nougayrol, Ugaritica 5, 55
mit weiterer Literatur; H. Gese, Religionen 156 ff.
[18] Sie zerschlägt ihn mit dem Schwert, worfelt ihn, verbrennt ihn im Feuer,
mahlt ihn, verstreut ihn auf dem Feld, wo die Vögel die Reste aufpicken (nach
CTA 6 II 30 ff.). Vgl. noch T. Worden, VT 3 (1953) 273 ff.
[18a] [Neuerdings J. C. de Moor, The Seasonal Pattern in the Ugaritic Myth
of Baᶜlu According to the Version of Ilimilku. AOAT 16 (1971).]

Es ist zuletzt von H. Gese sehr klar herausgearbeitet worden,[19] welche gewaltige Ausdehnung der Wirkungsbereich des Baal, des ursprünglichen Himmelsgottes, des Senders furchtbarer Gewitter, bekommen hat mit der Rolle des Vegetationsgottes, der mit der irdischen und unterirdischen Sphäre in engen Kontakt tritt, ihr verfällt, sie aber letztlich wieder beherrscht. Hieraus erklärt sich der Anspruch des Gottes auf das Königtum über Götter und Menschen, die Zurückdrängung des überirdischen El und dessen Gattin Atirat.

Diese Rückdrängung war offenbar kein offener Kampf, nirgends ist in Ugarit das Chronos-Zeus-Motiv spürbar.[20] Im offiziellen Kult machte sie sich sowieso nicht bemerkbar, blieb El nach wie vor in seiner Spitzenstellung. Kleine Anspielungen im Mythos lassen aber wohl doch ein Spannungsverhältnis erkennen, das zwischen der älteren und der jüngeren Generation bestand. Nachdem Baal durch Mot den Tod gefunden hat, erscheint Anat voller Verbitterung in der Götterversammlung und fordert Atirat und ihre Söhne auf, sich über den Tod Baals zu freuen, da nun der mächtige Fürst der Erde tot sei. Und tatsächlich erfolgt als Reaktion von El die Aufforderung an Atirat, den „furchtbaren 'Attar"[21] auf Baals Thron zu setzen — der ihn aber nicht ausfüllen kann, also versagt. Es mag sein, daß in dem Eifer, der sich in der Suche nach einem Ersatz für Baal zeigt, die Furcht vor der Zurückdrängung durch den jungen, den tatkräftigen und umfassend wirkenden Gott Baal zum Ausdruck kommt.

Es ist nun höchst eigenartig, daß die weiblichen Gottheiten — hervorgehoben sind hauptsächlich Atirat, 'Anat und 'Attart — nicht in solch

[19] H. Gese, Religionen 75—80; 128.

[20] H. Gese weist Religionen, 117 ff. darauf hin, daß das Problem der „Göttergenerationen" für die syrische Mythologie nicht besteht, zumindest die Tradition des Philo-Sanchuniathon lediglich davon spricht, daß Zeus/Baal (Hadad) von Chronos/El die Königsherrschaft erhält. Die recht komplizierte Frage der gegenseitigen Beeinflussung von syrischer und frühgriechischer Vorstellung und deren Rückentwicklungen in hellenistischer Zeit läßt sich gegenwärtig noch nicht präzise beantworten. Vgl. z. B. den interessanten Versuch von M. Astour, Hellenosemitica (1965).

[21] 'Attar ist männliche Entsprechung zur 'Attart/Astarte, die deshalb evtl. ursprünglich androgyn zu denken ist (H. Gese, Religionen 137 ff.; 161), spielt aber im kanaanäischen Pantheon eine verhältnismäßig untergeordnete Rolle, ist dagegen im südarabischen Raum bevorzugte Gottheit. Vermutlich war es eine Himmelsgottheit, der astrale Aspekt entspricht einer Erscheinungsform der Astarte, mit Zügen einer Fruchtbarkeitsgottheit und insofern auch Baal verwandt.

einem Spannungsverhältnis zueinander zu stehen scheinen. Aṯirat ist zwar Gemahlin Els und „Mutter der Götter", sie steht aber z. B. auch in einem recht engen Verhältnis zu Baal, beiden gemeinsam wird ein Opfer gebracht.[22] Als Fruchtbarkeitsgöttin steht sie ihm von vornherein nahe, trägt als Qadšu selbst orgiastische Züge und verschmilzt damit beinahe mit der ʿAṯtart, die später zur überragenden Gestalt wird. Gleiches geschieht aber auch mit ʿAnat, die als gewalttätige Kriegsgöttin geschildert wird, als Jungfrau, die begehrenswerte „Schwester" des Baal, der mit ihr selbst den hieros gamos vollzieht. Trotz ihrer engen Beziehung zu Baal und seinem Schicksal — sie erkämpft für ihn Königspalast und Titel, sie erlöst ihn aus der Gewalt des Mot — wird sie nicht mit ihm Königin, tritt sie, die ständig Unabhängige, nicht als seine Paredra in Erscheinung. Es verwundert deshalb nicht, daß in der späteren Überlieferung ʿAnat nur noch eine untergeordnete Rolle spielte, sie gleichfalls in der ʿAštart aufgegangen ist, deutlich faßbar noch beim Namen der „Syrischen Göttin" Lukians Atargatis, einer aus ʿAštart und ʿAnat zusammengesetzten Namensform.[23]

Neben den bereits im Baal-Zyklus genannten Gottheiten ist das ugaritische Pantheon natürlich noch viel reicher an Göttern[24], seien es nun lokale Erscheinungsformen besonderer Aspekte einer Hauptgottheit, seien es Gestirngottheiten wie die weibliche Sonnengottheit Šapš, der Mondgott Jariḫ und die — aus dem babylonischen Raum übernommene — Mondgöttin Nikkal. Zur Unterwelt gehört außer Mot noch Rešep, der Gott der Seuchen, vor allem der Pest. Für seine Kunstfertigkeit berühmt war Koṯar, der im Auftrag Els den Palast des Baal mit Gold auskleidet, den Gott für seinen Kampf mit Jamm mit besonders wirksamen Waffen ausstattet.

Vom Kult erfahren wir aus den Opferlisten und Ritualen einiges, doch bleibt gerade die letztgenannte Textgattung noch recht schlecht verständlich. Sicher ist, daß auf dem Lande die offene Kulthöhe dominierte, durch Massebe, Altar und seine Steinsetzung als heiliger Ort herausgehoben. In der Stadt ist der Tempel, oft in einer Mehrzahl und in verschiedenen, wenig einheitlichen Typen errichtet, mit seinem Kultbild bevorzugte Opferstätte, wo im Hofe auf dem großen Brandopferaltar die blutigen Opfer dargebracht, in der Cella die Votivgaben niedergelegt und Räucher-

---

[22] A. Herdner, CTA 36, 8.
[23] Wb. der Mythologie 1, 244 f. [Zu Aštart vgl. jetzt auch W. Herrmann, Mittlg. d. Instituts f. Orientforschung 15 (1969) 6—55.]
[24] Vgl. die in Anm. 10 genannten Götterlisten mit Kommentar a. a. O.

altäre aufgestellt werden. Gemeinschaftsopfer in der Kultgemeinde stehen neben den Ganzopfern, die der Gottheit allein dargebracht werden.[25] Opfermaterie sind Tiere aller Art, bevorzugt die Produkte der Herden, Früchte und Räucherwerk. Nicht nachweisbar ist das Opfer von Menschen in Ugarit, obgleich gerade hier die alttestamentliche Überlieferung von Gen 22 und Ri 11, 20 ff. es nahelegt, einen solchen Brauch auch in der Umwelt des AT zu suchen.[26]

Bezüge von Ugarit zur Überlieferung des Alten Testaments sind zahlreich, wenn sie auch in ihrer Bedeutung und Tragweite oft überschätzt worden sind. Vorstellung wie die vom Königtum Gottes, vom Sieg der Gottheit über das Chaos, repräsentiert durch den Drachen Leviathan im Meer (Jes 27, 1), von Jahwe als „Wolkenreiter" (Ps 68, 5), der „seine Stimme erschallen läßt" (ebd. V. 34; Jer 25, 30), sind in Ugarit wie in Israel anzutreffen, ja, die äußere Erscheinungsweise Jahwes scheint sehr stark von der kanaanäischen Tradition geprägt zu sein. Auch der Parallelismus zwischen Aussagen poetischer Texte Ugarits und mancher Psalmen, der hineingeht bis in die rhythmische Struktur, überrascht immer wieder, zeigt aber lediglich, daß Israel nicht in geschichtslosem Raum stand, sondern Tradition aufnahm und umbildete.

II

Gleichfalls umgebildet wurde aber auch die syrische Religion. Das hatte zunächst äußere Gründe: Kurz nach 1200 v. Chr. brach das mühsam ausbalancierte Kräftespiel zwischen Mesopotamien, Hatti und Ägypten auf syrisch-palästinensischem Boden zusammen im sog. Seevölkersturm, der erst auf ägyptischem Boden zum Stehen kam und in Teilen zurückflutete. Die Folge war, daß viele der bedeutenden Städte und Staaten Syriens zerstört und vernichtet wurden, u. a. auch Ugarit. Als der Schleier, der dadurch über die Geschichte Syriens gelegt wird, sich wieder etwas lüftet, hat sich die Szene gewandelt: Das Zentrum wird von Aramäern

[25] Grundlegend und mit zahlreichen alttestamentlichen Parallelen R. Dussaud, Les origines cananéennes du sacrifice israélite (2. Aufl. 1941), vgl. ferner A. de Guglialmo, Catholic Biblical Quarterly 17 (1955) 76 ff.; R. de Vaux, Les sacrifices de l'Ancien Testament (1964).
[26] H. Gese, Religionen 175 ff.

beherrscht, bedeutendster Staat ist der von Damaskus. Im Norden hat sich eine Reihe von kleinen, teilweise gleichfalls aramaisierten, teilweise von luwischen Bevölkerungsgruppen getragenen Fürstentümern gebildet, die allmählich vom expansiven assyrischen Reich aufgesogen werden. Im Süden haben Israel und Juda, zunächst unter David vereint, die zentrale Landbrücke besetzt. An der Küste kommen die phönizischen Städte, die schon im 2. Jahrtausend durch ihr Monopol im Seehandel bedeutsam gewesen waren, zu neuer Blüte. Ihnen kommt jetzt offenbar die tragende Rolle zu bei der Bewahrung und Entwicklung der überkommenen syrischen Tradition und bei deren Weitergabe nach außen. Hier sind es einmal die Kolonien auf den Inseln des Mittelmeeres, an den Küsten Afrikas und Spaniens, die empfangen, daneben aber auch die Griechen und Römer, die in Mythus und Kultus sich mit dieser Überlieferung auseinandersetzen oder die anregen, syrische Tradition in fremdem Gewand zu verbergen, wie es etwa bei Philo nach Sanchuniathon der Fall ist.

Schon bei der Religion des 2. Jahrtausends, wie sie uns vor allem aus Ugarit bekannt ist, mußten Vorbehalte angemeldet werden: Die Quellenlage erlaubt uns noch nicht, mit Sicherheit ein Bild der Religion der Zeit zu entwerfen. Quellenlage und Überlieferungsstand sind für das 1. Jahrtausend eher noch ungünstiger. Es fehlen die großen epischen Dichtungen, es fehlen alle Gebete und Hymnen. Die wenigen Nachrichten über Gottheiten und Religion sind lediglich aus den zufällig erhaltenen, oft lakonisch kurzen Inschriften zu gewinnen, die nur in ganz seltenen Fällen primär religiöse Dokumente sein wollen.[27] So ist unser Bild dieser Epoche ganz unvollständig, es mag sein, daß wir die Akzente falsch setzen und ist sicher, daß wir manche Phänomene — etwa die Magie — gar nicht erfassen können.[28] Dennoch sind einige Charakteristika dieser Stufe so vielfältig nachweisbar, daß sie wohl nicht ganz zufällig sein können.

Die Einheitlichkeit der syrischen Religion und Götterwelt bleibt auch jetzt erhalten, doch bilden sich stärker als vorher lokale Varianten der Baale und Astarot — das Alte Testament nennt sie bezeichnenderweise

[27] Gesammelt zuletzt bei H. Donner-W. Röllig, Kanaanäische und aramäische Inschriften (2. Auflage 1966/69).

[28] Ein Amulett aus Arslan Taş ist bisher das einzige schriftliche Zeugnis für diesen Bereich, s. Kanaanäische und aramäische Inschriften Nr. 27; F. M. Cross-R. J. Saley, Bulletin of the American Schools of Oriental Research 197 (1970) 42—49. [Ein zweites Amulett jetzt bei A. Caquot — R. Du Mesnil du Buisson, Syria 48 (1971) 391—406.]

meist im Plural — heraus, wobei im nordsyrischen Bereich der aramäische
Name Hadad für den Wettergott dominiert. An manchen Orten, so z. B.
Sam'al/Zincirli[29] oder auf dem Karatepe[30], sind lokale Panthea bezeugt,
in denen immer eine Baal-Figur beherrschend zu sein scheint. So wie im
politischen Bereich eine Zersplitterung der Kräfte für diese Zeit charakteristisch ist, so scheint auch auf religiösem Gebiet jetzt das Gewicht der Stadt-
gottheiten einzelner Städte stärker zu werden. Dabei tritt eine neue
Generation von Göttern in Erscheinung, die in Ugarit noch nicht bekannt
ist, das 1. Jahrtausend bis zum Hellenismus aber zu beherrschen scheint.

In Berytos (Beirut) ist z. B. ursprünglich der Gott Ešmun heimisch,[31]
der sein Wirken aber rasch über die Grenzen dieser Stadt hinaus entfaltet.
Er gehört zum Typus der Heilgötter, kann deshalb später mit Asklepios
gleichgesetzt werden, scheint aber schon früh aus der Sphäre des Helfers
für den Körper in die des Seelenretters und Erlösers übergeführt zu
werden. Dies wird deutlich in der bei Damaskios erhaltenen mythologischen Erzählung[32], nach der Ešmun auf der Jagd von der Göttermutter
Astronoe in Liebe verfolgt wird, sich auf der Flucht selbst entmannt,
dann aber durch die lebenspendende Wärme der Göttin wieder ins Leben
zurückgerufen und vergöttlicht wird. Handelt es sich bei dieser Erzählung
auch um eine Aetiologie, um den Namen des Gottes mit der Wärme
(hebr. 'eš „Feuer") in Verbindung bringen zu können, so ist doch das
Thema von Sterben und Wiederbelebung der Gottheit charakteristisch
und mit hoher Wahrscheinlichkeit ursprünglich.

Ähnliches gilt von Melqart[33], dem Stadtgott von Tyros, dessen Name
„König der Stadt" wohl nur eine ursprüngliche Baals-Gestalt verdeckt, aus
einem Appellativum zum Eigennamen geworden ist. Er wurde auch der
Schutzherr des Emporions Karthago, galt allgemein als Gott der Seefahrer
und besaß deshalb Heiligtümer auf manchen Vorgebirgen, die durch

---

[29] R. D. Barnett, The Gods of Zinjirli, Compte rendu de l'Onzième Rencontre
Assyriologique internationale (1964) 59—87.
[30] M. Weippert, Elemente phönikischer und kilikischer Religion in den Inschriften vom Karatepe, ZDMG Spl. 1 (1969) 191—217.
[31] W. von Baudissin, Adonis und Esmun (1911); W. F. Albright, AfO 7
(1931/2) 164 ff.; V. McCasland, JBL 58 (1939) 221 ff.
[32] Damaskios, Vita Isid. 302.
[33] Wb. der Mythologie 1, 297 f. mit Lit.; R. Dussaud, RHR 1957, 1—21;
W. Culican, Abr Nahrain 2 (1960) 41—54; D. van Berchem, Syria 44 (1967)
73 ff.

jeweils doppelt vorhandene Kultobjekte, Bätylen, gekennzeichnet waren. In griechisch-römischer Tradition wurde er dem jugendlichen Herakles gleichgesetzt. Auffällig ist, daß nach einer Tradition, die aus Eudoxos von Knidos bei Athenaios erhalten ist,[34] Herakles auf einer Reise nach Lybien von Typhon getötet, dann von Iolaos durch den Geruch von verbrannten Wachteln wieder ins Leben gerufen wurde. Stellt man dazu die Notiz des Menander bei Josephus[35], daß in Tyros eine Auferweckung des Melqart gefeiert wurde, so stellt sich der Bezug zum Baals-Zyklus her, denn es ist nicht schwer, in Typhon eine hellenisierte Form des Todesgottes Mot mit dem Schlangendrachen zu erblicken. Somit tritt Melqart hier mythisch für seinen Bereich, die Stadt Tyros, an die Stelle des Götterkönigs Baal.

Etwas anders liegen die Dinge bei einer beherrschenden Figur der jüngeren syrischen Religion, dem sterbenden und auferstehenden Gotte Adonis[36]. Er ist nicht in engem Sinne Stadtgott, wie etwa Melqart, wenn auch Byblos sein Hauptkultort gewesen sein wird. Er gehörte auch nicht zu den Hochgöttern, sondern blieb trotz seines anspruchvollen Namens (etwa „mein Herr", gräzisiert aus 'adōnī) eine niedere Gottheit. Deshalb sind seine Erwähnungen in Originalquellen äußerst selten, spärlich und sehr spät; fast alles, was wir von ihm kennen, wissen wir aus antiken Schriftstellern. So berichtet Lukian in seiner Schrift über die Syrische Göttin, daß ein besonders alter Tempel der Aphrodite in Afqaʿ (als Venus Aphacitis) gestanden habe, also im Libanon am Quellkopf des Nahr Ibrahim, des alten Adonis-Flusses, der etwas unterhalb Byblos ins Meer mündet.

Die Überlieferung des Adonis-Mythos ist uneinheitlich. Diejenige, die sicher mit diesem Kultort verknüpft werden muß,[37] berichtet davon, daß er auf Zypern als Sohn des Königs Kinyras geboren worden sei, dessen Name an den ugaritischen Gott der Weisheit und Kunstfertigkeit Kotar erinnert. Daß diese Erinnerung nicht ganz zufällig ist, wird dadurch deut-

---

[34] Athenaios, Deipnosoph. IX 47, 392 d/e.
[35] Fl. Josephus, Antiqu. Jud. VIII 5, 3.
[36] G. Glotz, Fêtes de Adonis, REG 33 (1920) 169—222; R. de Vaux, Adonis et Osiris, RB 42 (1933) 31—56; P. Lambrechts, AIPHO 13 (1953) 207—240; W. Attalah, Adonis dans la littérature et l'art grecs (1966); R. Du Mesnil du Buisson, Études sur les dieux phéniciens (1970) 105—116.
[37] Lukian von Samosata, Dea Syria 6 ff.; Cyrill, Alex. in Jes 18, 1; Firmicus Maternus 9, 1.

lich, daß nach Melito der Vater des babylonischen Tammuz, einer in der Spätzeit dem Adonis weithin gleichenden Gottheit, ein König von Phönizien namens Kutar gewesen sein soll. Beide Male dürfte die gleiche Tradition zugrunde liegen. Der junge Jäger Adonis — so fährt die Erzählung fort — wird von der Göttin Aphrodite (Astarte) geliebt und bedrängt, dadurch wird ihr Gatte Ares eifersüchtig, verfolgt Adonis und tötet ihn in Gestalt eines Ebers. Es ist letzthin die Vermutung geäußert worden,[38] daß hier eine in Byblos beheimatete Tradition um den Gott Rešef, weiterhin bekannt als Gott der Seuchen und des Krieges, weiterwirkt, der hier die Funktionen übernimmt, die Mot in Ugarit erfüllte. Adonis stirbt an der Quelle Afqaʿ, sein Blut fließt in den Fluß, der sich bis weit ins Meer hinein rot färbt. Aphrodite aber begibt sich, um ihren Geliebten wieder zum Leben zu erwecken, in die Unterwelt, erreicht dort bei Persephone aber lediglich, daß der Gott jeweils für ein halbes Jahr auf die Erde zurückkehren darf, die andere Hälfte in der Unterwelt verweilen muß. Andere Überlieferungen — wahrscheinlich sekundärer Natur — sprechen von einem Tod des Adonis im Wasser[39] oder von einer Fahrt des Kindes im Rohrkästchen[40] (Aussetzungsmotiv) in die Unterwelt.

Das Geschehen des Todes des Vegetationsgottes wurde alljährlich kultisch nachvollzogen. Vor allem in Byblos wurde der verschwundene Gott mit Klage und Beweinung gefeiert, seine Auferstehung in einem Fest in orgiastischer Ausgelassenheit begrüßt.[41] Leider sind uns genaue Zeitangaben nicht erhalten, doch scheint der Tod des jugendlichen Gottes sich im Sommermonat Tammuz zu ereignen, der durch das Verdorren der Vegetation gekennzeichnet ist. Sein Sterben wird deshalb symbolisiert durch die Adonisgärtchen, Schalen und Kästchen mit leicht sprossenden Sämereien, deren Abwelken das Verschwinden der Gottheit darstellt, vgl. Jes 17, 10 f. mit einem Hinweis auf diese Sitte[42].

Es ist deutlich geworden, daß der alte Naturmythos des Befruchtens und Wachsens, des Reifens und Vergehens, wie er im Baal-Zyklus von

---

[38] H. Gese, Religionen 186 Anm. 41.

[39] Theokrit, Idyll. 15, 131 mit Scholion.

[40] Apollodor, Bibliotheke 3, 14, 4.

[41] P. Lambrechts, Over Griekse en oosterse mysteriegodsdiensten. De zgn. Adonismysteries (1954); G. v. Lücken, Kult und Abkunft des Adonis, Forschung und Fortschritte 36 (1962) 240 ff.

[42] K. Galling, Von Ugarit bis Qumran, Festschrift O. Eißfeldt, BZAW 77 (2958) 59 f.

Ugarit voll ausgeprägt vor uns stand, auch hier weiterwirkt. Im Mittel-punkt steht aber nicht der dynamische junge König der Götter, sondern es sind neue, eher passive Gestalten, die dieses Schicksal erdulden und zu Tod und Auferstehung kommen. Deshalb scheint einem Gott wie Adonis auch kein Staatskult gegolten zu haben, seine Qualität als Überwinder des Todes mehr dem breiten Volke wichtig gewesen zu sein.

Es versteht sich von selbst, daß neben diesen herausgehobenen Gestalten noch eine Großzahl von Gottheiten stand, die entweder lokale oder auch überregionale Bedeutung hatte. Vor allem ist hier unter den Göttinnen die Astarte zu nennen. Sie spielte als 'Attart bereits in Ugarit eine nicht geringe Rolle, wurde gleichzeitig auch schon in Ägypten verehrt und wird im 1. Jahrtausend so vielgestaltig in ihren Erscheinungen, daß man an vielen Orten nicht mehr ihren Namen nennt, sondern sie zur „Herrin" (Baalat) schlechthin macht.[43] Sie ist in erster Linie Fruchtbarkeitsgöttin und wird deshalb dargestellt als nackte Frau mit besonderer Betonung der weiblichen Geschlechtsmerkmale.[44] Ihr Symboltier ist der Löwe, doch kann sie auch mit der Kuh in Verbindung gebracht werden, wie uns der Ortsname Astaroth Qarnaim Gen 14, 5 zeigt, vermutlich eine Vermischung mit 'Anat, die ja in Ugarit als Kuh Gefährtin des Baal ist. Ein anderer Aspekt der Astarte, der nicht von 'Anat abgeleitet werden kann, ist der der Kriegsgöttin. Schon der Löwe weist darauf hin, der auch das Symbol-tier der kriegerischen Ištar in Babylonien ist, aber auch die Weihung der Rüstung Sauls im Astartetempel von Beth Sean durch die Philister (1 Sam 31, 10) macht den Bezug der Göttin zum Krieg deutlich. Dies wird noch unterstrichen durch die in Ägypten seit Amenophis II. heimische Erschei-nungsform der Göttin als „Herrin der Pferde und des Streitwagens"[45]; denn in dieser Funktion ist sie wahrscheinlich mit der neuen Waffe aus Syrien übernommen worden.

[43] Dies gilt besonders von der Baalat von Byblos, die schon sehr früh bezeugt ist und ägyptisiert auch als Hathor verehrt wurde, s. H. Gese, Religionen 45 ff., 182 f.

[44] W. F. Albright, Astarte Plaques and Figurines from Tell Bet Mirsim, Mélanges R. Dussaud 1 (1939) 107 ff.; J. B. Pritchard, Palestinian Figurines in Relation to Certain Goddesses known through Literature (1943); W. Helck, Betrachtungen zur großen Göttin und den ihr verbundenen Gottheiten (1971).

[45] J. Leclant, Astarte à cheval d'après les représentations égyptiennes, Syria 37 (1960) 1 ff.

Ein dritter Aspekt der Göttin ist astraler Natur. Schon früh dürfte sie — wie die babylonische Ištar und ihre männliche Entsprechung 'Aṭṭar — mit dem Abendstern identifiziert worden sein; sie wird dann zur Himmelkönigin (vgl. Jer 7, 18; 44, 17 ff.) und in hellenistischer Zeit mit Asteria, Astronoe und Astroarche bezeichnet. Ihr heiliger Stein soll nach Philo von Byblos[46] vom Himmel gefallen sein, war also ein Meteorit, den sie auf der Insel Tyrus weihte. Es ist deshalb wohl auch kein Zufall, daß gemäß der Weihinschrift des Tiberie Vilanas, die im etruskischen Pyrgi gefunden wurde,[47] an einem Votivbild für Astarte sich Sterne befinden, die als Abbilder der himmlischen Gestirne als Garanten für die Bewahrung des Kultbildes dienen können.

Die syrische Götterwelt des 1. Jahrtausends hat ihre weite Wirkung der Verbreitung zu verdanken, die sie über die phönizischen Kolonien in der Alten Welt fand. Hier ist besonders Karthago zu nennen, das neben einigen Sonderentwicklungen, der Bevorzugung des Baal Hammōn und der — in Syrien nicht nachweisbaren — Tinnit, mit Astarte, Ešmun, Melqart, Šadrapa usw. viele Gottheiten des Mutterlandes gleichfalls verehrte, ihren Kult bei Griechen und Römern bekannt machte und teilweise weitervermittelte. In Nordafrika haben sich auch Opferbräuche erhalten und an Bedeutung zugenommen, die im Mutterlande nur am Rande von Belang waren, vor allem das Kinderopfer. Es ist heute erwiesen, daß das Molochopfer (vgl. 2Kön 16, 3; 17, 17; 21, 6; 23, 10; 2Chr 33, 6; Jer 32, 35; Ez 16, 21; 20, 26. 31) auf dem Tophet von Karthago in älterer Zeit recht häufig dargebracht wurde, aber in der Spätzeit durch Substitution mit Hilfe eines Opfertieres nur noch der Intention nach vorhanden war.[48] Auch die späte Überlieferung des Philo von Byblos hat die Nachricht erhalten, daß Kronos seinen erstgeborenen Sohn dem Uranos opferte.[49]

[46] Eusebius, Praeparatio evangelica ed. K. Mras I 10, 31.

[47] KAI 277.

[48] Die Literatur zu dieser Frage ist recht umfangreich, vgl. etwa K. Dronkert, De Molochdienst in het Oude Testament (1953); O. Eißfeldt, Molk als Opferbegriff im Punischen u. das Ende des Gottes Moloch (1935); W. Kornfeld, Der Moloch, eine Untersuchung zur Theorie O. Eißfeldts, WZKM 51 (1952) 287 ff.; J.-G. Février, Molchomor, RHR 143 (1953) 8 ff.; Ders. Essai de reconstitution du sacrifice Molek, JA 248 (1960) 167 ff.; Ders. Le rite de substitution dans les textes de N'gaous, JA 250 (1962) 1 ff.; W. Röllig, KAI 2, 76 f.

[49] Eusebius, Praeparatio evangelica I 10, 33.

III

Mit dem Hellenismus geht Syrien eine eigenartige Symbiose zwischen einheimischer und griechischer Überlieferung ein, die überkommenen Göttergestalten leben in leicht abgewandelter und äußerlich hellenisierter Form weiter. Die jetzt zur Blüte gelangenden Karawanenstädte wie Palmyra, Petra oder Dura-Europos bekommen ein größeres Gewicht, die in ihnen verehrten Gottheiten — teilweise arabischer Herkunft — gehen in Triaden eine seltsame Verquickung mit den althergebrachten Erscheinungsformen ein. Syrien nimmt dabei teil an einer Entwicklung des hellenistischen Gottesglaubens mit seiner besonderer Hinwendung zum Sonnengott. So tritt seit dem 3. Jh. v. Chr. ein neuer Generationswechsel ein, der den Himmelsgott in verschiedenen Erscheinungsformen in den Mittelpunkt rückt.

Es versteht sich von selbst, daß diese Entwicklung nichts vollkommen Neues bringt. Schon eine Opferliste aus Mari[50] (um 1700 v. Chr.), der Stadt mit unzweifelhaft amoritischem Einfluß, nennt neben dem akkadischen Sonnengott Šamaš einen ᵈUTU ša šamê „Sonnengott des Himmels", der allerdings, gemessen an den ihm dargebrachten Opfergaben von nur 2 Schafen, nicht an hervorgehobener Stelle gestanden haben wird. Anders scheint es bei der Inschrift des Königs Idrimi[51] von Alalaḫ (ca. 1475 v. Chr.) zu sein, wo als erster der Götter in der Fluchformel ein ilu šamû „Himmels-El" genannt wird[52]. Hier ist wahrscheinlich bereits El in seiner Stellung als Himmelsherr in den Vordergrund getreten, es werden im folgenden die „Götter von Himmel und Erde" genannt, also die auch aus Ugarit und phönizischen Inschriften bekannte Versammlung der Göttersöhne. Daß der Sonnengott — in Ugarit eigenartigerweise weiblich — auch sonst eine Rolle spielte, wurde bereits angedeutet. Der Gott der Dynastie von Qatna ist Šamaš[53], auf dem Karatepe steht eine Elqone'ares, der wahrscheinlich den die Erde tragenden Urozean repräsentiert,[54] dem

---

[50] G. Dossin, Le panthéon de Mari, Studia Mariana (1950) 41 ff. bes. 43 Z. 3.

[51] S. Smith, The Statue of Idri-Mi (1949) 22, 93.

[52] Vorausgesetzt, daß die Lesung korrekt ist. ilu kann auch Determinativ sein, dann läge ein Gott „Himmel" vor.

[53] J. Bottéro, Les inventaires de Qatna, RA 43 (1949) 34; VAB 2 Nr. 55, 53 ff.

[54] H. Gese, Religionen 115. 167.

„Sonnengott der Ewigkeit" gegenüber. Hier korrespondiert also einem irdischen ein kosmisches Prinzip, das zugleich — da der Sonnengott alles zu sehen bekommt — das Prinzip des Rechtes und der Gerechtigkeit ist. In ähnlicher Art in seiner Funktion ausgeweitet ist der Baal Šamem[55], der „Himmelsbaal", dessen Kult besonders unter den Seleukiden sehr gefördert wurde. Er wird unter den Schwurgöttern im Vertrag Asarhaddons mit Baal von Tyrus[56] neben dem Baal Malage und dem Baal Sapon genannt, folgt in der Karatepe-Inschrift auf den „Sonnengott der Ewigkeit" und ist auch sonst im phönizischen Einflußbereich, in Byblos, auf Zypern, Sardinien und Karthago weit verbreitet, später wird er im Hauran, in Palmyra, in Dura und im ganzen nördlichen Mesopotamien verehrt. Er ist der Zeus Olympios, dessen Kult Antiochos IV. auch in Jerusalem einführen wollte (2Makk 6, 2), er wird von Philo von Byblos mit Zeus verglichen,[57] gleichzeitig aber als Sonnengottheit beschrieben und „Herr des Himmels" genannt. Wenn aber noch in Palmyra, wo Baalsamem übrigens mit dem Sonnengott(!) Jarhibol und dem Mondgott Aglibol eine Triade bildete, dieser mit Blitzen oder einem Kornährenbündel in der Hand dargestellt wird,[58] so läßt sich deutlich ablesen, daß wir es hier mit einer ursprünglichen Baal-Gottheit zu tun haben, die im Zuge der Neuorientierung gleichfalls kosmische Züge erhielt.

Als Sonnengott hat Jarhibol in Palmyra auch die Funktion eines Orakelgottes — wie etwa Šamaš in Mesopotamien —, gleichfalls für seine Orakel berühmt war der Jupiter Heliopolitanus,[59] in dieser Zeit natürlich auch ein Sonnengott, früher aber offenbar eine Baal-Gestalt, nämlich der Baal-Biqaʿ, der Herr der Libanon-Senke[60]. Ähnliches wissen wir aus Hôms, dem alten Emesa, wo ein ursprünglicher Berggott Elagabal eben-

---

[55] O. Eißfeldt, Baʿalsamen und Jahwe, ZAW 57 (1939) 1 ff. = Kleine Schriften 2, 171 ff.; A. Vincent, La religion des judéo-araméens d'Eléphantine (1937) 127; H. Gese, Religionen 183 f.

[56] R. Borger, Die Inschriften Asarhaddons, AfO Beih. 9 (1956) § 69 IV 10.

[57] Eusebius, Praeparatio evangelica I 10, 7.

[58] J. Hoftijzer, Religio Aramaica (1968) 34 Anm. 50.

[59] P. S. Ronzevalle, Jupiter Héliopolitain, MUSJ 21/1 (1937/8); H. Seyrig, Heliopolitana, BMB 1 (1937) 78 ff.; Questions héliopolitaines, Syria 31 (1954) 80 ff.; R. Dussaud, Temples et cultes de la triade héliopolitaine à Baʿalbeck, Syria 23 (1942/3) 33 ff.

[60] Wb. der Mythologie 1, 270.

falls als Sonnengott, Deus Sol Elagabalus, in Gestalt eines heiligen Steines Verehrung fand.[61]

IV

Es wird aus dem Vorangegangenen erkennbar geworden sein, daß die syrische Religion eine große Einheitlichkeit in den Grundvorstellungen, wesentlich ist besonders der Vegetationszyklus, besaß, daß aber die Akzentsetzung in einzelnen Epochen verschieden war. Einmal stand El als Himmelsgott im Mittelpunkt, dann trat Baal besonders hervor, das Gewicht verschob sich zu den jungen Erlösergottheiten und schließlich zum wieder überirdischen Sonnengott. Die Brechungen, in denen dieses Bild erscheinen müßte, sind nur zum Teil sichtbar geworden. Vieles, was zur Differenzierung hätte hinzugefügt werden müssen, wurde herausgelassen.

Ähnlich steht es mit der Darstellung, die uns bei Philo von Byblos von der syrischen Religion erhalten ist, von dem es heißt, daß er das Werk eines Sanchuniathon ins Griechische übersetzt habe.[62] Sanchuniathon aber soll seine Kenntnis wieder von einem Priester empfangen und einem König von Berytos gewidmet haben. Nun hat sich zwar gezeigt, daß wesentliche Überlieferungen des Philo tatsächlich auf alter mythischer Tradition beruhen, gleichzeitig tritt aber um so deutlicher hervor, daß er stark gräzisiert hat, so daß ursprüngliche Züge überdeckt worden sind.[63] Bei ihm gibt es ein Schema von einander ablösenden Göttergenerationen, das allenfalls in Berytos selbst eine gewisse Tradition gehabt haben kann. Es wird dort nämlich davon gesprochen, daß am Anfang ein Götterpaar Eliun (Hypsistos) und Beruth gestanden habe, deren Kinder Epigeios autochthon (Uranos) und Ge sie in der Herrschaft ablösten. Bei einer Entfremdung des Ehepaares nimmt eines ihrer Kinder, El (Kronos), für die Mutter Partei und tötet nach längerem Kampf seinen Vater Uranos. Kronos (El) selbst, der zahlreiche göttliche Kinder zeugt, wird nicht beseitigt, doch „es herrschten Astarte ... Zeus Demaros und Adodos

[61] F. Cumont, Syria 5 (1924) 342 ff.; F. Altheim, Helios und Heliodor von Emesa (1942); Niedergang der Alten Welt 2 (1952) 218 f.

[62] Porphyrios nach Eusebius von Caesarea, Praeparatio evangelica I 9, 20 f.

[63] C. Clemen, Die phönikische Religion nach Philo von Byblos, MVAeG 42/3 (1939); O. Eißfeldt, Sanchuniathon von Berut und Ilumilku von Ugarit (1952).

(Hadad/Baal), der König der Götter, nach dem Willen des Kronos über das Land". Hier haben wir also die Stufe der syrischen Religion vor uns, die uns auch in den ugaritischen Mythen begegnet, in der nämlich El als Herr der Götterversammlung nicht entthront ist, die Führungsrolle jedoch an seinen Sohn Baal übergegangen ist. Dennoch ist die Schärfe, mit der hier eine Lehre von einander ablösenden Göttergenerationen herausgearbeitet ist, keinesfalls in der syrischen Mythologie selbst begründet und deutlich bezogen auf ein Konzept, wie es etwa bei Hesiod vorliegt.

Wichtig ist uns Philo aber noch aus einem anderen Grunde: Die syrische Mythologie enthält nach unserer gegenwärtigen Kenntnis keine Texte, die uns Auskunft geben über die Vorstellung von der Schöpfung, wie sie in diesem Raume konzipiert und überliefert wurden. Hier hat Philo eine Überlieferung, die — wenn auch wieder in griechischem Gewande — Wichtiges bewahrt hat.[64] Am Anfang steht das Chaos, darüber schwebt „dunkle" windige Luft, die sich selbst begattet und Mot erzeugt, der hier in Verquickung mit Jamm, dem Meer, als wäßrige Mischung gedacht wird. Aus ihm, der in Anlehnung an ägyptische Vorstellungen als Weltei gedacht wurde, entstanden Sonne, Mond und Gestirne. Hitze und Regen erzeugen Gewitter, die Wesen aufwecken, die sich von bewußtseinslosen allmählich zu vernünftigen entwickeln, bereits zum Himmel aufblicken als Männchen und Weibchen in Zukunft Erde und Wasser bewohnen. In der Kulturentstehungslehre, die sich anschließt,[65] sind viele Aetiologien in Anlehnung an einzelne Götternamen enthalten. Die zunächst von den Pflanzen der Erde lebenden Menschen werden von Aion und Baau darin unterrichtet, auch die Früchte der Bäume zu nutzen. Der früheste Kult gilt dem Baal Samem. Gebrauch des Feuers und Lichtes wird durch Phos, Pyr und Phlox vermittelt, Technites und Geïnos Autochthonos bringen die Kunst des Bauens, Amynos und Magos vermitteln die Fertigkeiten des Bauern und Hirten, Agreus und Halieus die von Jagd und Fischfang, Chusor (Koṯar) bringt Eisen und Werkzeuge. Nach Schiffahrt, Kleidung und Verwendung von Salz wird den Menschen schließlich die wichtigste Erfindung Phöniziens, die Buchstabenschrift, durch Taautos mitgeteilt.[66]

[64] Eusebius, Praep. ev. I 10, 1—5, s. u. a. O. Eißfeldt, Phönikische und griechische Kosmogonie. Elements orientaux dans la religion grecque ancienne. Colloque de Strasbourg 1958, 1—55.

[65] Ebd. I 10, 6—14a.

[66] O. Eißfeldt, Taautos und Sanchunjaton, Sitzungsber. der Dt. Akademie d. Wissenschaften 1952/1, 5—24.

Insgesamt steht damit eine Deutung der Welt vor uns, die trotz der im Auszug notwendig knappen Formulierung eine überraschende Geschlossenheit und Stimmigkeit aufweist. Es ist also zu erwarten, daß eingekleidet in mythisches Gewand eine ausführlichere Darstellung dieser Kulturentstehungslehre in Syrien kursierte, von der sich — soweit ich sehe — im Alten Testament keine Reste erhalten haben.

SVEN S. HARTMAN

IRAN

Meinem Lehrer und Freund
Geo Widengren zugeeignet

Vertreter der iranischen Religionswissenschaft stehen seit langem mit Alt- und Neutestamentlern im Gespräch über die Frage eines direkten oder indirekten iranischen Einflusses auf Judentum und Christentum. Ausgangspunkt dieses Gespräches ist der Umstand, daß im Spätjudentum und im Christentum eine Menge von Vorstellungen vorhanden sind, die sich in der früheren israelitischen Religion nicht finden lassen, wohl aber, ganz oder teilweise, in der iranischen Religion. Da die Juden in ihrer überwiegenden Mehrheit mehr als zwei Jahrhunderte lang (539—331 v. Chr.) unter achämenidischer Herrschaft und danach immer noch in beträchtlicher Zahl mehr als dreieinhalb Jahrhunderte lang (140 v. Chr. — 226 n. Chr.) unter parthischer Herrschaft in Mesopotamien gelebt haben, liegt die Annahme nahe, daß manche jüngeren Vorstellungen in Judentum und Christentum aus dem Iran stammen. Einige Forscher vertraten unterdessen die Ansicht, es sei nicht notwendig, hier iranischen Einfluß anzunehmen, vielmehr habe schon die frühere israelitische Religion die Voraussetzungen für die neuen Vorstellungen enthalten, und diese hätten sich ganz und gar innerhalb des Judentums entwickelt. Eine dritte Gruppe von Forschern schließt einen Kompromiß zwischen den beiden obengenannten und argumentiert folgendermaßen: die neuen Vorstellungen sind innerhalb des Judentums, und zwar aus innerjüdischen Voraussetzungen, jedoch durch Kontakt mit iranischer Religion, entstanden. Hellenistischen Einfluß glaubt eine vierte Gruppe von Forschern zu erkennen. Und eine fünfte schließlich sieht hier griechische Einflüsse. Auch innerhalb der vorerwähnten fünf Forschungsrichtungen gibt es unterschiedliche Meinungen, etwa über den Umfang iranischen Einflusses. Einige Forscher vertreten auch zwei oder mehrere Ansichten: Sie nehmen zum Beispiel für ein Motiv iranischen Einfluß an, vertreten aber im Hinblick auf ein anderes eine innerjüdische Entwicklung. Es ist hervorgehoben worden, die eventuelle religiöse Beeinflussung des Spätjudentums von seiten Irans müsse im Zusammenhang mit der ganzen übrigen iranischen Beeinflussung gesehen werden.[1] Das ist sicherlich richtig, doch würde eine gebührende Würdigung dieser sämtlichen Perspektiven den Rahmen dieses Beitrages überschreiten. Wir müssen uns mit der Feststellung begnügen, daß diese allgemeine iranische Beeinflussung auf jeden Fall sehr bedeutend gewesen ist, und zwar politisch, sprachlich, literarisch und künstlerisch.[2]

In der Debatte über den iranischen religiösen Einfluß auf das Judentum geht es um vielerlei: Um Gottesbild, Dualismus, Teufelsvorstellung, Apokalyptik, Eschatologie, Dämonen, Engel, das Schicksal der Seele nach dem Tode, den Schatz im Himmel usw.[3]

---

[1] Widengren, Stand und Aufgaben der iranischen Religionsgeschichte, Numen 2, 1955, S. 107 ff.

[2] Widengren, Iran and Israel in Parthian Times with Special Regard to the Ethiopic Book of Enoch, Temenos 2, 1966, S. 139 ff.; Widengren, Iranisch-semitische Kulturbegegnung in parthischer Zeit, Arbeitsgemeinschaft für Forschung des Landes Nordrhein-Westfalen, Geisteswissenschaft, Heft 70, 1960.

[3] In den folgenden Schriften rechnen die Verfasser mit einem iranischen religiösen Einfluß in vieler Hinsicht: Stave, Über den Einfluß des Parsismus auf das Judentum, Haarlem 1898; Bousset, Die Religion des Judentums im neu-testamentlichen Zeitalter, 2. Aufl., Berlin 1906; Hollmann, Das Spätjudentum und der Parsismus, Zeitschrift für Missionskunde und Religionswissenschaft 21, 1906, S. 97—104, 140—144; Ed. König, Geschichte der alttestamentlichen Religion, Gütersloh 1912, S. 439—455 (mit gewissen Reservationen); Geldner, Perser und Parsismus, RGG (1. Aufl.) IV, 1913, Kol. 1382; Walker, Persian Influence on the Development of Biblical Religion, Interpretor 1914, S. 313—320; Carter, Zoroastrianism and Judaism, Boston 1919; Ed. Meyer, Ursprung und Anfänge des Christentums II, Berlin 1921, S. 58—120, 174—204; Reitzenstein, Das iranische Erlösungsmysterium, Bonn 1921; von Gall, ΒΑΣΙΛΕΙΑ ΤΟΥ ΘΕΟΥ, Heidelberg 1926; Autran, Mithra, Zoroastre et la préhistoire aryenne du christianisme, Paris 1935; Autran, La préhistoire du christianisme I—II, Paris 1941—1944; Duchesne-Guillemin, Ormazd et Ahriman, Paris 1935, S. 71—84 (mit gewissen Reservationen); Widengren 1955, S. 47—134; Duchesne-Guillemin, The Western Response to Zoroaster, Oxford 1958, S. 86—102; Reicke, Iranische Religion, Judentum und Urchristentum, RGG (3. Aufl.) III, 1959, Koll. 881 ff. (mit gewissen Reservationen); Frye, The Heritage of Persia, London 1962; Widengren 1966, S. 139—177; Winston, The Iranian Component in the Bible, Apocrypha, and Qumran: a Review of the Evidence, History of Reli-

Unsere Darstellung gliedert sich nach den wichtigsten Quellenzeugnissen der betreffenden Vorstellungen; es sind: I. Jesaja; II. Daniel; III. Das Estherbuch; IV. Die Apokryphen und Pseudepigraphen des Alten Testamentes; V. Die Höhlentexte von Qumran; VI. Das Neue Testament.

I. Jesaja

a) Deuterojesaja (Jes 40—55). Schon im Jahre 1898 stellte R. Kittel Übereinstimmungen zwischen der Schilderung Deuterojesajas von den Eigenschaften Kyros' und der Selbstproklamation des Kyros nach der Eroberung von Babylon fest.[4] Morton Smith hat nun in einem Artikel 1963[5] weitere Übereinstimmungen aufgezeigt, und er zieht daraus den Schluß, daß die Inschrift des Kyros und der Text Deuterojesajas auf eine gemeinsame Quelle zurückgehen, nämlich auf die Propaganda, die Kyros' Agenten ausbreiteten, um den Weg für ihn zu bereiten. Nur eine einzige Verschiedenheit ist da: bei Deuterojesaja wird Jahwe genannt, in der Proklamation des Kyros aber Marduk.

Ebenso auffallende Ähnlichkeiten bestehen zwischen einigen Textstellen bei Deuterojesaja und den Gathas des Zarathustra. Ein Forscher wie Rudolf Mayer rechnet nicht mit größerem iranischem Einfluß. Dennoch sagt er: „Doch gibt es bekanntlich einige Stellen im zweiten Teile

---

gions 5, 1966, S. 183—216; Eißfeldt, Israels Religion und die Religion seiner Umwelt, Neue Zeitschrift für systematische Theologie 9, 1967, S. 23 ff.

In den folgenden Schriften lehnen die Verfasser iranischen religiösen Einfluß mehr oder weniger ab: de Harlez, La Bible et L'Avesta, RB 5, 1896, S. 161—172 (sehr apologetisch); Söderblom, Notes sur les relations du judaisme avec le parsisme à propos de travaux récents, RHR 48, 1903, S. 372—378; Lagrange, La religion des Perses, la réforme de Zoroastre et le judaisme, RB 13, 1904, S. 27—55, 188—212; Gaster, Parsism in Judaism, ERE 9, 1917, S. 637—640; Scheftelowitz, Die altpersische Religion und das Judentum, Gießen 1920; Schaeder, Perser III, Parsismus und Judentum, RGG (2. Aufl.) IV, 1930, Koll. 1685 ff.; Colpe, Die religionsgeschichtliche Schule, Göttingen 1961; Neusner, Jews and Judaism under Iranian Rule: Bibliographical Reflections, History of Religions 7, 1968, S. 159 ff.

[4] Cyrus und Deuterojesaja, ZAW 18, 1898, S. 149 ff.

[5] II Isaiah and the Persians, JAOS 83, S. 415 ff. Siehe auch Winston 1966, S. 188 und A. 16.

des Isaiasbuches, die vielleicht ein Widerhall gathischer Aussagen sind."[6] Auch im Hinblick auf die Übereinstimmungen zwischen den Gathas und Deuterojesaja führt der obenerwähnte Artikel Morton Smiths sehr bemerkenswerte Parallelen an, und zwar verweist er hauptsächlich auf Yasna 44.

Andere Forscher, die Ähnlichkeiten zwischen iranischer Religion und Deuterojesaja hervorgehoben haben, sind Carter[7], Nyberg[8], Treu[9], Sidney Smith[10], Winston[11] und Eissfeldt[12].

b) *Jes 63, 10 f. und 14.* Dazu Volz: „Vom Geist Gottes ist hier ... in einer Weise geredet, wie es im bisherigen alttestamentlichen Schrifttum nicht der Fall gewesen war."[13] Volz führt weiter aus, es sei möglich, obgleich nicht absolut notwendig, hier eine Abhängigkeit des jüdischen vom persischen Glauben anzunehmen.[14] Man sollte die erwähnte Möglichkeit im Zusammenhang mit der Tatsache sehen, daß die Vorstellungen vom Geist im späteren Judentum eine sehr auffallende Verwandtschaft mit iranischer Religion aufweisen.[15]

II. Daniel

a) *Daniel Kapitel 2.* Das zweite Kapitel des Buches Daniel enthält solche Übereinstimmungen mit der Pehlevischrift Bahman Yašt[16], daß

---

[6] Monotheismus in Israel und in der Religion Zarathustras, Biblische Zeitschr. N. F. 1, 1957, S. 57. Siehe auch Mayer, Die biblische Vorstellung vom Weltenbrand, Bonn 1956, S. 128.

[7] Carter, Zoroastrianism and Judaism, Boston 1919, S. 72 A. 9.

[8] Die Religionen des alten Iran, MVAG Band 43, Leipzig 1938, S. 374 A. 1 (S. 478 f.) Vgl. Nyberg, Questions de cosmogonie et cosmologie mazdéennes, JA 219, 1931, S. 16 A. 1.

[9] Anklänge iranischer Motive bei Deuterojesaja, Studia Theologica II, Riga 1940, S. 79—95.

[10] Smith, Sidney, Isaiah Chapters XL—LV, London 1944, S. 58—59.

[11] Winston 1966, S. 187 ff. und 189 A. 17.

[12] Eißfeldt 1967, S. 24 f.

[13] Volz, Jesaia II, Kommentar z. A. T. IX, 1932, S. 270.

[14] S. 271.

[15] Siehe unten S. 122 und z. B. Eichrodt, Theology of the Old Testament II, 1967, S. 67.

[16] Widengren, Iranische Geisteswelt, Baden-Baden 1961, S. 181 ff.

einer dieser beiden Texte vom anderen — direkt oder indirekt — als beeinflußt angesehen werden muß. In beiden Fällen handelt es sich um die prophetische Vision eines Gegenstandes, der aus vier Metallen besteht: Gold, Silber, Kupfer (in Bahman Yašt: Stahl) und einer Mischung von Eisen. Die Erklärung beider Visionen lautet, sie bedeuteten das Kommen vierer Dynastien, und nach ihnen werde das Reich Gottes errichtet. Diese Übereinstimmungen sind so groß, daß der Parallelismus auch dadurch nicht wesentlich gestört wird, daß die Vision des Buches Daniel eine Bildsäule zeigt, die in Bahman Yašt dagegen einen Baum mit vier Metallzweigen.

Die Forscher, die der Meinung sind, das Buch Daniel sei nicht von iranischen apokalyptischen Vorstellungen beeinflußt, da Bahman Yašt ein zu später Text sei,[17] leiten die vier Darstellungen der Weltalter als Metalle aus dem griechischen Bereich (Hesiodos) her.

Andere Forscher, die der Meinung sind, das Buch Daniel sei durchaus von den Vorstellungen in Bahman Yašt beeinflußt, argumentieren:

1. Die iranische Weltalterlehre als solche ist älter als das Buch Daniel; Plutarch erzählt, was er davon in den Schriften Theopomps gefunden hat, und Theopomp war Zeitgenosse Alexanders des Großen.[18]

2. Bahman Yašt ist zwar in seiner gegenwärtigen Form ein sehr spätes Werk, beruft sich jedoch selbst auf einen älteren Text, der — gewissen sprachlichen Eigentümlichkeiten nach zu urteilen — wahrscheinlich auf awestisch abgefaßt war.[19]

3. Übereinstimmungen zwischen Bahman Yašt und den Orakeln des Hystaspes zeigen, daß gewisse apokalyptische Vorstellungen in Bahman Yašt zumindest um 100 v. Chr. existiert haben.[20]

---

[17] So Moulton, Zoroastrianism, Hastings' Dictionary of The Bible IV, 1902, S. 988 ff.; Scheftelowitz 1920, S. 220 f.; Duchesne-Guillemin 1953, S. 78 f.; Glasson, Greek Influence in Jewish Eschatology, London 1961, S. 2 f. Siehe auch die Kritik Caquots von Glasson in Les quatre bêtes et le fils d'homme, Semitica 17, 1967, S. 48 f.

[18] Bousset 1906, S. 547 A. 2; Widengren, Religionsphänomenologie, Berlin 1969, S. 471 f. und A. 52.

[19] Widengren 1969, S. 471 A. 51; West in SBE V, S. LIII; Widengren 1966, S. 144 f.; Winston 1966, S. 190 f. und A. 19. Vgl. Eddy, The King is dead, Lincoln 1961, S. 16.

[20] Widengren 1966, S. 144 und A. 5; Eddy 1961, S. 16; Widengren 1961, S. 222 ff.

4. Die Apokalyptik des Buches Daniel ist ein Fremdkörper im AT.[21]

5. Die vier Dynastien des Buches Daniel sind einem Consensus nach: die kaldäische, die medische, die persische und die griechische. Diese gekünstelte und unhistorische Reihe kann nach den scharfsinnigen Beobachtungen Swains nur von einer persischen Quelle herstammen.[22] Ursprünglich sollte sie wie folgt ausgesehen haben: die assyrische, die medische, die persische und die griechische Dynastie, eine Reihe, die sehr gut dokumentiert ist. Die drei ersten Glieder sind von Ktesias, der Leibarzt des Artaxerxes II. war, tradiert worden. Daß dabei die kaldäische oder neubabylonische Dynastie, die zum Teil gleichzeitig mit der medischen bestand, vergessen wird, läßt sich wohl im iranischen Geschichtsbild lokalisieren, doch nirgends sonst. Daß dann der Verfasser des Buches Daniel die Assyrer gegen die Kaldäer vertauscht hat, das beruht, so heißt es, auf der Tatsache, daß die Daniel-legende mit Babylon verbunden ist. Im Buche Daniel gibt es auch andere historische Irrtümer, wie z. B. den Ausdruck „Darius der Meder", 6, 1 usw.

6. Die Sprache der Kapitel 2—6 des Buches Daniel ist aramäisch, was die Kanzleisprache des persischen Imperiums war, und sie enthält auch gewisse iranische Lehnwörter. Also zeugt das Buch Daniel auch in dieser Hinsicht von iranischem Einfluß.[23]

b) Daniel Kapitel 7. Im siebenten Kapitel des Buches Daniel wird ein Traum geschildert, den Daniel hatte und worin er andere Symbole der vier Reiche und des fünften Reiches, d. h. des Reiches Gottes sah: vier verschiedene Tiere und schließlich eine Gestalt „wie eines Menschen Sohn".

Aus den gleichen Gründen wie betreffs des zweiten Kapitels kann man auch hier mit iranischem Einfluß rechnen. Es sind apokalyptische Spekulationen derselben Art, und es sind dieselben Reiche, obgleich sie hier von vier Tieren statt vier Metallen symbolisiert werden. Forscher, die iranischen Einfluß im zweiten Kapitel sehen, nehmen solchen auch für das siebente Kapitel an.[24]

---

[21] Widengren 1966, S. 149 f.

[22] Swain, The Theory of the Four Monarchies, Classical Philology 35, 1940, S. 1—2 und besonders S. 10 f.; Eddy, S. 16; Winston, S. 189 f. Siehe auch Barker, From Alexander to Constantine, Oxford (1956) 1966, S. 104 und Caquot 1967, S. 41 f.

[23] Widengren 1966, S. 140 f.

[24] Kraeling, Anthropos and Son of Man, Columbia University Oriental Studies XXV, New York 1927, S. 128 ff.; Swain, S. 1 ff.; Sjöberg, Der Menschensohn im äthiopischen Henochbuch, Lund 1946, S. 191 f.; Eddy, S. 16 ff.; Schenke,

Doch gibt es auch Forscher, die iranischen Einfluß in Dan 7 bestreiten.[25] Ihre Gegnerschaft gilt vor allem der Behauptung, die Menschensohn-Vorstellung in Dan 7, 13 sei iranisch inspiriert. Ich persönlich halte es für wahrscheinlich, daß diese Gestalt den gleichen Ursprung hat wie die Vorstellung von vier Reichen. Das iranische Gegenstück des Menschensohnes wäre dann die Gestalt, die im Awesta den Namen Zarathustra trägt, die aber aus Gaya maretan, Zarathustra und dem Saošyant besteht.[26] Carsten Colpe war es, der sorgfältig die Hypothese kritisiert hat, der Menschensohn stamme vom iranischen Gayōmart her.[27] Diese Kritik ist sicher sehr nützlich gewesen. Wenn aber Gayōmart nun zu der erwähnten Dreieinigkeit gehört, die den Anfang, die Mitte und das Ende des Menschengeschlechtes bedeutet, dann sollte diese Frage noch einmal gründlich untersucht werden. Denn die Ähnlichkeiten zwischen diesem dreifaltigen Wesen und dem Menschensohn des Judentums und des Christentums sind wirklich sehr groß.

In Dan 7 wird Gott als „der Alte" dargestellt. Schon Rudolf Otto hat angemerkt, daß dieses Gottesbild, das sich auch im Henochbuche findet, dem AT gänzlich fremd ist. Er sagt: „Das ist wiederum nicht Jahveh. Er,

Der Gott Mensch in der Gnosis, Berlin, DDR, 1962, S. 144 ff.; Widengren 1966, S. 154; Widengren, Quelques rapports entre Juifs et Iraniens, Supplem. to V.T. 4, 1957, S. 235 f.; Winston, S. 190 f.; Caquot 1967, S. 37 ff.; Murdock, History and Revelation in Jewish Apocalypticism, Interpretation 21, 1967, S. 168 ff.; Coppens, La vision daniélique du fils d'homme, VT 19, 1969, S. 175. — Sowohl Caquot als Coppens rechnen mit iranischem Einfluß in Dan 2 und 7 ohne betreffs des Menschensohnes. « Le choix d'une figure humaine pour tenir le rôle du peuple est imposé par la représentation animale des empires condamnés, en vertu de la précellence de l'homme sur les bêtes.» (Caquot, S. 62.) Siehe auch Coppens, Le fils d'homme daniélique, Ephem. Theol. Lov. 37, 1961, S. 5—51.

[25] Rud. Mayer, Der Erlöserkönig des Alten Testaments, Münchener theol. Zeitschr. 3, 1952, S. 367 ff.; Rud. Mayer, Die biblische Vorstellung vom Weltenbrand, Bonn 1956, S. 109 ff.; Glasson, S. 10; König, Zarathustras Jenseitsvorstellungen und das Alte Testament, Wien 1964, S. 199 f.; Eichrodt, S. 517; Delcor, Les sources du chapitre VII de Daniel, VT 18, 1968, S. 297; Colpe, 1961, S. 149; Colpe, Der Begriff „Menschensohn" und die Methode der Erforschung messianischer Prototypen, Kairos 1969, S. 241 ff.

[26] Siehe meinen Artikel Der große Zarathustra, Orientalia Suecana 14—15, 1965—1966, S. 99—117.

[27] Colpe 1969, S. 25 ff. Siehe auch Colpe, Hyios tou anthropou, Theol. Wörterb. NT, Gütersloh 1968, VIII, S. 403—481.

der mächtige Streiter, wird nie als uralter Greis beschrieben." [28] Otto zieht den Schluß, daß es Zervan ist, der das Modell für den Alten im Buche Daniel abgegeben hat.[29] Widengren hat die Anregung Ottos aufgegriffen und sie mit neuem Material vervollständigt.[30]

III. Das Estherbuch

Haman hatte ein hohes Amt am Hofe des Xerxes. Er war ein Judenfeind und plante ein Judenpogrom. Es gelang jedoch der Königin Esther, dieses abzuwehren, und statt dessen wurden 500 Anhänger des Haman, darunter seine zehn Söhne, in Susa hingerichtet; in den Provinzen wurden 75 000 Judenfeinde von den Juden getötet. (Est 9.)

Die zehn Söhne, sagt man, haben sogenannte daēvische Namen.[31] Das ist zumindest der Fall mit *Vayzāthā* (9, 9), dessen Name Wikander von *Vayu-zāta*[32] hergeleitet hat und wahrscheinlich auch mit *Paršandātā* (9, 5), den Dumézil mit *Paršinta*, Sohn des Gandarewa, zusammengebracht hat.[33] Die übrigen acht Namen aber sind schwieriger zu erklären.

Rud. Mayer[34] und nach ihm Claus Schedl[35] wollen das Schicksal dieser Daēva-Anhänger mit dem Angriff des Xerxes auf den Daiva-Kult und auf die Daiva-Anbeter laut seiner sogenannten Daivainschrift in Zusammenhang bringen.[36] Das scheint wohlbegründet. Dann aber müssen wir auch damit rechnen, daß das Verhältnis zwischen Xerxes und den Juden in religiöser Hinsicht sehr freundschaftlich war: haben sie ja doch die gleichen Feinde, d. h. die Daivaanbeter.

[28] Otto, Reich Gottes und Menschensohn, München 1934, S. 148.

[29] S. 149.

[30] Widengren 1966, S. 154 ff.

[31] Rud. Mayer, Iranischer Beitrag zu Problemen des Daniel- und Esther-Buches, Lex tua veritas, Festschrift für H. Junker, Trier 1961, S. 131 ff.; Gehman, Notes on the Persian Words in the Book of Esther, JBL 43, 1924, S. 321 ff.; Schedl, Das Buch Esther und das Mysterium Israel, Kairos 5, 1963, S. 10.

[32] Wikander, Vayu I, Uppsala 1941, S. 89 A. 2. Vgl. Ringgren, Esther and Purim, Svensk Exegetisk arsbok 20, 1955, S. 22. A. 74.

[33] Dumézil, Le problème des Centaures, Paris 1929, S. 275; Mayer 1961, S. 133.

[34] Mayer 1961, S. 134 f.

[35] Schedl, S. 10.

[36] ANET, S. 316.

Zum Andenken an den Sieg über den Antisemiten Haman und seine Anhänger stifteten die Juden das Purimfest. Ringgren hat das Verhältnis zwischen diesem Fest und iranischen Festen untersucht.[37] Er behandelt in diesem Zusammenhang folgende Feste: Naurūz, Mihragān, Sakaia (Σακαία), Magophonia (Μαγοφόνια) und Mardgīrān. Persönlich bin ich der Meinung, daß Magophonia die beste Parallele des Purimfestes ist, bemerkenswert sind aber auch die Vergleiche mit den übrigen Festen.

IV. Die Apokryphen und die Pseudepigraphen des Alten Testamentes

a) Das Tobitbuch. Man hat schon seit langem die Auffassung vertreten, der Name des bösen Dämons Asmodäus ('Ασμοδαῖος) des Tobitbuches, des 'Ašmed'ai (אשׁמדאי) der späteren rabbinischen Literatur stamme vom awest. *Aēšma daēva* her.[38] Im Tobitbuch tötet Asmodäus sieben Ehemänner einer Frau Sara, die er selbst begehrt. Die unersättliche sexuelle Begierde kennzeichnet auch den *'Ašmed'ai* der rabbinischen Literatur, aber er kann auch vor Zorn auflodern,[39] wodurch er noch mehr der Gestalt Aēšmas ähnelt, denn Aēšma ist ja der personifizierte Zorn.

Im Tobitbuch begegnen wir auch der Vorstellung, daß man durch gute Werke einen Schatz sammelt (4, 9). Auch dies könnte iranischer Einfluß sein, wie besonders Widengren gezeigt hat.[40]

---

[37] Ringgren 1955, S. 5—24.

[38] Benfey, Über die Monatsnamen einiger alten Völker, insbesondere der Perser, Cappadocier, Juden und Syrer von Theodor Benfey und Moriz A. Stern, Berlin 1836, S. 201; Windischmann, Zoroastrische Studien, Berlin 1863, S. 138—147; Kohut, Jüdische Angelologie und Daemonologie in ihrer Abhängigkeit vom Parsismus, Abhandlungen für die Kunde des Morgenlandes IV, 3, Leipzig 1866, S. 75; Moulton, Early Zoroastrianism, London 1913, S. 250 f.; Ed. Meyer II, 1921, S. 96; Langton, Essentials of Demonology, London 1949, S. 120 ff.; Duchesne-Guillemin, 1953, S. 84; Widengren 1957, S. 215; Eddy, S. 191; Winston, S. 193 und A. 27, wo komplettierende Literatur zu finden ist; Asmussen, De apokryfe Skrifter, Bibelen i kulturhistorisk Lys, under redaktion af Holm-Nielsen, Noack og Achen, Bind 6, København 1970, S. 60.

[39] Kohut, S. 79.

[40] Widengren 1957, S. 216; Siehe auch Widengren, The Great Vohu Manah and the Apostle of God, Uppsala Universitets Årsskrift 1945:5, S. 84 ff.; Winston, S. 194 und A. 30, wo komplettierende Literatur.

b) Das äthiopische Henochbuch. Vor ein paar Jahren (1966) beschäftigte sich Geo Widengren mit gewissen Vorstellungen im äthiopischen Henochbuch, die nach ihm iranischen Einfluß zeigen.[41] Es handelt sich dabei um die folgenden Motive:

1. Gott und sein Verhältnis zum dualistischen Weltbild.
2. Das apokalyptische Muster.
3. Das Ende und das Jüngste Gericht.
4. Der apokalyptische Visionär und seine Visionen.

1. Wie im Buche Daniel (siehe oben) gibt es auch im Henochbuch die Vorstellung vom alten Gott. "It is obviously Zervan himself, whose name etymologically means 'old age'."[42] Dies wird weiter gestützt durch Material, das Rudolf Otto[43] im slavischen Henochbuch (S. 23 f.) gefunden hat. Es wird dort geschildert, wie durch Gott Licht und Finsternis zustande kamen, als zwei entgegengesetzte Prinzipien. Und dieser Gott wird auch dadurch gekennzeichnet, daß er — genau wie Zervan — unbegrenzt ist. Im griechischen Teil des Henochbuches wird er auch κύριος τῶν αἰώνων (9, 4) und βασιλεὺς τῶν αἰώνων (12, 3) benannt.

2. Die Terminologie erinnert an iranische Religion: „der Große Aion" soll mit „dem Großen Zurvān" verglichen werden. (Der letzte Ausdruck ist jedoch erst bei Šahrastānī belegt.)[44] Aber Zervan wird sonst auch mit dem Adjektiv „groß" charakterisiert.[45] Im slavischen Henochbuch findet sich auch der Ausdruck „der Unbegrenzte Aion", dem dann „die Unbegrenzte Zeit" (awest. *zrvan akarana*) entspricht.

Die Weltdauer ist im äthiopischen Henochbuch 10 000 Jahre (18, 16; 21, 6); in Iran dagegen rechnet man gewöhnlich mit 12 000 oder 9000 Jahren. Doch sind es in beiden Fällen Millennien.

3. Die Endzeit bricht im Henochbuch herein mit einer langen Reihe von Plagen, Drangsalen und Not (Kap. 80; 99 und 100). Das ist auch in Bahman Yašt der Fall.[46] Doch sind im Henochbuch nur die Sünder betroffen.

Dem eschatologischen Messias des Henochbuches entspricht der Saošyant, der iranische eschatologische Erlöser. Sie sind beide mit einem Stier ver-

---

[41] Widengren 1966, S. 151 ff.
[42] Widengren 1966, S. 157.
[43] Otto, S. 148 f.
[44] Zaehner, Zurvan. A Zoroastrian Dilemma, Oxford 1955, S. 433.
[45] Widengren 1966, S. 162.
[46] Siehe auch Eddy, S. 22.

bunden: der Messias wird durch ihn symbolisiert (90, 37—38), der Saošyant opfert einen solchen.

Auch eine körperliche Auferstehung findet man sowohl im Henochbuch als auch in Iran. Damit verbunden ist, daß die Auferstandenen ein besonderes Kleid erhalten und daß sie auf einem Thron Platz nehmen.

Im Henochbuch werden die Sünder und die bösen Mächte im Feuer bestraft. Auf dieselbe Weise geschieht es im Iran, wobei man aber wohl an eine Reinigung der Sünder denkt.

4. Henoch wird als ein Visionär dargestellt, der zusammen mit einem Engel das Paradies besucht und Kenntnis verborgener Dinge erlangt. Solche Visionäre sind in Iran Artāk Vīrāz, der zusammen mit Srōs und Ātur das Paradies und die Hölle besucht, und Vištāsp, der von Nēryōseng ins Paradies begleitet wird. Sowohl Artāk Vīrāz als Vištāsp haben nach der Tradition — genau wie Henoch — ihre Visionen in einem Buche geschildert.

Was wir hier über das Henochbuch gesagt haben, ist eine komprimierte Wiedergabe des erwähnten Artikels Widengrens. Hervorzuheben ist dabei noch seine Meinung, daß man nicht nur die miteinander übereinstimmenden einzelnen Details betrachten soll, sondern die beiden gleichartigen Strukturen der Gesamtheit, d. h. die Struktur des Henochbuches und diejenige des iranischen Zervanismus.[47] Es wäre schon merkwürdig, wenn zwei solche Strukturen ganz unabhängig voneinander entstanden wären.

Außer dem Obenerwähnten kann man durchaus auch die sieben Erzengel (Kap. 20) mit den sieben Ameša Spentas in Parallele setzen,[48] desgleichen den Krieg zwischen den bösen und den guten Engeln mit dem Krieg zwischen den Scharen Ahrimans und des Ohrmazd, ebenso die Vorstellung von Schutzengeln mit derjenigen von Fravašis.[49] Ich zitiere hier gern, was Rudolf Mayer von iranischem Einfluß auf das Judentum gesagt hat: „Einen Markstein bildet die sog. Henochliteratur, bei der R. Otto in seinem Buche ›Reich Gottes und Menschensohn‹ [München 1940] überzeugend zutage tretende iranische Ideen aufgezeigt hat, die sich vor allem

---

[47] Widengren 1955, S. 108 f.

[48] Rowley, The Relevance of Apocalyptic, London 1963, S. 43; Russell, The Method and Message of Jewish Apocalyptic, London 1964, S. 258 f.; Bousset 1906, S. 569 f.

[49] Russell, S. 244 und 259 f. Der Verfasser scheint gegen Glasson, S. 72 f., wo die jüdischen Schutzengel aus Griechenland hergeleitet werden, zu polemisieren.

im Widerstreit der gefallenen Engel mit den guten Geistern als dem
Gegenbild des Kampfes Ahrimans und Ohrmazds samt ihrer Scharen, in
der Vorstellung von den Geistern der Abgeschiedenen, die an den Ahnen-
kult der iranischen Religion erinnert, sowie in dem Dualismus mit den entgegengesetzten Prinzipien von Licht und Finsternis kundgeben." [50]

Vor diesem Hintergrund drängt sich die Frage auf: Ist nicht auch die
Vorstellung vom Menschensohn im Henochbuch von iranischer Religion
inspiriert? Wie schon gesagt, ich bin persönlich davon überzeugt. Folgendes
will ich in diesem Zusammenhang dazu noch anfügen.

Der Menschensohn des Henochbuches hat folgende Unterscheidungs-
merkmale:

1. Er ist eine präexistente himmlische Gestalt. (48, 2—3, 6; 62, 7)
2. Er wird mit dem Visionär Henoch identifiziert. (Kap. 71)
3. Er ist ein eschatologischer Richter. (61, 8—9; 55, 4; 49, 4 usw.)

Damit entspricht der Menschensohn der Gestalt, die wir „den großen
Zarathustra" genannt haben [51] und die drei Aspekte hat, nämlich:

1. Gaya maretan, der der erste gerechte Mensch, der aber auch prä-
existent im Himmel war.
2. Der Visionär und Prophet Zarathustra.
3. Der eschatologische Erlöser, Astvat ereta, der Saošyant.

Die religionsgeschichtliche Schule hat lange diese Dreiheit betont.[52] Es
scheint mir aber sicher, daß es eine Dreieinigkeit ist und daß diese schon
im Awesta vorkommt.[53]

Ein sehr energischer Vertreter der Kritik an der Auffassung vom iranischen Ursprung des Menschensohns ist Carsten Colpe.[54] Seine Einwände
zielen jedoch nur gegen „die direkte Ableitung des Menschensohnes von
aw. Gaya maretan bzw. mpers. Gayomart" [55]; ich sehe jedoch nicht, ob er

---

[50] Rud. Mayer, Monotheismus in Israel und in der Religion Zarathustras,
Biblische Zeitschrift N.F. 1, 1957, S. 57.

[51] Siehe A. 26 oben.

[52] Reitzenstein 1921, S. 242 f.; Bousset, Hauptprobleme der Gnosis, Göttingen
1907, S. 205.

[53] Wir haben hier nicht Raum genug für die Beweisführung. Wir verweisen
auf unseren Artikel Der große Zarathustra, Orientalia Suecana 14—15, 1965—
1966, S. 99—117.

[54] Siehe oben A. 25.

[55] Colpe in Kairos 1969, S. 255 f.

ernsthaft meinen Vorschlag erwägt, den Menschensohn vom großen Zarathustra abzuleiten.[56]

c) *Die Testamente der zwölf Patriarchen.* Ich zitiere Franz König: „Scheftelowitz, der sich in seinem Buche ›Die altpersische Religion und das Judentum‹ von allen Religionsgeschichtlern am entschiedensten gegen eine Abhängigkeit des Alten Testaments vom Awesta ausgesprochen hat — vielleicht waren es nicht nur wissenschaftliche Gründe, die ihn dazu bewogen —"[57], verneint iranischen Einfluß auf die Satansvorstellung des Alten Testaments.[58] Aber er fährt fort: „Erst zu Beginn der christlichen Zeitrechnung finden wir im jüdisch-christlichen Volksglauben manche persisch gefärbten Vorstellungen über den Satan und seine dämonische Schar. Dem Angromainyuš entsprechend wird Satan zu einer selbständigen Macht, die in schroffen Gegensatz zu Gott tritt."[59] Und dann werden einige verdeutlichende Stellen aus den Testamenten der zwölf Patriarchen zitiert,[60] die Scheftelowitz also so spät datieren wollte. Bald danach heißt es: „Hier ist also durch den Einfluß des persischen Dualismus das Übel in ein neben Gott bestehendes Prinzip des Bösen verlegt. Die offizielle Religion des Judentums hat eine solche Auffassung scharf bekämpft."[61]

Der Name der bösen Macht in den Testamenten ist Beliar (Βελίαρ), was als eine Dissimilation von Βελίαλ (hebr. B^elīya'al) gedeutet wird. Das hebräische Wort kommt im Alten Testament vor, nicht aber als Eigenname eines bösen Geistes, sondern in der Bedeutung „Nichtswürdigkeit, Schlechtigkeit, Bosheit". Es ist wichtig, daß auch die LXX das Wort nicht als einen Eigennamen verstanden hat. Daraus kann man mit Eduard Meyer den Schluß ziehen: „Das Aufkommen des Teufels ist eben jünger als

---

[56] Vgl. Colpe 1969, S. 256, wo die drei Aspekte des großen Zarathustra geschildert werden. Es scheint mir, daß Colpe dort vor allem die Spaltung des Zarathustra in einen protologischen und einen eschatologischen Aspekt betont. Was wir aber als das wichtigste verstehen, ist die Einheit der drei Figuren, d. h. daß sie alle drei Aspekte des Zarathustra sind, der selbst ungefähr τέλειος ἄνθρωπος ist. (Vgl. Barr in Festschrift L. L. Hammerich, 1952, S. 26—36.)

[57] Diese Charakteristik findet sich bei Franz König 1964, S. 32. (König selbst lehnt iranischen Einfluß auf das Alte Testament ab.)

[58] Scheftelowitz, S. 51 ff.

[59] Scheftelowitz, S. 55.

[60] Test. Dan 6; Test. Levi 19; Test. Naphthali 3.

[61] Scheftelowitz, S. 56. Siehe auch Ed. Meyer II, S. 106.

die griechische Bibelübersetzung."[62] Ich habe aber den Eindruck, daß die Mehrzahl der Forscher dennoch iranischen Einfluß auf die spätjüdische und christliche Vorstellung von Satan annimmt.[63] Im Zusammenhang mit der Behandlung der Höhlentexte von Qumran werden wir auf diesen Gegenstand zurückkommen.

d) Das slavische Henochbuch. Wir haben oben schon erwähnt, daß das slavische Henochbuch eine Darstellung von Gott enthält, die iranisch beeinflußt scheint. Rudolf Otto hat unsere Aufmerksamkeit auf eine andere Stelle derselben Schrift (S. 98 f.) gelenkt, wo es heißt, die Seelen der Tiere klagten die Menschen des Bösen an, das sie gegen die Tiere getan haben. Und dies erinnert so sehr an die Klage der Stierseele in Yasna 29, daß Otto ausruft: „Das ist nicht einmal spät-parsisch, das ist reine Zarathustralehre, mit sehr geringen Änderungen."[64] Auch Duchesne-Guillemin betrachtet dieses Stelle als « une influence directe de l'Iran — et non plus seulement une analogie générale »[65]. Wie bekannt rechnet dieser belgische Forscher keineswegs mit vielen solch direkten Einflüssen.

Im slavischen Henochbuch findet sich auch eine Schilderung über das Hervorgehen der sichtbaren Geschöpfe aus den unsichtbaren. Dies ist eine sehr wohldokumentierte Vorstellung auch in Iran: Während der ersten 3000 Jahre sind die Geschöpfe in einem geistigen Zustand, erst danach in einem materiellen.[66] Auch daß der Mensch aus sieben Elementen geschaffen ist, haben beide gemeinsam.

Winston hat dieses und noch andere wichtige Beispiele, die iranischen Einfluß im slavischen Henochbuch zeigen, gesammelt,[67] und gewiß läßt sich schwerlich annehmen, diese Vorstellungen seien ganz und gar aus innerjüdischen Voraussetzungen entstanden.

[62] Ed. Meyer II, S. 109 A. 1; Widengren 1966, S. 161.

[63] Stave 1898, S. 237 f.; 263, 265; Bousset 1906, S. 585; Scheftelowitz, S. 55 ff.; Ed. Meyer II, S. 109; Langton, S. 71 und 218; Stauffer, N.T. Theology, 1955, S. 258 A. 3; Rowley 1963, S. 72 f.; Russell 1964, S. 238 ff.; Kluger, Satan in the Old Testament, Evanstone 1967, S. 157 f.

[64] Otto, S. 162 f. Siehe auch Winston, S. 197 f. und A. 38 u. 39.

[65] Duchesne-Guillemin 1953, S. 84.

[66] Nyberg, Questions de cosmogonie et cosmologie mazdéenne. Journal Asiatique 1931, S. 31 ff. et passim.

[67] Winston, S. 196—199, mit Hinweis auf Oesterly und Robinson, Hebrew Religion, London 1961, S. 388.

e) IV. Esra. Viele Motive, die wir schon im Zusammenhang mit anderen Quellen behandelt haben, trifft man auch im IV. Esra an, so z. B. das Motiv des Menschensohnes, ebenso das der Eschatologie. Wir möchten hier nur ein paar Einzelheiten der Eschatologie erwähnen, die man neuerdings mit iranischen Vorstellungen verglichen hat. Im Kap. 13 wird geschildert, wie der Messias seine Feinde mit Feuer vernichtet und sein eigenes Volk rettet. Auch nach iranischer Auffassung wird das Böse am Ende der Welt durch Feuer vernichtet.[68]

Im siebenten Kapitel wird gefragt, ob die Gerechten beim Jüngsten Gericht etwas für die Bösen tun können. Die Antwort ist ein klares Nein. Väter können nichts für ihre Söhne tun und Söhne nichts für ihre Väter; auch Freunde können nichts füreinander tun. Jedermann muß für sich selbst antworten. Winston vergleicht dies mit einer Stelle im Bundahišn, dort heißt es: „An dem Tage, wo der Gerechte von dem Gottlosen getrennt wird, da wird ein jeder Tränen bis auf die Füße fallen lassen; wenn man (nämlich) einen Sohn von der Seite seines Vaters, einen Bruder von seinem Bruder, einen Freund von seinem Freunde trennt, wird ein jeder den Lohn seiner Taten erhalten: der Gerechte weint über den Gottlosen, der Gottlose weint über sich selbst. Es wird vorkommen, daß der eine Bruder rechtfertig ist, der andere Bruder gottlos." [69]

V. Die Höhlentexte von Qumran

In der sog. Sektenregel[70] hat man Ausdrücke eines Dualismus entdeckt und sie unmittelbar mit iranischen Vorstellungen verknüpft. Der Text handelt von den zwei Geistern, dem Geist der Wahrheit und demjenigen der Bosheit, die für den Menschen geschaffen wurden. Sie werden auch der Geist des Lichts und der Geist der Finsternis genannt. Eine große Zahl von Forschern hat in diesem Zusammenhang iranischen Einfluß für selbstverständlich angesehen,[71] merkwürdigerweise jedoch nicht alle.[72] Es hat

---

[68] Widengren 1966, S. 170 ff.

[69] Winston, S. 196; Widengren 1961, S. 218 f.

[70] Brownlee, The Dead Sea Manual of Discipline, BASOR Suppl. Stud. 10—12, New Haven 1951, S. 12 ff.; M. Burrows, The Dead Sea Scrolls, London 1956, S. 374 ff.

[71] Brownlee, S. 13 A. 21; Dupont-Sommer, L'instruction sur les deux Esprits dans le „Manuel de Discipline", RHR 142, 1952, S. 30 f.; K. G. Kuhn, Die

jedoch den Anschein, als ob die Diskussion oft nur den Grad von iranischem Einfluß betreffe, ob es direkter oder nur indirekter Einfluß gewesen šei, und ob der Einfluß sich nur auf den Dualismus als solchen beziehe oder auf mehr. Von der Osten-Sacken z. B., der direkten iranischen Einfluß auf den spät-jüdischen eschatologischen Dualismus verneint,[73] drückt sich wie folgt aus: „In S III wie in der Religion Zarathustras sind damit der Schöpfung zwei als Geister umschriebene Prinzipien eingestiftet, die sich seit Beginn der Welt der Menschen bemächtigen und sie in ihrem Handeln bestimmen. Bedenkt man einerseits die Schwierigkeiten, die es einem Juden

Sektenschrift und die iranische Religion, Zeitschr. f. Theologie und Kirche 49, 1952, S. 296 ff.; Wildberger, Der Dualismus in den Qumranschriften, Asiatische Studien 8, 1954, S. 163 ff.; Michaud, Un mythe zervanite dans un des manuscrits de Qumrân, VT 5, 1955, S. 137 ff.; Albright, Discoveries in Palestine and the Gospel of St. John, The Background of the New Testament and its Eschatology, ed. by Davies and Daube, in honour of Ch. H. Dodd, Cambridge 1956, S. 167; E. Schweizer, Gegenwart des Geistes und eschatologische Hoffnung bei Zarathustra, spätjüdischen Gruppen, Gnostikern und den Zeugen des Neuen Testamentes, The Background ..., S. 485 ff.; Mayer 1957, S. 57 f.; Duchesne-Guillemin 1958, S. 92 ff.; Zaehner, The Dawn and Twilight of Zoroastrianism, London 1961, S. 51 f.; Widengren 1966, S. 150 f.; Winston, S. 200 ff.; H.-W. Kuhn, Enderwartung und gegenwärtiges Heil, Göttingen 1966, S. 127 ff.

[72] Schubert, Der Sektenkanon von En Feshcha und die Anfänge der jüdischen Gnosis, Theologische Literaturzeitung 78, 1953, Kol. 501; Molin, Die Söhne des Lichtes, Zeit und Stellung der Handschriften vom Toten Meer, Wien/München 1954, S. 129; Nötscher, Zur theologischen Terminologie der Qumrantexte, Bonner Biblische Beiträge 10, 1955, S. 84 ff.; Nötscher, Heiligkeit in den Qumranschriften, Vom Alten zum Neuen Testament, Gesammelte Aufsätze, Bonner Biblische Beiträge 17, 1962, S. 173 f.; Colpe, Werfen die neuen Funde vom Toten Meer Licht auf das Verhältnis von iranischer und jüdischer Religion?, Akten des 24ten Internationalen Orientalistenkongresses, Wiesbaden 1959, S. 479 ff.; Colpe, Lichtsymbolik im alten Iran und antiken Judentum, Studium generale 18, 1965, S. 116 ff.; Treves, The Two Spirits in the Rule of the Community, Revue de Qumran 3, 1961, S. 449 ff.; Wernberg-Møller, A Reconsideration of the Two Spirits in the Rule of the Community, Revue de Qumran 3, 1961, S. 413 ff.; Conzelmann, σκοτος κτλ., Theologisches Wörterbuch zum Neuen Testament 7, 1964, S. 428 A. 33, S. 433 A. 65; von der Osten-Sacken, Gott und Belial, Traditionsgeschichtliche Untersuchungen zum Dualismus in den Texten aus Qumran, Göttingen 1969, S. 81, 87 und A. 1, 138 ff.

[73] Von der Osten-Sacken, S. 87 A. 1.

bereiten mußte, den Gedanken der dualistischen Teilung der Schöpfung zu vollziehen, andererseits die enge Verwandtschaft zwischen S III und den Gathas gerade in der erörterten Frage, so scheint die Annahme gerechtfertigt, daß jene Hineinnahme der beiden Geister in das Schöpfungsgeschehen in S III, 13 — IV, 14 auf Einfluß seitens der iranisch-dualistischen Überlieferung zurückzuführen ist. Gewiß wird man keine direkte Abhängigkeit der Gemeinde von Qumran von den Gathas vermuten dürfen. Dazu ist der Überlieferungsprozeß, der dabei vorauszusetzen ist, zu kompliziert bzw. nicht hinreichend geklärt und auch die Struktur der Dualismen im einzelnen von zu unterschiedlicher Art. Doch beweisen die spätjüdisch-apokalyptischen Zeugnisse, daß das nachexilische Judentum in erheblichem Umfang Elemente aus der babylonischen wie aus der iranischen Vorstellungswelt assimiliert hat. Den Hindernissen, die der Vermutung iranisch-dualistischen Einflusses entgegenstehen, sowie der aufgewiesenen Übereinstimmung in der Zwei-Geister-Lehre dürfte deshalb am ehesten die Annahme gerecht werden, daß im Zuge der Rezeption fremden Überlieferungsgutes in der vorqumranischen Apokalyptik auch jene Vorstellung von den beiden Geistern in das Judentum Eingang gefunden und untergründig weitergelebt hat, um dann den entscheidenden Anstoß für die Verknüpfung der beiden Engelgestalten Michael und Belial mit der Schöpfungsüberlieferung zu geben." [74]

Es wurde in der Diskussion auch hervorgehoben, man sollte eher an die zervanitischen Zwillinge Ohrmazd und Ahriman als an die beiden Geister der Gathas denken.[75] Das ist aber keine notwendige Alternative, denn wir kennen ja eine zervanitische Exegese des gathischen Textes von den beiden Geistern (Yasna 30).[76]

VI. Das Neue Testament

Viele der oben behandelten jüdischen Vorstellungen, die möglicherweise von der iranischen Religion beeinflußt sind, finden wir auch im Neuen

---

[74] Von der Osten-Sacken, S. 139 f.

[75] Duchesne-Guillemin 1958, S. 94.

[76] Benveniste, Le témoignage de Théodore bar Kônay sur le zoroastrisme, Le Monde Oriental 26—27, 1932—1933, S. 209 ff.; Henning, Zoroaster, Politician or Witch-doctor?. Oxford 1951, S. 50 A. 1.

Testament, z. B. die Apokalyptik, den Menschensohn, den Satan. Viele neutestamentliche Exegeten haben daher ihre Darstellungen besonders auf die Forschungen Reitzensteins über das iranische Erlösungsmysterium aufgebaut.[77] Wir möchten hier nur die Aufmerksamkeit der Leser auf einen neulich erschienenen Beitrag von J. R. Hinnells: Zoroastrian Saviour Imagery and its Influence on the New Testament[78] lenken. Die These des Verfassers lautet folgendermaßen: der weit anerkannte ("widely recognised") zoroastrische Einfluß auf die jüdisch-christliche Eschatologie hat auch die Vorstellung vom eschatologischen Erlöser einbegriffen. Um diese These zu demonstrieren, vergleicht der Verfasser den Saošyant nebst dessen eschatologischer Rolle mit dem Messias-Christus sowie dessen eschatologischer Rolle nach jüdischen Quellen und dem Neuen Testament.[79] Ich persönlich ziehe es vor, in diesem Zusammenhang besser den Ausdruck „iranisch" statt „zoroastrisch" zu gebrauchen. Abgesehen davon erscheint mir dieser Vergleich aber höchst berechtigt: Er drängt sich einfach auf. Von daher aber bin ich der Meinung, daß die Eschatologie nicht von der Protologie und der übrigen Geschichte isoliert werden sollte und daß der eschatologische Erlöser nicht vom Menschensohn isoliert werden darf, ebenso daß der Saošyant nicht von Gayōmart und Zarathustra isoliert werden sollte. (Siehe oben)

Abschließend möchte ich noch darauf hinweisen, daß der Ausdruck „Einfluß" in der wissenschaftlichen Diskussion in sehr verschiedenen Bedeutungen verwendet wird.[80] Genaue Definitionen und Präzisierungen in jedem Einzelfall wären hier sicher sehr nützlich.

---

[77] Schenke, S. 28 f.

[78] Numen 16, 1969, S. 161—185.

[79] Als seine Vorgänger hierbei zitiert der Verfasser L. H. Mills, Zaraθuštra, Philo, the Achaemenids and Israel, Chicago 1906, S. 437; Otto, The Kingdom of God and the Son of Man, London 1938, S. 251; von Gall, S. 251 ff. Siehe Hinnells, S. 161 A. 3.

[80] Siehe Neusner 1968, S. 159 f.

WOLFGANG SPEYER

RELIGIONEN DES GRIECHISCH-RÖMISCHEN BEREICHS

Zorn der Gottheit, Vergeltung und Sühne

Wie Griechen und Römer sich in Sprache und Kultur unterscheiden, so sehr auch in ihrer Religion.[1] Diese Verschiedenheiten sind so groß, daß beide Religionen getrennt dargestellt werden müssen. Um der Thematik des vorliegenden Bandes und dem besonderen Thema ›Religionen des griechisch-römischen Bereichs‹ einigermaßen gerecht zu werden, wurde nach einem Gegenstand gesucht, der sowohl in der griechischen wie in der römischen Religion von großer Bedeutung ist und der zugleich mit zentralen Vorstellungen der jüdisch-christlichen Religion in Parallele gesetzt werden kann. Unter diesem Blickpunkt scheint es uns lohnend, die Vorstellungen vom Zorn der Gottheit, von Vergeltung menschlichen Frevels und von den Möglichkeiten der Sühne näher zu untersuchen.

Die vergleichende Religionsbetrachtung hat immer deutlicher gezeigt, daß alle Religionen und Kulte in einem bestimmten Grundbestand religiöser Vorstellungen übereinstimmen, die teils der rationalen Natur des Menschen entspringen — hier liegt der Ansatz für eine Theologie, wie sie bei kulturell fortgeschritteneren Völkern bezeugt ist — und teils über- und außerrationaler Herkunft sind. Zur letzteren Art wird man die Erscheinungen charismatischer Art zu rechnen haben. Diese sind bestimmte religiöse Erfahrungen oder Kräfte, die innerhalb einer religiös gebundenen Gemeinschaft immer nur von wenigen Auserwählten, den Freunden der Gottheit, erlebt werden, deren Auswirkungen aber die ganze Gemeinschaft erfährt. Man denke an Propheten und inspirierte Dichter, an Orakelpriester, überhaupt an 'göttliche Menschen', die Heil- und Strafwunder wirken und den Willen der Gottheit machtvoll verkünden.[2]

---

[1] Vgl. M. P. Nilsson, Wesensverschiedenheiten der römischen und der griechischen Religion: Röm. Mitteil. 48 (1933) 245/60 = Opuscula selecta 2 (Lund 1952) 504/23.

Die Vorstellung vom Zorne der Götter und alle damit zusammenhängenden Auffassungen gehören aber zu denjenigen religiösen Gedanken, die einer wissenschaftlichen Durchdringung eher zugänglich sind. In sehr vielen Religionen begegnen diese Vorstellungen.[3] Allerdings haben sie in den beiden letzten, umfassendsten Darstellungen der griechischen und der römischen Religion nicht die gebührende Beachtung gefunden.[4] Bevor wir den zuvor genannten Vorstellungen bei den Griechen und Römern nachgehen, sei zur besseren Orientierung des Lesers ein systematischer Abschnitt vorangestellt, in dem die zu untersuchenden religiösen Vorstellungen in ihrer logischen Verknüpfung dargestellt werden sollen.

a) Der Zorn der Gottheit religionsphänomenologisch betrachtet

Dem Menschen der Frühkultur konnte nicht verborgen bleiben, daß die von ihm erfahrene Welt sich in rhythmischem Wechsel befindet. Und zwar bemerkte er eine Wiederkehr des Gleichen, die sich in einer geregelten Abfolge ereignete. So konnte er den Wechsel der Jahreszeiten und der Mondphasen beobachten oder den Wechsel sich zueinander konträr verhaltender Gegensätze, deren geregelte Abfolge ihm die Erhaltung des menschlichen Lebens zu gewähren schien, wie den Wechsel von Tag und Nacht oder von Regen und Sonnenschein. In diesem Sinne schildert noch

---

[2] Vgl. L. Bieler, ΘΕΙΟΣ ANHP. Das Bild des „Göttlichen Menschen" in Spätantike und Frühchristentum (Wien 1935/36, Nachdruck Darmstadt 1967).

[3] Zum Beispiel in Indien: Zorn Varunas; vgl. H. Oldenberg, Religion des Veda 3/4(1923) 299. 301 f.; in Persien: Zorn des Mitra; vgl. E. Lehmann in: A. Bertholet-E. Lehmann, Lehrbuch der Religionsgeschichte 2 4(1925) 226; bei den Kelten: vgl. J. A. Mac Culloch: ebd. 2, 634 f. Vgl. ferner F. Heiler, Das Gebet 5(1969) Reg. s. v. Zorn Gottes; weniger ergiebig ist der Artikel von N. J. Hein, Zorn Gottes, religionsgeschichtlich: Relig. in Gesch. u. Gegenw. 6 (1962) 1929 f. — In Ägypten scheint die Vorstellung zürnender Götter zu fehlen; vgl. die im Korrekturzusatz genannte Arbeit von Considine 87.

[4] M. P. Nilsson, Geschichte der griechischen Religion 1.2 = Handb. d. Altertumswiss. 5, 2 2(1955/61) und K. Latte, Römische Religionsgeschichte = Handb. d. Altertumswiss. 5, 4 (1960). Zum Thema vgl. J. Irmscher, Götterzorn bei Homer (1950); H. Kleinknecht, Art. ὀργή: Theol. Wörterb. zum Neuen Test. 5 (o. J. [um 1954]) 383/92; W. Speyer, Art. Fluch: Reallex. f. Ant. u. Christent. 7 (1969) 1160/1288.

Vergil in der Aeneis die Aufgaben des Windgottes Aeolus, dem Jupiter aufgetragen hat: foedere certo/et premere et laxas sciret dare [sc. ventis] iussus habenas.[5] Dem festgesetzten Rhythmus der Natur muß der Mensch, der ein Teil von ihr ist, folgen. Sein körperliches und psychisches Leben unterliegt gleichfalls einem gesetzmäßigen Wechsel von Gegensätzen. Geborenwerden und Sterben, Essen und Hungern, Arbeiten und Ruhen, Wachen und Schlafen sind derartige einander rhythmisch abwechselnde und ergänzende Aspekte menschlichen Daseins. Hatte der Mensch einmal derartig geordnete Abfolgen von Gegensätzen erkannt, so führte ihn sein Forschen nach dem Grund dieser Tatsachen unweigerlich zu der Frage, ob sie nicht auf wenige oder gar nur auf ein einziges Urpaar von Gegensätzen zurückzuführen seien. Diesen Weg gingen in Ionien Philosophen, wie Heraklit und Empedokles. Empedokles glaubte, φιλία und νεῖκος, Liebe und Haß, seien die sich ewig ergänzenden gegensätzlichen Urprinzipien des Alls.[6] Mehr mythisch gebunden war der iranische Dualismus mit seiner Annahme eines guten und eines bösen Gottes, die stets miteinander streiten.[7]

Der Mensch der archaischen Kulturstufe konnte ferner feststellen, daß die Ordnung der Welt, der Kosmos, und damit die Sicherheit jedweden Lebens nur so lange Bestand hatten, wie die verschiedenen, das Ganze konstituierenden Gegensätze miteinander im Gleichgewicht waren.[8] Überwog etwa der eine Gegensatz gegenüber dem anderen, so war der Kosmos

---

[5] Aen. 1, 52/63.

[6] Vgl. K. Praechter, Die Philosophie des Altertums [12](1926, Nachdruck 1953) 93 f.; ferner P. Friedländer, Platon 3 [2](1960) 38.

[7] Vgl. G. Mensching, Art. Dualismus, religionsgeschichtlich: Relig. in Gesch. u. Gegenw. 2 (1958) 272 f. und W. Eilers, Art. Iran II, religionsgeschichtlich: ebd. 3 (1959) 878/80.

[8] Dieser Gedanke wurde von griechischen Philosophen abstrakt formuliert: vgl. PsAristot. de mundo 5, 396 b 7 mit Hinweis auf Heraklit (VS 22 B 10). Zum Begriff der Isonomia, des kosmischen Gleichgewichts, vgl. V. Ehrenberg: Pauly-Wissowa, Suppl. 7 (1940) 300 f. — Bereits Archilochos versuchte das auf Beobachtungen der Natur beruhende Vorstellungsmodell der sich einander abwechselnden Gegensätze auf das persönliche Leben zu übertragen und ethisch zu vertiefen: Mutig soll sein Herz sich den Feinden stellen, im Erfolg nicht übermütig prahlen, im Unglück nicht verzagen und immer das Wechselmaß (ῥυσμός) des Lebens bedenken (frg. 67 a Diehl); vgl. A. Lesky, Geschichte der griechischen Literatur [3](1971) 138 f.

gestört, und das Chaos drohte hereinzubrechen, das am Anfang vor allen
Dingen geherrscht hatte und von den Göttern zum Kosmos umgeschaffen
worden war. Die Götter garantierten nach dieser Auffassung „das Gleich-
gewicht der ungeheuren Waage".[9]
Geschahen in der Natur unheilvolle Ereignisse, wie Naturkatastrophen,
Sonnen- und Mondfinsternisse, Erdbeben und Vulkanausbrüche oder
Seuchen, so suchte der Mensch, der immer nach Gründen fragt, die Ursache
für die plötzliche, unheilvolle Unterbrechung des gewohnten Verlaufs der
Dinge zu finden. Verschiedene Möglichkeiten der Erklärung boten sich an.
Entweder nahm man an, daß Wesen daran schuld seien, die fast so mächtig
wie die Götter sind, mit ihnen im Kampfe liegen und den Menschen den
Frieden mit den Göttern und damit das Wohlergehen neiden — so glaub-
ten manche, es gebe Dämonen und diese schickten den Menschen Seuchen,
Unfruchtbarkeit, Erdbeben, Dürre und Not jeglicher Art [10] — oder aber
man hielt die Freveltat eines oder mehrerer Menschen für die Ursache des
Unheils. Dabei fragten die Menschen der Frühkultur, wer die widergött-
liche Tat zu verantworten habe. Teils meinten sie, der einzelne habe so
handeln müssen, weil er durch ein dämonisches oder göttliches Wesen dazu

---

[9] PsAristot. de mundo 400 b 27 f. nennt die Gottheit das alles im Gleichgewicht haltende Gesetz.

[10] Vgl. Klemens von Alexandrien, strom. 6, 3, 31, 1 (Griech. christl. Schriftst.
52, 446): „Einige behaupten, Seuchen, Hagelschlag, Stürme und verwandte Erscheinungen entstünden gewöhnlich nicht wegen einer Unordnung der Materie
selber, sondern wegen des Zorns von Dämonen oder böser Engel." Porphyrios,
de abstin. 2, 40 erwähnt diese nicht allzuoft geäußerte Theorie, nach der böse
Dämonen das Unheil in der Welt verursachen (vgl. W. Bousset, Zur Dämonologie
der späteren Antike: Arch. f. Religionswiss. 18 [1915] 157 Anm. 1 mit Hinweis
auf Corp. Herm. ὅροι ᾽Ασκλ. 10 [2, 235 Nock-Festugière]). Diese Dämonen
täuschten sogar die Menschen, indem sie vorspiegelten, nicht sie seien die Urheber,
sondern die guten Dämonen, die Götter. Diese iranisch beeinflußte dualistische
Lehre bekämpft also den alten Volksglauben, daß derselbe Gott je nach den
Taten der Menschen segnet und flucht, und ersetzt ihn durch die Behauptung, es
gebe zwei verschiedene Arten von Göttern. Dabei wird den bösen Dämonen vor-
geworfen, sie verführten die Menschen zu dem Glauben, daß die guten Götter
den Menschen zürnten: „τρέπουσίν τε [sc. οἱ κακοεργεῖς δαίμονες] μετὰ τοῦτο
ἐπὶ λιτανείας ἡμᾶς καὶ θυσίας τῶν ἀγαθοεργῶν θεῶν ὡς ὠργισμένων"; vgl.
auch PsClem. Rom. homil. 9, 13, 2 (Griech. Christl. Schriftst. 42, 137) und J. Bidez-
F. Cumont, Les mages hellénisés 1 (Paris 1938) 178 f.; 2 (ebd. 1938) 278 f.

verleitet worden sei,[11] oder aber sie meinten, der Mensch habe aus eigenem Antrieb gegen die göttliche Weltordnung gefrevelt.[12] Der Glaube, daß der Mensch durch seine Tat den Gottesfrieden stören könne und deshalb Naturkatastrophen und Unheil über die Gemeinschaft kämen, in welcher der Frevler lebte, war auf der archaischen Religionsstufe weit verbreitet. Ein solcher Glaube mußte mit dem Verhältnis ständiger Aktion und Reaktion zwischen der Welt der Menschen und der der Götter rechnen: Handelte der Mensch gegen die Gebote der Götter, so wurde ihr Zorn geweckt, und die Strafen der Götter folgten sogleich; handelte der Mensch nach den göttlichen Geboten, so schickten die Götter Gedeihen und Segen. Ein solcher Glaube faßt die Natur, das heißt die Welt der Götter und Menschen, als einen großen Organismus auf, der von der Krankheit und dem Wohlergehen jedes seiner Teile betroffen ist. Im Gegensatz etwa zu Epikur, der das Reich der Götter durch eine tiefe Kluft von der Menschenwelt trennt, ist für das zuvor beschriebene religiöse Weltbild der Begriff der Allverwandtschaft bestimmend.[13] Demnach muß

---

[11] Pandaros bricht durch seinen Pfeilschuß das Bündnis, das zwischen Trojanern und Griechen bestand, und führt so den Untergang Trojas herbei (Il. 4, 64/126. 155/68). Wie Homer betont, hatten ihn aber die Götter selbst zu der Freveltat ermuntert. Hier findet gleichsam eine Inspiration zum Bösen statt (vgl. Irmscher a. a. O. [s. o. S. 125 Anm. 4] 44 Anm. 2). Il. 9, 636 f. sagt der Telamonier Aias zu Achill: „Doch unversöhnlich und böse machten die Götter dein Herz in der Brust nur wegen des einen Mägdleins." Wenige Verse zuvor (628 f.) hingegen meint er, Achill habe selbst sein stolzes Herz in der Brust verhärtet. Die Frage, von wo menschliches Handeln bei Homer seinen Ausgang nimmt, ist nicht mit einem Entweder-Oder zu beantworten; vgl. A. Lesky, Art. Homeros: Pauly-Wissowa, Suppl. 11 (1968) 735/40. Eine Analogie dazu bietet das Alte Testament, wenn es von Gott aussagt, daß er das Herz des Pharao verstockt machte (Ex 4, 21; 7, 3; 8, 15; vgl. Röm 9, 18); vgl. A. Hermann, Das steinharte Herz: Jahrb. f. Ant. u. Christent. 4 (1961) 77/107 und E. Balla, Das Problem des Leides in der Geschichte der israelitisch-jüdischen Religion: ΕΥΧΑΡΙΣΤΗΡΙΟΝ. Festschrift H. Gunkel 1 (1923) 218.

[12] Der Mensch konnte erst von der Voraussetzung seiner eigenen freien Entscheidungsmöglichkeit zu einer Entdeckung einer sittlichen Wertwelt fortschreiten. Dem Menschen der Frühzeit, der sich von dämonischen Mächten bewegt und beherrscht erlebte, fehlte noch diese Einsicht (s. u. S. 130 f.).

[13] Vgl. S. Mowinckel, Religion und Kultus (1953) 17. Der philosophische Begriff der συμπάθεια τῶν ὅλων, der besonders im System des Stoikers Poseidonios

jede Tat des einzelnen auch Folgen für die Gemeinschaft haben. Persönlicher Frevel bleibt nichts Privates, sondern strahlt in die Gemeinschaft aus, zu der der Frevler gehört. So glaubte man an die Solidarität der Menschen in der Schuld.[14] Um den das Leben erhaltenden Zustand des Friedens mit den Göttern wieder herbeizuführen, verwendete man verschiedene Mittel. Man verfluchte den Frevler, das heißt man bannte ihn aus der Gemeinschaft,[15] und versuchte darüber hinaus, den Zorn der Götter durch Sühnehandlungen zu besänftigen. In diesen Sühnen spiegelt sich oftmals eine Kulturentwicklung: sie reichen von den rituell geopferten Frevlern und Feinden des Volkes bis hinab zu Opfern von Tieren und Gaben des Feldes, von Fasten und Weihegaben bis zu Göttermählern und Bittprozessionen. Neben diesen Mitteln konnte gelegentlich auch das freiwillige, stellvertretende Opfer vorkommen. Ein einzelner weiht sich als Sühnopfer den Göttern, um den gefährdeten Nächsten oder die bedrohte Gemeinschaft vom Götterzorn zu befreien. Die zu sühnenden Frevel waren immer einzelne Untaten, durch die eine bestimmte Menschengruppe, höchstens ein einzelnes Volk, in seinem Bestand gefährdet wurde. Daher bezog sich die Hingabe des eigenen Lebens als stellvertretendes Sühnopfer gleichfalls nur auf Frevel, die nach ihrer Wirkung in Raum und Zeit begrenzt waren.

b) Götterzorn in der griechischen und römischen Religion

Die zuvor genannten religiösen Überzeugungen prägen weitgehend auch die griechische und römische Religion. — Vorausgeschickt sei die Bemerkung, daß als Frevel in der religiös gebundenen Gesellschaft jede Tat galt, die gegen ein Gesetz verstieß, auf dem nach der Auffassung dieser Gemeinschaft ihr Wohlergehen und ihr Fortbestand beruhten. Diese Gesetze schützten eine magisch-sakral geprägte Lebensordnung. Mit dem Inhalt sittlicher Gebote deckten sie sich nur zum Teil, wie aus folgenden Bei-

---

seinen Platz hat, dürfte auf Vorstellungen des Volksglaubens zurückgehen (zu Poseidonios vgl. K. Reinhardt: Pauly-Wissowa 22, 1 [1953] 653/6).

[14] Vgl. G. Glotz, La solidarité de la famille dans le droit criminel en Grèce (Paris 1904); für Indien vgl. Oldenberg a. a. O. (s. o. S. 125 Anm. 3) 296.

[15] Vgl. Speyer a. a. O. (s. o. S. 125 Anm. 4) 1161/70.

spielen zu ersehen ist: Ilos, der sagenhafte Gründer von Ilion (Troja), suchte das vom Himmel gefallene Bild der Stadtgöttin Pallas Athene aus dem Brand des Tempels zu retten. Er erblindete. Ebenso erging es später Metellus, als er das Palladion aus dem brennenden Tempel der Vesta rettete.[16] Ussa stützte die heilige Lade mit den Gesetzestafeln, damit sie beim Transport keinen Schaden nähme. Er fiel tot um.[17] Das Motiv für die Handlung der drei Männer ist nach heutiger Auffassung sittlich nicht anstößig. Trotzdem entbrannte der Zorn der Gottheit. Der Grund dafür liegt darin, daß die drei ungeschützt mit dem Heiligen in Berührung gekommen sind. Das Heilige oder die heilige Macht ist gleichsam bipolar geladen: sie schadet oder nützt, ohne daß der Mensch eine solche Wirkung durch sein Tun verdient hätte. Sein Vergehen liegt darin, ein Tabu nicht beachtet zu haben.[18]

In der Frühzeit waren die sittlichen Vorstellungen in ihrem Wesen noch nicht voll erkannt. Daher galten manche Handlungen als erlaubt, die später von einer höheren Erkenntnisstufe aus als unsittlich abgelehnt wurden. Man denke etwa an die positive Bewertung der Lüge, der Täuschung und des Raubes im Interesse einer Lebensgemeinschaft bei

---

[16] Vgl. Plutarch, parall. Graec. et Rom. 17, 309 F/310 A, der statt des Namens Metellus den des Antylos bietet; vgl. aber Seneca den Älteren, controv. 4, 2 (hier wird die ira deorum erwähnt) und Plinius, nat. hist. 7, 141. Ilos soll später von seiner Blindheit wieder befreit worden sein, nicht aber Metellus; vgl. auch E. Lesky, Art. Blindheit: Reallex. f. Ant. u. Christent. 2 (1954) 439.

[17] 2Sam 6, 3/8; vgl. auch 1Sam 6, 19 f.; J. Maier, Das altisraelitische Ladeheiligtum = Beih. zur Zeitschr. f. alttestam. Wiss. 93 (1965) 72.

[18] Vgl. Speyer a. a. O. (s. o. S. 125 Anm. 4) 1163 f. Nicht erkannt von A. Esser, Das Antlitz der Blindheit in der Antike = Janus, Suppl. 4 (Leiden 1961) 157. 176 f. — Manche, die, ohne dazu begnadet zu sein, einen Gott oder das ihn vertretende Bild erblickt haben, sollen wahnsinnig geworden sein. Pausanias 3, 16, 9 nennt Astrabakos und Alopekos sowie 7, 19, 6/9 Eurypylos; vgl. dazu J. Mattes, Der Wahnsinn im griechischen Mythos und in der Dichtung bis zum Drama des fünften Jahrhunderts (1970) 17 (nr. 7). 18 (nr. 13); vgl. ebd. 24 f. (nr. 32) zu PsPlutarch, de fluv. 18, 1; 13, 1. — Das Vergessen eines Opfers für eine Gottheit konnte schlimme Folgen haben, da die verletzte Gottheit mit ihrem Zorn nicht zurückhielt; vgl. Il. 9, 533/7: Zorn der Artemis über Oineus (dazu R. Hanslik: Pauly-Wissowa 17, 2 [1937] 2196); Apollod. bibl. 1, 9, 15: Zorn der Artemis über Admet (dazu A. Lesky, Alkestis. Der Mythus und das Drama = Sb. Akad. Wien 203 [1925] 38).

Homer.[19] Nicht das sittlich Gute gab in erster Linie den Maßstab, sondern Nutzen und Schaden für die Gemeinschaft.[20]

Blicken wir auf die literarische Hinterlassenschaft der Griechen und Römer, so begegnet das Motiv vom Zorn der Gottheit und der damit verknüpften Vorstellungen vor allem bei religiös geprägten Schriftstellern. Die in Griechenland früh erwachende philosophische Kritik an allen anthropomorphen Gottesvorstellungen, zu denen auch das Motiv der zürnenden Gottheit gehört, brachte das alte Vorstellungsmodell des Volksglaubens bei vielen Gebildeten ins Wanken.[21]

Das Motiv vom Zorn einzelner Götter hat in den beiden homerischen Epen Ilias und Odyssee seinen mächtigsten literarischen Ausdruck gefunden.[22] Der Dichter versuchte, die Geschehnisse des Trojanischen Krieges dadurch in ihrer Abfolge verständlich zu machen, daß er den Zorn der Götter über den Frevel eines einzelnen, im Volke hervorragenden Mannes, eines Königs oder eines Königssohnes, als die die weiteren Geschehnisse auslösende Ursache nennt. So hat König Agamemnon durch die schimpfliche Behandlung des Apollonpriesters Chryses die Vergeltung des erzürnten Gottes auf die Griechen herabbeschworen. Apollon sendet daraufhin seine Pestpfeile ins Griechenheer.[23] Agamemnon gelingt es zwar, den Gott durch Sühneleistungen zu versöhnen, zugleich beleidigt er aber den götter-

[19] Vgl. auch Lesky a. a. O. (s. o. S. 126 Anm. 8) 90 f. zu dem bisweilen amoralischen Handeln der Götter in der Ilias.

[20] Vgl. K. Latte, Schuld und Sünde in der griechischen Religion: Arch. f. Religionswiss. 20 (1920/21) 254/98 = Kleine Schriften (1968) 3/35; A. Dihle, Die goldene Regel (1962) 12.

[21] Über diese Kritik und ihre Folgen für den christlichen Gottesbegriff handelt M. Pohlenz, Vom Zorne Gottes (1909). Wie vom philosophisch-theologischen Gesichtspunkt die Vorstellung vom zürnenden Gott kritisiert wurde, so auch der religiöse Gedanke von der Solidarität in der Schuld; s. u. S. 132 f. Anm. 29.

[22] Ob Ilias und Odyssee als Zeugnisse des Glaubens ihrer Zeit zu gelten haben, war lange umstritten. „In der neueren Homerliteratur setzt sich glücklicherweise immer mehr die Erkenntnis durch, daß wir in den homerischen Gedichten lebendigen Glauben der Zeit des Dichters fassen" (H. Stockinger, Die Vorzeichen im homerischen Epos, Diss. München [1959] 163 Anm. 2); vgl. A. Lesky, Art. Homeros: Pauly-Wissowa, Suppl. 11 (1968) 725/40.

[23] Vgl. Il. 1, 8/52; Irmscher a. a. O. (s. o. S. 125 Anm. 4) 47 f.; ferner F. G. Welcker, Seuchen von Apollon: Kleine Schriften 3 (1850) 33/46; Speyer a. a. O. (s. o. S. 125 Anm. 4) 1177.

gleichen Helden Achill so schwer, daß dieser sich vom Kampf zurückzieht und durch seinen Zorn den Griechen mächtig schadet.[24] Das die Ilias beherrschende Motiv vom Zorn des Achill dürfte in seiner Bedeutung und seinen Folgen nur vor dem Hintergrund des Glaubens an den zürnenden, nach Vergeltung dürstenden Gott verständlich werden. Achill, der Sohn der Göttin Thetis und des Königs Peleus, ist in der Ilias zwar weithin nur als besonders begnadeter Held wie andere dargestellt. Das Motiv seines Zornes ist vielleicht auch einem älteren Epos vom Zorn des Helden Meleagros entlehnt.[25] Andere Zeugnisse sprechen aber dafür, daß Achill ursprünglich als ein Gott verehrt worden ist.[26] Die Auswirkungen seines Zornes treffen ebenso wie die Strafe des erzürnten Apollon nicht nur Agamemnon, sondern das ganze Griechenheer vor Troja.

Das Motiv vom Götterzorn begegnet in der Ilias noch öfter. Da Paris durch sein Urteil für Aphrodite die beiden Göttinnen Hera und Athene schwer beleidigt hatte, zürnten sie Ilion mitsamt seinem König Priamos und dem Volk.[27] Auch hier hat der Frevel des einen furchtbare Folgen für die Gemeinschaft. Dieselbe Vorstellung begegnet in der Erzählung vom Geschick der Niobe.[28] Für den Frevel Niobes gegen die Kinder der Leto, Apollon und Artemis, muß auch ihr Volk büßen: Zeus verwandelt es in Stein.[29] — Menelaos droht den Trojanern mit dem Zorn des Ζεὺς ξένιος,

---

[24] Il. 1, 1/7. 148/412. Der in den ersten achtzehn Gesängen mitgeteilte Handlungsablauf ist ganz durch den Zorn Achills und sein Fernbleiben vom Kampf bestimmt. Erst im 19. Gesang entsagt Achill seinem Zorne (V. 67 f.).

[25] Il. 9, 524/99: Artemis schickt aus Zorn über Oineus, der ihr 'achtlos oder vergeßlich' das schuldige Opfer nicht dargebracht hatte, einen wilden Eber, der das Land der Kalydonier verwüstet (9, 533/42. 547/9; vgl. Verg. Aen. 7, 305 f.). Der Frevel des Königs bringt seinem Volk Verderben; vgl. Irmscher a. a. O. (s. o. S. 125 Anm. 4) 36 f. 39 und u. S. 135.

[26] Vgl. U. von Wilamowitz-Moellendorff, Der Glaube der Hellenen 2 (1932, Nachdruck 1959) 9 f. Anm. 4 und H. von Geisau, Art. Achilleus: Kleiner Pauly 1 (1964) 46 f.

[27] Il. 24, 25/30; vgl. Irmscher a. a. O. (s. o. S. 125 Anm. 4) 40.

[28] Il. 24, 602/17.

[29] Il. 24, 611; vgl. Irmscher a. a. O. (s. o. S. 125 Anm. 4) 35. 41 f.; vgl. ferner Il. 4, 155/68: Die Trojaner, die das Bündnis mit den Griechen gebrochen haben, werden später mitsamt ihren Frauen und Kindern dem Zorn des Zeus erliegen. (Weitere Belege bietet C. F. Nägelsbach, Die nachhomerische Theologie des griechischen Volksglaubens bis auf Alexander [1857] 34 f.) Selbst Claudian steht

der das Gastrecht schützt, das Paris durch die Entführung Helenas gebrochen hatte.[30] — Selbst im Gleichnis, also in der eigenen Welt des Dichters, begegnet das Motiv: Zeus jagt den Regensturm des Herbstes über die
Erde hinweg aus Zorn gegen Menschen, die falsche Urteile sprechen, das
Recht verdrehen und die Götter verachten.[31]

Blicken wir von der Ilias zur Odyssee, so bestimmt hier der Zorn Posei-
dons weitgehend die Handlung.[32] Odysseus hat den Poseidonsohn Poly-
phem geblendet und dadurch den Groll des Meergottes erregt. Zur Strafe
will Poseidon ihn nicht in seine Heimat Ithaka zurückkehren lassen und
treibt ihn über die Meere hin.[33]

Das gleiche Motiv begegnet in der Odyssee noch einmal und hier noch
folgerichtiger, da die gekränkten Götter erst durch den vollständigen
Untergang der Frevler versöhnt werden. Gegen den ausdrücklichen Rat
der Kirke,[34] den Odysseus seinen Gefährten verkündet hatte, schlachteten
diese in seiner Abwesenheit die Rinder des Sonnengottes und brachen so
das Tabu, das den Frieden mit den Göttern sicherte. Diesen Frevel büßten
sie mit ihrem Leben.[35] Odysseus hatte sich deutlich von ihrem Tun los-
gesagt, indem er sie gewarnt und von ihnen einen Eid verlangt hatte, die
Rinder nicht zu verletzen. Als er ihren Frevel sah, tadelte er sie. Der Tadel

noch in dieser Überlieferung, carm. min. 43, 5 f. (Monum. Germ. Hist. Auct. Ant.
10, 336): in prolem dilata ruunt periuria patris / et poenam merito filius ore
luit. Die Kritik der griechischen Denker richtete sich schon früh gegen diese
Anschauung; vgl. Theogn. 731/42; Nägelsbach a. a. O. 42 f.; Glotz a. a. O. (s. o.
S. 129 Anm. 14) 575 f.; E. Westermarck, Ursprung und Entwicklung der Moral-
begriffe 1, deutsche Ausgabe (1907) 59 f.; Speyer a. a. O. (s. o. S. 125 Anm. 4)
1165. — Eine ähnliche Kritik zeigen bereits einzelne Propheten des Alten Testamentes (Jer 31, 29 f.; Ez 18, 2/4). Für das Christentum vgl. Joh 9, 1/3; Didasc.
2, 14, 3/10 (1, 50 f. Funk); Constitut. apost. 2, 14, 3/10 (1, 51 f. Funk) und noch
Anast. Sinait. interr. et respons. 35 (PG 89, 573 f.): „Wie kann das Recht
gewahrt werden, wenn die Kinder für die Väter bestraft werden?"

[30] Vgl. Il. 13, 620/7.
[31] Vgl. Il. 16, 384/92.
[32] Vgl. Od. 1, 20. 68/79. Von Heinrich Heine für sein Gedicht ›Poseidon‹ im
Zyklus ›Die Nordsee‹ 1, 5 fruchtbar gemacht. Vgl. Irmscher a. a. O. 55/64.
[33] Od. 1, 68/79; 11, 100/3.
[34] Od. 12, 127/41. Der Rat des Teiresias bildet hierzu eine Dublette: ebd.
11, 104/13; vgl. 12, 266/76.
[35] Od. 12, 260/419; vgl. 1, 7/9; Irmscher a. a. O. 64 f.

steht hier statt eines Fluches. So rettete er sich aus der gemeinsamen Schuld. Die Götter kündeten in diesem Falle ihren Zorn durch ein Vorzeichen (τέρας, prodigium) an: Als die Gefährten das Fleisch der Rinder brieten, krochen ringsum die Häute, es brüllte das Fleisch an den Spießen.[36] Das Motiv vom Zorn einer Gottheit hat der Verfasser der Nostoi, in denen die Heimkehr der griechischen Helden von Troja erzählt wurde, wohl aus der Ilias und Odyssee übernommen.[37] Aias, der Lokrer, hatte Kassandra am Altar getötet. Der Zorn der beleidigten Pallas Athene vernichtete den Frevler und bestrafte die übrigen Griechen durch Irrfahrt und späte Heimkehr.[38]

Wie sehr der griechische Glaube durch die Vorstellung vom vergeltenden, auf Ausgleich drängenden Zorn der Götter geprägt wurde, zeigt der große römische Gegner dieser Anschauung, der Epikureer Lukrez.[39] Bei seiner Wiedergabe zweier griechischer Mythen erwähnt er im Anschluß an die Überlieferung ausdrücklich die ira deorum.[40] Die weite Verbreitung des Motivs im Mythos und in der Dichtung der Griechen beweist, wie tief diese Vorstellung in der Religion des griechischen Volkes verwurzelt gewesen sein muß.

Obwohl Vergil, vom stoischen Glauben an das Fatum bestimmt, die Sage vom Trojaner Aeneas gestaltet hat, wollte er trotzdem nicht auf das alte Glaubensmodell der erzürnten Gottheit verzichten. In Übereinstim-

---

[36] Od. 12, 394/6. — Weit mehr als den Griechen diente die Beobachtung der Prodigien den Römern dazu, den durch die unheilvollen Vorzeichen angedrohten Götterzorn durch Sühnemittel abzuwenden (s. u. S. 137). Eine Geschichte des Prodigienglaubens bei den Griechen fehlt. K. Steinhauser, Der Prodigienglaube und das Prodigienwesen der Griechen, Diss. Tübingen (1911) 15 f. gibt nur einen Überblick über die Meinungen der griechischen Dichter und Geschichtsschreiber; vgl. auch Nilsson a. a. O. (s. o. S. 125 Anm. 4) 1², 166 f. und Stockinger a. a. O. (s. o. S. 131 Anm. 22). Bei den orientalischen Völkern war der Prodigienglaube ebenfalls verbreitet; vgl. die Texte bei B. Meissner, Babylonische Prodigienbücher: Mitteil. d. Schles. Gesellsch. f. Volkskunde 13/14 (1911) 256/63.

[37] Vgl. Od. 1, 326 f.; Horaz, epod. 10, 13 f. und W. Schmid, Geschichte der griechischen Literatur 1 = Handb. d. Altertumswiss. 7, 1 (1929, Nachdruck 1959) 214 f.

[38] Vgl. Toepffer, Art. Aias nr. 4: Pauly-Wissowa 1, 1 (1893) 937/9.

[39] De rer. nat. 2, 651 (Bailey); 5, 1194/1240; 6, 68/78.

[40] De rer. nat. 5, 399 f.: Mythos von Phaethon; 6, 753 f.: athenischer Mythos von Pallas Athene.

mung mit Homer läßt er das Motiv gleich im Prooemium anklingen: der Zorn Junos ist der Grund für die Irrfahrten und die endlosen Mühen des Aeneas.[41] Als Ursache ihrer Feindschaft wird das ungerechte Urteil des trojanischen Königssohnes Paris angegeben. Seit seinem Urteilsspruch verfolgte sie voll Zorn die mit ihm in der Schuld verbundenen Trojaner.[42] Der Trojanische Krieg wird so als Ergebnis einer einzigen Freveltat gedeutet. Die Größe des Verbrechens liegt nicht zuletzt darin, daß es der Königssohn vollbracht hat. Das Handeln des Königs ist nach magisch-sakraler Auffassung in besonderem Maße für das Wohl und Wehe seines Volkes verantwortlich.[43] Je machtvoller die beleidigte Gottheit ist, um so größer sind auch die Folgen ihres Zorns.

Hier ist nicht der Ort, das Motiv vom Zorn der Götter bei den griechischen und römischen Prosaikern genauer zu verfolgen.[44] Zur Abrundung des Bildes seien noch folgende Beispiele aus verschiedenen Jahrhunderten der griechischen und der römischen Geschichte angeführt. Hippasos oder ein anderer Schüler des Pythagoras soll die Geheimlehren des Philosophen verraten haben und zur Strafe im Meer ertrunken sein.[45] Der Kylonische Frevel soll die Ursache der von den erzürnten Göttern geschickten Pest

---

[41] Aen. 1, 4. 8/11; vgl. R. Heinze, Virgils epische Technik ³(1914, Nachdruck 1957) 96/8 und Kleinknecht a. a. O. (s. o. S. 125 Anm. 4) 391 f. — Schon im Mythos von Io treibt die zürnende Hera ihre Nebenbuhlerin durch zahlreiche Irrfahrten; vgl. S. Eitrem, Art. Io: Pauly-Wissowa 9, 2 (1916) 1732/43, bes. 1733 f.

[42] Vgl. Aen. 1, 25/8 im Anschluß an Il. 24, 25/30.

[43] Vgl. Od. 19, 109/14: „Gleich dem Ruhme des guten und gottesfürchtigen Königs, / Welcher ein großes Volk von starken Männern beherrschet / Und die Gerechtigkeit schützt. Die fetten Hügel und Täler / Wallen von Weizen und Gerste, die Bäume hangen voll Obstes, / Häufig gebiert das Vieh, und die Wasser wimmeln von Fischen / Unter dem weisen König, der seine Völker beseligt" (Übersetzung nach J. H. Voss; Ausgabe München 1960); vgl. W. Fiedler, Antiker Wetterzauber = Würzburger Studien z. Altertumswiss. 1 (1931) 10 f. (mit Literatur). Das Gegenbild zu dieser Stelle der Odyssee bietet Hesiod, oper. 238/47: Die ganze Stadt muß bisweilen für einen Frevler büßen. Pest und Hungersnot kommen über sie, die Frauen gebären nicht mehr.

[44] Einige Beispiele aus der römischen Geschichte zählt Kleinknecht a. a. O. (s. o. S. 125 Anm. 4) 390 auf.

[45] Vgl. Iamblichos, vita Pythag. 247: „οἱ δέ φασι καὶ τὸ δαιμόνιον νεμεσῆσαι τοῖς ἐξώφορα τὰ Πυθαγόρου ποιησαμένοις" (VS 18 A 4).

in Athen gewesen sein.[46] Der Makedone Proteas sei zugrunde gegangen, weil er Theben, die Stadt des Dionysos, zerstört hatte und der Gott ihm deshalb gezürnt habe.[47] Da Pyrrhos den Tempel der Persephone in Lokroi geplündert hatte, sei seine Flotte durch Sturm vernichtet worden, den die erzürnte Göttin geschickt habe.[48] Tacitus, der selber bisweilen auf den Zorn der Götter als die Ursache unheilvollen Geschicks für Rom hinweist,[49] erwähnt die manifesta caelestium ira bei der verzögerten Überführung des Serapisbildes von Sinope nach Alexandrien.[50] Die Krankheit Neros, die dieser sich angeblich deshalb zugezogen hatte, weil er die heiligen Wasser der Aqua Marcia durch ein Bad besudelt hatte, bestätigte den Zorn der Götter.[51] Ein andermal kritisiert Tacitus hingegen den Volksglauben seiner Zeit, der aus dem Versiegen der Flüsse auf die Rache des Himmels schließt.[52] — Weil im Jahre 165 n. Chr. der Tempel des Apollon in Seleukeia am Tigris von Soldaten des Avidius Cassius zerstört worden war, soll der Gott zur Strafe eine furchtbare Pest geschickt haben.[53] Für die heidnischen Römer des 4. Jahrhunderts stand es fest, daß die Einfälle der Barbaren und alles übrige Unheil nur deshalb das Reich heimsuchten, weil die Götter den Christen zürnten.[54]

[46] Vgl. Diogenes Laertios 1, 110 und F. Jacoby im Kommentar Anm. 12 (S. 191) zu FGrHist 457; ferner Honigmann, Art. Κύλων: Pauly-Wissowa 11, 2 (1922) 2460 f.

[47] Vgl. Ephippos von Olynth bei Athenaios 10, 44, 434 a/b = FGrHist 126 F 3.

[48] Pyrrhos von Epeiros (?) bei Dionys. Halic. ant. Rom. 20, 10 = FGrHist 229 F 1.

[49] Vgl. hist. 1, 3, 2; 2, 38, 2; ann. 4, 1, 2; 16, 16, 2; dazu E. Koestermann, Cornelius Tacitus, Annalen 1 (1963) 33 f.; 2 (1965) 35.

[50] Hist. 4, 84, 2.

[51] Ann. 14, 22, 4.

[52] Hist. 4, 26: quod in pace fors seu natura, tunc fatum et ira dei vocabatur; vgl. Tac. ann. 13, 17 und Kleinknecht a. a. O. (s. o. S. 125 Anm. 4) 389 f.

[53] Vgl. Amm. Marc. 23, 6, 24; Streck, Art. Seleukeia: Pauly-Wissowa 2 A, 1 (1921) 1183 f.

[54] Vgl. Speyer a. a. O. (s. o. S. 125 Anm. 4) 1217 f.: Die Christen als Ursache des Fluchzustandes; vgl. ferner Symmach. rel. 3, 15/7 (Mon. Germ. Hist. Auct. Ant. 6, 1, 283) und die Entgegnung des Prudentius, contra Symmach. 2, 917/1014; angeblicher Brief des Kaisers Decius in der Passio Polychronii, Parmenii, soc. 1, hrsg. von H. Delehaye: Analecta Bollandiana 51 (1933) 73.

Der Zorn der Götter gegen einzelne Frevler äußerte sich auch in der unvermutet hereinbrechenden Strafe, die oft deshalb wie ein Wunder wirkte. Zahlreiche Nachrichten über derartige 'Strafwunder' sind überliefert. Sie können hier nicht einzeln besprochen werden.[55]

Wie die mitgeteilten antiken Nachrichten lehren, besteht zwischen dem Bruch eines magisch-sakralen Tabus und der Gottesstrafe das Verhältnis von Ursache und Wirkung. Vom Grundsatz einer genauen Vergeltung ausgehend, glaubte man beobachten zu können, daß sich Frevel und Strafe auch inhaltlich genau entsprächen. Man fand auf diese Weise das Talionsprinzip.[56] Gerade Strafwunder zeigen, wie verbreitet der Glaube an diese besondere Form der Vergeltung war. So glaubte man beispielsweise, daß ein Vergehen der Augen gegenüber Göttinnen mit sofortiger Erblindung geahndet wurde.[57]

Ein Wort ist noch dem Prodigienwesen der Römer zu widmen, da in Griechenland diese Manifestation des Götterzornes nicht eine gleich große Bedeutung für die Volksreligion besessen hat.[58] Die Römer haben mit peinlicher Sorgfalt all jene Zeichen beobachtet, die auf die gestörte pax deorum hinweisen konnten.[59] Nonius Marcellus erklärt die Prodigia als deorum minae vel irae.[60] Derartige Zeichen, wie sie besonders bei den römischen Geschichtsschreibern vorkommen, waren selbst Grund für Sühneleistungen, da man sie bereits in sich als unheilbringend ansah; zugleich aber wiesen sie über sich hinaus auf die gestörte Weltordnung und die bevorstehende Vergeltungstat der Götter.[61]

[55] Vgl. E. Schmidt, Kultübertragungen = Religionsgesch. Versuche u. Vorarbeiten 8, 2 (1909) 104 f.; O. Weinreich, Antike Heilungswunder = Religionsgesch. Versuche u. Vorarbeiten 8, 1 (1909) Reg. s. v. Strafwunder; F. Dornseiff, Die archaische Mythenerzählung (1933) 33 f.; W. Nestle, Legenden vom Tod der Gottesverächter: Arch. f. Religionswiss. 33 (1936) 246/69 = ders., Griechische Studien (1948, Nachdruck 1968) 567/96; Esser a. a. O. (s. o. S. 130 Anm. 18) 155/70.

[56] Vgl. Dihle a. a. O. (s. o. S. 131 Anm. 20) 13/40: ›Die Vergeltung im Recht‹.

[57] Vgl. Esser a. a. O. (s. o. S. 130 Anm. 18) 155/60; ferner E. Lesky, Art. Blindheit: Reallex. f. Ant. u. Christent. 2 (1954) 438.

[58] S. o. S. 134 Anm. 36.

[59] Zur pax deorum vgl. H. Fuchs, Augustin und der antike Friedensgedanke ²(1965) 186/8; E. Dinkler, Art. Friede: Reallex. f. Ant. u. Christent. 8 (1972) 440.

[60] 3, 701 Lindsay.

[61] Vgl. den Forschungsbericht von P. L. Schmidt, Iulius Obsequens und das Problem der Livius-Epitome = Abh. Akad. Wiss. u. Lit. Mainz 1968 nr. 5

In der Notlage des hereinbrechenden oder durch Prodigia angekündigten Zornes der Götter suchten Griechen und Römer nach wirkungsvollen Mitteln der Sühne. Ohne auf das Sühnwesen in Gebet, Opfer, Kult und Kathartik einzugehen,[62] sei eine besondere Form kurz erwähnt: Ein unschuldiger Mensch opfert sich freiwillig für einen anderen oder für die eigene Familie und Lebensgemeinschaft, denen der Zorn der Götter droht. In der literarischen Überlieferung der Griechen begegnet das Motiv zwar wohl nur in Mythen und Dichtungen. In ihnen spiegeln sich aber zweifellos Ereignisse des geschichtlichen Sühnwesens: Chiron leidet stellvertretend für Prometheus; König Kodros stirbt freiwillig für Athen; die drei jungfräulichen Töchter Leos gehen freiwillig in den Tod, um eine Hungersnot oder — nach anderer Überlieferung — eine Pest von ihrem Vaterland abzuwenden; die beiden Mädchen Metioche und Menippe besänftigen durch ihren freigewählten Opfertod die unterirdischen Götter, die in ihrem Zorn Böotien durch eine Seuche heimgesucht hatten; Makaria opfert sich für ihre Brüder, die Herakliden; der Sohn des Kreon, Menoikeus, stirbt freiwillig für seine Vaterstadt Theben, und Alkestis erlöst durch ihren Tod den Gatten vor dem Untergang.[63]

S. 3/8. — Wie lebendig beim Volk das Vertrauen auf die Rache der Götter war, beweisen auch zahlreiche Fluchformeln, in denen die ira deorum angedroht wird; vgl. Speyer a. a. O. (s. o. S. 125 Anm. 4) 1178 f.

[62] Vgl. z. B. Liv. 8, 33, 7: preces ... deorum iras placant; 7, 2, 3: ludi scaenici ... inter alia caelestis irae placamina instituti dicuntur. Der Heide Caecilius meint bei Minucius Felix, Octavius 7, 2, die Römer hätten alle Kulte geschont, vel ut remuneraretur divina indulgentia vel ut averteretur imminens ira aut ut iam tumens et saeviens placaretur. Vgl. auch S. P. C. Tromp, De Romanorum piaculis, Diss. Amsterdam (Leiden 1921).

[63] Chiron: vgl. W. Kraus, Art. Prometheus: Pauly-Wissowa 23, 1 (1957) 700, 51 f. — Kodros: vgl. Scherling: Pauly-Wissowa 11, 1 (1921) 984 f.— Töchter Leos: vgl. Kock, Art. Leokorion: Pauly-Wissowa 12, 2 (1925) 2000, 56/63 und A. St. Pease zu Cicero, de nat. deor. 3, 50 (Cambridge, Mass. 1958, Nachdruck Darmstadt 1968). — Metioche und Menippe: vgl. Antoninus Liberalis, metamorph. 25 (43 f. Papathomopoulos); Ov. met. 13, 695 (die Vermutung von Lackeit, Art. Koronis: PW 11, 2 [1922] 1433, 50/7. 60 über eine persönliche Schuld der beiden Mädchen entbehrt der antiken Bezeugung und ist kaum zutreffend). — Makaria: vgl. A. Lesky: Pauly-Wissowa 14, 1 (1928) 622 f. — Menoikeus: vgl. W. Kroll: Pauly-Wissowa 15, 1 (1931) 918 (nr. 2) und Pease a. a. O. zu Cicero, de nat. deor. 3, 15. Vgl. E. von Lasaulx, Die Sühnopfer der Griechen und Römer und ihr Verhältnis zu dem einen auf Golgatha: ders.,

In Rom ist das stellvertretende Sühnopfer aus dem im Kampf vollzogenen Ritus der 'devotio' wohlbekannt. Da Tieropfer erfolglos geblieben waren, um den Zorn der Götter zu besänftigen, weihte sich der Konsul P. Decius Mus in der Entscheidungsschlacht mit den Latinern (340 v. Chr.) freiwillig dem Tod in der Schlacht. Nach dem Bericht des Livius erscheint er gleichsam wie vom Himmel gesandt als Sühnopfer, das den Untergang, der den Römern droht, auf die Feinde in fast magischer Weise abzuleiten vermag.[64] — Der Gedanke der Selbsthingabe begegnet, losgelöst vom Kampf, auch noch in der Kaiserzeit. Bei Lukan bietet sich Cato von Utica den feindlichen Göttern zum Sühnopfer an. Rom steht unter dem Zorn der Götter, wie Lukan durch das Verzeichnis schreckender Vorzeichen am Ende des ersten Buches der Pharsalia angedeutet hat.[65] Ausdrücklich beruft sich Cato auf die devotio des Decius und spricht dabei die denkwürdigen Worte: hic redimat sanguis populos, hac caede luatur, / quidquid Romani meruerunt pendere mores.[66] Der Begriff der mores zeigt, wie hier das archaische Denkmodell ethisiert ist.[67]

Fassen wir das gewonnene Ergebnis zusammen: Der Friede mit den Göttern, auf dem das Wohlergehen der Menschen beruht, wird durch jede absichtliche oder unabsichtliche Übertretung eines magisch-sakralen Tabus und eines Gottesgebotes zerstört. Der dadurch meist sofort ausgelöste

Studien des classischen Alterthums (1854) 242/4; J. Schmitt, Freiwilliger Opfertod bei Euripides = Religionsgesch. Versuche u. Vorarbeiten 17, 2 (1921); S. Eitrem, Die göttlichen Zwillinge bei den Griechen (Christiania 1902) 70/91 und H. W. Parke-D. E. W. Wormell, The Delphic Oracle 1 (Oxford 1956) 296 f. — Hinzuweisen ist noch auf Soph. Oed. Col. 498 f.; Liban. decl. 42, 26 (7, 415 Foerster) und Quintil. declam. 326.

[64] Vgl. Liv. 8, 9, 10; 8, 10, 7: omnes minas periculaque ab deis superis inferisque in se unum vertit; Kleinknecht a. a. O. (s. o. S. 125 Anm. 4) 390 f.; Speyer a. a. O. (s. o. S. 125 Anm. 4) 1210; ferner V. Basanoff, Devotio de M. Curtius eques: Latomus 7 (1948) 31/6; W. Eisenhut, Art. Devotio: Kleiner Pauly 1 (1964) 1501.

[65] Phars. 1, 522/695; vgl. 2, 1/4.

[66] Phars. 2, 304/19, bes. 312 f.

[67] Bei Verg. Aen. 5, 815: unum pro multis dabitur caput (Worte des Neptunus über den Gefährten des Aeneas, Palinurus, den er als Preis für das Wohlergehen der trojanischen Überfahrt verlangt) wird das Opfer nicht freiwillig dargebracht. Der Tod des Palinurus entspricht eher einem antiken Menschenopfer in der Art der Opferung Iphigenies.

Zorn einer Gottheit verfolgt den Frevler und alle, die mit ihm in Verbindung stehen. Der Gefahr der Ansteckung durch die Freveltat[68] kann die bedrohte Gemeinschaft nur entgehen, indem sie den Frevler durch Fluch und Bann von sich weist und bereit ist, die Götter durch Sühnehandlungen zu versöhnen. Nur selten begegnet in Griechenland und Rom der Gedanke, daß sich ein Unschuldiger selber freiwillig als Sühnopfer anbietet. Prodigien (besonders nach römischer Auffassung) und Fluchzustände zeigen den Frevel an und lassen auf die Art der Untat zurückschließen. Das Vergeltungsdenken und der Glaube, daß es notwendig ist, den Gleichgewichtszustand zwischen der Welt der Götter und der Menschen zu erhalten, prägen diese religiöse Anschauung.

c) Vergleichbare Grundvorstellungen der jüdisch-christlichen Theologie

Blicken wir von hier auf die jüdisch-christliche Offenbarung, so zeigt sich, daß die christliche Theologie Tatsachen der Offenbarung des Alten und Neuen Testamentes nach dem zuvor beschriebenen archaischen Denkmodell entfaltet hat. Der wichtigste Unterschied zu den zuvor beschriebenen Vorstellungen besteht wohl darin, daß nach der jüdisch-christlichen Offenbarung jeweils *ein* besonderer Frevel und *eine* besondere Sühneleistung von überzeitlicher und überräumlicher Auswirkung sich ereignet haben.

Zunächst geschah die erste Sünde der Stammeltern. Der Frevel Adams und Evas war nach dem Bericht der Genesis nicht eine unabsichtliche Übertretung eines Tabus, sondern die freiwillige Aufkündigung ihrer Gott geschuldeten Gehorsamspflicht. Die eigentümliche Rolle der Schlange beim Zustandekommen der Sünde zeigt, daß der israelitische Theologe Vorstellungen kannte, nach denen gott- und menschenfeindliche Wesen, gleichsam Dämonen, den Menschen ins Verderben führen.[69] Die Sünde des ersten Menschenpaares ruft den Zorn Gottes hervor. Das selige Leben im Paradies hört auf; der Tod ist der Lohn der Ursünde; alle Nachkommen der Stammeltern haben an den Fluchfolgen der ersten Sünde zu tragen. Der Gedanke der Solidarität in der Schuld ist deutlich erkennbar.[70]

[68] Vgl. Speyer a. a. O. (s. o. S. 125 Anm. 4) 1164 f. 1181 f. 1247 f.

[69] S. o. S. 127 f.

[70] Vgl. J. de Fraine, Adam und seine Nachkommen. Der Begriff der 'Korporativen Persönlichkeit' in der Heiligen Schrift, deutsche Ausgabe (1962); Speyer

Dieser Ursünde, die den Zorn Gottes für alle Menschen verursacht, entspricht umgekehrt der Opfertod des Gottmenschen Jesus Christus: er bringt die Versöhnung mit Gott zustande für alle Menschen aller Zeiten.[71] Während aber die Fluchtat ausschließlich der Mensch zu verantworten hat, ist die Erlösungstat fast ganz das Werk Gottes.

Die heilige, göttliche Macht wird in allen Religionen als bipolar wirkend erlebt: sie belebt und vernichtet, segnet und flucht, je nachdem sie sich geehrt oder beleidigt fühlt. In der archaischen Zeit ruft jede Handlung gegen ein magisch-sakrales Tabu den Zorn der heiligen Macht hervor. In der jüdisch-christlichen Offenbarung hingegen wird Jahwe überwiegend als der sittlich handelnde Gott erkannt. Sein Zorn entbrennt über die Ursünde der Stammeltern. Seine Güte und seine Segensmacht kündigt sich aber bereits bei seinem vergeltenden Urteilsspruch über Adam und Eva an: er verheißt die zukünftige Erlösung. Neu gegenüber dem zuvor besprochenen Denkmodell vom Götterzorn und der damit verknüpften Vorstellungen ist vor allem der kosmische Bezug in Raum und Zeit, der der Ursünde der Stammeltern sowie der Erlösungstat Jesu Christi zukommt. Man könnte so vom Allgemeinheitscharakter der Ursünde und der einmaligen Sühneleistung Jesu sprechen. Neu ist ferner, daß nicht der Mensch aus eigener Kraft den Zorn Gottes besänftigt, sondern Gott selbst das Werk mit Hilfe des Menschen durchführt (der Gedanke der Heilsgeschichte).

a. a. O. 1230 f. Vgl. aber auch J. W. Rogerson, The Hebrew Conception of Corporative Personality, a Re-examination: Journal of Theol. Studies NS 21 (1970) 1/16.

[71] Vgl. Mk 10, 45; Mt 20, 28; Joh 11, 51 f.; Paulus hat diese Erlösungs- und Sühnetheologie weiter entfaltet (Röm 5, 6/11, bes. 8 f.): Christus ist für uns, die Sünder, gestorben; in seinem Blute sind wir gerechtfertigt und werden durch ihn vor dem Zorn (ἀπὸ τῆς ὀργῆς sc. des Gerichtstages Gottes) gerettet werden. Vgl. auch 2Kor 5, 18 f. und dazu A. Nygren, Die Versöhnung als Gottestat (1932). In Gal 3, 13 f. ist die Entsprechung Adam — Christus: Fluch — Erlösung streng durchgeführt (vgl. Speyer a. a. O. [s. o. S. 125 Anm. 4] 1271 f.). Auch hier ist eine Art Talionsprinzip deutlich zu beobachten. Die Praefation vom hl. Kreuz im Missale Romanum spricht diesen Sachverhalt monumental aus: Deus, qui salutem humani generis in ligno crucis constituisti, ut, unde mors oriebatur, inde vita resurgeret et, qui in ligno vincebat, in ligno quoque vinceretur; vgl. Iren. adv. haer. 5, 17, 3 (2, 371 Harvey); J. A. Jungmann, Missarum Sollemnia 2 [5](1962) 151 Anm. 27. Zur christlichen Erlösungstheologie vgl. C. Andresen, Art. Erlösung: Reallex. f. Ant. u. Christent. 6 (1966) 98 f.

Vergil kündigt in der Aeneis einen von ferne vergleichbaren Gedanken an, wenn er Jupiter zu Venus, der Schützerin des Aeneas, die Worte sprechen läßt: quin aspera Iuno, / quae mare nunc terrasque metu caelumque fatigat, / consilia in melius referet mecumque fovebit / Romanos. Iuno wird also aus einer erzürnten zu einer segnenden Gottheit werden, indem sie selbst ihren Sinn ändert.[72]

Das alte Vorstellungsmodell von einem Gott, der über den Frevel eines einzelnen Menschen oder eines Volkes durch sichtbare Zeichen zürnt, ist mit der Religion der Griechen und Römer nicht untergegangen. Jesus selbst kam zwar, um zu segnen und nicht um zu fluchen.[73] Aber seine Nachfolger benutzten vielfach Fluch und Strafwunder zur Verteidigung des Glaubens und zur Ehre Gottes.[74] Geschahen in christlicher Zeit Naturkatastrophen oder Seuchen und Kriege, so waren die Chronisten und Geschichtsschreiber schnell bereit, dafür einen menschlichen Frevel als Ursache anzugeben. Bei der furchtbaren Pest des Jahres 590 predigt Papst Gregor der Große vom Schwert des göttlichen Zornes, mit dem das Volk getroffen sei.[75] Wie eine spätere Legende zu erzählen weiß, sei während der von Gregor veranstalteten Sühne- und Bußprozession ein Engel auf der Spitze des Grabmals Hadrians erschienen und habe das blutige Schwert zum Zeichen des besänftigten Zornes Gottes in die Scheide gesteckt.[76] Diese Überlieferung über die Pest im Jahre 590 n. Chr. stimmt in ihren religiösen Gedanken vollkommen mit der im ersten Buch der Ilias beschriebenen Szene überein: Apollon zürnt wegen des Frevels eines Menschen, er entsendet seine Pestpfeile und wird schließlich durch Gebet und Opfer versöhnt.

Von der für das Neue Testament wichtigen eschatologischen Bedeutung des Zornes Gottes ist hier nicht mehr zu sprechen. Zum Tage des letzten Gerichtes gehören Vergeltung und Zorn. Diese düstere und drohende

---

[72] Aen. 1, 279/81. Im Buch 8, 60 f. aber fordert der Gott Thybris Aeneas auf, Iuno durch Bitten zu versöhnen: Iunoni fer rite preces iramque minasque / supplicibus supera votis.

[73] Vgl. Lc 6, 28; 9, 54 f.; Speyer a. a. O. 1253 f. 1278.

[74] Vgl. Speyer a. a. O. 1254/7.

[75] Papst Gregor I bei Gregor von Tours, hist. Franc. 10, 1 (Mon. Germ. Hist. Script. rer. Merov. 1, 1, 479 f.).

[76] Vgl. F. H. Dudden, Gregory the Great 1 (London 1905, Nachdruck New York 1967) 219 f. und B. Pesci, Il problema cronologico della Madonna di Aracoeli alla luce delle fonti: Riv. di Archeol. Crist. 18 (1941) 53 f. Anm. 5.

Stimmung hat Michelangelo in seiner Darstellung des Weltgerichts eingefangen, unter dem die Worte der im Totenritus der katholischen Kirche gebeteten Sequenz aus dem 13. Jahrhundert stehen könnten: Dies irae, dies illa solvet saeclum in favilla teste David cum Sibylla.[77]

[Erst während der Drucklegung wurde mir die methodisch anders angelegte Darstellung von P. Considine, The Theme of Divine Wrath in Ancient East Mediterranean Literature: Studi Micenei ed Egeo-Anatolici 8 (Roma 1969) 85/159, bekannt.]

[77] Dies irae übersetzt ἡμέρα ὀργῆς (Sophonias 1, 15. 18; 2, 3; Röm 2, 5); vgl. L. Kunz, Art. Dies irae: Lex. f. Theol. u. Kirche 3 (1959) 380 f.

RUDI PARET

DER ISLAM

Seit dem 8. und 9. Jahrhundert haben sich byzantinische, seit dem
12. und 13. Jahrhundert abendländische Gelehrte mit dem Islam beschäftigt.[1] Zuerst waren es durchweg Theologen, und die Auseinandersetzung
mit der orientalischen Schwesterreligion des Christentums blieb bis zum
Ende des Mittelalters und darüber hinaus ausschließlich auf Polemik und
Apologetik abgestellt. In der Neuzeit verquickten sich theologisch-apolo-
getische Tendenzen mit Ideen der Aufklärung und der Romantik.[2] Das
Bild, das man sich vom Islam machte, erlitt so im Lauf der Jahrhunderte
verschiedenartige, z. T. geradezu groteske Verzerrungen. Eine einigermaßen objektive, an der Sache orientierte Einstellung zum Islam setzte
sich erst im 19. Jahrhundert, die 'Islamkunde' oder 'Islamwissenschaft' als
eigene Disziplin erst im 20. Jahrhundert durch.[3] Diese läßt sich nicht mehr
wie die Orientalistik früherer Jahrhunderte als *ancilla theologiae* bezeichnen. Ihre Vertreter, auf die Erforschung des Islam in allen seinen Erscheinungsformen eingestellte Religionshistoriker, sind aber auch den Stadien
der bloßen Aufklärung und des Positivismus entwachsen und darum
bemüht, dem spezifisch religiösen Charakter ihres Forschungsobjekts
gerecht zu werden. Unter diesen Umständen können Querverbindungen
mit der zeitgenössischen Theologie für beide Fachgebiete fruchtbar werden.
Die Islamkunde hat der Theologie mancherlei Anregungen zu bieten und

---

[1] Wolfgang Eichner, Die Nachrichten über den Islam bei den Byzantinern
(Der Islam 23, 1936, S. 133—62. 197—244); Adel-Théodore Khoury, Der theo-
logische Streit der Byzantiner mit dem Islam, Paderborn 1969; Ugo Monneret de
Villard, Lo Studio dell'Islām in Europa nel XII e nel XIII secolo, Vatican 1944;
Norman Daniel, Islam and the West, Edinburgh 1960.

[2] Gustav Pfannmüller, Handbuch der Islam-Literatur, Berlin und Leipzig
1923, S. 164—77.

[3] R. Paret, Arabistik und Islamkunde an deutschen Universitäten, Wiesbaden
1966.

Fragen vorzulegen, ist aber ihrerseits auch auf Förderung und Kritik durch die modernen Gottesgelahrten angewiesen.

Der Islam läßt sich als eine jüngere Schwesterreligion des Judentums und des Christentums bezeichnen. Er ist am Anfang des 7. Jahrhunderts in einem Gebiet und Milieu entstanden, das zwar vom altarabischen Polytheismus grundlegend bestimmt, zugleich aber auch von Ideen und Vorstellungen der beiden genannten Religionsgemeinschaften beeinflußt war. Es ist deshalb nicht zu verwundern, daß der Stifter dieser Religion mancherlei jüdisches und christliches Gedankengut aufgegriffen und seiner eigenen Verkündigung einverleibt hat.[4] Mohammed ging sogar von der Voraussetzung aus, daß die göttliche Botschaft, die er selber seinen Landsleuten in arabischer Sprache vortrug, der Sache nach mit der heiligen Schrift der Juden und Christen identisch sei. In diesem Sinn setzte er sich nicht nur ganz allgemein für den Monotheismus und die Lehre von der Auferstehung und dem Jüngsten Gericht ein, sondern machte sich ohne Bedenken auch eine Menge biblischer Erzählstoffe zu eigen. Die Geschichten von den beiden ersten Menschen und ihrer Vertreibung aus dem Paradies gehören ebenso zum koranischen Repertoire wie die Geschichten von Noah und der Sintflut, von Abraham, Isaak und Ismael, von Joseph und seinen Brüdern, von Mose und den Kindern Israel vor und nach ihrem Auszug aus Ägypten, von David und Salomo, von Maria und der Geburt und Kindheit Jesu und von dessen Wundertätigkeit. Es war von jeher eine reizvolle Aufgabe, das Gedankengut des Korans, das biblischen oder anderen jüdischen und christlichen Quellen entlehnt ist, als solches festzustellen und im Hinblick auf seine literarische Herkunft genauer zu untersuchen. Generationen von Gelehrten haben darüber gearbeitet und viele z. T. komplizierte Einzelfragen geklärt.[5] Aber hin und wieder hat man über

---

[4] R. Paret, Mohammed und der Koran, Stuttgart 1957, 3. Aufl. 1972, S. 38—41 u. 55—7.

[5] Abraham Geiger, Was hat Mohammed aus dem Judenthume aufgenommen?, 2. Aufl. Leipzig 1902, Nachdruck 1969; Wilhelm Rudolph, Die Abhängigkeit des Korans von Judentum und Christentum, Stuttgart 1922; Josef Horovitz, Koranische Untersuchungen, Berlin und Leipzig 1926; Tor Andrae, Der Ursprung des Islams und das Christentum, Uppsala 1926; Richard Bell, The Origin of Islam in its Christian Environment, London 1926, Nachdruck 1968; Heinrich Speyer, Die biblischen Erzählungen im Koran, Gräfenhainichen o. J., Nachdruck Hildesheim 1961; Karl Ahrens, Christliches im Koran (ZDMG 84, 1930, S. 15—68. 148—90); Ders., Muhammed als Religionsstifter, Leipzig 1935; Charles Cutler

der Freude am Nachweis möglicher literarischer Quellen nicht genügend
bedacht, daß das ursprünglich fremde Gut zu Lehngut geworden ist und
im Islam sozusagen Heimatrecht erhalten hat.[6] Gerade die Geschichte der
früheren Gottesmänner wurde von Mohammed in sein Geschichtsbild recht
eigentlich einbezogen und mit seinem eigenen Erleben in Verbindung gebracht. Dabei verblaßte zuweilen deren Individualität zugunsten einer
Anreicherung mit Zügen, die für ihn selber und seine Umwelt charakteristisch waren.[7] Andere Abwandlungen und Umdeutungen biblischer
Stoffe springen weniger in die Augen. Wir müssen sie aber alle aufmerksam
zur Kenntnis nehmen. Jedes Buch will in erster Linie als das verstanden und
gewertet werden, was sein Verfasser damit sagen wollte. Das gilt auch für
den Koran, obwohl Mohammed sich nicht als dessen Autor, sondern nur
als Übermittler der von ihm vorgetragenen religiösen Botschaft fühlte. Es
gilt für den Koran einschließlich der aus jüdischen und christlichen Quellen
übernommenen Bestandteile. Diese sind als Bausteine sinnvoll und bewußt in das koranische Gedankengebäude eingefügt und integriert worden.

Auf eine ganz besondere Weise hat Mohammed die alttestamentlichen
Gestalten von Abraham und Ismael in die koranische Prophetologie eingebaut und dem Islam dienstbar gemacht, mit den letzten Konsequenzen
allerdings erst, nachdem er — einige Zeit nach der Hidschra — mit den
medinischen Juden gebrochen hatte und gezwungen war, sich mit dem
Judentum und Christentum grundsätzlich auseinanderzusetzen. Er erklärte, Abraham habe in grauer Vorzeit gemeinsam mit seinem Sohn
Ismael die Grundmauern des Hauses (d. h. der Ka'ba in Mekka) aufgerichtet und sei von Gott beauftragt worden, eben dieses Haus für diejenigen (vom Götzendienst) zu reinigen, die dort die Gebetsübungen und
die Prozession der Wallfahrt verrichten. Auf diese Weise wurde Abraham
zu einem unmittelbaren Vorläufer seiner selbst. Er wird im Koran öfters

Torrey, The Jewish Foundation of Islam, New York 1933, Nachdruck 1967;
Joseph Henninger, Spuren christlicher Glaubenswahrheiten im Koran, Schöneck/
Beckenried 1951.
   [6] R. Paret, Sure 57, 12 f. und das Gleichnis von den klugen und den törichten
Jungfrauen (Festschrift für Wilhelm Eilers, Wiesbaden 1967, S. 387—90),
S. 387 f. Siehe auch Johann Fück, Die Originalität des arabischen Propheten
(ZDMG 90, 1936, S. 509—25), bes. S. 509—14.
   [7] R. Paret, Mohammed und der Koran, S. 89—91; Ders., Der Koran als
Geschichtsquelle (Der Islam 37, 1961, S. 24—42), S. 36—8.

---

als *Ḥanīf*, d. h. als typischer Vertreter des reinen Gottesglaubens, bezeichnet und den polytheistischen Heiden gegenübergestellt, und manchmal sogar mit dem Prädikat *muslim* (gottergeben, ein Muslim) versehen. Damit nicht genug, schloß Mohammed aus der angeblichen Rolle Abrahams als Begründer und Reformator des mekkanischen Kultzeremoniells auf die Priorität des Islam gegenüber dem Judentum und Christentum. Dieser Patriarch lebte ja vor Mose, dem Stifter der jüdischen, und vor Jesus, dem Stifter der christlichen Religion. In Sure 3 heißt es dementsprechend: „Ihr Leute der Schrift! Warum streitet ihr über Abraham, wo doch die Thora und das Evangelium erst nach ihm herabgesandt worden sind? ... Abraham war weder Jude noch Christ. Er war vielmehr ein (Gott) ergebener Ḥanīf und kein Heide. Die Menschen, die Abraham am nächsten stehen, sind diejenigen, die ihm (und seiner Verkündigung seinerzeit) gefolgt sind, und dieser Prophet (d. h. Mohammed) und die, die (mit ihm) gläubig sind" (V. 65—8).[8]

Unsereiner kann sich eine derartige proislamische Umdeutung der geschichtlichen Rolle des alttestamentlichen Patriarchen unmöglich zu eigen machen. Auf islamischer Seite ist man aber gegen jede Art von Kritik allergisch. Das zeigte sich, als der holländische Orientalist Arent Jan Wensinck als Mitherausgeber der Enzyklopädie des Islam in einem kurzen Nachtrag zum Artikel Ibrāhīm über die einschlägigen Forschungsergebnisse berichtete, die sein Landsmann Snouck Hurgronje in seiner Dissertation ›Het Mekkaansche Feest‹ veröffentlicht hatte (Band II, Leiden 1927, S. 459 f.), und als der ägyptische Gelehrte Ṭāhā Ḥusain in seinem Buch über die vorislamische Poesie ebenfalls in kritischem Sinn auf den Gegenstand Bezug nahm.[9] Im Artikel Ibrāhīm der neuen Auflage der Encyclopaedia of Islam (III, 1971, S. 980 f.) habe ich darauf hingewiesen, daß die These Snouck Hurgronjes gewisser Nuancierungen bedarf, zugleich aber betont, daß die Divergenzen, die im Urteil über die koranische Gestalt Abrahams zwischen Muslimen und Nichtmuslimen bestehen, damit nicht behoben sind. „Für die ersteren ist Abraham tatsächlich in Mekka gewesen und hat dort zusammen mit Ismael die Ka'ba aufgebaut und den reinen, monotheistischen Gottesglauben propagiert. Für die letzteren ist dies eine

---

[8] R. Paret, Mohammed und der Koran, S. 108—10; Ders., Encyclopaedia of Islam, new edition, III, 1971, S. 980 f. (Artikel Ibrāhīm).

[9] Ṭāhā Ḥusain, Fī š-Ši'r al-ǧāhilī, Kairo 1925 (zweite, vorsichtiger formulierte Auflage: Fī l-Adab al-ǧāhilī, Kairo 1927).

bloße Kultlegende." Dieser Gegensatz ist meines Erachtens zur Zeit nicht überbrückbar. Einige französische Orientalisten vertreten allerdings — um des lieben Friedens willen — einen anderen Standpunkt. Als literarische Belege seien zwei Werke genannt, die beide im Jahr 1958 erschienen sind und Schüler des inzwischen verstorbenen, international hochgeschätzten Orientalisten Louis Massignon zum Verfasser haben: Denise Masson, Le Coran et la Révélation Judéo-Chrétienne, und Moubarac, Abraham dans le Coran. Die Verfasserin des zuerst genannten Werkes nimmt ausdrücklich auf die Perspektiven Bezug, die Massignon „für ein brüderliches Verständnis unter den Kindern Abrahams" eröffnet hat. Mit den 'Kindern Abrahams' sind die Angehörigen der drei Religionen gemeint, die auf dem 'Monotheismus Abrahams' beruhen, nämlich Judentum, Christentum und Islam. Im einzelnen soll nachgewiesen werden, was der Islam, genauer gesagt der Koran, mit den beiden älteren Schwesterreligionen gemeinsam hat. In einem Vorwort zu dem Werk von Moubarac ergreift Massignon selber das Wort und bemerkt u. a.: „Der Glaube an den Gott Abrahams, Isaaks und Jakobs ist die wesentliche Tatsache der menschlichen Geschichte, und der Islam begrüßt in Abraham den 'ersten der Muslime', was wahr ist, theologisch wahr (l'Islam salue en Abraham le ‹premier des musulmans›, ce qui est vrai: théologalement vrai)." [10] Ein letztes Echo der koranischen Abrahamlegende klingt nach in einer Stelle der Verlautbarungen des Zweiten Vatikanischen Konzils zur Heilsbedeutung der nichtchristlichen Religionen. In der ›Erklärung über das Verhältnis der Kirche zu den nichtchristlichen Religionen‹ ist in Artikel 3 von den Muslimen die Rede, „die den alleinigen Gott anbeten, den lebendigen und in sich seienden, barmherzigen und allmächtigen, den Schöpfer Himmels und der Erde, der zu den Menschen gesprochen hat. Sie mühen sich, auch seinen verborgenen Ratschlägen sich mit ganzer Seele zu unterwerfen, so wie Abraham sich Gott unterworfen hat, auf den der islamische Glaube sich gerne beruft." [11] Die Bemerkung, daß der islamische Glaube sich gerne auf Abraham beruft, ist allerdings sehr vorsichtig formuliert. Wer sie unbefangen liest, wird nichts von dem Prioritätsanspruch ahnen, den diese Berufung auf Abraham für einen gläubigen Muslim in sich schließt.

[10] So schon formuliert auf Seite 60 f. in meinem Beitrag ›Heilsbotschaft und Heilsanspruch des Islam‹ im Sammelband Waldemar Molinski, Die vielen Wege zum Heil, München 1969.

[11] Lexikon für Theologie und Kirche, 13, Freiburg 1967, S. 491. Siehe auch S. 485—7: Exkurs zum Konzilstext über die Muslim von Georges C. Anawati.

Der Einfluß, den Judentum und Christentum auf Mohammed ausgeübt haben, blieb nicht auf stoffliche Entlehnungen aus der jüdischen und christlichen Heilsgeschichte beschränkt. Der Prediger und Warner, der seine arabischen Landsleute zum wahren Gottesglauben aufrief, war in seinem ganzen Sendungsbewußtsein auf das Leitbild der beiden älteren Offenbarungsreligionen hin orientiert. Juden und Christen bezeichnete er zusammenfassend als 'Leute der Schrift' *(ahl al-kitāb)*, d. h. als Leute, die eine eigene, in ihrer Sprache abgefaßte heilige Schrift besitzen. In sich selber sah er das letzte Glied einer langen Kette von Männern, die Gott im Lauf der Jahrhunderte zu ihren Volks- und Zeitgenossen gesandt hatte eben zu dem Zweck, diese zum wahren Glauben aufzurufen. Und wie Mose, der Stifter der jüdischen Religion, seinerzeit seinen Volks- und Zeitgenossen die Thora, und wie Jesus, der Stifter des Christentums, den Nachkommen der alten Israeliten das *Inǧīl* (Evangelium) überbracht hatte, war er dazu berufen, seinen mekkanischen oder ganz allgemein seinen arabischen Landsleuten in ihrer eigenen Sprache abgefaßte Offenbarungstexte zu überbringen, zur Belehrung und Erbauung und zugleich zum Zweck der liturgischen Rezitation *(qur'ān)*. So wurde er zu einem spezifisch arabischen Propheten, ja für seine nähere Um- und Nachwelt zum Propheten überhaupt. Dabei hat es wenig zu bedeuten, daß er ursprünglich nur biblische Persönlichkeiten als Propheten bezeichnete und erst nach der Hidschra dazu überging, dieses Epitheton auch für sich selber in Anspruch zu nehmen.[12] Der Sache nach war er — trotz seines ausgesprochen arabischen Kolorits — von seinem Berufungserlebnis an ein typischer Prophet. Es lohnt sich nicht nur für den Religionshistoriker, sondern auch für den Vertreter der Wissenschaft vom Alten Testament, Mohammeds Leben und Wirken, das ja durch die koranischen Selbstzeugnisse gut dokumentiert ist, unter diesem Gesichtspunkt einer näheren Betrachtung zu unterziehen.[13] Im vorliegenden Zusammenhang müssen wir uns allerdings mit kurzen Hinweisen auf das wichtigste Detail begnügen.

[12] A. J. Wensinck, Muhammed und die Propheten (Acta Orientalia 2, 1924, S. 168—98); Josef Horovitz, Koranische Untersuchungen, Berlin und Leipzig 1926, S. 44—77 (bes. S. 47—54).

[13] K. Wagtendonk, Muḥammad and the Qur'ān. Criteria for Muḥammad's prophecy (Liber Amicorum, Studies in Honor of Professor Dr. C. J. Bleeker, Leiden 1969, S. 254—268).

Mohammed ist in seinen ekstatischen Erlebnissen mehr aufs Hören als aufs Sehen eingestellt. Er vertritt den auditiven, nicht den visuellen Typus des Propheten. Von Visionen ist nur an zwei Stellen des Koran die Rede.[14] Der Schwerpunkt liegt auf dem Empfang, der Konzeption arabisch formulierter Verkündigungstexte. Diese werden öfters mit der ausdrücklichen Formulierung *qul* („sag!") eingeleitet. Den Einwand seiner mekkanischen Landsleute, er habe sein angeblich göttliches Wissen von irdischen Gewährsmännern bezogen, weist Mohammed zurück. Die Reproduktion des von Juden und Christen übernommenen Materials in gehobener arabischer Sprache ist in seinem Bewußtsein zu einem echten Offenbarungserlebnis geworden.[15] Nachdem er sich erst einmal daran gewöhnt hat, Wort Gottes zu übermitteln, kommt er in Gefahr, von sich aus auf die Konzeption der Offenbarungstexte einwirken zu wollen. In Sure 20, 114 wird er deshalb gewarnt: „Übereile dich nicht mit dem Koran (d. h. mit dem Vortrag eines Korantextes), bevor er dir endgültig eingegeben worden ist!" Vgl. Sure 75, 16—19. In Sure 22, 52 ff. wird der Sachverhalt verallgemeinert und auf eigenartige Weise erklärt: „Wir haben vor dir keinen Gesandten oder Propheten (zu irgendeinem Volk) geschickt, ohne daß ihm, wenn er etwas wünschte, der Satan (von sich aus etwas) in seinen Wunsch unterschoben (oder: eingegeben) hätte. Aber Gott tilgt dann (jedesmal), was der Satan (dem Gesandten oder Propheten) unterschiebt (oder: eingibt). Hierauf legt Gott seine Verse (eindeutig) fest . . ." Und in Sure 17, 73 f. heißt es: „Sie (d. h. die heidnischen Mekkaner) hätten dich beinahe in Versuchung gebracht, von dem, was wir dir (als Offenbarung) eingegeben haben, abzuweichen, damit du gegen uns etwas anderes als den Koran aushecken würdest. Dann (d. h. wenn du das getan hättest) hätten sie dich zum Freund genommen. Wenn wir dich nicht gefestigt hätten, hättest du bei ihnen fast ein wenig Anlehnung gesucht." In einer schwachen Stunde scheint Mohammed tatsächlich dem Drängen seiner Landsleute nachgegeben und die drei altarabischen Göttinnen al-Lāt, al-'Uzzā und Manāt als Fürsprecherinnen anerkannt zu haben, was allerdings kurz darauf durch die Verkündigung von Sure 53, 19—22 widerrufen wurde. Aus alledem ergibt sich, daß der Prophet in seiner Eigenschaft als Empfänger und Verkünder göttlicher Eingebungen gewissen Anfechtungen ausgesetzt war, daß er diese Gefahr erkannte, gegen sie anging und sie als Einflüste-

---

[14] R. Paret, Mohammed und der Koran, S. 44—6.
[15] Ebd., S. 57—9.

rung des Teufels zu objektivieren wußte. Daß er die innere Freiheit besaß, seine Schwäche im Wortlaut koranischer Verkündigungen einzugestehen (siehe auch Sure 33, 37), spricht dafür, daß er im Grunde genommen seiner Sache sicher war.[16] Aufs Ganze gesehen waren es ja auch nur kurze Momente, in denen er seinem Auftrag untreu zu werden drohte, einem Auftrag, den er als einen persönlichen Gnadenerweis Gottes empfunden hat. „Du hast (früher) nicht damit gerechnet, daß (gerade) dir die Schrift (zur Verkündigung) zugewiesen würde. (Es ist) nichts als Barmherzigkeit von deinem Herrn (wenn er dir Offenbarungen eingegeben hat). Nimm nun ja nicht für die Ungläubigen Partei!" (Sure 28, 86)

Ein christlicher Theologe, der den Ausspruch Jesu, sein Reich sei nicht von dieser Welt, als selbstverständlich hinnimmt, stößt sich vielleicht daran, daß der arabische Prophet nach all den Schwierigkeiten und Enttäuschungen, die er in Mekka erlebt hatte, in Medina zu einem erfolgreichen Politiker geworden ist und als Oberhaupt eines Gemeinwesens im Lauf der Jahre immer weitere Gebiete der Arabischen Halbinsel in dessen Herrschaftsgebiet einbezogen hat. Aber die Tatsache selber läßt sich nicht bestreiten. Man kann sie nicht aus der Welt schaffen, indem man behauptet, Mohammed sei, von den Möglichkeiten einer staatsmännischen Betätigung verführt, machthungrig und seiner prophetischen Sendung untreu geworden. Er hat auch nach der Machtergreifung in Medina seinen Anhängern weiterhin Offenbarungen verkündet und ist im Grunde genommen derselbe fromme Mensch geblieben, der er bisher gewesen war. Für seine Erfolge in den Schlachten von Badr und Ḥunain und bei der Einnahme von Mekka gab er in tiefer Demut Gott allein die Ehre (Sure 3, 123 u. 8, 17 f.; 9, 25—7; 57, 10). Daß in seinem Verhalten unter den veränderten Umständen manches zutage trat, was auf unsereinen überraschend oder gar abstoßend wirkt, soll damit nicht bestritten werden. Er war und blieb eben ein Kind seiner Zeit und der Gesellschaft, in der er lebte. Davon müssen wir ausgehen, wenn wir glauben, ein moralisches Urteil über ihn fällen zu können.[17]

Mohammed war ein Prophet, in Medina außerdem das Oberhaupt eines theokratischen Staatswesens und als solches auch für Fragen des Kultes

---

[16] Zum vorhergehenden siehe ›Mohammed und der Koran‹, S. 59—61.

[17] Frants Buhl, Das Leben Muhammeds, deutsch von Hans Heinrich Schaeder, Leipzig 1930 (Nachdrucke 1954 u. 1961), S. 356—64; Tor Andrae, Mohammed, Göttingen 1932, S. 141—56; R. Paret, Mohammed und der Koran, S. 136—50.

und der zivilen Rechtsordnung, für die auswärtigen Beziehungen, für Bündnispolitik und Kriegführung zuständig. Aber er war weder Theologe noch Jurist. Die islamische Glaubenslehre und das islamische Recht wurden erst in den Jahrzehnten und Jahrhunderten nach Mohammeds Tod systematisch entwickelt und ausgebaut. Vertreter der christlichen Theologie werden vor allem darauf aus sein, den gegenwärtigen Stand in der Erforschung der islamischen Dogmengeschichte kennenzulernen. Ihre wissenschaftliche Neugierde kann allerdings nicht voll befriedigt werden. Das liegt daran, daß in der islamischen Dogmengeschichte zur Zeit noch verschiedene komplizierte Vorfragen der Klärung bedürfen, ehe die großen Entwicklungslinien genauer, als das bisher möglich war, nachgezeichnet werden können. Und eine Orientierung über den augenblicklichen Stand der Diskussion ist für einen Außenstehenden so gut wie ausgeschlossen. Selbst Vertretern des Faches Islamkunde wird es schwer, dem Gang des wissenschaftlichen Gesprächs zu folgen, soweit sie nicht selber auf dem Gebiet der islamischen Dogmengeschichte aktiv mitgearbeitet haben.

Gewiß, für die letzten Jahre und Jahrzehnte sind in der Erforschung der islamischen Glaubenslehre große Fortschritte zu verzeichnen. Hellmut Ritter hat das für die Frühzeit besonders ergiebige Werk al-Ašʿarī's über ›Die dogmatischen Lehren der Anhänger des Islam‹ in einer vorbildlichen Textausgabe zugänglich gemacht (2 Bände, Istanbul 1929. 1930. Nachdruck 1963). In A. J. Wensincks Buch ›The Muslim Creed‹ (Cambridge 1932) besitzen wir eine treffliche Geschichte der frühen Bekenntnisschriften. Michelangelo Guidi hat eine Widerlegung von Ibn al-Muqaffaʿs Schrift gegen den Koran herausgegeben und übersetzt (Rom 1927), H. S. Nyberg eine wichtige Kampfschrift gegen den Häretiker Ibn ar-Rāwandī herausgegeben (Kairo 1925) und in einem grundlegenden Artikel in der Enzyklopädie des Islam (III, Leiden 1936, S. 850—6) die Muʿtaziliten als Begründer der spekulativen Dogmatik im Islam ins rechte Licht gerückt. In W. Montgomery Watts Buch ›Free Will and Predestination in Early Islam‹ (London 1948) wird eine zentrale dogmatische Streitfrage im geschichtlichen Zusammenhang behandelt. Aus jüngster Zeit datieren unter anderem die Fortführung der von Rudolf Strothmann in Angriff genommenen Forschung über die schiitischen Zaiditen durch Wilferd Madelung und verschiedene dogmengeschichtliche Untersuchungen von Josef van Ess, unter denen zwei hervorzuheben sind: ›Die Erkenntnislehre des ʿAḍudaddīn al-Īcī‹ (Wiesbaden 1966), ein Werk, das viel mehr enthält, als der bescheidene Untertitel ›Übersetzung und Kommentar des ersten Buches seiner Mawāqif‹ vermuten läßt, und ›Frühe muᶜtazilitische Häresiographie‹ (Beirut 1971), mit Übersetzung der wichtigsten Passagen und Zusammenfassung der anderen, weniger wesentlichen, damit an der Sache interessierte Theologen und Philosophiehistoriker „in die Lage versetzt werden, den Wert des Textes abzuschätzen und gegebenenfalls sich mit gezielter Frage bei einem Orientalisten Rat zu holen". (Vielleicht darf man aus des letzteren Feder später einmal eine allgemeine islamische Dogmengeschichte erwarten.) Das umfangreiche Werk des katholischen Theologen Hermann Stieglecker ›Die Glaubenslehren des Islam‹ (Paderborn-München-Wien 1962, 834 S.), eine fleißige Materialsammlung, wird allerdings jeden enttäuschen, der darauf aus ist, die islamische Glaubenslehre in ihrer historischen Entwicklung und aus ihr heraus kennen und verstehen zu lernen. Auch Morris S. Seales kleines Buch ›Muslim Theology‹ (London 1964), das mit seinem Untertitel ›A Study of Origins with Reference to the Church Fathers‹ gerade für Theologen Interessantes zu bieten verspricht, ist zur Einführung in die Materie wenig geeignet. Doch genug der bibliographischen Hinweise und Zensuren. Im folgenden soll aus der Fülle des dogmengeschichtlichen Materials wenigstens ein Einzelproblem herausgegriffen und als solches zur Sprache gebracht werden, ein Problem, das besonders in der ersten Hälfte des 9. Jahrhunderts die Gemüter bewegt und auch in der breiteren Öffentlichkeit zu hitzigen Auseinandersetzungen geführt hat. Es geht dabei um das göttliche Attribut der Rede, konkreter ausgedrückt um die Frage, ob der Koran als Gottes Wort schon von Ewigkeit her existiert oder aber in der Zeit geschaffen worden ist.

In der Absicht, das Wesen Gottes mit den Mitteln des Verstandes genauer zu bestimmen, hatte man die Eigenschaften, die im Koran Gott zugeschrieben werden, in einem Katalog göttlicher Attribute zusammengefaßt und spekulierte nun weiter über das Wesen eben dieser Attribute, wobei sich jedoch Denkschwierigkeiten ergaben. Einerseits glaubte man annehmen zu müssen, daß die Existenz der Attribute mit und in Gott in die Ewigkeit zurückreicht. Denn die Annahme, sie seien ihm erst im Lauf der Zeit zugekommen, würde dem Postulat der Vollkommenheit und Unwandelbarkeit Gottes widersprechen. Andererseits folgerten die Muᶜtaziliten aus dem Postulat der absoluten Einheit Gottes, daß neben Gott nicht auch die Attribute in die Ewigkeit zurückreichen können, daß diese vielmehr in der Zeit hinzugekommen sein müssen. Die gegensätzlichen Lehrmeinungen traten vor allem in der Frage nach dem Wesen des göttlichen Attributs der Rede *(kalām)* zutage, zumal man dieses Attribut mit dem Koran identifizierte, von dem man aufgrund von Sure 3, 7, 13, 39 und 43, 4 annahm, daß seine Urschrift im Himmel vorliege. Theologen wie Aḥmad ibn Ḥanbal, der Begründer der ḥanbalitischen Rechtsschule, vertraten die These, daß der Koran in die Ewigkeit zurückreiche, also unerschaffen sei, während die Muʿtaziliten für die Eigenschaft der göttlichen Rede das Vorhandensein eines Gesprächspartners voraussetzten und schon allein daraus folgerten, daß der Koran im Lauf der Heilsgeschichte entstanden, also geschaffen sei. In der ersten Hälfte des 9. Jahrhunderts war die These vom Geschaffensein des Korans vorübergehend zum Staatsdogma erhoben, und die damaligen Kalifen, vor allem al-Muʿtaṣim (833—42), versuchten ihr mit den Mitteln der Inquisition *(miḥna)* Allgemeingeltung zu verschaffen.[18]

Auf Einzelheiten der Auseinandersetzung und auf die Diskussion späterer, ʻorthodoxerʼ Theologen über die These vom Nichtgeschaffensein des Korans[19] braucht hier nicht eingegangen zu werden. Aber zweierlei ist in diesem Zusammenhang festzustellen. Einmal die Tatsache, daß die Muslime sich mit ihren Spekulationen über das Wesen des Korans in ähnliche dogmatische Schwierigkeiten verstrickt haben, wie das einige Jahrhunderte zuvor die orientalischen Christen mit ihren Spekulationen über die Natur Christi in seinem Verhältnis zu Gott getan hatten. Mit den koranologischen Streitigkeiten (wenn man diese kurze Formulierung verwenden darf) traten sie unbewußt, und ohne daß man hinterher eine unmittelbare Beeinflussung nachweisen könnte,[20] das geistige Erbe derselben christologischen Streitigkeiten an, über die sie sich ihrerseits hoch erhaben fühlten. Die zweite Feststellung betrifft die Folgen, die der Sieg

---

[18] Otto Pretzl, Die frühislamische Attributenlehre (SB München, Philos.-hist. Abteilung, 1940, Heft 4); W. Montgomery Watt, Early Discussions about the Qurʾān (The Muslim World 40, 1950, S. 27—40. 96—105); Walter M. Patton, Aḥmed ibn Ḥanbal and the Miḥna, Leiden 1897; Josef van Ess, Ibn Kullāb und die Miḥna (Oriens 18—19, 1967, S. 92—142).

[19] Michel Allard, Le problème des attributs divins dans la doctrine d'al-Ašʿarī et de ses premiers grands disciples, Beirut 1965; R. Paret, Der Standpunkt al-Bāqillānī's in der Lehre vom Koran (Studi Orientalistici in onore di Giorgio Levi Della Vida, Rom 1956, II, S. 294—303); J. Bouman, Le Conflit autour du Coran et la solution d'al-Bāqillānī, Amsterdam 1959.

[20] H. A. Wolfson, The Muslim Attributes and the Christian Trinity (HThR 49, 1956, S. 1—18). M. Allard, a. a. O., S. 153—71. J. van Ess. a. a. O., S. 119. 134.

der 'orthodoxen' These vom Nichtgeschaffensein des Korans nach sich gezogen hat. Der Koran, schon an sich als verbalinspirierter Offenbarungstext hochgeschätzt, wurde durch diesen Sieg vollends in den Status des Sakrosankten erhoben. So, wie er von Ewigkeit her existierte, würde er nun mit seinem ganzen heilsgeschichtlichen Inhalt und einschließlich sämtlicher rechtlichen Bestimmungen auch für alle Zukunft maßgebend bleiben. Die Gefahr einer allgemeinen Erstarrung, die damit gegeben war, soll weiter unten unter dem Gesichtspunkt der Akkulturation aufgezeigt und kritisch gewürdigt werden.

Dem islamischen Recht und dessen Entstehungs- und Entwicklungsgeschichte bringt ein christlicher Theologe wohl von vornherein weniger Interesse entgegen als der islamischen Glaubenslehre und Dogmengeschichte. Das ist aber kein Grund, uns darüber auszuschweigen. Da Mohammed nun einmal nach seiner Emigration von Mekka nach Medina die Funktion des Propheten mit der des Leiters eines politischen Gemeinwesens vereint und die Verantwortung für die Rechtsordnung dieses Gemeinwesens übernommen hat, kommt dem Recht im Islam ein solches Gewicht zu, daß jeder, der sich mit dieser Religion beschäftigt, zum mindesten davon Notiz nehmen muß. Zur allgemeinen Einführung in die Materie seien drei Werke empfohlen: Th. W. Juynboll, Handbuch des islamischen Gesetzes nach der Lehre der schāfi'itischen Schule nebst einer allgemeinen Einleitung, Leiden-Leipzig 1910. David Santillana, Istituzioni di diritto musulmano malichita con riguardo anche al sistema sciafiita, I, Rom 1926 (Nachdruck 1938), II, Rom 1938. G. Bergsträsser's Grundzüge des islamischen Rechts, bearbeitet und herausgegeben von Joseph Schacht, Berlin und Leipzig 1935. (Schachts wichtiges, 1950 in Oxford erschienenes Buch ›The Origins of Muhammadan Jurisprudence‹ ist wegen der schwierigen Materie Außenstehenden kaum zugänglich.) Im vorliegenden Zusammenhang soll ein Einzelthema der islamischen Rechtsgeschichte herausgegriffen und in aller Kürze, sozusagen mit dem Zeitraffer, in Augenschein genommen werden: das Problem der Wandlungsfähigkeit des islamischen Gesetzes.

Grundsätzlich ist das islamische Gesetz statisch und unelastisch. Es legt den Rechtsstand fest, der zur Zeit des Propheten und der vier ersten Kalifen geherrscht hat, und will ihn für alle kommenden Generationen verbindlich machen. In der Praxis ließ sich diese Tendenz allerdings nicht immer durchhalten. Nachdem die großen arabisch-islamischen Eroberungen zum Stillstand gekommen waren und, zum ersten Mal in größerem

Umfang durch die normannische Eroberung von Sizilien (11. Jahrhundert), muslimische Bevölkerung sich einer nichtmuslimischen Herrschaft unterstellen mußte, fanden sich islamische Juristen notgedrungen dazu bereit, diesen Zustand zu legalisieren. Schon damals, und weiter in späteren Jahrhunderten, als große Gebiete mit muslimischer Bevölkerung, insbesondere in Nordafrika, unter europäische Kolonialherrschaft gerieten, erhielten die davon betroffenen Muslime die Erlaubnis, in ihrer von einer fremden Macht besetzten und beherrschten Heimat (die nach der bisherigen Auffassung dadurch feindliches Ausland, *dār al-ḥarb*, geworden war) wohnen zu bleiben, wenn nur gewährleistet wurde, daß sie ihrem Glauben treu bleiben, ihren kultischen Pflichten nachkommen und ihre eigene Rechtsprechung beibehalten konnten. Das war ein erstes Zugeständnis der Rechtsgelehrten an die Erfordernisse einer veränderten Umwelt und verdient als solches hervorgehoben und anerkannt zu werden.[21] Dagegen hat der Versuch eines gewissen Naġmaddīn aṭ-Ṭaufī (gest. 1316), die rechtliche Wirksamkeit von Texten aus dem Koran und der Tradition nach dem Prinzip der 'Beachtung der allgemeinen Wohlfahrt' *(riʿāyat al-maṣlaḥa)* zu entscheiden und damit den jeweiligen Verhältnissen anzupassen, nur antiquarisches Interesse. Ṭaufī fand mit seiner allzu kühnen These keinen Anklang.[22]

Ganz gewaltige Wandlungen haben sich in der islamischen Gesetzgebung in neuerer Zeit vollzogen. Sie erfolgten unter dem Zeichen der Akkulturation, der Übernahme moderneuropäischer Ideen und Einrichtungen durch einflußreiche und politisch aktive Schichten der muslimischen Gesellschaft. Diese Akkulturation beschränkte sich allerdings nicht auf den Bereich des Rechtswesens. Das ganze Denken wurde (und wird) davon erfaßt. Selbst scheinbar unerschütterliche Glaubensvorstellungen gerieten (und geraten) in den Sog der westlichen Welt.[23] Einige Daten mögen Ausmaß und Tempo der Entwicklung verdeutlichen.

---

[21] Santillana, Istituzioni, I, 1926, S. 69—71 (Nachdruck 1938, S. 89 f.); Octave Depont — Xavier Coppolani, Les confréries religieuses musulmanes, Alger 1897, S. 34—7.

[22] R. Paret, Artikel Istiḥsān-Istislāḥ, Encyclopaedia of Islam, new edition, IV.

[23] Richard Hartmann, Die Krisis des Islam, Leipzig 1928 (Morgenland, Heft 15). Über Versuche arabischer Literaten, die Verwestlichung ideologisch zu bewältigen oder abzureagieren, referiert Gustav E. von Grunebaum kritisch in den beiden Studien ›Das geistige Problem der Verwestlichung in der Selbst-

Die Institution des Kalifats hatte schon mit der Eroberung Baghdads durch die Mongolen und dem Ende der Abbasidendynastie (1258) einen schweren Schock erlitten, wurde aber erst 1924 durch Beschluß der türkischen Nationalversammlung für überholt erklärt und abgeschafft. Ein nach Kairo einberufener Kongreß konnte nachträglich (1926) nur noch feststellen, daß das Kalifat zur Zeit nicht realisierbar ist.[24] Eben in der neuen Türkei nahm die Entwicklung einen radikalen Verlauf. Unter anderem wurde die islamische Scheriat-Rechtsprechung aufgehoben (1926), das Schweizer Zivilrecht en bloc übernommen (1926) und die Bestimmung der Verfassung gestrichen, wonach der Islam Staatsreligion sein sollte (1928). Mit der Einführung des 'Laizismus' (1937) hoffte man Staat und Politik vollständig von religiösen Einflüssen befreien zu können. Vierzehn Jahre lang, 1935—48, wurde an den staatlichen Schulen überhaupt kein Religionsunterricht mehr erteilt.[25] In den arabischen und den übrigen islamischen Ländern ging man behutsamer vor. Aber in der Sache ist die Angleichung islamischer Rechtsordnungen an moderneuropäische Vorbilder auch hier bereits entschieden und weitgehend schon vollzogen, allerdings — im Gegensatz zur Türkei — unter islamischer Verbrämung oder aber stillschweigend, d. h. ohne Bezugnahme auf die Säkularisierung als solche.[26] Soweit die Angleichung unter islamischer Verbrämung erfolgte,

sicht der arabischen Welt‹ und ›Akkulturation als Thema der modernen arabischen Literatur‹ (Studien zum Kulturbild und Selbstverständnis des Islams, Zürich und Stuttgart 1969, S. 229—72 u. 273—303).

[24] Achille Sékaly, Le Congrès du Khalifat et le Congrès du Monde Musulman, Paris 1926 (Kongreßakten).

[25] Gotthard Jäschke, Der Islam in der neuen Türkei, eine rechtsgeschichtliche Untersuchung (WI, N. S. 1, 1951, S. 1—174).

[26] Joseph Schacht, Šarīʿa und Qānūn im modernen Ägypten. Ein Beitrag zur Frage des arabischen Modernismus (Der Islam 20, 1932, S. 209—36); Ders., An Introduction to Islamic Law, Oxford 1964, S. 100—11; J. N. D. Anderson, Recent Developments in Sharīʿa Law (Teilbeiträge in den Jahrgängen 40, 1950, 41, 1951 u. 42, 1952 von The Muslim World); Ders., The Syrian Law of Personal Status (BSOAS 17, 1955, S. 34—49); Ders., Islamic Law in the Modern World, New York 1959; Ders., Reforms in the Law of Divorce in the Muslim World (Studia Islamica 31, 1970, S. 41—52); N. J. Coulson, Reform of Family Law in Pakistan (Studia Islamica 7, 1957, S. 135—55); Erich Pritsch, Das tunesische Personenstandsgesetz (WI, N. S. 5, 1958, S. 188—205. Nachtrag WI, N. S. 6, 1959—1961, S. 130—33: L'acte de mariage et le délit de polygamie en Tunisie).

kamen z. T. recht eigenartige, durch das islamische Recht selber gegebene Interpretationsmethoden zur Anwendung. Darauf kann hier nicht eingegangen werden. Dagegen sind zwei Bemerkungen allgemeiner Art angebracht. Die eine betrifft das (vorläufige) Ergebnis der Säkularisierung in der Türkei, die zweite den Umstand, daß die Angleichung an europäische Vorbilder sich auch auf solche Rechtsordnungen erstreckt, die in koranischen Formulierungen festgelegt und dadurch in besonderer Weise sanktioniert sind.

Die Ein- und Durchführung des 'Laizismus' in der neuen Türkei war eine Revolution von oben. Durch den glänzenden Sieg über die griechische Invasionsarmee (1922) hatten Kemal Atatürk — er hieß damals noch Mustafa Kemal — und seine Gesinnungsgenossen so großes Ansehen gewonnen, daß sie es wagen konnten, den Islam in dem neu entstandenen republikanischen Staatswesen aus dem öffentlichen Leben zu verdrängen und zu einer Privatangelegenheit des einzelnen zu machen. Man kann darüber streiten, ob sie dabei wirklich nur die Absicht hatten, die Religion auf die ihr vorbehaltene Sphäre menschlicher Existenz einzuschränken, oder ob sie nicht etwa religiös uninteressiert oder gar religionsfeindlich eingestellt waren. Aber wichtiger ist es, eine Antwort auf die Frage zu finden, ob und inwieweit der Islam in der Türkei eine das menschliche Leben bestimmende Macht geblieben ist. Nachdem nunmehr annähernd ein halbes Jahrhundert verflossen ist, seit die kemalistischen Reformen eingesetzt haben, kann man immerhin das eine feststellen: Die Türken bekennen sich in ihrer weit überwiegenden Mehrzahl immer noch zum Islam. Am Beispiel der neuen Türkei hat es sich also in der Praxis erwiesen, daß der Islam wandlungsfähig genug ist, um die Einbuße seiner nach bisheriger Ansicht unabdingbaren politischen Komponente zu überleben. Aber anscheinend hat die islamische Theologie das Ergebnis des gewaltigen Entwicklungsprozesses noch nicht so weit verkraftet und bewältigt, daß sie es ihrerseits bejahen und theoretisch begründen könnte. Diese ebenso schwierige wie dringende Aufgabe bleibt der kommenden Generation islamischer, insbesondere türkischer Theologen vorbehalten.

Die Diskussion der islamischen Theologen wird sich — damit kommen wir zum zweiten Punkt — vor allem auf diejenigen Fälle konzentrieren müssen, in denen koranische Texte einer neuen Interpretation bedürfen. Denn gesetzliche Regelungen oder Glaubensvorstellungen, die mit Texten aus dem Koran belegt werden können bzw. daraus abgeleitet sind, haben eben deshalb größeres Gewicht als solche, die sich — wie beispielsweise die

Institution des Kalifats — aus der geschichtlichen Entwicklung ergeben haben, oder die sich nur aufgrund von Ḥadīten, d. h. von Überlieferungen, die ihrerseits von der persönlichen Vertrauenswürdigkeit und dem guten Gedächtnis von Gewährsmännern abhängig sind, bis auf Mohammed zurückführen lassen. Der Koran gilt ja als verbalinspiriert, überdies wegen seiner Identität mit dem göttlichen Attribut der Rede als urewig. Was aber seiner Substanz nach in die Urewigkeit zurückreicht, müßte logischerweise bis in alle Ewigkeit fortbestehen und Geltung haben. Wie könnte man nun grundsätzliche, den Erfordernissen der modernen Welt entsprechende und daher wünschenswerte Regelungen wie die Gleichberechtigung von Mann und Frau (besonders in Fragen der Ehescheidung) oder die Monogamie rechtfertigen und legalisieren, wenn ihnen der Wortlaut des Korans entgegensteht?

Die islamischen Theologen, denen sich dieses Problem aufdrängt, müssen natürlich selber damit fertig werden. Als Außenstehender wird man trotzdem Überlegungen über einen möglichen Ausweg aus der Denkschwierigkeit anstellen und die Erwartung aussprechen dürfen, daß die islamische Theologie im Lauf der Zeit von der bisherigen statisch-doktrinären Auffassung zu einem historisch-kritischen Verständnis von Mohammeds Prophetie übergehen wird. Mit einer bloßen Bereinigung vereinzelter Fälle ist es nicht getan. Es bedarf einer grundsätzlichen Änderung in der Einstellung zu dem Heilsgeschehen, das durch den arabischen Propheten in Gang gekommen und wirksam geworden ist. Auch als Muslim muß man einsehen können, daß Mohammed trotz seines hohen und im wesentlichen heute noch gültigen Sendungsauftrags in ein und derselben Person zugleich ein Kind seiner Zeit war und dementsprechend für seine Anhänger unter anderem auch zeit- und umweltbedingte Anordnungen getroffen hat. Der Koran legt selber eine solche Einsicht nahe. Etliche Stellen, die Mohammed in einer früheren Periode seines Wirkens verkündet hat, sind durch später verkündete Stellen überholt und gelten infolgedessen als abgeschafft (siehe Sure 2, 106 und 16, 101).

Übrigens beschränkt sich das Problem, wie schon weiter oben angedeutet worden ist, nicht auf das Rechtswesen. Auch gewisse Glaubensvorstellungen müssen neu überdacht und wenn nötig auf ein relatives Maß an Geltung reduziert werden.[27] Wir denken dabei vor allem an zwei koranische

---

[27] Muhammed Daud Rahbar, The Challenge of Modern Ideas and Social Values to Muslim Society (The Muslim World 48, 1958, S. 274—85); Rotraud

Thesen, die in der Auseinandersetzung zwischen Muslimen und Christen durch die Jahrhunderte immer wieder zur Sprache gekommen sind und die Gemüter erhitzt haben: die These, daß Jesus nicht gekreuzigt worden ist (Sure 4, 157), und die These, daß Abraham zusammen mit Ismael die Ka'ba in Mekka gebaut und ebendort viele Generationen vor Mose, dem Stifter des Judentums, und Jesus, dem Stifter des Christentums, die Stiftung des Islam vorweggenommen hat. Schon weiter oben ist festgestellt worden, daß unsereiner sich eine derartige proislamische Umdeutung der geschichtlichen Rolle des alttestamentlichen Patriarchen unmöglich zu eigen machen kann. Die These, daß Jesus nicht gekreuzigt worden ist, müssen wir ebenso bestimmt ablehnen. Andererseits werden wir aber auch Verständnis dafür haben, wenn ein gläubiger Muslim sich nicht ohne weiteres zu der Erkenntnis durchringen kann, daß die genannten Thesen keine unmittelbar von Gott verbürgten Wahrheiten sind, daß Mohammed vielmehr, als er sie vortrug, von falschen Voraussetzungen ausging. Der Weg vom unerschütterlichen Glauben an alles, was im Koran geoffenbart ist, bis zu der Einsicht, daß Mohammed, und mit ihm der Koran, nicht nur als absolut genommen werden darf, sondern auch aus seiner Zeit und Umwelt heraus verstanden werden muß, führt durch eine schwere, geradezu lebensgefährliche Krise hindurch. Wir sind uns dessen wohl bewußt, haben aber das Thema trotzdem offen zur Sprache gebracht, weil wir der Meinung sind, daß die islamische Theologie sich in absehbarer Zeit ernsthaft damit wird auseinandersetzen müssen.

Mit einer letzten, kurzen Bemerkung sei ein Sachverhalt zur Sprache gebracht, der das Verhältnis zwischen Islam und Christentum immer noch stark belastet: die sog. Mohammedanermission, d. h. der Versuch christlicher Glaubensgemeinschaften, Muslime durch eigens dafür bestimmte Organisationen und Sendboten für das Christentum zu gewinnen. Der Beweggrund für die Praktizierung christlicher Mission ist bekannt. Nach dem 'Aussendungsbefehl', Matthäus 28, 19 f., und anderen neutestamentlichen Stellen soll die christliche Heilsbotschaft aller Welt, also auch den Menschen, die sich zum Islam bekennen, angeboten werden. Daß die christlichen Missionare sich ihrer Aufgabe von jeher in geradezu rührender Weise mit dem Einsatz ihrer ganzen Person gewidmet und das Beste

Wielandt, Offenbarung und Geschichte im Denken moderner Muslime, Wiesbaden 1971 (Akademie der Wissenschaften und der Literatur, Veröffentlichungen der Orientalischen Kommission, Band 25).

gewollt haben, ist über allen Zweifel erhaben. Aber wir sollten heute
mehr denn je die Reaktion zur Kenntnis nehmen, die die christliche Missionstätigkeit in der öffentlichen Meinung der islamischen Welt auslöst,
und daraus eine Lehre ziehen, zumal Übertritte vom Islam zum Christentum nur in Ausnahmefällen zu verzeichnen sind. Als Muslim glaubt man
es nicht nötig zu haben, sich über den Inhalt der christlichen Heilsbotschaft
belehren zu lassen, weil man darüber bereits Bescheid weiß. Schon im
Koran wird ja das Christentum als gegeben vorausgesetzt und als eine
der monotheistischen Religionen geduldet. Außerdem sieht man rein
gefühlsmäßig in den Missionaren Repräsentanten der immer noch gefährlichen europäischen Übermacht. Besonders empfindlich ist man gegen die
Verbindung von missionarischer Tätigkeit mit Schulunterricht und ärzt-
licher Hilfe, weil man feststellt, daß der Schulunterricht und die ärztliche
Hilfe nicht aus lauterer Absicht angeboten werden, sondern zu dem Zweck,
die Nutznießer einer an sich erwünschten Hilfeleistung eben über diesen
Umweg vom Islam abspenstig zu machen und zur Annahme des christlichen Bekenntnisses zu verlocken. Wenn ich meine persönliche Ansicht
äußern darf: Ich halte ein derartiges Bedenken für berechtigt. Ich möchte
aber noch weitergehen und wieder einmal die Frage aufwerfen, „ob in der
heutigen pluralistischen Welt der sogenannte Aussendungsbefehl von
Matthäus 28, 19 f. weiter in der bisherigen Weise ausgelegt werden kann
und darf in dem Sinn, daß alle Menschen, auch die Angehörigen der
islamischen Glaubensgemeinschaft, für das Christentum und den Glauben
an die Trinität gewonnen werden müssen", — ob gerade Christen, die
ihres Glaubens sicher sind, sich nicht vielmehr damit abfinden sollten,
„daß gewisse Menschen von Geburt an ihre geistige Heimat im Islam
haben, und daß deren Frömmigkeit eben von dieser Religion bestimmt
wird" [28].

---

[28] R. Paret, Heilsbotschaft und Heilsanspruch des Islam (Waldemar Molinski,
Die vielen Wege zum Heil, München 1969, S. 41—64), S. 62.

GUSTAV MENSCHING

DIE HOCHRELIGIONEN ASIENS

Die Hochreligionen Asiens sind Buddhismus und Hinduismus. Entsprechend den vom Herausgeber dieses Werkes gegebenen Gesichtspunkten werden in dieser Abhandlung zunächst der Buddhismus und dann der Hinduismus in der Hinsicht betrachtet, ob in jeder dieser Religionen ideelle Verbindungslinien zur biblischen Religion nachweisbar sind, worunter jedoch nicht verstanden werden soll, daß hier faktische Kontakte bestünden, sondern daß echte Parallelen vorliegen. Der zweite Gesichtspunkt, unter dem die Religionen betrachtet werden sollen, ist dann der, daß nach Erkenntnissen auf dem Gebiete religionswissenschaftlicher Erforschung des Buddhismus und des Hinduismus gefragt wird, die als Anregungen zu theologischer Betrachtung und Besinnung angeboten werden.

Obwohl bei der Erörterung der genannten Gesichtspunkte hinsichtlich des Buddhismus und des Hinduismus eine differenzierte Darstellung beider Religionen und ihrer Probleme sich ergeben wird, stellen wir dennoch beiden Abschnitten als Einleitung eine kurze und konzentrierte Zusammenfassung dessen voran, was ich die Lebensmitte der beiden Religionen nenne.

I. Der Buddhismus

Der Buddhismus, von Gotama Buddha um 500 v. Chr. gestiftet, setzt als religiöse Tradition, auf deren Grundlage er entstand, den Brahmanismus voraus, der literarisch in den Brāhmana-Texten und in den darauffolgenden Upanishaden seinen Ausdruck fand. Die Grundideen des Brahmanismus sind kurz gesagt folgende:

1. Die Ātman-Brahman-Idee, d. h. die Vorstellung, daß sich in der Tiefe der Persönlichkeit wie auch in der Erscheinungsfülle der Welt ein letztes göttlich-absolutes neutrales Selbst befindet.

2. Der Ātman wandert von einer Gestaltwerdung zur anderen in einem unablässigen Geburtenkreislauf (samsāra), wobei Wiedergeburten in jeder

der in der Welt vorhandenen Daseinsformen (Menschen, Tiere, Götter, Dämonen) geschehen können.

3. Art und Ort jeder Wiedergeburt innerhalb der Vielheitswelt wird bestimmt durch ein ewiges Gesetz, das Karma-Gesetz, durch dessen Wirksamkeit automatisch, den Naturgesetzen analog, nach den Taten (karma) des Menschen im vergangenen Leben Geburten in hoher oder niederer Kaste der Menschenwelt, in der Tierwelt, der Götterwelt oder in der Welt dämonischer Wesen hervorgerufen werden. Diese Situation des Gebanntseins in den unentrinnbaren Zwang des Geburtenkreislaufes wird als das eigentliche Unheil angesehen, aus dem man Erlösung ersehnt.

4. Die Erlösung erwartet man, echt mystisch, durch Erkenntnis der Einheit von individuellem Ātman und überindividuellem Brahman. Solche einende Erkenntnis aber ist nur möglich, wenn der Mensch seine weltzugewandte Begierde überwunden hat und selbst unpersönlich geworden ist: „Brahman ist er und ins Brahman geht er ein", heißt es in den Texten.

Der Buddhismus ist in der Geschichte in dreifacher Form aufgetreten: die ursprünglichste Form ist die „Lehre der Ältesten" (Theravāda) oder, wie man früher sagte, Hīnayāna-Buddhismus, der Buddhismus des „kleinen Fahrzeuges". Dieser vornehmlich aus den Pālitexten der Reden Buddhas erkennbare Buddhismus kommt dem, was Buddha selbst lehrte, am nächsten. Es handelt sich hier um eine autosoteristische Erlösungsreligion, in der der brahmanistische Gedanke des Samsāra und der Karma-Lehre aus der Tradition übernommen wurde ebenso wie das neutrale Erlösungsziel des Nirvāna. Von der brahmanischen Tradition weicht dagegen dieser Urbuddhismus hinsichtlich der Ātman-Lehre ab, die abgelehnt wird. Wir begegnen hier einem modern anmutenden Atomismus, der Dharma-Lehre, die besagt, daß alle individuellen Erscheinungsformen der Welt einschließlich des Menschen aus letzten Daseinsfaktoren (dharma), die flüchtig sich zusammenballen und wieder lösen, besteht. Die anattā-Lehre (Nicht-Ich-Lehre) besagt nun, daß keines dieser Daseinselemente, die die erfahrbare Welt bilden, einen Ātman, ein Selbst besitzt. Daß es aber gleichwohl ein solches Selbst nach buddhistischer Anschauung gibt, ist auch nach buddhistischer Auffassung anzunehmen. Das Erlösungsziel ist auch hier, freizukommen aus dem Kreislauf der Geburten und ins Nirvāna einzugehen. Dazu lehrt der Buddha den „achtteiligen Pfad", praktisch einen dreitiligen Heilsweg, der aus ethisch-asketischer Zucht, aus Versenkungsstufen und der Erleuchtung besteht. Der ursprüngliche Buddhismus nimmt also weitgehend die eigenen Kräfte des Menschen in Anspruch.

Das letzte Wort Buddhas soll gelautet haben: „Seid euch selbst Zuflucht, seid euch selber Leuchte! Laßt niemals nach in eurem Streben!"

Gegen den Beginn unserer Zeitrechnung entstand auf der Basis des Hīnayāna der Mahāyāna-Buddhismus. Die Bezeichnung „Großes Fahrzeug" weist schon darauf hin, daß hier eine andere Einstellung zu den Mitmenschen gefordert wird, nämlich die, in einem großen, nicht nur für sich selbst bestimmten Fahrzeug aus dem Ozean der unheilvollen Existenz möglichst viele Mitmenschen zu retten. Das ist die sog. Bodhisattva-Idee, nach der jeder ein heilbringender Buddha-Anwärter (Bodhisattva) werden soll. Verändert ist nun aber auch die Stellung Buddhas bzw. der vielen Buddhas und Bodhisattvas, die man annimmt, die erlösende, heilstiftende Gottheiten geworden sind und einen echten Kultus genießen, den es im Urbuddhismus nicht gab. Neu und anders ist auch die in etlichen Mahāyāna-Sekten vorhandene Einstellung zu Buddha, nämlich der vertrauende Glaube.

Eine dritte, sich vom Mahāyāna abspaltende Richtung ist das Vajrayāna, das „Diamant-Fahrzeug", dessen Sondergeist darin besteht, daß die mahāyānistischen Ideen sehr stark mit tantristischen Elementen gemischt sind und daß eine kirchenähnliche Organisation besonders in der Form des Lamaismus entstanden ist.

Auf die mancherlei sektenhaften Differenzierungen des Mahāyāna können wir hier im einzelnen nicht eingehen. Sie werden in der späteren Darstellung zutage treten. Es dreht sich auch hier alles um die gleiche Achse wie im Hīnayāna, um die Erlösung aus dem Zwang der Wiedergeburten und um das Heil, das schließlich, wenngleich vielfach über das vorübergehende Stadium einer persönlichen Seligkeit in einem Paradiese, in einem impersonalen Nirvāna gesehen wird. Der Buddhismus ist also seinem Ursprung nach eine durchaus pessimistische Religion, wenn man unter Pessimismus die Negation von Sinn und Wirklichkeit der Welt versteht. Hinsichtlich des Heilszieles ist diese wie jede Religion natürlich optimistisch.

Soziologisch ist zu sagen, daß der weltverneinende Buddhismus den Gemeinschaftsformen dieser Welt insbesondere der indischen Kaste keinerlei Bedeutung beimißt. Die Gemeinschaft, die der Buddhismus selbst stiftet, ist der Orden (sangha), eine Gemeinschaft derer, die noch um das Heil ringen. Während im Urbuddhismus die Erlösung nur als Mönch (nicht als Nonne und in keiner anderen Existenzform) möglich ist und zumeist mehrere Wiedergeburten nötig sind, um zu diesem Ziele zu gelangen, kennt der Mahāyāna-Buddhismus — und darin liegt die Voraussetzung dafür, daß er Weltreligion werden konnte — die Möglichkeit, aus jedem weltlichen oder geistlichen Berufe und zu jeder Zeit in den Heilszustand der Erlösung einzutreten.

A. Verbindungslinien vom Buddhismus zur biblischen Religion

1. Wir verstehen unter Verbindungslinien keine geschichtlichen Abhängigkeiten der einen Religion von der anderen, sondern Verwandtschaften, strukturmäßige Parallelen und ideenhafte Ähnlichkeiten. Wir wollen, was hier zu sagen ist, in mehrere Fragenkomplexe aufgliedern und sprechen zunächst von solchen Verbindungslinien im *Bereich des Ethischen*.

a) *Ichlosigkeit und Selbstlosigkeit*. Wir erwähnten in der Einleitung die Dharma-Lehre des Buddhismus. Danach sind alle Dinge, einschließlich des Menschen, aus Dharma-Elementen zusammengesetzt, vergänglich und wesenlos, weil ohne Ich (anattā). Die Weltdinge sind nach buddhistischer Ansicht und den Texten entsprechend nicht so, „wie, an ihnen festhaltend, die gewöhnlichen und unwissenden Menschen meinen" [1]. Aber auch von der aus den gleichen Dharmas zusammengesetzten sog. Persönlichkeit des Menschen gilt, daß sie ohne Selbst ist. Hinsichtlich der Daseinsfaktoren der Empfindung, der Wahrnehmung, der Gemütsregungen, des Bewußtseins heißt es in den Texten: der Mensch erkennt: „dies gehört mir nicht, dies bin ich nicht, dies ist nicht mein Selbst" [2]. Diese zunächst ontologisch verstandene Ich- und Selbstlosigkeit der Individuen [3] wird nun im modernen Buddhismus im ethischen Sinne interpretiert,[4] indem die hier besonders stark vorhandene soziale Ausrichtung mit dieser Lehre von der Selbstlosigkeit in Verbindung gebracht wird. Damit nähert der Buddhismus sich

---

[1] Prajñāpāramitā, Oldenberg, Reden des Buddha, 1922, S. 273.

[2] Samyutta-Nik. XXII, 82 Seidenstücker, Pāli-Buddhismus in Übersetzungen, 1923, S. 225.

[3] H. Dumoulin, Der Buddhismus der Gegenwart, 1970, S. 19, 125.

[4] Der moderne Buddhismus ist durchaus der Meinung, daß es trotz der bezüglich der Dharmas gelehrten Ich- und Selbstlosigkeit dennoch ein Selbst gibt (vgl. Dumoulin, a. a. O., S. 19). Diesen Standpunkt habe ich in Auseinandersetzung mit H. v. Glasenapp (Vedānta und Buddhismus, Mainzer Akademieschrift, 1950) immer auch vertreten, z. B. in: G. Mensching, Buddhistische Geisteswelt, 1955, S. 526 ff.

natürlich zugleich der Idee der Selbstverleugnung, wie sie im Christentum (Mat. 16, 24) gefordert wird.

b) Ein weiteres ethisches Motiv, das eine gewisse ideelle Verbindungslinie zur biblischen Religion darstellt, ist die *Idee des Mitleids* (Pāli:mettā), die eine Selbstaufopferung für andere einschließt. H. Weinrich hat in einer aufschlußreichen Untersuchung sich mit den Ähnlichkeiten sowie mit den Divergenzen dieser mitleidsvollen Liebe gegenüber der christlichen Agape (Liebe) befaßt.[5] Wir brauchen hier nicht zu erwähnen, daß die 5 Sila-Gebote des Buddhismus (nicht töten, nicht stehlen, nicht lügen, nicht unkeusch leben, keine berauschenden Getränke genießen) den biblischen 10 Geboten sehr nahekommen, zumal diese Verbote in der Interpretation Buddhas positive Gebote sind. So heißt es z. B. im Dīghanikāya[6]: „Verletzung lebender Wesen meidet und verabscheut der Samana Gotama, er rührt keinen Stock, keine Waffe an, er ist friedfertig und mitleidsvoll, ihn bewegt nur die Sorge um das Wohl aller lebenden Wesen." Der wesentlichste Unterschied der Liebesidee im Buddhismus zur christlichen besteht darin, daß die Liebe zum Mitmenschen im Buddhismus keinen Selbstwert hat, wie im Christentum, wo sie außerdem aus der Gottesliebe abgeleitet wird, sondern nur als Mittel dient, um sich selbst von heilhindernden Fesseln an die Welt zu lösen.[7]

c) Als drittes hier einzuordnendes Moment wäre die Tendenz Buddhas zu nennen, ein *ideales Leben* zu realisieren und dazu seine Jünger anzuleiten. Der Buddhismus ist seinem Ursprung nach durchaus praktisch auf das Leben gerichtet, nicht auf Lehre und auf Lehrunterschiede gegenüber anderen Richtungen. Daß es auch im Urchristentum um Leben und nicht um Lehre ging, braucht kaum nachgewiesen zu werden. Während die Brahmanen in der Umwelt Buddhas um Lehrunterschiede stritten, hat Buddha die Lehre mit einem Floß verglichen, mit dem man über den Fluß setzt, und dann fragt er: „Wäre dieser Mann ein kluger Mann, wenn er, am anderen Ufer angelangt, aus Dankbarkeit für das Floß, das ihn über den Strom zur Sicherheit trug, am Floße haftend, es auf seinen Rücken nähme

---

[5] F. Weinrich, Die Liebe im Buddhismus und Christentum, 1935.

[6] Dīghanikāya I, 1, 8—10, Übers. von O. Franke.

[7] „Wer bedachtsam unendliche Liebe empfindet, bei dem werden die Fesseln dünn", Itivuttaka 27. Religionsgesch. Lesebuch XI, 83. Das Gebot der Liebe zu allen Wesen wird besonders im Mahāyāna verkündet z. B. Suvarnaprabhāsa 4; Relg. Leseb. XV, 46 f.

und mit seinem Gewicht herumwandern würde?" Die Zuhörer antworten natürlich mit „Nein", und der Buddha fährt fort: „In gleicher Weise muß das Fahrzeug der Lehre weggeworfen und verlassen werden, wenn einmal das andere Ufer der Erleuchtung erreicht ist."[8] Obwohl im Christentum die schlichte Nachfolge Jesu auf das Leben gerichtet sein soll, ohne daß Bedingungen der Zustimmung zu Lehren und Glaubensbekenntnissen gestellt wurden zu Jesu Zeit, hat das spätere Christentum eine komplizierte Dogmatik entwickelt und um die „reine Lehre" sogar Religionskriege geführt. Auch vom Buddhismus wird man sagen müssen, daß der spätere Buddhismus Lehrsysteme entwickelt hat, nur führten sie nie dazu, intolerante Aggressionen gegen Andersgläubige zu veranlassen.

2. Ein zweiter Bereich, innerhalb dessen Analogien zur biblischen Religion zu finden sind, ist die *Heilslehre*.

a) Wir beginnen mit dem Heilsziel des Theravāda-Buddhismus, dem Nirvāna. Hier besteht, auf den ersten Blick jedenfalls, ein tiefgreifender Unterschied zu der Heilsidee des Reiches Gottes im NT. Gleichwohl hat Paul Tillich den aufschlußreichen Versuch gemacht, beide Symbole, wie er sie nennt, trotz ihrer verschiedenen Begründung, dennoch als vereinbar aufzufassen.[9] Ich entnehme dem in dieser Schrift gegebenen „Dialog zwischen Buddhismus und Christentum" einige Gedanken zu unserem Thema.

Tillich ist der Meinung, daß beide Religionen, Buddhismus und Christentum, aus einer gemeinsamen Wurzel hervorgegangen sind, nämlich aus der Erfahrung des Heiligen.[10] Die Heilsanschauungen sind freilich durchaus verschieden: in dem „Reiche Gottes" sieht Tillich das Telos des Christentums, im Nirvāna das des Buddhismus. Beide Begriffe, Reich Gottes und Nirvāna, sind Symbole.[11] Nun repräsentieren diese beiden Symbole ein durchaus verschiedenes Verhältnis zur Wirklichkeit. Der Begriff Reich Gottes ist ein soziales, politisches und personalistisches Symbol, und der Symbolstoff entstammt dem Bild eines Herrschers, der ein Reich der Gerechtigkeit und des Friedens aufrichtet. Demgegenüber ist das Nirvāna ein ontologisches Symbol, und sein Stoff stammt aus der Erfahrung der Endlichkeit, Mannigfaltigkeit und Vergänglichkeit alles Individuellen. Die Aufhebung dieser Unheilssituation ist das selige Einssein aller Wesen

---

[8] Majjhima-Nikāya I, 3, 2.
[9] Paul Tillich, Das Christentum und die Begegnung der Weltreligionen, 1964.
[10] Tillich, a. a. O., S. 37.
[11] Ebd. S. 40.

jenseits der Endlichkeit, im Nirvāna. Von dieser Grundlage aus sind die Gegensätze verständlich, die in der Bewertung der Welt beiderseits bestehen. Während das Christentum die Welt als Schöpfung Gottes ansieht, die ein Ziel hat, sieht der Buddhismus die Welt als eine wesen- und sinnlose Scheinwirklichkeit an. Während im Christentum der Mensch in der Welt durch seine eigene Schuld in einer Unheilsexistenz der Verlorenheit sich befindet, ist im Buddhismus der Mensch hineingestellt in die gesamte Weltwirklichkeit und unterliegt ihrer Scheinhaftigkeit. Ohne eigene Schuld ist er in den Kreislauf des „Leidens" und der Wiedergeburten gebannt, von dem er erlöst werden möchte.

Paul Tillichs Ansicht, die wir teilen, ist nun die, daß auch diese gegensätzlichen Anschauungen sich auf das Wesen des Heiligen beziehen und es ausmachen, so daß keines dieser verschiedenen Elemente in der Erfahrung des Heiligen fehlen kann.[12] Deshalb verneint Tillich auch die Frage, ob diese maßgeblichen Symbole des Reiches Gottes und des Nirvāna einander ausschließen. Er schreibt: „Nach unserer Ableitung aller religiösen Typen aus Elementen der Erfahrung des Heiligen ist das undenkbar. Die Geschichte beider Symbole zeigt deutlich konvergierende Tendenzen."

Auch wenn man mit Tillich eine letzte Gemeinsamkeit zwischen Buddhismus und Christentum in der beiderseits auf verschiedene Weise erfahrenen Wirklichkeit des Heiligen sieht, so darf man nicht die tiefgreifenden Unterschiede zwischen Urbuddhismus und Urchristentum übersehen. Sie sind auch buddhistischen Gelehrten unserer Tage nicht verborgen. In einer verständnisvollen Studie hat F. Masutani[13] solche Unterschiede sichtbar gemacht. Während die Lehre Buddhas (dharma) nach seiner Ansicht verstanden werden muß[14] und daher rationale Elemente enthält, schreibt der Verfasser über Jesus: "We can find nothing theoretical in what Jesus preached."[15] Zwar haben beide, Buddha wie Jesus, ein hausloses Leben geführt, aber ihr Weg war durchaus entgegengesetzt. Während man bei Jesus das Himmelreich als ein Kind empfangen soll (Mk 10, 14 f.), lehrt Buddha einen Weg der Erkenntnis: "His (Jesus) way was decidely that of the so-called foolish, not of the wise. In this sense Jesus' way was quite

---

[12] Ebd. S. 42

[13] F. Masutani, A comparative study of Buddhism and Christianity, Tokyo 1957.

[14] Ebd. S. 23.

[15] Ebd. S. 25.

antipodal to that of Buddha." [16] So ist also der Urbuddhismus weitgehend autosoteristisch, während das Christentum von Anfang an auf der Gnade Gottes ruht. Nach Masutani stehen sich im Buddhismus und Christentum Weisheit und Glaube gegenüber. In einem Gespräch [17] im Samyutta-Nikāya wird die Frage, was höher stünde, Weisheit oder Glaube, folgendermaßen beantwortet: "Which do you think is superior, wisdom or faith?" "I think wisdom is superior to faith." Während im Christentum die „Freiheit der Kinder Gottes" durch den Glauben gewonnen wird, lehrt der Buddhismus: "the ultimate freedom must be atteined by wisdom" [17].

Durchaus anders aber stellt sich das Verhältnis von Buddhismus und Christentum im Bereich der Heilserwartung dar in den sog. Amida-Sekten des Mahāyāna-Buddhismus. Hier stoßen wir auf erstaunliche Ähnlichkeiten. In den ersten Jahrhunderten nach Christus, vielleicht auch etwas früher, traten Lehrer auf, die ein neues Lehrsystem, das des Mahāyāna, verkündeten. Sie sahen in Buddha mehr als einen Menschen, nämlich eine anbetungswürdige Heilandgottheit. Sie lehrten, daß das Heil nicht nur auf dem Wege des Mönchtums und der asketischen Selbsterlösung gewonnen werden könne, sondern auf einem jedem zugänglichen Wege des Glaubens. Zu den heiligen Schriften des Mahāyāna gehört der ›Saddharmapundarīkā‹ (›Lotos der guten Lehre‹), in dem Buddha als erhabenes, göttliches Wesen verherrlicht wird. Eine andere wichtige Schrift ist der ›Sukāvatīvyūha‹ (›die ausführliche Beschreibung des gesegneten Landes‹). Es ist das Land des Buddha Amitābha, des Buddha des unendlichen Lichtes, die Beschreibung also eines Paradieses. Diese Schriften bilden die Grundlage für die Sekten, die sich in China und vor allem in Japan gebildet haben. Wir müssen uns auf einige charakteristische Elemente dieses in Japan besonders nachhaltig wirksamen, durch japanische Reformatoren weiterentwickelten Buddhismus beschränken.[18]

Amida, die japanische Fassung von Amitābha, ist eine gnädige, sich den Menschen zu dessen Heil nahende Gottheit: „Von all den Buddhas, den vielen, ersehen wir uns Amida, uns zu ihm zu kehren, dieweil er der ist, der selbst zu denen kommen will, die auch nur drei- bis fünfmal zu ihm rufen." [19] Dieses Wort erinnert unmittelbar an Jak 4, 8: „Naht euch zu

[16] Ebd. S. 58.

[17] Ebd. S. 74.

[18] Wir zitieren einige charakteristische Texte aus der von Hans Haas verfaßten Übersetzung „Amida Buddha, unsere Zuflucht" 1910.

[19] Ebd. S. 41.

Gott, so naht er sich zu euch." Die großen Reformatoren auf japanischem Boden, die diesen Buddhismus in zwei einander ähnlichen Sekten vertreten haben, sind Honen Shonin (1133—1212) und Shinran Shonin (1173 bis 1262). Die Heilstatsache, die hier zugrunde gelegt wird, ist ein dem Mythos zufolge von Amida abgelegtes „vorzeitliches Gelübde", eine promissio, auf die sich der Gläubige vertrauensvoll verlassen soll. Dieses Gelöbnis lautet: „Wenn ich (sagt der künftige Buddha) es zur Erreichung der Buddhaschaft gebracht habe, will ich die vollkommene Erleuchtung nicht an mich nehmen, wenn sie, die lebenden Wesen aller zehn Richtungen, die getrosten Herzens an mich glauben, und den Wunsch haben, in mein Land geboren zu werden und also, wär's etwa ein zehndmal ihre Andacht auf mich richten werden, nicht daselbst geboren würden." [20] Es ist daher nichts erforderlich als gläubiges Vertrauen: „Daß wir aber von dieser seiner Anfangsverheißung getragen werden, dazu ist nichts von uns erfordert als nur ein gläubiges Vertrauen." [21] Wir stoßen hier also auf die Sola-fide-Idee, wie sie Römer 3 und durch Luther gelehrt wurde. Zwar ist die Unheilsexistenz, von der der Gläubige der Amida-Religion erlöst werden möchte, der Geburtenkreislauf, aber es wird doch auch die Frage erörtert, wie es mit der Sünde steht: „Was das Sündigen anlangt, so sehe man sich wohl vor, auch nur die geringste Übertretung zu begehen, und habe dabei doch den Glauben, daß selbst ein Mensch, der die zehn Sünden begangen und der fünf schwere Vergehen sich schuldig gemacht hat, zum Leben eingehen werde." [22] Von Shinran wird das Wort überliefert: "Even the good can be born into the Pure Land why not the evil?" Masutani weist hin auf die Stellen Mat 9, 12 und Lk 15 als Parallelen.

Die Gnade Buddhas aber ist nicht an Berufe gebunden, auch nicht daran, daß man allen weltlichen Berufen sich entzieht und Mönch wird. Honen sagt vielmehr, das ewige Leben sei auch dem Grobschmied nicht versagt und auch für den Zimmermann vorhanden. [23]

Notwendigerweise hat auch diese Glaubensreligion sich gegen das Werk als Heilsmittel gewandt: „Darum so einer Glauben an Amidas vorzeitliches Gelöbnis hat, so besteht für ihn fürder keine Notwendigkeit, sich auf die Vollbringung anderer guter Werke zu verlegen, sintemalen es kein

[20] Ebd. S. 48.
[21] Ebd. S. 41.
[22] Ebd. S. 41. Vgl. auch Masutani a. a. O., S. 115.
[23] Haas, a. a. O., S. 55.

besseres Werk gibt als das Anrufen des Namens Buddhas ist."[24] Vertrauen auf die eigene Kraft ist es, was hier mit Entschiedenheit abgelehnt wird: „Wer noch aus seiner eigenen Kraft das Gute zu vollbringen beflissen ist, der ist, sintemalen er des Sinnes ermangelt, der sich einzig und allein auf die Kraft eines anderen verläßt, von Amidas ursprünglicher Verheißung gar nicht ins Auge gefaßt. Wohingegen wer sein noch vom Vertrauen auf die eigene Kraft erfülltes Herz umkehrt und seine ganze Zuversicht in Demut auf die Kraft eines Helfers setzt, sich dessen soll versichert halten dürfen, daß er zum Lohne dafür wirklich das wahre Leben erlangen wird."[25] Das Anrufen des Namens Buddhas aus gläubigem Vertrauen ist weder ein gutes Werk noch eine eigene Leistung des Gläubigen, weil dabei allein „die Kraft einer anderen Macht wirksam ist ohne jede Betätigung der eigenen Kraft des Menschen"[26].

Wir müssen noch hinweisen auf das spezifisch mahāyānistische Ideal eines Bodhisattva, d. h. eines Anwärters der Buddhaschaft; denn das ist das Ziel, dem alle Gläubigen des Mahāyāna zustreben sollen, heilswirksam zu werden für möglichst viele Mitmenschen. Die Haupttugend aber eines solchen Bodhisattva ist das „große Mitleid": *Einer* Tugend . . . sollte ein Bodhisattva sich ganz hingeben und ganz in ihr aufgehen. Dann sind alle Buddhatugenden von selbst vorhanden. Welches ist diese eine Tugend? Es ist das große Mitleid. Durch das große Mitleid . . . sind alle Buddhatugenden bei den Bodhisattva von selbst vorhanden."[27]

Das Ziel der hier erstrebten Erlösung ist das Paradies des Reinen Landes, das in dem Sukhāvatīvyūha in farbigen und höchst irdischen Bildern geschildert wird. In einem Verse heißt es:

Daß ich, wenn nun mein Stündlein kommen,
Von Buddha würde aufgenommen,
Auf güldenem Lotoskelch zu thronen
Und allezeit bei ihm zu wohnen.[28]

Bemerkenswert ist weiterhin, daß der Amida-Gläubige das verpflichtende Gefühl hat, da ihm Gnade widerfahren ist, auch anderen zu helfen:

[24] Ebd. S. 124.
[25] Ebd. S. 125.
[26] Ebd. S. 128.
[27] M. Winternitz, Der Mahāyāna-Buddhismus. Relig. Leseb. XV. 1930 S. 35.
[28] Haas S. 55.

> Zum Dank für Gnade, mir geworden,
> Selbst will ich wohltun allerorten.[29]

Man wird hier an eine Stelle aus Luthers Schrift ›Von der Freiheit eines
Christenmenschen‹ [30] erinnert, in der es heißt: „So will ich solchem Vater,
der mich mit seinen überschwenglichen Gütern also überschüttet hat, wieder-
um frei, fröhlich und umsonst tun, was ihm wohlgefällt, und gegen meine
Nächsten auch ein Christus werden, wie Christus mir geworden ist."
Endlich machen wir aufmerksam auf den seltsamen und typischen
Wandel in der Buddhavorstellung und der Buddhaverehrung in der Gemeinde: vom historischen zum überhistorischen, kosmischen Buddha. Während der historische Buddha nichts anderes zu sein beanspruchte als ein
„Wegweiser" [31], wird der mahāyānistische Buddha als Gottheit verehrt. Im
Bhaktishrataka des Rāmacandra (um 1245 n. Chr.) heißt es: „Sei gnädig,
o Herr der Götter, o Herr der Welt, sieghafter Buddha, der du verehrungswürdig bist in der Welt, der du mir, der du den Guten verehrungswürdig
bist, Feind der Sünde, Feind der Werdelust, Feind der Sinnenlust, Feind
des Dunkels (der Unwissenheit), dir fürwahr bin ich ergeben mit Wort
und Geist." [32] Hier begegnen wir also dem Phänomen der Hypostasierung
eines irdischen und historischen Religionsstifters in die überirdische Sphäre
einer Heilandgottheit. Die Parallele der Hypostasierung des historischen
Jesus zum überhistorischen Christus liegt offen zutage.

B. Anregungen für die Theologie

Wir wenden uns nun dem zweiten Gesichtspunkt zu, nämlich der Frage
nach Ansatzpunkten für eine theologische Betrachtung des Buddhismus,
soweit religionswissenschaftliche Erkenntnisse und Tatsachen hierfür in
Betracht kommen.

---

[29] Ebd. S. 58.
[30] Weim. Ausgabe 7, 35.
[31] Majjhima-Nik. 107, Rel. Leseb. XI, 28: „Von meinen Jüngern, die so von
mir ermahnt, so belehrt werden, erreichen die einen das höchste Ziel, das Nirvāna,
die anderen erreichen es nicht. Was kann ich dagegen tun, Brahmane? Nur ein
Wegweiser ist der Tathāgata (Buddha)."
[32] Rel. Leseb. XV, 20.

1. Wir heben zunächst hervor, daß der moderne Buddhismus immer wieder betont, daß seine Anschauungen mit den Ergebnissen der europäischen Naturwissenschaft nicht nur übereinstimmen, sondern diese sogar vorweggenommen haben.[33] Der Buddhismus versteht sich als eine Religion, die nicht gegen die Vernunft ist, die keine Dogmen hat, die aus einer übernatürlichen Offenbarung stammen sollen, keine Priesterhierarchie kennt, sondern individuelle Freiheit predigt.

2. Im modernen Buddhismus begegnen uns an vielen Orten Modernisierungsbewegungen, so vor allem im japanischen Buddhismus. H. Dumoulin berichtet von Entmythologisierungstendenzen, d. h. von Uminterpretationen uralter traditioneller religiöser Anschauungsformen.[34] So wird z. B. das Paradies des Reinen Landes, von dem oben die Rede war, als Kunstgriff aufgefaßt für das Erfassen der Wirklichkeit. Die Lehre von der „Entstehung in Abhängigkeit" (paticca samuppāda) im alten Buddhismus wird als kosmische Verflochtenheit des Menschen aufgefaßt und sozial interpretiert, nämlich als Verbundenheit der ganzen Menschheit, die sittliche Verantwortung begründet.[35] Auch die Predigt Buddhas in Benares, in der die Idee des Leidens verkündet und interpretiert worden ist, wird dahin gedeutet, daß das Leiden, die Urvokabel des Buddhismus, überwunden werden soll im Individual- und Sozialleben durch Anstrengungen aller. Und das Nirvāna erscheint in dieser Deutung als Zustand vollkommener Herzensharmonie im zwischenmenschlichen Verkehr bis hin zum Weltfrieden. Der grundlegende Begriff der Unwissenheit (avijjā) wird als das Unbewußte im Sinne der modernen europäischen Tiefenpsychologie verstanden. Der „Durst" (tanhā) wird im Sinne der gleichen psychologischen Lehre als libido verstanden. Und der Kreislauf der Wiedergeburten (samsāra) wird durch das Unterbewußtsein und die Vererbung erklärt.[36] Im Zuge dieser Modernisierungsbestrebungen entsteht ein neues buddhistisches Leitbild, das Ideal eines neuen Menschen: die Buddha-Gläubigen sollen ihren Weltberuf erkennen, den neuen Humanismus zur Leitidee zu erheben.[37]

---

[33] Vgl. dazu in H. Dumoulin, Der Buddhismus der Gegenwart: H. Bechert, Der Buddhismus in Vietnam, S. 112; H. Bechert, Buddhismus, Staat und Gesellschaft in den Ländern des Theravāda-Buddhismus Bd. I, 1966, S. 38.

[34] Dumoulin, Buddhismus d. Gegenwart S. 139.

[35] Ebd. S. 144.

[36] Ebd. S. 163.

[37] Ebd. S. 136.

3. Durch die ganze buddhistische Welt gehen Erneuerungsbewegungen, die sowohl im Theravāda-Buddhismus wie z. B. in Ceylon als „moderne buddhistische Erweckungsbewegung" [38] als auch in den vielerlei Sekten des Mahāyāna auftreten. Wir können hier nur die Grundtendenzen im allgemeinen andeuten.

Aus diesen Erneuerungen des Buddhismus erwächst das Bestreben zur buddhistischen Weltmission. Auf dem VI. Weltkonzil des Buddhismus in Rangoon (1954—1956) wurde die These aufgestellt, daß nur durch den Buddhismus der westliche und kommunistische Fanatismus, der zum Kriege führt, abgewendet werden könne.

Ein weiteres charakteristisches Element dieser Erneuerungsbewegung ist weiter das Erwachen einer Laienfrömmigkeit. Der Buddhismus soll das gesamte Leben des Laien in Familie, Beruf und Gesellschaft durchdringen. Darum bemüht man sich besonders im modernen japanischen Buddhismus.[39] Auch in den Theravāda-Ländern sind Laien-Arbeitsbewegungen entstanden, z. B. die schon 1891 gegründete Mahābodhi-Gesellschaft, deren Hauptquartier in Kalkutta ist. Anpassung an die Zeitbedürfnisse wird vielenorts im Buddhismus verlangt, z. B. in Korea.[40]

Besonders deutlich tritt in all diesen Bewegungen des modernen Buddhismus die soziale Ausrichtung zutage. Buddha selbst wird hier als Sozialreformer aufgefaßt.[41] Laien und Mönche verbinden sich zum Sozialdienst. Vielfach liegt im Theravāda-Buddhismus auch eine politische Zielsetzung in solchen Bemühungen, wie z. B. in Vietnam. H. Bechert hat in seinem vorzüglichen Werk ›Buddhismus, Staat und Gesellschaft‹ (1966/67) ausführlich über diese politischen Tendenzen berichtet (I, 154 ff.; II, 95 ff.; 197 ff.; 236 ff.; 274 ff.; 305 ff.).

Endlich gehören hierher auch die vielenorts auftretenden ökumenischen Tendenzen. Man bemüht sich im Theravāda-Buddhismus um die buddhistische Ökumene. 1952 entstand eine „Weltvereinigung der Buddhisten" (World fellowship of Buddhists). Aber auch im Mahāyāna, z. B. Japans, ist das Interesse an einer Zusammenarbeit mit den Buddhisten aller Länder entstanden. So fanden seit 1953 umfassende Buddhistenkongresse aller Sekten in Japan statt.[42]

[38] Ebd. S. 63. — H. Bechert, Buddhismus Bd. I, S. 91 ff.; Bd. II, S. 54 ff.
[39] Dumoulin, a. a. O., S. 142.
[40] Ebd. S. 119.
[41] Ebd. S. 45.
[42] Ebd. S. 152.

4. Wir beobachteten eine Wendung zu den Diesseitsaufgaben, so welt-
flüchtig und weltverneinend der alte Buddhismus auch war. Die großen
mahāyānistischen Schulen Japans: Zen, Amida-Religion und der Nichirenismus dokumentieren je auf ihre Art die Tendenz zur Diesseitigkeit.
H. Dumoulin schreibt darüber, wie die drei Sekten diese Tendenz realisieren: „Zen durch die ihm eigentümliche Weltfreudigkeit, die Amida-
Schulen durch ihren leichten, dem Sünder zugänglichen Erlösungsweg für
alle, der Nichirenismus durch seine kraftvolle Volkstümlichkeit, die ihm
bei allen Ständen, bei den armen Fischern und Bauern auf dem Lande wie
unter der wohlhabenden Stadtbevölkerung, viel Anhang verschaffte." [43]
An dem Nichirenismus (nach Nichiren 1222—1282 genannt) aber, der sich
in der modernen Sekte Sōka Gakkai manifestiert, zeigt sich, zu welchen
abwegigen Formen fanatischer Glaube an die eigene Absolutheit führt.
Das Wort Sōka Gakkai heißt „Wissenschaftliche Vereinigung zum Werte-
schaffen". Wie schon bei Nichiren, auf den sich diese moderne Sekte beruft,
begegnen uns hier überaus aggressive Formen der Bekehrung. Das buddhistische Motiv des Mitleids wird hier dahin verstanden, daß man die
Irrenden auf den Weg der Wahrheit bringen solle, wobei auch Drohungen
bei den Bekehrungsbemühungen als legitim angesehen werden. [44] Daß ein
exklusives Absolutheitsbewußtsein zur Intoleranz führt, läßt sich an
diesem Beispiel deutlich erkennen.

5. Die neuen Religionen Japans seien hier besonders hervorgehoben;
denn in ihnen treten religiöse Tendenzen zutage, die aus der neuen
Situation der Einsamkeit des Menschen in der modernen Industriegesell-
schaft hervorgehen. Wir verweisen hier auf das vorzügliche Buch von
Werner Kohler ›Die Lotuslehre und die modernen Religionen in Japan‹
(Zürich 1962). Ohne auf Einzelheiten einzugehen, sei nur betont, daß wir
es in diesen neuen, aus verschiedenen religiösen Quellgebieten stammenden
Sekten und Religionen Japans zu tun haben mit Laienbewegungen, welche
auf ein neues Leben gerichtet sind und nicht um exklusive Lehrmeinungen
streiten. Es sind, wie Kohler sagt, Religionen der Hoffnung: „Die Hoffnung nimmt verschiedene Gestalten an. Nicht bei allen Bewegungen wird
die Hoffnung auf den Gründer oder die Gründerin (dieser Sekten) gesetzt.
Aber den meisten gemeinsam ist die Hoffnung auf ein Reich der Gerechtigkeit, des Friedens und der Freude hier und jetzt auf dieser Erde. Mit dieser

[43] Ebd. S. 141.
[44] Ebd. S. 177 ff.

Hoffnung sind sehr verschiedenartige 'Zeichen' und 'Zeugnisse' verbunden, die auf eine bessere Zukunft hinweisen." [45]

6. Über den Kontakt mit Buddhisten in den verschiedenen Ländern hinaus gehen die Tendenzen auf einen Dialog mit den Weltreligionen. Das bedeutet aber zugleich, daß eine uralte, dem Buddhismus eigentümliche Tendenz wiederaufgenommen wird, nämlich die Toleranz. Ein japanischer Gelehrter, Hajime Nakamura (Tokyo), schreibt [46]: „Seit frühester Zeit ist Toleranz ein besonderes Merkmal des Buddhismus. Der Gedanke, daß wir in geistigen Dingen blinden Asketen gleichen, die in der Dunkelheit miteinander streiten, verträgt sich nicht mit einem engstirnigen Fanatismus. Der Buddhismus suchte zur Wahrheit zu kommen, nicht indem er entgegengesetzte Meinungen ausschloß, sondern indem er diese als eine andere Form der Wahrheit einschloß." „Der Buddhismus hat immer andere Glaubensbekenntnisse respektiert und nie versucht, sie durch Gewalt zu verdrängen." Wir stoßen hier zum Abschluß dieser Skizze auf ein Motiv, das, wie die anderen zuvor genannten, m. E. geeignet sein dürfte, Anregungen zu bieten für eine theologische Selbstbesinnung und eine Auseinandersetzung mit der religiösen Weltmacht des Fernen Ostens, dem Buddhismus.

II. Der Hinduismus

Wir stellen unserer Untersuchung wieder eine kurzgefaßte Definition des Hinduismus voran. Unter Hinduismus versteht man formal ausgedrückt die nachbuddhistische Religionswelt Indiens. Dabei kann man, wie es J. Gonda [47] tut, einen älteren und einen jüngeren Hinduismus unterscheiden. Gleichwohl ist mit dem Begriff Hinduismus nicht eine einzelne Religion bezeichnet, vielmehr ist er primär eine soziologische Kategorie; denn er bezieht sich auf den gesellschaftlichen Rahmen, innerhalb dessen sich alles Leben, das weithin religiös bestimmt ist, abspielt. Dieser Rahmen ist die Kastenordnung, die der Lebensraum des Hindu auch heute noch ist. Zum Hinduismus gehört, wer als Hindu in einer Kaste geboren wird, wobei ihm jede religiöse Glaubensmöglichkeit offensteht. Der Hinduismus selbst versteht sich als „sanātana dharma", d. h. als „ewiges Gesetz", worunter man sowohl die Sollensgesetze der religiösen Riten und der

[45] W. Kohler, a. a. O., S. 15.
[46] Dumoulin S. 12.
[47] J. Gonda, Die Religionen Indiens, I. 1960; II. 1963.

ethischen Gebote versteht als auch die Seinsgesetze des Kosmos. Menschen-
und Naturwelt werden vom Dharma bestimmt. Abgesehen von der Zugehörigkeit zu einer Kaste ist Bedingung für die Existenz als Hindu die
Erfüllung jenes Teiles des Dharma, der als sittliche, soziale und kultische
Pflicht den Angehörigen der jeweiligen Kaste auferlegt ist. Jede Kaste hat
ihren eigenen Dharma (svadharma). Sodann muß der Vorrang der Brahmanen als Priesterstand anerkannt werden sowie die Autorität des Veda
als göttlicher Offenbarung. Das Hindutum ist also ohne bestimmtes
Glaubensbekenntnis. Es haben in ihm viele Glaubensrichtungen Platz.

Wir haben an anderer Stelle[48] ausführlich über Ursprung, Struktur und
Entwicklung der Kastenordnung gesprochen, worauf hier hingewiesen sei.

Die oben der Erörterung des Buddhismus vorangestellte Darstellung der
vorbuddhistischen brahmanischen Tradition, d. h. die Lehre vom Ātman,
vom Samsāra und vom Karma, setzt sich im Hinduismus fort, und obwohl
im Hinduismus als Volksreligion die ganze vedische Götterwelt fortlebt,
treten doch drei Gottheiten in jeweils eigenen Gemeinden hervor: der alt-
vedische, aber nun in seiner religiösen Wertung seitens seiner Gläubigen
unendlich vertiefte Gott Vishnu, daneben der ebenfalls aus dem Veda
stammende und religiös gewandelte Gott Rudra-Shiva mit seiner Gemahl-
lin Kali. Wir können auf die Mythologie dieser Gottesgestalten hier nicht
zu sprechen kommen.[49] Das Neue, das sich hier herausbildete, besteht darin,
daß ein neues, bisher in der indischen Religionsgeschichte unbekanntes Verhältnis zu jeweils *einer Gottheit* eingenommen wird, die Liebe (bhakti). Sie
gilt jeweils *einer Gottheit*, die nun ihrerseits eine gnädige Gottheit ist, die
erlösend und heilstiftend wirkt. Von diesen Wesenselementen des Hinduismus werden wir im folgenden sprechen.

A. Verbindungslinien zur biblischen Religion

Wir finden Verbindungslinien zur biblischen Religion einerseits auf
dem Gebiete der Gotteserkenntnis und andererseits im Bereiche der Heilserwartung.

1. Gotteserkenntnis. Obwohl im Volksglauben Indiens die Verehrung
zahlreicher altvedischer Götter bis in die Gegenwart hinein lebendig ge-

---

[48] G. Mensching, Soziologie der großen Religionen, 1966. S. 80 ff.
[49] J. Gonda, a. a. O., I. S. 80 ff.

blieben ist, entstanden um den Beginn der christlichen Zeitrechnung in den letzten vor- und den ersten nachchristlichen Jahrhunderten monotheistische Glaubensgemeinschaften, deren jede einen Gott als höchsten und alleinigen verehrt. In seiner Schrift ›Vishnu Nārāyana‹ (1923) hat Rudolf Otto aus der Brihad-Brahma-Samhitā (4, 8) einen Text übersetzt, in dem die Idee der „Einspitzigkeit", d. h. die Allein- und Höchstverehrung Vishnus ausgesprochen und interpretiert ist. Wir zitieren aus diesem Text:

Einspitzig ist, wer in der Welt von unten an bis oben aus . . .
Nicht Tieren, Menschen, Göttern nicht des Höchsten Ehre überträgt.
Er kennt nicht anderer Götter Dienst, Gelübde, Anruf oder Schau,
Fragt nicht nach ihrer Frucht, trägt nicht der andern Siegel oder Tracht . . .
Kennt anderer Götter Ritual und andere heilige Bräuche nicht,
Als nur allein Nārāyanas, des einzigen Schutzherrn aller Welt.[50]

In analoger Weise richtet der Shaiva seine Andacht auf den einen und eigenen Gott Shiva. In südindischen Volksliedern[51] stoßen wir auf folgende Worte:

His sole desire is God. His every sense
Must turn to that great One and clasp but Him.
There is no real but He — the One that fills
All space.
There is but One in all the world none else.
That one is God, the Lord of all that is,
He never had beginning, never hath an end.

Gotteserkenntnis ist sowohl innerhalb der impersonalen Mystik als auch im Bereiche der persönlichen Frömmigkeit etwas Irrationales, das nicht mit rationaler Erkenntnis identisch ist.[52]

In der Auseinandersetzung des Rāmānuja (1050—1137) mit dem um 800 lebenden großen Kommentator Shankara, dem Vertreter der imperso-

---

[50] R. Otto, Vishnu Nārāyana, 1923. S. 41 f.
[51] The Folk-Songs of Southern India by Ch. E. Gover. Tiruneveli, Madras, 1959. S. 172.
[52] Kena-Upanishad 2, 10: „Nur wer es nicht kennt, kennt es. Wer es erkennt, der weiß es nicht. Nicht erkannt vom Erkennenden, erkannt vom Nichterkennen-

nalen Advaita-Mystik, erleben wir das Ringen um einen persönlichen Gott. Rāmānuja war ein Neuerwecker der Bhakti-Frömmigkeit, ein Brahmane aus dem tamulischen Süden Indiens, ein Philosoph der Gottesmystik.[53] Rudolf Otto hat diesen Gegensatz zwischen Rāmānuja und Shankara in folgenden Worten zum Ausdruck gebracht: „Zwei ganz Große ringen hier miteinander in Shankara und Rāmānuja, die nur ihre Rollenführer sind: jenes fast unheimlich großartige, weltenaufhebende, letzten Endes irrationale, unfaßliche, undefinierbare Alleins theopanistischer Mystik ringt mit dem Herrn, dem fühlenden, wollenden, persönlichen, rationalen, liebenden und geliebten Gott des Herzens und Gewissens."[54] In seinem Kommentar zu den Vedānta-Sūtras des Bādarāyana interpretiert Rāmānuja das höchste Brahman als eigenschaftbegabtes Schöpferwesen: „Solche Texte lehren, das höchste Brahman als seinem Wesen nach frei von jeder Spur eines Fehlers, im Besitze aller edlen Eigenschaften, sein Schöpferspiel treibend in Weltschöpfung, Erhaltung und Zurückziehung, in ihrer Durchdringung und Beherrschung."[55] Das höchste Brahman ist in dieser Deutung der persönliche Heilandgott Vishnu.[56] So verschmilzt „der einzige Gott Ishvara", „der Herr", „teils mit dem Brahma, dem persönlich aufgefaßten Weltprinzip der Upanishaden, teils mit dem Vishnu des Mythus und des Kultes, Dieser thront in himmlischem Glanze mit seiner Gemahlin Lakshmi zur Seite, wird aber auf Erden in verschiedenen Gestalten und unter verschiedenen Namen verehrt."[57]

den." In der Isha-Upanishad heißt es (10 f.): „Anders als wozu führt Wissen und wozu führt Nichtwissen ist's (das Absolute) ... Wer das Wissen und das Nichtwissen beide (als unzulänglich) weiß, der überschreitet den Tod und hat Unsterblichkeit." Dazu vgl. die Formula concordiae: „Was für ein großes Unglück dieses (Unheil der Sünde) sei, ist mit Worten wahrlich unausdrückbar, noch durch die Schärfe der menschlichen Vernunft zu erforschen, sondern es kann nur durch das offenbare Wort erkannt werden." Ähnlich Luther (E. A. 12, 383): die Vernunft ist „blind und tot", „darum kann sie sich auch nicht nach göttlichen Dingen sehnen, noch sie begehren".

[53] A. Hohenberger, Rāmānuja, ein Philosoph indischer Gottesmystik, 1960; J. Gonda, Die Religionen Indiens II. 1963. S. 136.
[54] R. Otto, Siddhānta des Rāmānuja, 1917, S. 2.
[55] Ebd. S. 85.
[56] Ebd. S. 87.
[57] H. Ringgren, A. V. Ström, Die Religionen der Völker, 1959, S. 236.

In südindischen Volksliedern wendet man sich mit Entschiedenheit gegen die rein rituelle Religion wie vor allem auch gegen die in Indien so weit verbreitete Idololatrie: "Oh Soul! What good can Ganges give? Can water cleanse, or thinking long on God? When still thy feet choose sin, and merit springs not from deeds." Und an anderer Stelle heißt es:

> God, supreme an great,
> Dwells not in mortal flesh, nor hath He frame
> Of substance elemental. He is not
> Confined in what the simple call a God.

Diejenigen, die irdische Gegenstände für Gott halten, werden in die Hölle verbannt:

> Who teach that copper, stones, or wood
> Are Gods, and also those who follow them,
> Shall never reach the blessed home,
> But perish in the seven dark hells.[58]

Wahre Gottesverehrung sind „Blumen" in Gestalt von Genügsamkeit, Gerechtigkeit und Weisheit.[59]

2. Heilserwartung. Der spätere Nachfolger und Ausleger des Rāmānuja, Pillai Lokacārya, wurde 1213 geboren. Er lehrte in Südindien und verfaßte eine Schrift ›Fünf Hauptstücke‹ (artha-pancaka). Rudolf Otto hat diese Schrift ins Deutsche übersetzt.[60] Man könnte diese fünf Hauptstücke durchgehen und fände in ihnen allen deutliche Verbindungslinien zur biblischen Religion; denn diese Hauptstücke (Artikel einer Heilslehre) handeln von der Seele, von dem „Herren", dem Heilsmittel, der Frucht und den Heilshindernissen. Wir verzichten auf eine Einzelanalyse und heben nur ein Moment aus dem 5. Abschnitt über Heilshindernisse hervor. Ein wesentlichstes Hindernis ist danach: „anderen Gottheiten als Bhagavant (Vishnu) die göttliche Höchstheit beilegen, sie für Heilande halten, sie Ishvara (Vishnu) gleichsetzen, Bhagavants Inkarnationen (Rāma und

---

[58] The Folk-Songs of Southern India by Ch. E. Gover, 1959, S. 31. 159.

[59] "If thou wouldst worship in the noblest way bring flowers in thy hand. Their names are these: contentment, justice, wisdom. Offer them to that great Essence—then thou servest God." Folk-Songs s. 150.

[60] R. Otto, Vishnu Nārāyana S. 140 ff.

Krishna) für bloße Menschen halten, in seinen ārcas (Kultobjekt oder Gottesbild) auch das Material des Gottesbildes verehren ... sie für īshvaralos zu halten."[61] Dieser Text drückt eine gewisse Absolutsetzung des Vishnuglaubens aus und wehrt sowohl die kritische Wertung der menschlichen Vishnu-Inkarnationen (avatāras) als bloße Menschen wie die Verehrung des toten Materials, aus dem die Vishnubilder bestehen, ab, statt sich zu richten auf das Gemeinte, auf Vishnu selbst, den Herren (īshvara) in seiner im Kultbild gegenwärtigen geistigen Wirklichkeit.[62]

Wir wollen nun eine Reihe von Elementen des Vishnu- bzw. Shiva-glaubens in aller gebotenen Kürze hervorheben, in denen sich weitere Verbindungslinien zum biblischen Glauben feststellen lassen.

a) Die Vishnu-Religion ist eine Erlösungsreligion, also eine heilstiftende, Unheil aufhebende Religion. Dieses Unheil aber wird beschrieben als eine Art von Urabfall von Vishnu. Die Antwort auf die im jenseitigen Gericht gestellte Frage nach dem Grunde so vieler unheilvoller Wiedergeburten in der Vergangenheit lautet: „Weil ich die Zugehörigkeit zu dir (Vishnu) verlassen hatte, weil ich Tor den Leib zum Ich machte, weil ich dich nicht wußte in mir wohnend."[62]

b) Alle Gebete und Hymnen, die sich an Vishnu oder Shiva wenden, sind erfüllt von dem Wunsche nach der *Gnade der Gottheit*. Ramalingam (1823—1874) war ein südindischer Prophet der göttlichen Gnade. Eines seiner Gebete an Shiva lautet[63]: „Allwissender Herr, warum, oh, warum verzögerst du deine Gnade? Mein Herz ist geschwollen mit Weinen um deine Gnade ... oh Geliebter, rühren meine unaufhörlichen Anrufe nicht dein Herz? Wenn du, meine einzige Zuflucht, gleichgültig gegen mich bist, wohin soll ich dann gehen?" Aber in gleicher Weise wendet sich der Vishnugläubige an Vishnu mit folgendem Gebet[64]:

> Oh Vishnu, who can save like thee? So great thy help and free!
> Chor: If Hari (Vishnu) be not mine,
> Who else can help or see?
> O Hari, grace and strenghth are thine.
> Be ever near to me.

[61] Ebd. S. 154.
[62] Ebd., Brihad Brahma Samhitā 3, 6, 26; R. Otto, S. 65.
[63] Siddhananta Bharathiar, Saint Ramalingam, Madras, S. 13.
[64] Folk-Songs S. 30.

c) Der Liebe der Gottheit entspricht auf der Seite des Menschen die Liebe zu Gott, die Bhakti, die in diesen Gnadenreligionen Indiens eine dominierende Bedeutung hat. Schon in der Bhagavadgītā wird die Bhakti gepriesen als die Form der Gottesbeziehung, der gegenüber auch die Sünde verblaßt: „Ja, selbst wenn jemand üblen Wandels wäre, mir (Vishnu) aber mit ungeteilter Bhakti anhinge, so hätte er doch als fromm zu gelten, denn durch die Bhakti ist er ein Mensch rechten Entschlusses geworden." [65] Wir haben hier eine Parallele zu der christlichen „iustificatio per fidem"; denn auch Shankara äußert sich folgendermaßen zu dieser Bhagavadgītā-Stelle: „Wie ist das möglich? Deswegen, weil seine feste Zuversicht in dem Glauben, den nicht alle erlangen können (weil er ein Geschenk der Gnade ist) besteht: 'Der Herr allein ist Ursache und Lenker der Welt, mein höchster Herr, mein Meister, mein Freund und mein höchstes Heil'. Solch ein glaubender Mensch ist in der Tat hinfort ein guter und gerechter." [66]

Die Liebe aber zu Gott wirkt sich aus in der Liebe zum Nächsten. Auch in der Bhakti-Religion weiß man, daß derjenige, der Vishnu gefunden hat und zu seinem Heil gelangt ist, ein neues und anderes Verhältnis zur Welt und insbesondere zu seinen Mitmenschen hat als zuvor.[67] Das ist die mitleidsvolle und liebende Einstellung zu allen lebenden Wesen.[68] Diese Einstellung findet sich im Shivaglauben wie im Vishnu-Kult.

---

[65] Bhagavadgītā IX, 30.

[66] R. Otto, Indiens Gnadenreligionen und das Christentum, 1930, S. 67.

[67] Ebd. S. 55. Nanjiyar, einer der Gottessänger, der Alvars, sagt: „Es gibt ein Zeichen, daran man erkennen kann, ob ein Mensch fromm ist oder nicht. Wenn nämlich einen anderen ein Übel befällt, so achte darauf, ob dein Herz von Mitleid zu ihm bewegt wird oder nicht ... Im ersten Falle können wir gewiß sein, daß wir mit Gott verbunden sind, im letzteren, daß wir von ihm verworfen sind." Ebd.

[68] "That grace is obtained by the exercise of kindness to all living beings, nonattachment to things / worldly, and unchanging love of Sivam." Nagasvami Ayyar, The teachings of St. Ramalingar. Published by Samarasa sanmarga sangam. Tirunelveli (Südindien), S. 4. — Glaubensbekenntnis ohne Treue ist wertlos: "The creed and prayers may both be right, but see that truth marks every plan." Folk-Songs S. 265. Im Zusammenhang der Erörterung der Auswirkung der Gottesliebe sind auch die sozialen Impulse zu nennen, wie sie z. B. in der Landschenkungsaktion Vinoba Bhaves (geb. 1895) sich zeigen: J. Gonda, Religionen Indiens II, 326 f.

d) Wie in jeder Gnadenreligion treten auch in diesen beiden Religionen typische Spannungen auf zwischen Synergismus und Monergismus, zwischen Werkfrömmigkeit und reiner Gnadenreligion. Im 13. Jahrhundert trat in den Rāmānuja-Gemeinden, d. h. bei den Rāmānujīyas, eine Spaltung ein, die sich typischerweise an der Frage nach dem Heilserwerb (durch Gnade oder unter Mitwirkung des Menschen) entwickelte. Hier liegt eine erstaunliche Parallele vor zur katholisch-protestantischen Spaltung und Spannung, also zur christlichen Konfessionsbildung. Die Tenkalais (Südschule) sind die Vertreter der reinen Gnadenlehre gegenüber dem Synergismus der Vadakalais (Nordschule). Ihre Lehrunterschiede nähern sich sehr dem Gegensatz von Katholizismus und Protestantismus. Man hat die beiden divergenten Heilswege bildhaft dadurch umschrieben, daß man von dem „Katzenweg" der Tenkalais sprach; denn die Katze rettet ihr Junges dadurch, daß sie es im Maule fortträgt ohne dessen Mitwirkung. Auf der anderen Seite spricht man vom „Affenweg" der Vadakalais; denn das Affenjunge schlingt seine Arme um die Mutter, die es rettet unter Mitwirkung ihres Jungen. Eine genauere Differenzierung findet sich in den ›Achtzehn Unterschieden‹, die Rudolf Otto in seinem Buch ›Vishnu Nārāyana‹ in Übersetzung wiedergegeben hat.[69]

e) Diese typische Spannung zwischen Monergismus und Synergismus stellt sich in Indien in einer besonderen Form dar, nämlich als Gegensatz von Karma und Gnade; denn nach dem oben erörterten Karma-Gesetz wird nicht nur das Schicksal des Menschen im nächsten Leben durch die eigenen Werke des vergangenen Lebens bestimmt, sondern auch seine Neigungen und Möglichkeiten, seine Dispositionen werden durch das Karma hervorgebracht, die natürlich weitgehend die Lebensführung der nächsten Existenz bestimmen. Der Mensch ist weitgehend Erbe seines früheren Daseins. Daher ist die Frage begreiflich, wie in einem solchen fest zusammengefügten Kausalzusammenhang die Gnade eine Rolle spielen kann. Darüber haben die Denker der Gnadenreligionen nachgedacht und sind zu folgendem Ergebnis gekommen: man ist einerseits der Meinung, daß das Karmagesetz unveränderlich ist.[70] Der Mensch ist danach Architekt auch seines eigenen Charakters. Die Sammlung von Verdiensten oder Fehlern bestimmt das kommende Dasein. Dennoch heißt

---

[69] R. Otto, Vishnu Nārāyana S. 160 ff. — R. Otto, Indiens Gnadenreligionen S. 38.

[70] Ramalingam, Karma and Grace, 1968. S. 5.

es, daß das Gesetz des Karma den freien Willen voraussetzt.[71] Angesichts dieses Sachverhaltes wird nun die Frage gestellt: "What is the place of grace or God if the law of karma functions unalterably?" Die Haltung, die angesichts dessen gefordert wird ist: "to be in dedicated service of the Lord".[72] Von hier aus versteht man, daß also ein wesentliches Heilsanliegen darin besteht, die Beseitigung der Wirkung vergangener Taten zu erreichen. Der Vorrat an Taten der früheren Existenz wird nämlich durch die Gnade Shivas verbrannt.[73]

f) Als letztes Moment sei in diesem Zusammenhang auf die geglaubte Immanenz der Gottheit im Menschen hingewiesen. Bei Rāmānuja und auch sonst bereits in der Bhagavadgītā wird Gott als der „innere Lenker" (antaryāmin) bezeichnet.[74] Man wird hier an die christliche Lehre von der göttlichen Immanenz im Herzen erinnert, an das „opus spiritus sancti in cordibus".

B. Anregungen für die Theologie

Aus dem Erscheinungskomplex des Hinduismus heben wir eine Reihe von Punkten in gebotener Kürze hervor, die unserer Ansicht nach Anlaß und Anregung sein könnten für theologische Selbstbesinnung.

1. Wir sprachen oben von Erneuerungsbewegungen im Buddhismus. Auch im Hinduismus sind bereits im vorigen Jahrhundert solche Erneuerungsbewegungen entstanden, die bis in die Gegenwart hinein wirken. Im Jahre 1875 erfolgte die Gründung der sog. Ārya Samāj (Arier-Vereinigung) durch den 1824 geborenen Dayānand Sarasvatī. Das Ziel dieser Gründung war, die indische Religion in ihrer angeblich ursprünglichen monotheistischen Form wiederherzustellen und alle im Laufe der Zeit ein-

[71] Ebd. S. 5: "The Law of Karma presupposes the freeedom of will."

[72] Ebd. S. 7.

[73] Diese Vorstellungen werden folgendermaßen zusammengefaßt: "The sum up, past karma is struck off by the grace of the Lord. Present karma is lived through without its poignancy. Future karma ist set at naught by giving up the sense of agency and resigning to the will of the Lord." S. 8. Ebd.

[74] Aber in der Brihadāranyaka-Upanishad findet sich bereits diese Idee, wenn es 3, 7, 15 heißt: „Der, in allen Wesen wohnend, von allen Menschen verschieden ist, den alle Wesen nicht kennen, dessen Leib alle Wesen sind, der alle Wesen innerlich regiert, der ist deine Seele (ātman) der innere Lenker (antaryāmin), der unsterbliche."

getretenen Entstellungen, wozu auch der Polytheismus gerechnet wird, zu beseitigen. Eine Reformbewegung von nachhaltigem Einfluß ist auch der von Ram Mohan Roy (1772—1833) gegründete Brahmo-Samāj (Brahma-Vereinigung), deren Absicht eine Verlebendigung des Hinduismus durch Ausschaltung alten Aberglaubens, des Polytheismus zugunsten eines versittlichen Monotheismus, durch Überwindung der kastenmäßig begründeten sozialen Ungerechtigkeiten ist.[75]

Daß der Hinduismus eine Religion ist, in der immer wieder erneuernde Bestrebungen der Selbstkritik entstehen, dafür ist die Persönlichkeit S. Radhakrishnans in der Gegenwart ein lebendiges und eindrucksvolles Beispiel; denn er vertritt einen Neohinduismus, indem er einerseits bemüht ist, den Kontakt mit der großen religiösen Tradition Indiens aufrechtzuhalten durch Vermittlung und Interpretation heiliger Schriften, wie z. B. durch deren Übersetzung (ins Englische) und Kommentierung der Bhagavadgītā. Andererseits ist Radhakrishnan bestrebt, moderne religionswissenschaftliche Erkenntnisse im Hinduismus theoretisch und praktisch zur Geltung zu bringen. In seiner Schrift ›Religion in Ost und West‹ (East and West in Religion, 1933) gibt Radhakrishnan eine sehr einleuchtende Auseinandersetzung mit auch bei uns immer wieder auftretenden typischen Einwänden der Orthodoxie gegen moderne Religionswissenschaft. Er vertritt hier, um nur einige Punkte hervorzuheben, die Forderung der größtmöglichen Objektivität auch den fremden Religionen gegenüber. Dem Einwand, ob eine solche Einstellung nicht der doch notwendigen Parteinahme für die eigene Religion im Wege stehe, begegnet Radhakrishnan mit folgendem Argument: „Wahrheit ist höher als jede Religion und eine wahrhaft wissenschaftliche Haltung in diesen Dingen erbringt einen Gewinn, der weitaus größer ist als jeder mögliche Verlust, den die Forschung von vornherein einschließt." Die vergleichende Religionsforschung setzt bei den zu vergleichenden Religionen eine letzte Gleichheit voraus. Aber widerspricht das nicht dem Absolutheitsanspruch der eigenen Religion?

Demgegenüber sagt Radhakrishnan: die Anerkennung letzter Gleichheit schließe die Anerkennung von Unterschieden nicht aus: „Das Licht der absoluten Wahrheit wird gebrochen, da es durch das verzerrende Medium der menschlichen Natur geht." Deshalb ist für ihn keine Ausdrucksform

---

[75] Y. Sahae, Brahma Samāj und Arya-Samāj, ihre Entwicklung und ihre Stellung zur Autorität der hl. Schriften. Diss. Bonn 1964.

und Lehre der Religion endgültig und absolut verbindlich. Unhaltbar ist für Radhakrishnan deshalb auch die Unterscheidung zwischen wahren und falschen Religionen auf Grund der Ergebnisse der Religionswissenschaft. Man könne nur von lebendigen und toten Religionen reden.

2. Mit diesen Anschauungen kommen wir bereits zu einem weiteren wichtigen Moment, das erwägenswert sein dürfte, nämlich zu der Frage nach der Wahrheit in den Religionen. Der Hinduismus, besonders auch in seinen jüngsten Vertretern, lehrt, daß allenthalben in den verschiedenen Religionen letzte Wahrheit vorhanden ist, die jedoch nicht in der Übereinstimmung rationaler Glaubenslehren besteht, sondern im Kontakt mit dem Absoluten. Das Buddha-Gleichnis von den Blindgeborenen und dem Elefanten, in dem erzählt wird, daß sechs Blinde um einen Elefanten herumgestellt werden, die ihn berühren mußten, um den Elefanten dann und daraufhin zu beschreiben, und die nur die jeweils von ihnen berührten Körperteile des Elefanten für die Gesamtgestalt des Elefanten halten, wird auch im Hinduismus angewandt auf die divergierenden Einstellungen der Religionen, die indessen doch alle Kontakt mit dem Absoluten haben, wie die Blinden mit dem die göttliche Wirklichkeit symbolisierenden Elefanten. In einem südindischen Texte heißt es:

> Six blind men once described an elephant
> That stood before them all ...
> Just so the six religions learned of God,
> And tell their wondrous tales. Our God is one.[76]

Wo man der Überzeugung ist, daß in allen Religionen eine letzte Einheit vorhanden ist und der Kontakt mit ihr die Wahrheit der Religion bedeutet, da ist die notwendige Konsequenz die Toleranz im inhaltlichen Sinne der Anerkennung fremder Religion als echter Möglichkeit der Begegnung mit dem Heiligen. Solche Toleranz ist im Hinduismus in besonderem Maße als Lehre und Praxis vorhanden.

3. Wir haben anderen Orts die Idee der Toleranz im allgemeinen und auch die des Hinduismus im besonderen erörtert.[77] Die dort von mir von formaler Toleranz im Sinne bloßer Duldung unterschiedene inhaltliche Toleranz ist hier im Hinduismus in aller Reinheit gegeben. Sie gründet

---

[76] Folk-Songs S. 160.
[77] G. Mensching, Toleranz und Wahrheit in der Religion, 1955. S. 64 ff.

sich auf die typisch mystische Erkenntnis, daß Religionen nicht in rationalen Erkenntnissen ihre Wahrheit haben, sondern darin, daß sie Begegnung mit göttlicher personaler oder impersonaler Wirklichkeit vermitteln und von ihr zeugen. Die zahlreichen Götter Indiens sind für den indischen Mystiker nur verschiedene Namen für ein identisches göttliches Sein. Von hier aus ist verständlich, daß die Haltung der Hindus fremden Religionen gegenüber nicht an der Wahrheit der Lehre orientiert ist, wie in den vorwiegend intoleranten prophetischen Religionen, sondern an der rituellen Reinheit. So kann man hier also die verschiedenen Religionen als gleich wahr anerkennen, weil ja ihre Wahrheit in der Möglichkeit oder Tatsächlichkeit der Begegnung mit heiliger Wirklichkeit liegt und nicht in dogmatischen Anschauungen, für die man im Christentum Kriege geführt hat. Wir zitieren noch einmal Radhakrishnan: „Glaube bedeutet für den Hindu nicht Dogmatismus. Er wittert nicht bei jenen Häresie, die nicht ganz seiner Meinung sind. Nicht die Frömmigkeit führt zu selbstsicherer Leidenschaft, sondern ein beschränkter Horizont, Härte und Mitleidlosigkeit."[78]

Die Mannigfaltigkeit der Religionen entspricht nach der Auffassung der Hindus der Verschiedenheit der Menschen. So sagte z. B. Rabindranath Tagore: „Können die verschiedenen Religionen nicht ihr verschiedenes Licht leuchten lassen für die verschiedenen Welten von Seelen, die es brauchen?" Und an anderer Stelle heißt es: „Wenn je eine solche Katastrophe über die Menschheit hereinbrechen sollte, daß eine einzige Religion alles überschwemmte, dann müßte Gott für eine zweite Arche Noah sorgen, um seine Geschöpfe vor seelischer Vernichtung zu retten."

Toleranz im religiösen Bereich — das ist es, was Indien lehren kann, und was der erste Inder, der 1893 auf dem Weltkongreß der Religionen im Abendland, in Chicago, öffentlich das Wort ergriff, Vivekānanda, die Welt lehren wollte: die Einheit der Religionen: „Daher scheinen alle Religionen, vom primitiven Fetischismus bis zum höchsten Gottesabsolutismus, verschiedenartige Versuche der menschlichen Seele zu sein, das Unendliche zu erfassen und mit ihm eins zu werden." „Wo immer den Göttern Lieder gesungen wurden, war das Wesen, das man verehrte, immer dasselbe; der Wahrnehmende allein machte den Unterschied ... Manche werden überrascht sein zu hören, daß Indien das einzige Land ist,

[78] S. Radhakrishnan, Die Gemeinschaft der Geistes, o. J., S. 329.

in dem es keine religiösen Verfolgungen gegeben hat, noch irgend jemand seines Glaubens halber beunruhigt wurde." Wir schließen diese Betrachtung mit einem Worte Radhakrishnans, das zugleich den Blick in die Weite der heutigen technisierten und rationalisierten Welt und auf die Bedeutung der Toleranz in ihr richtet: „Unbewußt vielleicht nehmen Achtung vor fremden Standpunkten, Würdigung der Schätze anderer Kulturen und gegenseitiges Vertrauen auf selbstlose Beweggründe zu. Wir erkennen allmählich, daß Gläubige mit verschiedenen Meinungen und Überzeugungen einander bedürfen, um die größere Synthese herauszuarbeiten, die allein die geistige Grundlage für eine Welt schaffen kann, welche durch den technischen Scharfsinn des Menschen zu inniger Einheit zusammengefügt worden ist."

ERNST DAMMANN

„PRIMITIVE" RELIGIONEN DER GEGENWART

Das Anführungszeichen ist bewußt in die Überschrift hineingesetzt worden, da das Wort primitiv heute meistens in abwertendem Sinne gebraucht wird. Es bedarf keines Beweises, daß ein solches Verständnis in der Religionsgeschichte unstatthaft ist. Man kann hier das Wort primitiv benutzen, wenn man es entsprechend seiner Etymologie als „ursprünglich, ursprungsnah" versteht. Primitive Religionen wären demnach Religionen, die nach dem jetzigen Stande unserer Wissenschaft dem Anfang der Religion näher stehen als andere Religionsformen, die wir bisweilen als Hochreligionen bezeichnen. Dadurch wird nicht behauptet, daß sich die Religionen auf der Welt von einem niedrigeren zu einem höheren Stande entwickelt haben. Ebensowenig wird hiermit etwas über den Ursprung der Religion ausgesagt. Ob diese sich im Laufe der Menschheitsgeschichte unter bestimmten Bedingungen entfaltet hat oder ob am Anfang eine göttliche Offenbarung stand, kann nicht durch eine wissenschaftliche Untersuchung geklärt werden. Hier Entscheidungen zu treffen, ist Sache des Glaubens oder der Weltanschauung.

Nicht minder mißverständlich sind andere Bezeichnungen. Wenn man von „Naturreligionen" spricht, liegt die Gefahr nahe, daß man die Natur oder Wesenheiten in ihr als Objekte der Verehrung ansieht. Der aus dem Englischen übernommene Ausdruck „traditionelle Religionen" müßte auch zunächst im Sinne der Primitivreligion interpretiert werden, da in *jeder Religion* das Moment der Tradition eine große Rolle spielt. Und wenn man von der Religion schriftloser Völker spricht,[1] so ist damit *ein Merkmal* der hier zu behandelnden Religionen angezeigt, das aber für den Inhalt nichts besagt. Im übrigen kann man heute im Zuge der Alphabetisierung kaum noch von schriftlosen Völkern sprechen.

[1] Vgl. z. B. C. Meinhof, Religionen der schriftlosen Völker Afrikas, Tübingen 1913.

Wenn somit zwar eine alles umfassende Benennung fehlt, so lassen sich doch einige allgemeine Merkmale für „primitive Religionen" aufstellen. Es gibt in ihnen keine geschriebene Urkunde. Auch wo sich eine Schrift entwickelt hat, finden wir keine Darstellung der Religion. Sie wird nach oft uralter Tradition praktiziert, es wird aber nicht über sie reflektiert. Was zum Wissen und zum rechten Verhalten nötig ist, wird mündlich überliefert. Infolgedessen entfällt auch eine in dogmatische Loci gegliederte Lehre. Ebensowenig weiß man von einem Stifter oder von „Theologen", die in diesen Religionen schöpferisch oder gestaltend gewirkt hätten.

„Primitive" Religionen gibt es in ursprünglicher Form in allen Erdteilen außerhalb Europas.[2] Obwohl jeder Stamm seine Religion besaß oder noch besitzt und die Religionen von zwei Stämmen schwerlich deckungsgleich sind, so gibt es doch viel Gemeinsames oder Ähnliches, das die „primitiven" Religionen von anderen Religionen unterscheidet und sie als eine gewisse Einheit erscheinen läßt.

Die Religion der „Primitiven" kann nicht von der Magie getrennt werden. Diese liegt in der magischen Anschauung begründet, die den Naturvölkern eigen ist. In deren Welt ist grundsätzlich *alles möglich und zu verwirklichen*, sofern man die Gesetze der Magie kennt und anwendet. Es „ist hier alles auf die Automatik der Wirkung einer bestimmten Art des Handelns eingestellt. Bedingt ist solche Wirkung durch die der Handlung immanente Kraft".[3] Wenn man auch in der Theologie, zumal auf katholischer Seite, streng zwischen Religion und Magie trennt, ist dies bei der Darstellung „primitiver" Religionen nicht möglich. Beide sind so eng miteinander verbunden, daß eine getrennte Darstellung der Wirklichkeit nicht gerecht werden würde.

1. Erscheinungsformen der „primitiven" Religionen

Der Mensch fühlt sich als Objekt gegenüber unpersönlichen Kräften und persönlichen Wesenheiten.

[2] Vgl. in dem Sammelwerk ›Die Religionen der Menschheit‹ die bisher erschienenen Bände 3 (Nordeurasien und amerikanische Arktis), 5_1 (Indonesien), 5_2 (Australien und Südsee), 6 (Afrika), 7 (altes Amerika), 13 (Indien), 20 (Tibet und Mongolei).

[3] A. Bertholet und C.-M. Edsman in RGG³, Bd. 4, Tübingen 1960, Sp. 596, daselbst weitere Literaturangaben.

Unpersönliche Kräfte können dinglicher Art sein. Ein besonders geformter Stein, über den vielleicht einmal jemand gestolpert ist und sich verletzt hat, kann als Träger solcher Macht gelten. Am menschlichen Körper sind es die Ausscheidungen oder bestimmte Körperteile, z. B. Herz, Nieren, Zwerchfell, Leber. Vor allem ist das Blut zu nennen, in dem sich „Macht" zeigt, welche das Leben ermöglicht. Man sprach daher früher von der Lebenskraft, die ihm innewohnt oder die in Ausscheidungen und Körperteilen ihren Sitz hat. Es ist aber nicht nur das Stoffliche, das eine Wirkung ausübt, sondern auch die Geste. Der ausgestreckte Finger, mit dem der moderne Mensch höflicherweise nicht auf jemand zeigt, ist Träger einer meist als gefährlich geltenden Kraft. Der sog. böse Blick spielt besonders im Vorderen Orient eine große Rolle. Durch ihn kann erheblicher Schaden zugefügt werden. Vor allem ist aber an das Wort zu erinnern. Name und Wesen gehören zusammen. Wer den Namen eines anderen kennt, besitzt Macht über ihn. Das korrekt gesprochene Wort ist im Ritual wichtig, da die Wirkung auf der Korrektheit der Aussage beruht. Ein Scheltwort, dessen Aussage von uns oft nicht mehr wahrgenommen wird, kann verheerende Wirkungen haben. Diese und andere unpersönlichen Kräfte sind magischen Gesetzen unterworfen. Um ihnen zu begegnen, muß der Mensch die Gesetze und die Praktiken dieser magischen Welt kennen. Dabei ergeben sich verschiedene Verhaltensweisen. Er meidet das Gefährliche, indem er dem gefährlichen Stein aus dem Wege geht oder kein Blut genießt. Er vermeidet es, bei bestimmten Gelegenheiten, etwa in der als gefährlich geltenden Fremde, außerhalb der Stammesheimat, seinen richtigen Namen zu nennen. So nannte sich z. B. ein aus dem Inneren kommender Mann an der ostafrikanischen Küste *Kitunguu,* „Zwiebel", oder *Pesambili,* „zwei Pesastücke". Auch die weitverbreitete Schwiegerscheu, daß man die Schwiegertochter weder sehen noch mit ihr sprechen darf, mag mit denselben Vorstellungen zusammenhängen. Sie kommt ja aus einer fremden Umgebung und gilt daher als Trägerin von potentiellem Bösen. Neben die Meidungen treten Schutzmaßnahmen. Wenn bei manchen Stämmen die Männer Penisfutterale tragen, dürfte dies ein Schutz vor dem bösen Blick sein. In konzentrierter Form ist das Amulett ein magisches Schutzmittel. Schließlich versucht man, stärkere Kräfte zu schaffen, um durch sie alles Negative unschädlich zu machen und sich selber auf magischem Wege Nützliches zu verschaffen. Es ist also überall die magisch verstandene „Macht", die wirksam ist. Daher ist für diese Erscheinung der Name „Dynamismus" geprägt worden.

Die *persönlichen Wesenheiten*, denen sich der Mensch unterworfen fühlt, sind mannigfaltig. Die Natur ist nicht nur von einer unpersönlichen Macht erfüllt, sondern auch von Geistern. In oft absonderlicher Form werden sie in Flüssen, Schluchten und Einöden, auf Bergen und Bäumen hausend gedacht. Sie haben bestimmte Bereiche, in denen sie ihre Herrschaft ausüben. Sie können sich auch in Krankheiten oder in Kriegen manifestieren. Geistesstörungen und Epilepsie werden auf sie zurückgeführt. Die Besessenheit eines Menschen ist ein Zeichen dafür, daß ein böser Geist temporär von ihm Besitz ergriffen hat. Man spricht in diesem Zusammenhang oft von Naturgeistern. Die kurze Übersicht hat aber gezeigt, daß der Geisterbereich weit über die Natur hinausgeht. Das Leben der Geister gestaltet sich in verschiedener Weise. Manche existieren als Einzelwesen, andere leben in Gemeinschaften, in denen sich sogar verwandtschaftliche Zusammenhänge gebildet haben.

Die Welt der Geister ist aber noch umfangreicher. Bei vielen Völkern besteht eine enge Verbindung zwischen Lebenden und Toten. Diese existieren nach dem physischen Tode in mannigfacher Weise weiter. Häufig sucht man sie in einem Reich der Ahnen, das oft unter der Erde, nicht selten aber auch irgendwo im Westen lokalisiert gedacht wird. Man vollzieht Riten, durch welche die Verstorbenen dorthin geleitet werden. Man „gedenkt" ihrer, indem man sie bei Namen nennt, und opfert ihnen. All dies ist notwendig, nicht nur, damit die Ahnen eine zufriedenstellende Existenz im Jenseits haben, sondern um sich ihrer freundlichen Gesinnung für das Diesseits zu versichern. Eigenartigerweise ist der Tote oft mächtiger als der Lebende. Wenn er zürnt, kann großes Unheil über die Menschen kommen. Wenn die Bestattung nicht nach den Riten erfolgt, findet der Verstorbene keine Ruhe und richtet als Gespenst Unheil an. Diese Geister, die aus einstigen Menschen geworden sind, nennen wir Ahnen- oder Totengeister.

Während Geister verschiedener Art in allen „primitiven" Religionen vorhanden sind, ist dies bei den Göttern nicht der Fall. Bisweilen kann es zweifelhaft sein, ob man einen Geist, z. B. den Pockengeist in Westafrika, als Geist oder als Gott bzw. Göttin bezeichnen soll. Hier entscheidet oft die über das Lokale hinausgehende Wirksamkeit eines solchen Numens. An manchen Stellen haben sich Göttersysteme entwickelt, die in ihrem Werden und ihrer Geschichte dargestellt werden. Hier findet sich auch der Mythos in seinem eigentlichen Sinn als Göttergeschichte. Die Funktion dieser Gottheiten ist mannigfaltig. Sie sind zuständig für Vorgänge im kosmischen, im atmosphärischen Bereich und für die Geschehnisse auf

Erden, z. B. Tod, Krieg oder Krankheiten. Sie spezialisieren sich auf bestimmte Funktionen, indem sie z. B. ein bestimmtes Handwerk in Schutz nehmen. Die Götterwelt ist Veränderungen unterworfen. Aufspaltungen eines Gottes in mehrere Gottheiten oder Übernahme verschiedener Funktionen stehen neben Unifizierungen von ursprünglich unterschiedlichen Gestalten.

Abseits von allen Göttern steht bei vielen Völkern eine einsame Gottheit, die meistens keine genetische Verbindung mit den anderen göttlichen Wesen hat. Da sie sich über diese erhebt, wird sie vielfach als Hochgott bezeichnet. Bei einigen Stämmen erzählt man sich, daß der Hochgott einst auf der Erde gelebt, sich dann aber von ihr zurückgezogen habe. Er gilt häufig als Schöpfer und wird daher auch Urhebergott genannt. Allerdings ist eine creatio ex nihilo, eine Schöpfung aus dem Nichts, wonach *alles aus der göttlichen Schöpferkraft entstanden* ist, weithin unbekannt. Auch hier zeigt sich, daß eine *grundsätzliche Betrachtung* eines Problems den Anhängern einer „primitiven" Religion fernliegt. Häufig nimmt man an, daß der Hochgott den Tod sendet. So wie er in der Urzeit einmal beschlossen hat, daß die Menschen sterben sollen, so ruft er auch den einzelnen aus diesem Leben ab. Im Unterschied zu den Geistern und den übrigen Göttern gilt der Hochgott meistens als gut. Obwohl er verhältnismäßig gleichförmige Züge trägt, kann sich seine Gestalt wandeln. Manchmal wird er so weltabgewandt, daß man von einem otiosen Gott spricht. Andererseits versucht man auch, ihn an die Spitze aller Geister und Götter zu setzen oder ihn in ein Göttersystem einzugliedern. Es scheint so, daß sich das Bestreben „primitiver" Menschen, jedem seinen Rang und Stand zuzuweisen, auch auf die Religion auswirkt. Auf diese Weise finden auch Heroen und Halbgötter ihren bestimmten Platz.

Schließlich gehört auch der Totemismus hierher. Er besagt, daß sich der Mensch aufs engste mit einem Totem verbunden fühlt, das meistens als Tier, daneben aber auch als Pflanze oder als Gegenstand gedacht wird. Die Verbindung ist so eng, daß man mit dem Totem dieselbe Abstammung zu haben glaubt. Wer also den Elefanten als Totem hat, ist der Überzeugung, daß sein Urvorfahre ein Elefant war. Wenn die Leute des Elefantenclans ihren religiösen Tanz tanzen, sagen sie z. B. im Tswana, einer südafrikanischen Bantusprache: „Wir tanzen den Elefanten."[4] Und man dürfte

[4] Vgl. F. Dierks, Tlou! Tlou! Die Elefantensänger von Botschabelo, Bleckmar 1960.

nicht fehlgehen, anzunehmen, daß sie dabei ihre Identität mit dem Elefanten fühlen und behaupten. Die Folge dieser Anschauung ist, daß man das Totemtier nicht jagt und auf den Genuß seines Fleisches verzichtet. Hinzu kommt, daß Besitzer desselben Totems nicht untereinander heiraten. Diese totemistische Verwandtschaft ist für die Praxis mindestens ebenso wichtig wie die biologische.

Es hat sich somit ergeben, daß die „primitiven" Religionen persönliche religiöse Wesenheiten mannigfacher Arten kennen. Diese kommen aber nirgendwo als isolierte Erscheinungen vor, sondern nur miteinander verbunden. Dabei tritt im Laufe der geschichtlichen Entwicklung oder auch in der geographischen Verbreitung der eine oder der andere Faktor mehr in den Vordergrund. So ist z. B. der Totemismus in Amerika oder in Australien verbreiteter als in Afrika. Aber auch hier hat er Spuren hinterlassen, was aus den zahlreichen Speisetabus erschlossen werden kann. Ebenso ist, wie bereits oben gesagt wurde, die Magie mit ihren Praktiken nicht von der „primitiven" Religion zu trennen.

Bei dem westlichen Menschen setzt man die Religion in der Regel in Beziehung zum Jenseits. Je stärker das säkulare Denken wird, um so mehr wird zwischen Diesseits und Jenseits, zwischen Transzendenz und Immanenz getrennt. Diesen Unterschied kennt der Naturmensch nicht. Für ihn befindet sich das, was er empirisch wahrnimmt, und das, was er denkt oder „glaubt", auf derselben Ebene. Beides ist für ihn Wirklichkeit, auf die er sich einstellt und mit der er rechnet. Dabei kann bei dem Gegenüber des Menschen nicht immer scharf zwischen dem Persönlichen und dem Unpersönlichen geschieden werden.

2. Der Bereich der „primitiven" Religionen

Es gibt im Leben der Naturvölker kaum ein Gebiet, in dem Magie und Religion nicht relevant werden. Da das magische Denken vorwaltet und das naturwissenschaftlich-kausale Denken unbekannt ist, muß man auch im Alltag stets mit magischen Einflüssen rechnen. Es ist daher nötig, die Mittel zu kennen, um das Widrige abzuwehren. Hierzu dient u. a. das Amulett als eine Konzentration magischer Kräfte. Sofern man diese in positiver Weise ausnutzen will, benötigt man ein ähnliches Mittel, den Talisman. Die Zukunft hofft man durch Omina feststellen zu können. Und wo menschliches Urteilsvermögen versagt, um etwa eine Schuldfrage zu klären, wird das Orakel angerufen, das oft in einem Ordal, dem sog. Gottesurteil, besteht. Trotz dieses Namens braucht dabei keine Gottheit mitzuwirken. Auch die vielfachen, uns oft nicht einsichtigen Meidungen sind häufig magische Schutzmaßnahmen.

Hinzu kommen die Einflüsse der Geister und Götter. Ahnen und Gespenster können jederzeit in das Leben der Menschen eingreifen. Dasselbe gilt für die Naturgeister. Ebenso suchen sich die Besessenheitsgeister ihre Opfer. Schließlich wird das persönliche Leben bedroht, wenn man gewisse Gebote, z. B. Pietätsriten oder religiöse Pflichten nicht entsprechend den Anweisungen der Geister oder der Götter erfüllt hat.

Zu den einschneidendsten Mißgeschicken gehört die Krankheit. Diese wird mit wenigen Ausnahmen als Wirkung einer außerhalb des Menschen wirkenden Macht angesehen. Man fragt nicht nach medizinischen Faktoren, durch welche die Krankheit hervorgerufen sein könnte, sondern nach der Normwidrigkeit, die man begangen hat, oder nach dem Menschen bzw. dem außermenschlichen Wesen, das die Krankheit gesandt hat. In entsprechender Weise gilt es zu handeln. Die Medizinen, die gebraucht werden, werden gemäß ihrer magischen oder religiösen Wertigkeit verordnet und angewandt. Daß dabei aus Erfahrung bisweilen wirksame Arzneien von Herbalisten verabreicht werden, die auch in unserem Sinn heilsam sind, steht außer Frage. Für den Kranken wirken sie aber nicht aus dieser ihrer natürlichen Potenz, sondern aus der ihr zugeschriebenen magischen Mächtigkeit heraus. Häufig werden aber auch Praktiken geboten, z. B. Opfer an einen Ahn oder Sühne für ein übertretenes Tabu, die medizinisch nichts mit dem Fall zu tun haben.

Es ist also die Sorge um die Sicherung des Lebens, die den Menschen zu religiösem Verhalten führt. Dies zeigt sich u. a. auch bei den Übergangsriten, von denen für den Naturmenschen Geburt, Reife und Tod die wichtigsten sind. In diesen Zeiten ist er besonders gefährdet, stellt aber ebenso für andere eine Gefährdung dar. Daher gelten für die Frau während der Menstruation und bei der Geburt besondere Meidungen. Das gleiche gilt für Jungen und Mädchen, die mannbar werden. Sie werden vielfach in Lagern abgesondert und dort initiiert. Dabei ist das Ziel, alle Kräfte wirksam werden zu lassen, durch die das Wohl der Stammesgemeinschaft gefördert wird. Auf die Wichtigkeit der Riten bei Todesfällen wurde oben bereits hingewiesen.

Ebenso ist das politische Leben eng mit der Religion verbunden. Es gab in früherer Zeit wohl nirgendwo einen Häuptling oder einen König, der

nicht religiöse Funktionen gehabt hätte. Im einzelnen findet sich eine
große Variationsbreite, die sich von dem Häuptling, der anscheinend nur
„weltliche" Geschäfte zu tätigen hat, bis zum sakralen Herrscher oder
gar bis zum Gottkönig erstreckt. Letzterer wird mit der Gottheit identifiziert, während der sakrale Herrscher primär kultische Pflichten hat,
neben die seine Regierungstätigkeit in den Hintergrund zu treten scheint.
Aber diese Unterscheidung ist zwar für den außenstehenden Beobachter
richtig; der sakrale Herrscher selbst jedoch dürfte meinen, daß seine
religiöse bzw. kultische Tätigkeit für das Wohlergehen seines Landes kon-
stitutiv ist. Bei den Naturvölkern ist der politische Bereich nicht von dem
des Rechts getrennt. Daher ist dieses in seinem Wesen nicht säkular. Die
Rechtsnormen sind häufig vom Hochgott gegeben oder werden als mit dem
Willen der Ahnen konform angesehen. Wer sie nicht beachtet, läuft Gefahr, sich dem Zorn dieser Mächte auszusetzen.

Bemerkenswert ist, daß das Wirtschaftsleben nicht autonom ist. Ob es
sich um Wildbeuter, Fischer oder Jäger, um Hackbauern oder um Vieh-
züchter handelt, sie sehen es sämtlich als selbstverständlich an, daß ihr
Erwerbszweig aufs engste mit der Religion verbunden ist.[5] Als in der
prähistorischen Zeit die ersten Felszeichnungen mit der Darstellung von
Jagdszenen geschaffen wurden, dürfte der Grund in dem Glauben gelegen
haben, daß der, welcher zeichnerisch ein Tier gestalten, d. h. seine Mächtigkeit zeigen könne, kraft magischer Analogie auch bei der Jagd seine Macht
über das Tier ausüben, d. h. es erlegen werde. Jäger müssen oft, bevor sie
auf die Jagd gehen, Tabus, z. B. sexuelle Enthaltsamkeit, auf sich nehmen;
vielfach obliegt es ihnen, sich mit dem Schutzgeist des Wildes, dem sog.
Herrn der Tiere, zu verständigen, damit dieser ein Glied seiner Herde zum
Abschuß freigibt. Oft sind nach erfolgter Jagd Sühneriten erforderlich,
wodurch der Jäger von der Schuld, in eine fremde Welt eingebrochen zu
sein, befreit wird.[6] Bei den Hackbauern sind religiöse Zeremonien vor
Beginn und am Ende des Erntejahres unabdingbar. Wenn der Regen aus-
bleibt, wodurch die ganze Ernte in Frage gestellt wird, was in früheren
Zeiten für Tausende den Hungertod bedeuten konnte, sind zusätzliche

[5] In dieser Beziehung ist noch immer das Buch von C. Meinhof, Die Religionen
der Afrikaner in ihrem Zusammenhang mit dem Wirtschaftsleben, Oslo 1926,
instruktiv.

[6] Entsprechendes gilt auch für große Seetiere, vgl. J. Ittmann, Der Walfang an
der Küste Kameruns, Zeitschrift für Ethnologie 81, 1956, S. 203—217.

Riten erforderlich. Auch die Viehzucht ist ursprünglich eng mit der Religion verbunden. Dies zeigt sich z. B. in dem komplizierten Milchbrauchtum bei Zulu, Herero und osthamitischen Viehzüchtern.[7] Weil Viehzucht als religiöse Betätigung aufgefaßt wurde,[8] gab es weithin früher keine profane Schlachtung.

Die Bedeutung der Religion in der musischen Welt braucht nur angedeutet zu werden. Die Tänze dienten vielfach dazu, magische Kraft zu erzeugen, die sich dann positiv, z. B. auf der Jagd, auswirkte. Märchen werden mancherorts nur zu bestimmten Zeiten erzählt; je länger sie sind, um so besser gedeihen die Feldkulturen. Rätsel aufzugeben und zu lösen ist bei einigen Stämmen in manchen Jahreszeiten verboten, da man sonst Schädigungen der Ernte befürchtet.

Es hat sich also ergeben, daß es in der „primitiven" Welt grundsätzlich keinen religionsfreien Bezirk gibt. Dies bedeutet nicht, daß der Mensch stets bewußt als homo religiosus handelt. Für alle aufgezeigten Bereiche gilt, daß man sich in ihnen wie in einem säkularen Raum bewegt. Man treibt seine Wirtschaft, ohne sich auf Schritt und Tritt von anderen Mächten abhängig zu fühlen. Es gibt auch die Lust am Fabulieren und die Freude, durch Sprichwort und Rätsel Lebensweisheit zu verbreiten und Verhaltensmaßregeln zu lehren. Dies vollzieht sich aber alles in einem Rahmen, der von der Religion geprägt ist.

Somit hat bei den Naturvölkern jeder einzelne Mensch seine ihm von der Religion zugewiesene Stellung und Aufgabe. Daneben gibt es Menschen, die eine besondere Funktion besitzen. Hierher gehören der Augur (Wahrsager), der Medizinmann als Vertreter der weißen Magie, der Zauberer als Vertreter der schwarzen Magie, der Priester, in manchen Kulturen auch der Erdherr.[9] Während diese mehr einen „Amtscharakter" tragen, weisen der Schamane und der Prophet eher charismatische Züge

[7] O. F. Raum, Vom Milchbrauchtum in Afrika, Die Muschel, Swakopmund 1962, S. 66—75.

[8] *Einer der Gründe* für den Aufstand der Herero in Südwestafrika 1904 bestand darin, daß man über die religiöse Komponente in der Viehzucht europäischerseits nicht informiert war und entsprechend verkehrt handelte.

[9] Über diese nicht allbekannte Erscheinung vgl. D. Westermann, Der Erdherr und die Verehrung der Erde in Afrika, Scientia 37, 1943, S. 49—53; K. Dittmer, Die sakralen Häuptlinge der Gurunsi im Obervolta-Gebiet, Hamburg 1961; J. Zwernemann, Die Erde in Vorstellungswelt und Kultpraktiken der sudanischen Völker, Berlin 1968.

auf. In der Praxis ist die Trennungslinie zwischen Amt und Charisma nicht immer klar zu ziehen. Nicht selten wird ein Charismatiker zum Amtsträger.

3. Das Nachleben der „primitiven" Religionen in der Bibel

Sowohl im Alten als auch im Neuen Testament finden sich viele Belege dafür, daß in der Umwelt der Bibel „primitive" Religionen bekannt waren und eine Rolle spielten. Aus der Fülle des Materials können hier nur einige Beispiele gegeben werden. An manchen Stellen werden die Vertreter „primitiver" Religionsanschauungen strikt abgelehnt. So findet sich Deut 18, 10. 11 eine Aufzählung von Menschen, die sich solchen Praktiken hingeben: „Es finde sich bei dir keiner, der seinen Sohn oder seine Tochter durchs Feuer gehen läßt, kein Wahrsager, Wolkendeuter, Schlangenbeschwörer, Zauberer, keiner, der Bannungen vornimmt, Totengeister oder Wahrsagegeister befragt, und keiner, der sich an die Toten wendet." [10] Was sie tun, ist Jahwe ein Greuel, und die Israeliten werden eindringlich gewarnt, diesen Formen kanaanäischer Volksreligion zu folgen. Ebenso werden im Neuen Testament die „Zauberer" als Gegner der christlichen Botschaft abgelehnt, z. B. Apg 13, 6. 8, wo das Wort μάγος gebraucht wird.[11] In Apk 22, 15 wird den Zauberern (φαρμακοί)[12] der Eintritt in das Himmelreich verwehrt.

Im übrigen finden sich aber viele Vorstellungen aus „primitiven" Religionen, die, ohne daß eine Bewertung erfolgt, in die Bibel aufgenommen worden sind. Hierher gehört das, was mit dem Bann zusammenhängt. Wenn z. B. die Stadt Jericho und was in ihr ist, dem Bann verfallen ist (Jos 6, 17 ff.) oder wenn alle Amalekiter und ihr Besitz gebannt werden (1 Sam 15, 3 ff.), so bedeutet dies eine Tabuisierung. Das Gebannte wird dadurch aus dem Bereich des Profanen herausgenommen und jeder Be-

---

[10] Übersetzung nach G. von Rad, Das fünfte Buch Mose, Deuteronomium, Das Alte Testament Deutsch, Teilband 8, Göttingen 1964, S. 87.

[11] Nach Delling (Theologisches Wörterbuch zum Neuen Testament, Bd. 4, S. 360—363) bedeutet μάγος an dieser Stelle wahrscheinlich „Inhaber und Ausüber eines übernatürlichen Wissens und Könnens".

[12] Nach W. Bauer, Griechisch-deutsches Wörterbuch zu den Schriften des Neuen Testament, Gießen 1928, Sp. 1364 nicht nur „Giftmischer", sondern auch „Zauberer".

nutzung durch Menschen entzogen. Übertretungen bringen, wie die biblischen Beispiele zeigen, schwere Bestrafungen. In positivem Sinn führt .die Tabuisierung zu einer Heiligung, die sich auf Personen (z. B. Priester, Nasiräer), Örtlichkeiten (z. B. das Allerheiligste im Tempel) oder Zeiten (Feste) erstreckt.

Dynamistische Vorstellungen begegnen häufig. Herz und Nieren gelten als Sitz geistiger oder geistlicher Kräfte, was aus der Redewendung von dem Gott, der Herz und Nieren prüft (z. B. Ps 7, 10) hervorgeht. Das Blut ist deswegen bedeutungsvoll, weil mit ihm das Leben gegeben ist, es wird sogar mit dem Leben identifiziert (Lev 17, 15). Daher ist dem Israeliten der Genuß des Blutes verboten. Auch dem Speichel wohnt eine besondere Kraft bei, die negativ wirken kann (Lev 15, 8), von Jesus aber auch bei seinen Heilungen verwendet wird (z. B. Mk 7, 33). Wenn man, was sogar Paulus tat (Apg 18, 18), bei Ablegung eines Gelübdes sein Haupthaar nicht schor, so sparte man dieses ursprünglich auf, um es nach Erfüllung des Gelübdes der Gottheit zu opfern. Ob dabei der Gedanke vorherrschend war, daß die dem Haar innewohnende Kraft (vgl. die Simsongeschichte, Ri 16) die Kraft zur Erfüllung des Gelübdes geben sollte, bleibe dahingestellt. Daß durch Darbringung von Opfern eine Normwidrigkeit in Ordnung gebracht und Versöhnung bewirkt werden kann, ist ein die ganze Bibel durchziehender Gedanke. Es gibt Forscher, die auch die Beschneidung in ihrer ursprünglichen Form, wie sie bei beginnender Reifezeit des Menschen vollzogen wird, als Opfer ansehen. Die zahlreichen Speiseverbote (z. B. Lev 11) mögen sich daraus erklären, daß die „unreinen" Tiere in der Religion oder im Mythos der Kanaanäer eine Rolle spielten. Hinzu kommen die Tiere, von denen man annahm, daß sie Blut- und Aasfresser sind.[13] Besessenheit ist im Vorderen Orient eine allgemeine Erscheinung, für deren Beseitigung sich viele Praktiken entwickelt haben. Von daher ist verständlich, daß die Heilung von dämonischer Besessenheit im Neuen Testament einen breiten Rahmen einnimmt. Schließlich wird den Träumen in der Bibel große Bedeutung zuerkannt. Entscheidungen mit weitreichenden Folgen wie Josephs Maßnahmen in Ägypten (Gen 40 ff.) oder das Schicksal des Jesuskindes (Mt 2) wurden durch Träume bewirkt.

Das Nachleben der „primitiven" Religion in der Bibel zeigt sich also in verschiedenen Formen. Sofern sie von nichtisraelitischen Völkern prak-

---

[13] C. Meinhof, Christus der Heiland auch der Naturvölker, ²Berlin 1914, S. 8.

tiziert wird, steht sie im Gegensatz zur Jahwereligion und wird abgelehnt. Andererseits hat Israel manches aus den Naturreligionen übernommen, hat dies aber so in die alles überragende Macht Jahwes eingeordnet, daß den ursprünglich fremden religiösen Vorstellungen und Praktiken jede Eigenständigkeit genommen wurde. Die im Blute liegende Lebenskraft ist Jahwe gegenüber keine selbständige Größe mehr. Speichel wird bei einer Heilung zu einer Art Arznei. Tabubruch bewirkt nicht eine magisch verstandene, automatisch erfolgende Bestrafung, sondern ruft den Zorn Jahwes hervor. Und Träume erklären sich nicht als Botschaften fremder Wesen oder aus psychologischen Bedingtheiten, sondern werden von Gott gesandt. Bisweilen begegnet die Umdeutung eines alten religiösen Brauches in den sozialen Bereich. Ursprünglich war die Nachlese der Ernte verboten, weil sie als Opfer für die Vegetationsgeister o. ä. galt. In Deut 24, 19—22 wird sie dem Eigentümer zugunsten der Fremdlinge, Witwen und Waisen untersagt.[14]

4. Der jetzige Bestand

Häufig wird heute die Meinung vertreten, daß die Zeit der „primitiven" Religion zu Ende sei. Dabei geht man oft von dem Axiom aus, daß die moderne Zeit mit ihrem linearen Denken, mit ihrem naturwissenschaftlich-logischen Verfahren und ihrem historisch-kritischen Sinn das Weiterbestehen der sog. Naturreligionen unmöglich mache. Die Wirklichkeit bietet ein anderes Bild. Dabei zeigt sich, daß die Naturreligionen in vielfachen Formen auch in unserer Zeit existieren.

a) Die traditionelle Form

Es gibt heute noch manche Gebiete in überseeischen Ländern, z. B. im Inneren Südamerikas oder Afrikas, in die kein Bekenner oder gar Missionar einer sog. Hochreligion gekommen ist. Ebensowenig haben sich die soziologischen oder die wirtschaftlichen Verhältnisse gegenüber früher geändert. Hier herrscht fast ungebrochen die alte „primitive" Religion.

---

[14] Im einzelnen sei auf die Kommentare zu den biblischen Stellen verwiesen, vgl. auch C. Clemen, Religionsgeschichtliche Erklärung des Neuen Testaments, ²Gießen 1924.

Höchstens versucht die Regierung, soweit ihre Macht dazu ausreicht, besonders grausige Einzelheiten, wie Menschenopfer oder Ritualmorde, zu unterbinden. Im übrigen lebt man wie eh und je weiter. Damit braucht aber kein statisches Verharren gegeben zu sein. Wir können auch bei den „primitiven" Religionen Wandlungen wahrnehmen, die nicht auf Einflüssen von außen beruhen, sondern sich in einer Art inneren Prozesses vollziehen. So mag z. B. an einer Stelle die Ahnenverehrung abnehmen und an ihrer Statt vermehrte magische Praktik treten, an anderer Stelle können sich aus Ahnen selbständige Geister, möglicherweise sogar sog. Naturgeister entwickeln. Die „primitiven" Religionen sind auch fähig, moderne Dinge in ihr „System" einzubeziehen. Unter den Insignien ihrer „Amtsträger" finden sich nicht selten Gegenstände aus der sog. Kulturwelt, z. B. Sicherheitsnadeln, ohne daß sie ihrem eigentlichen Zweck dienen. Es ist auch denkbar, daß sie beim Hören eines Rundfunkapparates meinen, reale Stimmen aus der Welt der Ahnen oder Geister zu hören. Und wenn von einer Mission oder von der Regierung unter ihnen Medizin verteilt wird, schreiben sie dieser u. U. eine besonders stark wirkende magische Kraft zu. Inwieweit die traditionelle Form der Naturreligionen eine Zukunft hat, ist schwer zu sagen. Man kann vermuten, daß die fortschreitende Alphabetisierung, die damit verbundene Rationalisierung des Lebens und das Vordringen der Technik zu anderen religiösen Formen führen werden.

b) „Primitive" Religionen als Substrat

Man braucht nur das Gebiet des Aberglaubens betrachten, um zu erkennen, daß die Macht der Naturreligionen stärker ist, als man es vermutet.[15] Das Besprechen gewisser Krankheiten, die Maskottchen in vielen Wagen, die Selbstsicherung durch Wörter, wie toi, toi, toi!, oder die Meidung der Zahl 13 sind Beispiele für den Glauben an die Wirkung magischer Kräfte. Daneben gibt es Beispiele, daß altes Brauchtum beibehalten, aber mit neuem Inhalt gefüllt wurde. Man kann hier von einem Motivwandel sprechen. So findet man die alten Übergangsriten im Christentum wieder in der Form der Taufe, der Firmung bzw. Konfirmation

[15] Handwörterbuch des deutschen Aberglaubens, ed. H. Bächthold-Stäubli, Berlin 1927/42.

und der Bestattung. Feldbegehungen am Sonntag Rogate oder Hagelfeiern setzen alte Riten zwecks Erlangung günstiger Witterung fort. Besonders deutlich wird der Motivwandel bei den Begräbnisfeierlichkeiten. Kranz und Blumen am Grabe sind die Ablösung von Opfern, bei denen früher nicht selten Menschen ihr Leben lassen mußten. An die Stelle des Opfers ist die liebevolle Pietät getreten. Fast unverändert hat sich der Totenschmaus erhalten, sei es, daß er im Trauerhause oder in einer Gaststätte am städtischen Friedhof erfolgt.

Während bei den bisherigen Beispielen noch eine Beziehung zu der ursprünglichen Bedeutung des Brauchtums hergestellt werden konnte, ist dies bei anderen Bräuchen nicht mehr der Fall. Wenn sich jemand beim Gähnen die Hand vor den Mund hält, wird er schwerlich daran denken, daß er dies als Schutzmaßnahme tut, damit durch die plötzlich entstandene Körperöffnung kein böses Wesen in sein Inneres gelange. Bisweilen ist die Motivierung verschieden. Wenn der Muslim beim Niesen sagt *al-hamdu lillahi*, „Allah sei Lob", dürfte er seiner Freude darüber Ausdruck geben, daß er von etwas Unangenehmen befreit wurde. Wenn wir in Westeuropa dem Niesenden Gesundheit wünschen, scheint das Niesen primär als etwas Unangenehmes angesehen zu werden. Ähnliches gilt für Trinksitten. In Europa wünscht man einander Wohlergehen, in Westafrika vollzieht man zunächst, wie im alten Griechenland, eine Libation. Als Empfänger werden die Ahnen gedacht. Sie kann aber zu einem gedankenlosen Ritus werden, wenn man säkulare Versammlungen in Ghana mit einer Libation eröffnet. Auf diese Weise bilden sich Sitten heraus, ohne daß man noch einen Zusammenhang mit den einstigen religiösen Vorstellungen gewahrt.

Was hier an Beispielen aus dem christlichen Bereich dargestellt wurde, könnte auch an anderen Hochreligionen gezeigt werden. Hinduismus, Buddhismus und Islam haben sich den „primitiven" Religionen weit geöffnet. Dabei können deren Anhänger oft noch ein gutes Gewissen haben, da diese Hochreligionen die Naturreligionen nicht als etwas Illegitimes ansehen müssen, wie es sich für das Christentum aus dessen Absolutheitsanspruch ergibt. Der Hinduismus ist seinem Wesen nach tolerant, der Islam hilft sich in der Regel so, daß er mit wenigen Ausnahmen alle Erscheinungen der Naturreligionen unter den über allem stehenden Allah subsumiert.[16]

---

[16] Eine Ausnahme bilden die puristischen, auf die Hanbaliten zurückgehenden Wahhabiten, die alles verwerfen, was nicht ausdrücklich im Koran geboten ist.

Wie auch die Zukunft der „primitiven" Religionen aussehen mag, als Substrat ohne oder mit Motivwandel in den Hochreligionen und als säkularisierte Sitte werden sie wahrscheinlich immer fortleben.

c) Modernisierte „primitive" Religionen

Als Beispiel aus der Vergangenheit mag hier der Schintoismus genannt werden, der ursprünglich eine Naturreligion war. Erst nachdem der Buddhismus nach Japan gelangt war und mit Einführung der Schrift religiöse Urkunden verfaßt wurden, weitete sich die alte japanische Religion, nunmehr *Shin-tō*, „Weg der Götter", genannt, zu einer Religion aus, die man nur unter Vorbehalt zu den „primitiven" Religionen zählen kann.

In Afrika ist m. W. bisher nur an sehr wenigen Stellen der Versuch gemacht worden, die alte Religion zu modernisieren. Im Jahre 1959 wurde berichtet, daß sich unter den Haya in Nordwesttanzania eine Gemeinschaft gebildet habe, welche ihre Ahnen zu Göttern erhoben habe[17] und für sie neue Opferplätze bauen wolle. Man beabsichtigte auch, nach christlichem bzw. muslimischem Vorbild in jeder Woche an einem Tage zu einer Versammlung zusammenzukommen.[18] In Nigeria ist bei den Yoruba eine österreichische Künstlerin als Priesterin in den Dienst eines einheimischen Kultes getreten.[19] Wieweit die von ihr geschaffenen Kunstwerke der Vorstellung der Yoruba entsprechen und keine eigene Interpretation darstellen, kann hier nicht entschieden werden.

d) „Primitive" Religionen in nachklassischen Religionen

Als nachklassische Religionen bezeichne ich Religionen, die aus einer klassischen Religion, etwa dem Christentum, entstanden, aber so viel Fremdgut in sich aufgenommen haben, daß sie z. T. von den klassischen Religionen abgelehnt werden. Religionen dieser Art trifft man bei allen

---

[17] Darunter auch den im sog. Zwischenseengebiet bekannten Heros *Ryangombe* (im Haya *Lyangombe*).

[18] Heidnische Religion in Bukoba/Ostafrika, In alle Welt 12, 1960, S. 43/44.

[19] Mitteilung von Herrn Professor Dr. H. Jungraithmayr in Marburg.

Hochreligionen. Am eingehendsten ist dieses Phänomen bisher für das Christentum untersucht worden.[20] In diesem Bereich sprach man daher auch von nachchristlichen Bewegungen. Anhänger dieser Gruppen bezeichnen sich gemäß ihrem Selbstverständnis als Christen, erheben bisweilen sogar den Anspruch, die genuinen Vertreter des Christentums zu sein. Obwohl die allein in Afrika nach Tausenden zählenden Gruppen in ihren Glaubensanschauungen sehr unterschiedlich sind, kann man bei vielen starke Züge der „primitiven" Religionen gewahren. Dies zeigt sich z. B. in der Bedeutung, die den Meidungen zukommt. Zwar wird häufig nicht nur die europäische Medizin abgelehnt, sondern auch alles, was von Medizinmännern geboten wird, aber an ihre Stelle tritt das heilende Wasser und die Berührung mit dem Stabe des als Leiter der Gemeinschaft fungierenden „Propheten". Es kommt sogar vor, daß Tücher, die von ihm geweiht wurden, als heilkräftig verschickt werden. Wort und enthusiastisches Gebet spielen vielerorts eine große Rolle. Man geht nicht fehl, hier überall magisches Verständnis anzunehmen, auch wenn dies nicht in jedem Fall von dem „Propheten" beabsichtigt ist. Bedeutsam ist für bestimmte Bewegungen die Bibel als „das Buch", das man oft nicht einmal lesen kann, als Fetisch aber um so mehr verehrt. Von Wichtigkeit ist für viele eine Geisterfülltheit, die in der christlichen Terminologie mit dem Pfingsterlebnis der ersten Jünger gleichgesetzt wird. Bei den Zulu, unter denen die nachklassischen Religionen viele Anhänger haben, heißt dieser Geist *umoya*, was ursprünglich „Wind, Atem" bedeutet. Er kann die unpersönliche Lebenskraft bezeichnen, die eine magisch wirksame Kraft darstellt, ebenso aber auch personale Züge tragen, so daß man ihn als „Seele" verstehen könnte.[21] Der Unterschied zwischen einem personalen und einem unpersönlichen Verständnis von *umoya* dürfte für den Zulu irrelevant sein. Auf jeden Fall ist *umoya* weder im Sinne des Neuen Testaments noch psychologisch zu interpretieren, sondern wie viele andere Vorstellungen dieser Religionsformen als ein wirksames, wenn nicht gar konstitutives Relikt aus dem Animismus aufzufassen.

[20] Die Literatur für diese in der ganzen Welt konstatierte Erscheinung ist fast unübersehbar. Für Afrika sei auf die Bibliography of Modern African Religious Movements von R. C. Mitchell und H. W. Turner unter Mitarbeit von H.-J. Greschat, Northwestern University Press, USA, 1966 hingewiesen.

[21] Näheres bei G. C. Oosthuizen, The Theology of a South African Messiah, Leiden/Köln 1967, S. 57 ff.

e) „Primitive" Religionen in Neureligionen

Es ist im Einzelfall nicht immer eindeutig zu entscheiden, wo die Grenze zwischen einer nachklassischen und einer Neureligion liegt. Als wichtigstes Merkmal einer Neureligion erscheint mir das Vorhandensein einer Urkunde, die das für Glauben und Leben notwendig zu Wissende enthält. Diese hat häufig die Form eines Katechismus. Als Beispiel für eine solche Neureligion sei Umbanda in Brasilien erwähnt, das möglicherweise in nicht zu ferner Zeit die Religion der meisten Brasilianer wird.[22] Indianisches und afrikanisches Gedankengut findet sich in dieser Bewegung. Neben Jesus und Maria werden Gottheiten aus dem Pantheon der Yoruba angerufen. Afrikanische Formeln werden im Kultus verwendet, wobei häufig Frauen als Medien dienen. Wenn diese sich im Trancezustand befinden, lassen sich die Geister auf sie nieder und befähigen sie zu unmöglich scheinendem Handeln. Opferfeste mit religiösen Mahlzeiten und Tänze sind von großer Bedeutung. In einer solchen Neureligion gibt es auch christliche Vorstellungen, aber diese haben ihre Besonderheit verloren. Das „primitive" Substrat scheint zur Hauptsache geworden zu sein.

Der Anteil der Naturreligionen an den Neureligionen ist sehr verschieden. Bei den Baha'i, bei denen das rationale Moment vorherrscht, finden sich kaum Spuren, es sei denn, man rechnet die häufige Verwendung der Zahl neun dazu. Etwas stärker tritt Einfluß „primitiver" Religionen im Caodaismus hervor, insofern dort die Verehrung höherer Geister eine Rolle spielt.[23] Von allen Möglichkeiten scheint Umbanda aber am stärksten vom Animismus beeinflußt zu sein.

Die Ausführungen haben gezeigt, welche Bedeutung die „primitiven" Religionen haben und hatten. Sie unterscheiden sich dadurch von den übrigen Religionen, daß sie nicht nur für sich bestehen und auch jetzt noch für Millionen von Menschen *die Religion* darstellen, sondern daß sie als Substrat in allen Religionen ihre Wirkung ausüben. Ihre Vitalität ist so

---

[22] Zur näheren Orientierung sei auf die verschiedenen Arbeiten von E. Fülling hingewiesen; vgl. außerdem L. Weingärtner, Umbanda, Erlangen 1970. Weiteres bibliographisches Material bei R. Flasche, Vorläufige Bibliographie zu den synkretistischen Religionserscheinungen und Heilserwartungsbewegungen in Brasilien, Weltmission heute 37/38, Stuttgart 1968, S. 40—51.

[23] G. Gobron, Histoire et Philosophie du Caodaisme, Paris 1949, S. 192.

groß, daß sie auch bei Neubildungen häufig einen wichtigen Faktor darstellen. In säkularisierter Form haben sie in der Kunst und in der Symbolik ihre Spuren hinterlassen. Sitte und Brauchtum gehen weithin auf sie zurück. Den modernen Bemühungen ist es bisher kaum gelungen, neue und den Menschen allgemein ansprechende Formen für das gegenseitige Verhalten zu schaffen.

Die „primitiven" Religionen stellen nicht die Wahrheitsfrage. Infolgedessen können sie sich mit Elementen aus anderen Religionen verbinden. Dort aber, wo man nach der Wahrheit fragt, kommt es zu einer Auseinandersetzung. Diese kann vermieden werden, wenn man sie, wie weithin im Islam, in diesen inkorporiert und alles unter Allahs Walten stellt. Dagegen ist im Christentum eine Verständigung nicht möglich. Das Erste Gebot, das neben Gott niemand und nichts zuläßt, das Objekt des Glaubens sein könnte, gebietet die Distanz. Hier liegt eines der Hauptprobleme unserer Zeit für die sog. jungen Kirchen, die noch in unmittelbarer Nähe zu den sie umgebenden „primitiven" Religionen stehen. Wenn diesen gegenüber auch eine Trennung erfolgen muß, so bringen sie andererseits aber Dinge zur Sprache, die bisher nicht oder wenig beachtet wurden, die aber dringend einer theologischen Klärung bedürfen. Dazu gehören z. B. die Fragen des Volkstums und seine Beziehung zur Religion, die Bedeutung des Traums oder das Problem des heilenden Handelns. Aber diese Fragen gehen über die religionsgeschichtliche Fragestellung hinaus und bedürfen der Mitarbeit der Theologie.

GERT HUMMEL

RELIGIONSSOZIOLOGIE UND THEOLOGIE

Traditionelle Ansätze und zukünftige Perspektiven

1. Die *Aufgabe der Religionssoziologie* läßt sich vorlaufend als Erforschung der Zusammenhänge von Religion und Gesellschaft, deren Erscheinungen und Wirkungen beschreiben. Diese allgemeine Beschreibung hat eine Anerkennung der sozialen Relevanz von Religion zur Voraussetzung. Mit einer solchen Anerkennung wird Religionssoziologie als Wissenschaft allererst möglich. Über den Modus der Relevanz ist damit noch nichts ausgesagt. Dessen nähere Bestimmung stellt das Fundament einer jeden religionssoziologischen Schulrichtung in Vergangenheit und Gegenwart dar. Innerhalb dieser Bestimmung ist je auch das Verhältnis der Religionssoziologie zur Theologie mitgegeben.

2. Die Problemgeschichte der noch recht jungen Disziplin ist für eine Erkenntnis ihrer zeitgenössischen Aufgabenstellungen von Belang, nicht zuletzt um der Vermeidung von Irrwegen willen. *Fruchtbare Ansätze zu einer Religionssoziologie* finden sich vor allem in zwei Vorläuferbewegungen: Erstens in der aufklärerischen (Hobbes, Voltaire, Holbach) und linkshegelianischen (Strauß, Feuerbach, Marx) Religionskritik; zweitens in der historisch-vergleichenden philologischen (F. M. Müller), juristischen (O. F. v. Gierke, R. Sohm) und insbesondere ethnologischen Forschung (J. J. Bachofen, H. Spencer, J. G. Frazer, L. Lévy-Bruhl, B. Malinowski).[1] Die kritische Richtung basierte auf der Theorie vom kompensatorischen Charakter der Religion; Mängel und Schwierigkeiten des individuellen

---

[1] Über die religionskritische Richtung informiert ausgezeichnet K. Lenk (Hrsg.), Ideologie. Ideologiekritik und Wissenssoziologie, Soziologische Texte Band 4, Neuwied/Berlin 1961, 3. A. 1967; dort auch weitere Literatur. Für die ethnologische Richtung sind immer noch grundlegend R. Thurnwald, Die menschliche Gesellschaft in ihren ethno-soziologischen Grundlagen, 5 Bände, 1931—35; Ders. (Hrsg.), Lehrbuch der Völkerkunde, 2. A. 1939; zur Sache vgl. W. E. Mühlmann, Ethnologie, in: RGG II, Sp. 715—719.

und sozialen Lebens werden nach dieser Auffassung durch Projektion in eine irrationale, heile Welt ausgeglichen; eine Priesterkaste macht sich das zunutze und institutionalisiert, meist im Verbund mit den herrschenden Schichten und somit als Sanktionsmacht, die Befriedigung der religiösen Bedürfnisse des Menschen. Die vergleichende Richtung basierte auf dem Befund der sozial-integrativen Kraft der Religion; vor allem in außereuropäischen und primitiven Kulturen stellte die empirische Forschung auf mannigfaltige Weise innerhalb der unterschiedlichsten Gesellschaftsformen den sozial konstituierenden und stabilisierenden Charakter religiöser Praktiken oder Symbole fest. In beiden Religions-Theorien, der psychosoziologischen und der ethno-soziologischen, ist das geistesgeschichtliche Moment eines säkularisierten Denkens am Werk. In ihm muß der eigentliche Anstoß zu einer wissenschaftlichen Religionssoziologie erkannt werden.[2]

Die vergleichend-religionswissenschaftlichen Vorarbeiten haben zuerst bei Emile *Durkheim* (1858—1917) zum System einer wissenschaftlichen Religionssoziologie geführt. Durkheim verzichtet auf die Definition der Religion an sich und untersucht ihre vielfältigen, sozial-integrativen Phänomene. Dies geschieht durch eine Analyse religiös-sozialer Strukturen, also bestimmter Handlungsweisen, Rollen oder Institutionen wie Riten, Priestertum oder Symbol, welche die Integration, Kontinuität und Identität einer bestimmten Gruppe regeln und sichern. Solcherart strukturfunktional betrachtet, stellt Religion ein universales Phänomen dar und ermöglicht weitläufige Vergleiche. Sie läßt sich zudem von der allgemeinen sozialen Wirklichkeit nur insofern unterscheiden, als sie nicht auf profane, sondern auf heilige Gegenstände bezogen ist, allerdings nachweislich die höchste sozial-integrative Kraft entfaltet. Daraus folgt, daß für Durkheim das Religiöse repräsentativ ist für das Soziale schlechthin. Eine Gesellschaft muß in dem Maße als religiös angesehen werden, wie Integration in ihr wirksam wird.[3] Der Verdacht eines soziologistischen Religionsverständnisses liegt nahe, kann Durkheim aber bei genauem Hinsehen nicht unterstellt werden. Problematisch bleibt dagegen, wie hier letztlich religiö-

---

[2] Vgl. dazu F. Fürstenberg (Hrsg.), Religionssoziologie, Soziologische Texte Band 19, Neuwied/Berlin 1964, 2. A. 1970, S. 13 ff., bes. S. 17.

[3] Über Durkheim informiert neben den zahlreichen Einführungen in die Religionssoziologie (Matthes, Kehrer, Savramis u. a.) vor allem der Aufsatz von R. König, Die Religionssoziologie bei Emile Durkheim, in: Kölner Zeitschrift für Soziologie und Sozialpsychologie (= KZSS), Sonderheft 6, 1962, S. 36—49; dort auch Hinweis auf das Werk Durkheims.

ses und nichtreligiöses Sozialverhalten noch unterschieden werden wollen und ob die soziale Funktion der Religion nichts über ihre voraus-definierte Integrationskraft hinaus darstellt. Dieser Problematik entgeht das religionssoziologische System von Max *Weber* (1864—1920) durch seinen andersartigen Ansatz. Für Weber ist Soziologie diejenige Wissenschaft, die sich mit Ursache, Ablauf und Wirkung sozialen Handelns beschäftigt, dessen subjektiven Sinn sie deutend zu verstehen sucht. Durch nationalökonomische (G. Schmoller, W. Sombart) und konfessionssoziologische (M. Offenbacher) Vorarbeiten angeregt, entdeckt Weber die stringente Rückführbarkeit bestimmter ökonomischer Handlungsweisen auf zugehörige religiöse Einstellungen und Antriebe. Seine berühmte These von der ursächlichen Herkunft des kapitalistischen Geistes aus dem reformatorischen Berufsethos (insbesondere in seiner calvinistisch-asketischen Ausprägung) hat der Religionssoziologie bis heute nachhaltigste Impulse gegeben. Weber selbst vertiefte seine grundlegende Einsicht durch zahlreiche Untersuchungen über das Verhältnis von Religion und Wirtschaftshandeln in den Sekten und großen Weltreligionen.[4] Er verfolgte damit die doppelte Absicht der Erstellung einer vergleichenden Typologie religiös-sozialen Handelns und des Nachweises der „Entzauberung der Welt" durch den geistesgeschichtlichen Prozeß der Säkularisierung. Auch Weber bestreitet nicht die Irrationalität des religiösen Erlebens an sich. Religionssoziologisch interessiert ihn jedoch allein die überprüfbare Sinnhaftigkeit, Diesseitsgerichtetheit und Rationalität desjenigen Gemeinschaftshandelns, das aus Religion herrührt. In dieser Konzentration liegt die Stärke, liegen aber auch die Schwächen seines Systems beschlossen. Daß Weber offener bleibt für religiös-soziale Phänomene als Durkheim, ist unbestreitbar; die Untersuchung des Wirtschaftshandelns muß als Beispiel angesehen werden. Ist aber das Phänomen des religiösbestimmten Gemeinschaftshandelns alles, was an der Religion soziologisch interessiert? Und steckt nicht hinter der sinnerhellenden soziologischen Absicht als ganzer ein zutiefst individualistischer, also letztlich asoziologischer Kern?

Die religionssoziologische Arbeit von Joachim *Wach* (1898—1955) erhebt den Anspruch, über die angedeuteten Verkürzungen Durkheims

---

[4] Eine gute Einführung in Webers Religionssoziologie gibt R. Bendix, Max Webers Religionssoziologie, in: KZSS, Sonderheft 7: Max Weber zum Gedächtnis, 1963, S. 273—293; dort auch die religionssoziologische Literatur Webers.

und Webers hinauszugelangen. Von Rudolf Ottos Religionsverständnis
des „sensus numinis" herkommend,[5] geht Wach mit unendlichem Fleiß den
Manifestationen der menschlichen Begegnung mit dem Heiligen im Denken, Handeln und in der Gemeinschaft nach. Dabei findet er hinsichtlich
der Vergesellschaftungs-Phänomene in den Religionen in der Tat Kom-
plexeres als Durkheims Integrationsprinzip und Webers ökonomisches
Gemeinschaftshandeln. Er vermag darum sowohl eine in ihrer Material-
fülle bis heute imponierende vergleichende Typologie sozialer Nieder-
schläge der religiösen Erfahrungen des Menschen als auch zahllose
Wechselbeziehungen zwischen religiöser und sozialer Entwicklung vorzustellen.[6] Gleichwohl läßt Wach keinen Zweifel daran, daß er Religionssoziologie nur als Hilfsdisziplin einer verstehenden (hermeneutischen)
Religionswissenschaft begreift. Deren Ziel ist die Zurückübersetzung der
empirischen Befunde in die ursprünglich-transzendente, innerlich-religiöse
Erlebniswelt der menschlichen Person. Religion ist wesentlich extra-sozial.
Die Soziologie hat es nur mit empirischer Religiosität zu tun. Damit wird
jedoch die Frage unausweichlich, was die religiös-sozialen Ausdrucksformen
eigentlich soziologisch als solche der Religion ausweist. Wach beantwortet
diese Frage nicht.

Alle vorgestellten „klassischen" Religionssoziologen haben Schule gemacht: Durkheim insbesondere in Frankreich (M. Mauss u. a.) und Amerika
(M. Yinger u. a.), Weber — dem Ernst Troeltsch (1865—1923) zur Seite
zu stellen wäre — durch eine weltweite Diskussion um das Für und Wider
seiner Hauptthese (W. Sombart, A. Fanfani, E. Beins, P. C. G. Walker
u. a.), Wach vor allem in Amerika, aber auch in Deutschland (G. Mensching). Ihren Forschungen bleibt die Religionssoziologie bis zur Stunde
verpflichtet.[7] Von einer wirklichen Beziehung zur Theologie läßt sich in
dieser Phase kaum reden. Theologische Einwirkungen mögen als heimliche
Voraussetzungen des jeweiligen Religionsbegriffs fraglos eine Rolle spielen.
Zu einer Diskussion zwischen den Wissenschaften kommt es jedoch

---

[5] Vgl. R. Otto, Das Heilige. Über das Irrationale in der Idee des Göttlichen
und sein Verhältnis zum Rationalen, 1917.

[6] Von J. Wachs Werken sind besonders wichtig: Einführung in die Religionssoziologie, Tübingen 1931; Sociology of Religion, Chicago 1944 (dt. 4. A. bearb.
v. H. Schoeck, Tübingen 1951); Vergleichende Religionsforschung, (Urban-Büche-
rei 52), Stuttgart 1952.

[7] Vgl. dazu besonders den Aufsatz von P. H. Vrijhof, Was ist Religionssoziologie?, in: KZSS, Sonderheft 6, S. 10—35.

nirgendwo. Ihr Verhältnis ist im allgemeinen das eines freundlichen Nebeneinanders.

3. Seit etwa 1930, also kurz nach oder noch gleichzeitig mit den letzten „klassischen" Entwürfen, nimmt die *Religionssoziologie eine empirische Wendung.* Sie wird im allgemeinen mit dem Namen von Gabriel Le Bras (geb. 1891) in Verbindung gebracht,[8] doch können ihm Religionssoziologen in Holland (J. P. Kruijt u. a.), Belgien (J. Leclerq u. a.), Großbritannien (B. S. Rowntree u. a.) oder USA (E. de S. Brunner u. a.) zur Seite gestellt werden.

Diese „neuere" Religionssoziologie hat ihre Wurzeln freilich schon im 19. Jahrhundert. Bevölkerungswanderung und Industrialisierung führten damals mit der Auflösung tradierter Sozialfelder zur Entkirchlichung breiter Massen. Um diese für die Kirche wiederzugewinnen, entwickelten sozialreformerisch engagierte Praktiker in den beiden Kirchen (F. v. Baader, A. v. Ketteler, J. H. Wichern u. a.) Programme „wider die religiöse Verwahrlosung". In der Folgezeit wurde dieses kirchliche Vorhaben durch empirisch-statistische Forschungen über die Zusammenhänge von sozialer Wirklichkeit und religiösem Denken und Verhalten besser fundiert und zugleich einer breiteren Öffentlichkeit vor Augen gestellt. So veröffentlichte A. von Oettingen seine monumentale ›Moralstatistik‹ (1868), M. Rade sprach vor dem eben gegründeten Evangelisch-Sozialen Kongreß über ›Die religiös-sittliche Gedankenwelt unserer Industriearbeiter‹ (1898) aufgrund von 48 Interviews, P. Göhre veröffentlichte Lebensläufe von Industriearbeitern, A. Levenstein untersuchte das Verhältnis von sozialdemokratisch oder freigewerkschaftlich organisierten Arbeitern zur Kirche, G. Dehn analysierte zweieinhalbtausend Aufsätze von Berufsschülern zu religiösen, politischen und menschlichen Fragen.[9] Daneben entstand vom volkskundlichen Interessenansatz her seit 1902 die von P. Drews herausgegebene siebenbändige ›Evangelische Kirchenkunde‹, die mit ihren Angaben über religiöse Einstellung und kirchliche Praxis eine Art „carte religieuse" der deutschen Landeskirchen erstellte.[10] Ähnliche Veröffent-

---

[8] Den Anstoß gab der Aufsatz von G. Le Bras, Statistique et histoire religieuse, in: Revue d'Histoire de l'Église de France, 17. Jg./1937, S. 425—449. Das Hauptwerk von Le Bras sind die Études de sociology religieuse, 2 Bände, Paris 1955/56.

[9] Die einschlägige Literatur zu dieser Frage ist verzeichnet bei G. Kehrer, Religionssoziologie, Sammlung Göschen Band 1228, Berlin 1968, S. 137—141.

[10] P. Drews (Hrsg.), Evangelische Kirchenkunde. Das kirchliche Leben der deutschen evangelischen Landeskirchen, 7 Bände, Leipzig 1902 ff.

lichungen erschienen in England von Ch. Booth oder in Amerika am "Institute of Social and Religious Research".[11] Alle diese Arbeiten waren freilich von mehr oder weniger zufälligen Verhältnissen abhängig und erfuhren durch das leitende kirchliche Interesse manche Verzerrung schon in der Fragestellung. Was sie erbrachten, war eher eine Sammlung zusammenhangloser Mosaiksteine als ein klares Bild. Dennoch dürfen sie als Vorläufer der modernen kirchensoziologischen Feldforschung betrachtet werden. In den dreißiger Jahren gelang dann eine Systematisierung dieser Ansätze. Während in Frankreich der Anstoß von Le Bras zu einer umfassenden Religionssoziographie der katholischen Kirche führte,[12] in den Niederlanden vor allem pastoralsoziologische Untersuchungen betrieben wurden[13] und in den Vereinigten Staaten Religionssoziographien der verschiedensten Denominationen, Sekten oder Konfessionen entstanden,[14] hatte Deutschland durch die gewaltsame Unterbrechung der religionssoziologischen Arbeit erst nach 1945 an dieser Forschung teil. In etwa eineinhalb Jahrzehnten (ca. 1950/65) entstand hier aufgrund des großen Nachholbedarfs eine unübersehbare Fülle von Einzeluntersuchungen zur Kirchensoziographie. Sozialwissenschaftliche Forschungsinstitute der beiden großen Kirchen waren nicht unerheblich an dieser Produktion beteiligt.[15] Die Namen von J. Freytag, D. Goldschmidt, N. Greinacher oder W. Menges mögen für viele stehen.[16]

Die gemeinsame Tendenz dieser internationalen empirischen Religions-

[11] Ch. Booth, Life and Labour of the People of London, 17 Bände, London 1891—1903; die wichtigsten Veröffentlichungen des von W. J. Thomas und F. Znaniecki 1921 gegründeten „Institute of Social and Religious Research" sind verzeichnet bei F. Fürstenberg (Hrsg.), Religionssoziologie, S. 459, Lit.-Verz. Nr. 146—149.

[12] Vgl. F. Boulard, Premiers itinéraires en Sociologie religieuse, Paris 1954.

[13] Darüber informiert zusammenfassend G. Kehrer, Religionssoziologie, S. 49 f.

[14] Den entscheidenden Anstoß gab das Buch von H. R. Niebuhr, The Social Sources of Denominationalism, New York 1929; ihm folgten die Untersuchungen von H. Stroup über die Zeugen Jehovas (1949) oder etwa das Buch von R. O'Dea über die Mormonen (1957); ferner sei verwiesen auf W. Herberg, Protestant-Catholic-Jew. An Essay in American Religious Sociology, New York 1956.

[15] Über die in der Bundesrepublik, aber auch in anderen europäischen Ländern entstandenen sozialwissenschaftlichen Institute der Kirchen handelt — recht kritisch — D. Savramis, Religionssoziologie. Eine Einführung, München 1968, S. 63 ff.

[16] Vgl. dazu G. Kehrer, Religionssoziologie, S. 50 ff.

soziologie ist gekennzeichnet durch die Abwendung von der „klassischen"
Voraus-Setzung eines allgemeinen soziologischen Religionsbegriffs und
seiner Anwendung auf qualitative religionssoziologische Analysen und
vergleichend-historische Typologien. Dagegen zielt die Handhabung
empirisch-soziographischer Methoden auf die Darstellung quantitativer
kirchen- und konfessionssoziologischer Befunde, nicht zuletzt in praktisch-
theologischer Absicht. Aufs Ganze gesehen sind es vor allem vier Themen-
kreise, welche die „neuere" empirische Religionssoziologie dabei ins Auge
faßt: Erstens die Erhellung der sozialen Bedingungen für die Wandlungen
im religiösen Verhalten der Glieder einer Kirche oder religiösen Gruppe,
also des Verhältnisses von sozialem Milieu und kirchlicher Aktivität;
zweitens die strukturelle Untersuchung der Kirchengemeinde als eines
Sozialsystems, dessen Rollengeflecht entscheidende Hinweise zu geben
vermag für seine optimale Gestaltung in funktional-administrativer Hinsicht; drittens die Soziographie des Pfarrerstandes, also Erhebungen bezüglich der Herkunft, der Motivationen für die Berufswahl oder des
Berufsverständnisses der Pfarrer; viertens soziographische Gesamtanalysen
von bestimmten religiösen Kleingruppen, Sekten oder vereinzelt auch
größeren Religionsgemeinschaften. In allen diesen Themenkreisen ist mit
viel Fleiß und Gründlichkeit wichtiges Material zusammengestellt worden.
Allerdings kann man kaum darüber hinwegsehen, daß diese kirchlichen und
religiösen Bestandsschilderungen sich mit dem Maß ihrer Spezialisierung
von einer für das Verständnis der Gesamtgesellschaft fruchtbaren Wissenschaft entfernen. Innere Unsicherheit tritt hinzu. So taugt weder die viel-
bemühte Säkularisierungsthese wirklich für eine Deutung der differenzier-
ten religiösen Einstellungen und Verhaltensweisen in der gegenwärtigen
kirchenfremden Gesellschaft, noch ist zweifelsfrei auszumachen, wie das
soziale Strukturgefüge einer Kirchengemeinde überhaupt sachgemäß soziologisch definiert werden kann. Offensichtlich walten im religionssozio-
graphischen Denken eine ganze Reihe unreflektierter, vor allem kirchlich-
dogmatischer Prämissen. Eine dies unkritisch unterstützende Theologie
mitsamt der kaum verhohlenen praktisch-kirchlichen Absicht der Kirchensoziographie hat der „neueren" religionssoziologischen Richtung nicht zu
Unrecht das Odium des „Konfessionalismus" oder „Theologismus" ein-
getragen.[17] Ihre empirische Beschränkung und Einseitigkeit gerät darum
in jüngster Zeit mehr und mehr in die Kritik.

[17] Vgl. D. Savramis, Religionssoziologie, bes. S. 78

4. So läßt sich in der *Gegenwart* wieder die Tendenz zur theoretischen Fundierung der religions- oder kirchensoziographischen Arbeit und damit zur Wiedergewinnung ihrer gesamtgesellschaftlichen Relevanz erkennen. Dabei geht es nicht um eine Rückkehr zum „klassischen" Ansatz bei einem allgemeinen soziologischen Religionsbegriff. Die empirische Wende läßt sich nicht einfach rückgängig machen. Eine religionssoziologische Theorie kann heute nur auf dem Grund und unter Einschluß der Erkenntnis der Religions- und Kirchensoziographie entwickelt werden. Das macht es notwendig, den engen soziologischen Bezugsrahmen expliziter Religiosität oder Kirchlichkeit auf den gesamtgesellschaftlichen Horizont auszuweiten. Soziologie der Religion muß als bestimmte Soziologie der Gesellschaft überhaupt entworfen werden. Die Religionssoziologie als Spezialbereich der Soziologie ist damit hinfällig. Auf dieser grundsätzlich gemeinsamen Einsicht und Basis geht die „moderne" Religionssoziologie gleichwohl recht unterschiedliche Wege. Die Differenzierung erscheint dabei abhängig vom jeweiligen Stellenwert der soziologischen Grundkategorien. Die Entscheidung über eine religionssoziologische Position fällt also daran, ob in ihr dem sozialen Bewußtsein und Verhalten des einzelnen oder einem umfassenden sozialen Formprinzip, den sozialen Institutionen oder endlich dem Gesellschaftssystem als Ganzem der erste — wohlgemerkt: nicht der ausschließliche — Rang für eine Theoriebildung zugemessen wird.

Helmut *Schelsky* darf als Repräsentant jener Richtung gelten, für die das soziale Bewußtsein des einzelnen den ersten Stellenwert für die soziologische Theoriebildung besitzt. In einem vielbeachteten, wenngleich noch lange nicht erschöpfend diskutierten Grundsatzreferat [18] geht Schelsky davon aus, daß die gegenwärtige, säkularisierte Gesellschaft durch eine Bewußtseinshaltung ihrer Glieder geprägt ist, die sich mit dem Begriff der „Dauerreflexion" beschreiben läßt. Glaube oder Religion sind in die Notwendigkeit „unendlicher Iteration", in „Durchreflektiertheit" und „Gegenstandsverdunstung" mit einbezogen. Was als Offenbarung akzeptiert wird, erweist hier seine Geltung. Religionssoziologie und Soziologie stehen an einem und demselben Ausgangspunkt. Ihr gemeinsames Problem ist die

---

[18] H. Schelsky, Ist Dauerreflexion institutionalisierbar? Zum Thema einer modernen Religionssoziologie, ursprünglich in: Zeitschrift für Evangelische Ethik, Jg. 1/1957, jetzt: Auf der Suche nach Wirklichkeit, Düsseldorf 1965, S. 250—275. Vgl. auch den die Diskussion zu diesem Aufsatz beantwortenden Beitrag: Religionssoziologie und Theologie, ebd. S. 276—293.

Frage: „Ist Dauerreflexion institutionalisierbar?" Schelsky bejaht diese Frage, wobei er hinsichtlich der Institutionenbildung die Analyse A. Gehlens teilt,[19] dessen Schluß jedoch ablehnt, Institutionen könnten grundsätzlich die Lebendigkeit des Geistes nicht sichern. Schelsky ist vielmehr davon überzeugt, daß es Institutionen gibt, welche die Produktion der Dauerreflexion organisieren und den legitimen Ausdruck derselben darstellen — allen voran das Gespräch. Er stellt fest, daß längst und überall diese neue soziale Institution auf dem Wege ist, in alte Strukturen eingebaut zu werden, diese umzufunktionieren, zu neutralisieren oder zu ersetzen — nicht zuletzt in der Kirche. Was von hier aus zu entwerfen wäre, ist eine dialogische Religionssoziologie.[20] Sie hätte in der Tat keine Mühe, ihren stellvertretenden Charakter für eine allgemeine Gesellschaftstheorie nachzuweisen. Freilich, Schelskys Zustimmung zu dem Satz von Simone Weil: „Das Ich und das Soziale sind die beiden Götzen", zeigt auch die Problematik dieser Konzeption an. Das der Dauerreflexion entsprechende Dialogische ist wesentlich Ich-Du-Beziehung. Auf dieser Basis muß die Wiedergewinnung einer religionssoziologischen Gesamttheorie zwangsläufig mit der Disqualifikation transpersonaler sozialer Phänomene bezahlt werden. Kann eine Religionssoziologie aber auf diese verzichten?

Der funktionalen Engführung Schelskys entgeht Thomas *Luckmann* durch seine Entscheidung, für die geforderte Theoriebildung zunächst nach den allgemeinen anthropologischen Bedingungen von Religion zu fragen.[21] Nach seiner Ansicht bestehen diese in dem menschlichen Vermögen, „Bedeutungssysteme" oder „Symbolwelten" zu schaffen durch Transzendierung der „natürlichen", individuellen und sozialen Gegebenheiten. Reflexion — in Gestalt des menschlichen Distanz- und Integrationsvermögens — ist Medium, nicht Wesen dieses Vorgangs. Er geschieht unabdingbar in „konkreten Sozialisierungsprozessen" und innerhalb geschichtlich vorgegebenen Ordnungen. Religiös nennt Luckmann die Schaffung von Bedeutungssystemen oder Symbolwelten dann, wenn sie zur „Person-

---

[19] Vgl. bes. A. Gehlen, Urmensch und Spätkultur, Bonn 1956.

[20] Eine solche Religionssoziologie findet fraglos in der Theologie des dialogischen Personalismus, wie sie zuerst von E. Brunner oder F. Gogarten entwickelt worden ist, ihren genuinen Gesprächspartner.

[21] Vgl. von Th. Luckmann, Neuere Schriften zur Religionssoziologie, in: KZSS 12/1960, Heft 2; Ders., Das Problem der Religion in der modernen Gesellschaft, Freiburg 1963; Ders., The invisible Religion, New York / London 1967.

werdung" natürlicher Gegebenheiten führt. Damit erscheint das Religiöse
als eine allgemeine, qualitativ-soziale Größe. „Persongewordenen" sozialen Gegebenheiten gibt Luckmann auch die Bezeichnung „Weltansicht";
sie ist die „soziale Grundform der Religion". Worin findet die Weltansicht
ihren konkreten, „institutionellen" Ausdruck? Luckmanns Nähe und
Distanz zu Schelsky erweisen sich noch einmal, wenn er als ihre wesentlichste Objektivation die „Sprache" nennt. Sprache meint hier freilich
mehr als Sprechen oder Gespräch; sie ist Ausdruck und innere Form der
Weltansicht als ganzer. Sie steht ebenso für deren tyische Handlungs-
und Verhaltensweisen (Ritus), wie für repräsentative Begriffe, Vorstellungen oder Anschauungen (heilige Zeichen), wie endlich für jene
Institutionen, welche religiöse Handlungen und Anschauungen aufnehmen
und ordnen (heiliger Kosmos). Personhafte Sprachlichkeit ist mithin so
etwas wie das religiöse Existenzial der Gesamtgesellschaft. Religionssoziologie müßte auf diesem Fundament personale Religionssoziologie
sein.[22] Die Frage ist freilich, wie in einem derartigen System nichtpersonale,
explizite religiöse Tatbestände soziologisch als religiöse erwiesen werden
können.

Diese letzte Frage bringt Günther *Kehrer* dazu, religionssoziologische
Forschung — wenigstens „vorerst" — zu konzentrieren auf die Strukturen
von „religiös intendierten spezifischen Vergesellschaftungen" und auf
„religiös bestimmtes Sozialverhalten" — kurz, auf die „Bedeutung religiöser Institutionen für den Bestand der Gesellschaft" und deren Wand-
lungsprozesse.[23] Dabei differenziert und dynamisiert er freilich die
traditionelle, auf formalistische Strukturen abhebende soziologische In-
stitutionenlehre durch den Organisations-Begriff. Organisation ist ein
durch spezifische Zielsetzung und durch rationale Methoden zur Erreichung
dieses Zieles bestimmtes, strukturiertes, partiell-soziales System. Ihre Ziele
stellen sich dar als gesetzte Wertungen oder Erwartungen; ihre rationalen
Methoden konkretisieren sich in den Bestrebungen, diese Setzungen zu
stabilisieren, zu praktizieren, die Praxis zu kontrollieren und eventuell —

---

[22] Es ist einsichtig, daß Luckmanns religionssoziologischer Ansatz eine besondere Nähe zur Theologie der existentialen Interpretation (R. Bultmann), aber in
gewissem Sinne auch zur Theologie P. Tillichs aufweist.

[23] Die wichtigsten Arbeiten von G. Kehrer sind: Das religiöse Bewußtsein des
Industriearbeiters. Eine empirische Studie, München 1966; ferner: Religions-
soziologie, Sammlung Göschen Band 1228, Berlin 1968. Die programmatischen
Sätze ebd., S. 4 und S. 52.

auf andere Organisationssysteme übergreifend — auszuweiten. Sofern solche Sozialgebilde zu Institutionen gerinnen, spricht Kehrer auch von „organisatorischen Institutionen". Es ist deutlich, daß es auf dieser Basis eine Fülle von Institutionstypen gibt und daß keiner von ihnen das Ganze einer Gesellschaft deckt. Andererseits ist jedes dieser „Binnensysteme" grundsätzlich relevant für die Gesamtgesellschaft, insofern es sich in seiner Formalstruktur unendlich wiederholt. Auch religiöse Organisationen sind darin eingeschlossen. Die Tatsache, daß ihre Ziele, nach Kehrer, in überempirischen Wertungen gründen, widerspricht dem nicht. Daraus ergibt sich vielmehr als eigentliche Organisationsstruktur religiös intendierter Vergesellschaftung das, was Kehrer die „Sozialtechnik im herrschaftsfreien Bereich der Gesellschaft" nennt; ihr steht die „normative Integration des Individuums" in die Gesellschaft als spezifisch religiöses Sozialverhalten zur Seite.[24] Beides besagt letztlich, daß sich religiöse Organisation wesentlich dem sozial noch nicht Fixierten, positiv ausgedrückt: den sozialen Prototypen oder Modellen von Institution widmet. Darin liegt ihre gesamtgesellschaftliche Relevanz. Es ist deutlich, wie hier die Probleme sozialer Schichtung, Wirtschaftsform, Politik, Familie u. a. in der religionssoziologischen Analyse mitenthalten sind. Dennoch muß bezweifelt werden, daß diese strukturelle Analyse die Fülle der religiösen Institutionen abdeckt. Von Kehrers Prämisse aus muß als religionssoziologisch irrelevant erklärt werden, was über das definierte Binnensystem hinausgreift.

Erweitert Kehrer die Kirchensoziologie zur Soziologie der Religion, indem er das religiös-bestimmte Organisationsgefüge analysiert, so geht Joachim *Matthes* diesen Weg durch die Inblicknahme der „Problematik des allgemeinen Christentums".[25] Hinter dieser unscheinbaren Formel verbirgt sich nicht weniger als die radikale Absage an den Begriff der Religion als analytische Kategorie. Religion ist nach Matthes ausschließlich phänomenal zu begreifen. Eine Religionssoziologie in unserem Kulturraum ist somit auf die systematische Erhebung explikativer Vergesellschaftung des Christentums gewiesen: sie muß umfassende Christentumssoziologie sein.

[24] Vgl. G. Kehrer, Religionssoziologie, bes. S. 124 ff. 129 f.

[25] Von J. Matthes stammt die ausführlichste und instruktivste Einführung in die Religionssoziologie der Gegenwart: Religion und Gesellschaft. Einführung in die Religionssoziologie I, rde 279/280, Hamburg 1968; Kirche und Gesellschaft. Einführung in die Religionssoziologie II, rde 312/313, Hamburg 1969; das Zitat in I/116.

Diese Aufgabe ist nach seiner Ansicht nur zu lösen durch differenziertere, vertiefte kirchensoziologische Forschung. Das bedeutet für Matthes vor allem die Überwindung des isolierten und verengten Konfessionsprinzips der Religionssoziographie, welches latenter Kirchlichkeit und Religiosität nur den Modus der Defizienz zugesteht und auch einer Soziologie der Sekten und Denominationen nicht voll gerecht werden kann. Eine systematische Christentumssoziologie hat also von pluralen Ausdrucks- und Vermittlungsformen der Religion auszugehen und vergleichende Forschung schon im Ansatz mit zu intendieren.[26] Das erfordert viel methodologische Phantasie für die sachgerechte Erhebung der religiösen Verhaltenstypen. Erkenntnisse moderner Einstellungsforschung erweisen sich hierbei als außerordentlich hilfreich. Das bedeutet weiter, daß eine so konzipierte Christentumssoziologie nicht um die interdisziplinäre Verflechtung ihrer Arbeit herumkommt, wobei auch der bislang weitgehend unberücksichtigte historische und vergleichend-historische Aspekt christlich-religiöser Ausdrucksformen eine wichtige Rolle spielt. Die Frage, wie eine derart zur Religionssoziologie erweiterte Kirchensoziographie zu einem zentralen Thema der Soziologie überhaupt werden kann, hängt offenkundig an der möglichen gesamtgesellschaftlichen Relevanz solch pluriformer Religiosität. Matthes meint, daß sich diese Relevanz aus einem „Grad an 'mittlerer Allgemeinheit'" ergebe, den die Religionspluralität mit ihrer gesellschaftlichen Vermittlung gewinnt. Allein auf dieser Basis sei dann auch eine allgemeine Religionssoziologie — also eine Christentum, Islam, Buddhismus und andere religiöse Systeme zusammenführende Soziologie — anzuvisieren, deren kritische Bewährung die vergleichende Kultur- und Gesellschaftsanalyse darstellt. An dieser Stelle wird nun freilich das — eingestandene! — Dilemma des christentumssoziologischen Konzepts offenkundig. Die radikale Abkehr vom analytisch-allgemeinen und das Festhalten am phänomenal-konkreten Religionsbegriff überwindet die axiomatische und methodische Engführung der Kirchensoziographie nicht letztlich, sondern multipliziert nur deren Ansatz. So bleibt auch der Christentumssoziologe nur die, wenn auch elastischer gewordene, Repro-

---

[26] Vgl. J. Matthes, Kirche und Gesellschaft, S. 18 ff. Matthes knüpft für dieses Programm ausdrücklich an bei einigen amerikanischen Untersuchungen, so vor allem Ch. Y. Glock, On the Study of Religious Commitment, übersetzt und abgedruckt in: Kirche und Gesellschaft, S. 150 ff., sowie G. Lenski, The religious Factor, New York 1963 (dt. Religion und Realität, Köln 1967).

duktion der im Selbstverständnis des Untersuchungsgegenstandes schon angelegten Aussagen.

' 5. Die hier vorgestellten vier Positionen einer „modernen" Religionssoziologie — für die wir exemplarisch deutsche Vertreter wählten, denen sich aber ohne Schwierigkeit Forscher anderer europäischer Länder oder auch der Vereinigten Staaten zur Seite stellen ließen[27] — fordern *Zusammenfassung und kritischen Ausblick* heraus. Es ist zunächst deutlich, daß alle genannten Richtungen der neuen religionssoziologischen Theoriebildung auf dem Fundament eines gleichsam umgekehrten Folgeschemas der traditionellen Säkularisierungsthese stehen. Dazu hat Trutz Rendtorff programmatisch das Entscheidende gesagt.[28] Die Pointe dieser Umkehrung liegt darin, daß die geschichtliche Bewegung der Differenzierung von säkularisiertem Staat und kirchlicher Religiosität durch den von ihr selbst mit motivierten Prozeß der Auswanderung des Christentums aus seiner kirchlichen Gestalt heute umgeschlagen ist in die Dialektik einer säkularisierten Kirche und einer religionsoffenen Gesellschaft. Geht man von diesem Tatbestand aus, so ist die erste Folgerung für eine die empirische Kirchen- und Religionssoziographie erweiternde Religionssoziologie die Annahme einer potentiellen Integration von Religion und Gesellschaft. Dieser Ausgangspunkt ist es, der Religionssoziologie als Soziologie der Gesamtgesellschaft in bestimmter Sicht erlaubt. Jeder Vertreter der vorangestellten Positionen verwirklicht diesen Ansatz auf seine Weise. Die Verschiedenheit hängt davon ab, welchen Grundbegriff einer « religion civile » (Rousseau) der einzelne als zweite Folgerung aus dieser Ausgangslage wählt. Ist diese säkularisierte, sozial-relevante Religiosität ursprünglich Dauerreflexion oder Schaffung personaler Weltansicht, ist sie prototypische Organisation oder transkonfessionelle Gesamtgestalt des Christentums?

Wie wir sahen, läßt sich mit all diesen Grundbegriffen eine Religionssoziologie entwerfen. Allerdings bleibt keine von Schwierigkeiten und Aporien verschont. Schelsky und Luckmann, deren Ansatz zwei Aspekte eines säkular-funktionalen Religionsverständnisses darstellen, stehen vor

---

[27] Vgl. dazu die Autoren in dem seit 1965 erscheinenden, von J. Matthes redigierten Internationalen Jahrbuch für Religionssoziologie (= IJRS).

[28] T. Rendtorff, Zur Säkularisierungsproblematik. Über die Weiterentwicklung der Kirchensoziologie zur Religionssoziologie, in: IJRS Band 2, Köln 1966, S. 51—72.

der Gefahr einer Personalisierung der Religion, deren soziale Nieder-
schläge soziologisch nicht mehr unbedingt und schlüssig als religiöse zu
erweisen sind. Kehrer und Matthes, die zwei Aspekte eines säkular-
strukturalen Religionsverständnisses vertreten, stehen vor der Gefahr
einer historisch-empirischen Limitierung der Religion, deren soziologisches
Gesamtbild trotz aller multiformen Variablen letztlich nur für ein ge-
schlossenes Binnensystem gilt. Es muß zwar anerkannt werden, daß das
Dilemma dieser Alternativen fast überall bewußt ist. Die Entscheidung
für diesen oder jenen Weg erscheint mithin als der Griff nach dem wissenschaftstheoretisch je geringeren Übel. Damit erhebt sich aber die Frage,
ob nicht die Aporie beider Wege ihren Grund in der falschen Folgerung
aus dem neuen Stand des Säkularisierungsphänomens besitzt. Erlaubt dies
wirklich nur eine Erweiterung der empirischen Kirchen- und Religionssoziographie? Erfordert die Auswanderung der Religion aus den tradi-
tionell-religiösen Funktionen oder Strukturen und damit die Entsäkularisierung der Gesellschaft nicht notwendig gerade die Wiedergewinnung
eines *sozial-relevanten spekulativen Religionsverständnisses?* Was kann
Entsäkularisierung letztendlich anderes bedeuten als dies? Damit ist kein
Rückfall in die Position der „klassischen" Religionssoziologie gemeint.
Aber es wird der Wahrheitskern dieser Position im Horizont des spät-
säkularisierten Denkens neu aufgenommen.

Wie kann dieser neue spekulative, sozial-relevante Religionsbegriff
gewonnen werden? An dieser Stelle scheint uns die Zusammenarbeit von
Theologie und Soziologie notwendig. Von einer solchen Zusammenarbeit
sprechen auch die „modernen" Religionssoziologen. Dabei geben die Vertreter des funktionalen säkularisierten Religionsbegriffs diesen zugleich als
das Proprium der Theologie aus. Demgegenüber belassen die Vertreter des
strukturalen Religionsbegriffs der Theologie Raum, insoweit sich diese als
„erfahrungswissenschaftlich interessiert" zeigt. Beides diskreditiert die
Theologie als Aspektdisziplin der erweiterten Kirchensoziologie. Diese
Haltung der Soziologie verwundert freilich nicht gegenüber einer Theologie, die sich traditionellerweise die empirischen Wissenschaften vom
Leibe hält. Im Zuge des darin eingeschlossenen theologischen Selbstver-
ständnisses wird bekanntlich das Phänomen Religion als Unglaube abgetan,[29] was eine Zusammenarbeit von vornherein unmöglich macht. Zum

---

[29] Vgl. insbesondere Karl Barth, Die Kirchliche Dogmatik, Band I/2, S. 324,
356 f. u. ö.

sachgemäßen Dialog mit der Soziologie ist also eine Theologie nur fähig und damit gefordert, wenn sie wahrhaft empirisch, das heißt Erfahrungswissenschaft unter Einschluß der Bedingungen ihrer Möglichkeit ist. Eine solche Theologie kann an der Auslegung der anthropologischen Dimension Religion nicht vorbeigehen, was recht verstanden deren Sozialität impliziert.[30] Sozialität der Religion läßt sich theologisch als die Komplementarität von eschatologischer und konkreter Kommunikation beschreiben, symbolisch ausgedrückt als Vorwegereignung des Reiches Gottes in Zeit und Raum. Jeder religionssoziologisch relevante Tatbestand lebt letztlich aus dem jeweiligen Verstehen dieses Symbols. Er ist darum nur dann sachgemäß interpretiert, wenn sein historisch-expliziter Befund transparent wird auf den sich in ihm vermittelnden „eschatologischen Vorbehalt".[31] Ist dies richtig gesehen, dann stellen funktionaler und strukturaler religionssoziologischer Ansatz oder allgemeiner und konkreter Religionsbegriff keine Alternativen, sondern Komplemente dar. Die Zukunft der Religionssoziologie liegt von hier aus in der An-Wendung dieses spekulativen theologischen Grundgedankens in einer durch und durch empirischen Religionssoziologie.

---

[30] Vgl. dazu vom Vf.: Theologische Anthropologie und die Wirklichkeit der Psyche. Zum Gespräch zwischen Theologie und analytischer Psychologie, Darmstadt 1972, bes. S. 370 ff.

[31] Den Ausdruck verdanke ich J. B. Metz. Es ist deutlich, daß von diesem Ausgangspunkt her für einen Dialog zwischen Theologie und Religionssoziologie der religionssoziologische Ansatz von G. Kehrer besonders geeignet erscheint, da dessen organisatorische Prototypik offen ist für eine theologische Interpretation in der hier geforderten Weise.

Ulrich Mann

RELIGIONSPSYCHOLOGIE

Herrn Prof. Dr. Dr. Wilhelm Bitter
zum 80. Geburtstag am 18. März 1973

Wie jede Wissenschaft ruht auch die Religionspsychologie auf einem
Fundament auf, welches sich in der konkreten menschlichen Existenz vor-
findet. Es gibt ein religionspsychologisches Denken, und zwar von gefühls-
mäßiger Art[1], in jeder lebendigen Religion, und das hat es schon gegeben,
solange es Religion gab. Auch in der sogenannten „primitiven Religion"
der vorgeschichtlichen Zeit hat sich der Mensch Gedanken gemacht über
den Zusammenhang zwischen Religion und Seele, und der Primitive tut
das heute noch. Wenn der Mensch der Aurignac-Epoche kleine Idole in
Höhlennischen aufstellte, so hielt er es, zweifellos ganz unreflektiert, für
einfach notwendig, zwischen dem Gegenstand seiner religiösen Vorstellung
und seinem Wahrnehmen, Fühlen und Intuieren eine kontinuierliche Verbindung herzustellen; nicht anders ist es prinzipiell, wenn in der Lehm-
hütte des indischen Dorfs das plakatbunte Shivabild hängt oder auch,
was ohne jede Wertungsabsicht gesagt sei, in der guten Stube oder im
Studierzimmer des Abendländers das Bild des Schmerzensmanns. Wir
stellen damit fest, daß es ein gefühlsmäßig bestimmtes religionspsychologisches Denken gab, solang es Religion gibt — und Religion gibt es zweifellos, solange es Menschen gibt —, wie auch daß dieses Denken niemals
aufhört, sondern daß es als Substrat jeder Religionspsychologie unaufhör-

[1] Ich beziehe mich dabei auf C. G. Jung (Ges. Werke Bd. 6, Zürich u. Stuttgart
9. A. 1960, S. 457 f.), der von einem solchen „gefühlsmäßigen Denken" sagt, es
handele sich hier um ein Denken, das „dem Prinzip des Fühlens untergeordnet
ist". Ein Denken ist es auf jeden Fall, insofern es „Wahrnehmung plus Urteil" ist
(Jung, Über Grundlagen der Analytischen Psychologie, Zürich und Stuttgart 1969,
S. 21). Dies zur Begründung dafür, daß ich hier den Ausdruck Denken für eine
psychische Funktion verwende, die sich weithin unreflektiert, ja nahezu unbewußt
abspielt.

lich weiterexistiert, solang es Religion geben wird — und es wird sie, verdeckt oder bewußt, immer geben —.

Neben oder besser gesagt über dieser Denkschicht gibt es nun ein religionspsychologisches Denken, das man schon durchaus als wissenschaftlich bezeichnen muß, wenngleich es noch nicht zu jener empirischen Wissenschaft gerechnet werden kann, welche wir heute im engeren Sinn als Religionspsychologie bezeichnen. Hier ist zu denken an die altindische Seelenlehre wie an die religiös orientierte Psychologie des antiken Griechentums, an Tertullian und Augustin, an die großen Mystiker des Mittelalters wie der Neuzeit, an Luther, Pascal, Hamann und Kierkegaard und viele andere.[2]

Die beiden genannten religionspsychologischen Denkweisen, die gefühlsmäßige, allgemeine, wie die wissenschaftliche im weiteren Sinn haben ihren Ort freilich noch sozusagen „innerhalb" des religiösen Bereichs; es handelt sich dabei um Denkweisen, die unmittelbar aus dem religiösen Leben erwachsen und die Förderung des religiösen Lebens zum Ziel haben. Daneben kann man nun noch eine weitere religionspsychologische Denkweise konstatieren, die ihren Ort gleichsam „außerhalb" der Religion hat: Es ist die radikale Religionskritik, soweit sie psychologisch motiviert wird. So erklärt der Sophist Prodikos den Nutzen zur Wurzel aller Religion, Kritias die pragmatische Politik; Feuerbach, Marx und Nietzsche sind die bedeutendsten Vertreter einer solchen „Religionspsychologie von außerhalb" in neuerer Zeit. Seit der klassischen Antike gibt es also ein zweifellos wissenschaftlich zu nennendes religionspsychologisches Denken, welches die Religion kritisch in Frage stellt.

Mit allen drei Denkweisen hat sich nun die *moderne empirische Religionspsychologie* kritisch zu befassen, denn von den Äußerungen dieser Denkweisen her bezieht sie unmittelbar das wichtigste Material, das sie zu erforschen sucht: Es sind die Äußerungen der religiösen Selbstreflexion wie auch die der antireligiösen Reflexion, die durch die religiöse Wirklichkeit provoziert werden. Doch ist damit noch keineswegs der Bereich ausgemessen, in welchem sich die empirische Religionspsychologie ihre Forschungsgegenstände sucht. Kritische Forschung prüft sowohl Selbstaussagen wie gegen diese gerichtete polemische Äußerungen immer

---

[2] Näheres darüber lege ich vor in der in Vorbereitung stehenden Einführung in die Religionspsychologie, welche im gleichen Verlag voraussichtlich 1973 erscheinen wird.

an den Fakten selbst. Wohl wird sich die empirische Religionspsychologie von der religiösen Selbstaussage wie von der antireligiösen Polemik immer auf die dringlichsten Themen ihres Forschungsgegenstands hinweisen lassen, doch beschränkt sie sich keineswegs auf den Komplex dieser Äußerungen; ihr Forschungsfeld ist so weit, wie der Gesamtbereich des Religiösen ist. Die Religionspsychologie ist also auf die Arbeit der gesamten Religionswissenschaft angewiesen, und sie gehört selbst, indem sie an dieser Arbeit teilnimmt, zur Religionswissenschaft. Dabei ist jedoch ihr Interesse das psychologische; sie versucht die Religion immer zu verstehen im Hinblick auf die Erforschung der Psyche. Genauso gilt aber auch das Umgekehrte, sie sucht die Psyche immer zu verstehen im Hinblick auf die Erforschung der Religion. Die Religionspsychologie gehört also zur Psychologie ebenso wie zur Religionswissenschaft.[3]

Mit dieser Feststellung einer zweifachen Zugehörigkeit ist nun freilich keineswegs gesagt, daß die Religionspsychologie nur eine Teildisziplin sei. Faktisch ist sie das in der Tat. Religionspsychologische Forschung wird heute so gut wie ausschließlich im Rahmen anderer selbständiger Fächer betrieben: Hierbei ist vor allem die Theologie beider Konfessionen zu nennen, wo besonders in den praktischen Disziplinen religionspsychologisch gearbeitet wird; ferner die Religionsphilosophie, weiter die Religionswissenschaft wie die Psychologie, wobei besonders die Tiefenpsychologie als Zweig der Psychotherapie und Psychopathologie hervorzuheben ist; weiter sind noch zu nennen Disziplinen und Forschungsrichtungen wie die Symbol-, Mythen- und Märchenkunde, die Kunstwissenschaft, die Pädagogik, die Politologie, schließlich aber auch die Verhaltensforschung (Ritual!) und, nicht zu vergessen, die Parapsychologie. In all diesen und noch manchen anderen Wissenschaftszweigen wird faktisch auch religionspsychologisch geforscht. Die religionspychologische Arbeit erstreckt sich also über einen sehr weiten Bereich; und das heißt, sie erhält von zahlreichen Nachbardisziplinen Anregungen wie Fragestellungen zugespielt.

Religionspsychologie ist, so gesehen, ein geradezu klassisches Beispiel für synoptische Forschungsarbeit. Doch wie steht es mit ihrer Eigenständigkeit

---

[3] Die Auseinandersetzungen über Ort und Gegenstand der Religionspsychologie wie über die Frage der Selbstbegrenzung aufs rein Empirische bzw. die Ausweitung der religionspsychologischen Fragestellung in Richtung auf die Sinn- und Wahrheitsfrage sind bis heute nicht abgerissen. Instruktiv hierzu sind die Tagungsberichte in Archiv für Religionspsychologie (AR) 7 und 8 (1962/1964).

als Wissenschaft? Diese Frage muß gestellt und beantwortet werden ganz unabhängig vom derzeitigen minimalen oder künftig wünschenswerten Bestand an Instituten und Lehrstühlen; zur Not kann ja die Religionspsychologie bei zureichender Ausstattung der Nachbardisziplinen wie bisher auch dort ihr Auskommen finden. Die Eigenständigkeit der Religionspsychologie steht und fällt jedoch mit der Eigenständigkeit ihres Gegenstands, ihrer Methodik, ihrer Ziele und ihres Sinns. Die folgenden Darlegungen wollen verstanden werden als Entwurf einer Sinn- und Ortsbestimmung wie als Beitrag zur praktischen Planung künftiger Arbeit. Bei der hierzu anzustellenden Übersicht wird sich auch zeigen, daß das Verhältnis der Religionspsychologie zur Theologie, dem Thema dieses Sammelbands entsprechend, besonderes Interesse verdient.

Es empfiehlt sich, die vorzunehmende Sinn- und Ortsbestimmung einzuleiten mit einer knappen Übersicht über die bisherige Entwicklung der modernen empirischen Religionspsychologie.[4]

Die geistesgeschichtliche Voraussetzung zur Entstehung dieser Forschungsdisziplinen muß vor allem in der positivistischen Wendung der Geisteswissenschaften in der zweiten Hälfte des neunzehnten Jahrhunderts gesehen werden. Auguste Comte verkündete den Beginn der Phase des „positiven Denkens", welches nunmehr die abgeschlossenen Phasen des theologischen und des metaphysischen Denkens ablösen sollte. Es genügte nicht mehr, die Religion lediglich unter theologischer oder philosophischer Fragestellung zu betrachten; insbesondere durch die Kritik an Hegel kam nun die Empirie zum Zug.[5] Dem entsprach auch durchaus das damals neu auflebende und seitdem stets zunehmende Interesse an der Psychologie, man denke nur an Marx und Nietzsche.

Doch hat die Religionspsychologie, was im Rahmen unseres Gesamtthemas besondere Beachtung verdient, noch eine weitere historische Wurzel, nämlich ihr gerade in der Frühphase unverkennbares Anliegen, der lebendigen Religion, und das hieß zunächst natürlich der christlichen, mit empirischer Forschung zu Hilfe zu kommen! Man empfand deutlich einen

---

[4] Kurze und klare Darstellung bei Trillhaas, Art. Religionspsychologie, RGG³ Bd. 5, Tübingen 1961 Sp. 1021—1025; ausführlicher: Wilhelm Keilbach: Die empirische Religionspsychologie als Zweig der Religionswissenschaft, AR 7, Göttingen 1962, S. 13 ff.

[5] Zu Hegels religionswissenschaftlicher Systematik s. bes. Hans-Joachim Schoeps, Studien zur unbekannten Religions- und Geistesgeschichte, Göttingen 1963, S. 255 ff.

gewissen Mangel an der zeitgenössischen Theologie, die offenbar nicht in der Lage war, die zeitgemäße empirische Methode sich wirklich zu eigen zu machen, und darin sah man die Ursache der unverkennbaren Krise, in die die Religion zu geraten im Begriff stand. Man wollte also der Theologie zu Hilfe kommen, nicht aber sie bestreiten. So steht am Beginn der neuzeitlichen empirischen Religionspsychologie auch das Bestreben, eine synoptische Zusammenarbeit zwischen Religionswissenschaft und Theologie zustande zu bringen. Dieses Bestreben ist natürlich nicht bei allen führenden Religionspsychologen der Frühzeit im gleichen Maß ausgeprägt, ja, es kann in Einzelfällen auch fehlen; immerhin ist das Gesamtbild doch verhältnismäßig einheitlich, und so ist es auch fernerhin geblieben: Aufs Ganze versteht sich die Religionspsychologie bis heute, bei aller Eigenständigkeit, wie auch bei all ihrer Zurückhaltung hinsichtlich der Wahrheits- und Sinnfrage, doch als der Theologie verpflichtet, vor allem insofern, als sie erwartet, ihre Forschung könnte der lebendigen Religion über die erhoffte theologische Verarbeitung ihrer Ergebnisse und Befunde dienlich sein. Von daher erklärt sich auch die hohe Zahl von bedeutenden Theologen unter den religionspsychologisch Forschenden, besonders in der ersten Hälfte unseres Jahrhunderts.

Der entscheidende Anstoß zur Entwicklung der empirischen Religionspsychologie erfolgte am Ende des neunzehnten Jahrhunderts in den USA. Zu nennen sind vor allem William James, Stanley Hall, William Burnham, Edwin Starbuck und James Leuba. James, stark von Schleiermacher beeinflußt, ging behutsam phänomenologisch vor, Hall hielt sich mehr an die Individualpsychologie der damaligen Zeit — Fragebogenverfahren und Statistik —, Starbuck wandte sich besonders der physiologischen Seite religiöser Phänomene zu — Funktion von Gehirn und Zentralnervensystem —. In Europa knüpften bald Gustav Vorbrodt und Théodore Flournoy an diese amerikanischen Forschungen an.

In anderer Weise wirkte der Anstoß von Leuba, der der Religionspsychologie eine ethnologische Richtung zu geben versuchte; von ihm führt eine unmittelbare Linie zu Wilhelm Wundt,[6] und damit schließlich auch zur religionsphänomenologischen Forschungsrichtung, welche schon im Ansatz bestimmt war durch die für sie maßgebende enge Verbindung der Religionsgeschichte mit der Religionspsychologie, eine Verbindung, die auch schon für Wundts Denken hohe Bedeutung hatte.

[6] Wilhelm Wundt, Völkerpsychologie, erstmalig Leipzig 1904/06, 2 Bde.

In Deutschland finden sich schon früh Theologen zur religionspsychologischen Forschung hingezogen; im Protestantismus sind es besonders diejenigen, welchen die von Kant bestimmte Ritschlsche Theologie nicht mehr genügte, weil sie dem Bedürfnis nach streng empirischer Wissenschaftlichkeit doch, trotz Harnack, zu wenig Rechnung zu tragen schien. Im Katholizismus wirkte zu Anfang hemmend der Widerstand des Konservatismus gegen den „Psychologismus"; diesen Schwierigkeiten begegnete mit viel Umsicht und durch behutsames Einschlagen neuer Wege vor allem Georg Wunderle.[7]

In der Folge sehen wir manchen Theologen mit religionspsychologischen Fragestellungen beschäftigt, ja führend in der religionspsychologischen Arbeit wirkend. Neben Ernst Troeltsch, dessen universales Denken auch religionspsychologischen Problemen zugewandt war, sind besonders zu erwähnen Georg Wobbermin[8], Karl Girgensohn[9], Wilhelm Stählin, Werner Gruehn, dann vor allem Rudolf Otto;[10] auch Nathan Söderblom und Friedrich Heiler stehen der Religionspsychologie aufgeschlossen gegenüber. Aus neuerer Zeit sind zu nennen Wolfgang Trillhaas[11] und Wilhelm Pöll[12], ersterer von der protestantischen, letzterer von der katholischen Theologie ausgehend. Theologie und Religionspsychologie erweisen sich also vom Anfang bis zur Gegenwart als eng verbunden.

Dies zeigt sich auch deutlich in den Bänden des Archivs für Religionspsychologie[13], wo die Tagungsberichte der Gesellschaft für Religionspsychologie erscheinen. Hier dokumentiert sich die enge und rege Zusammenarbeit verschiedener Disziplinen und Richtungen, vor allem der theologischen und psychologischen, in eindrucksvoller Weise. Auch die

---

[7] Georg Wunderle, Aufgaben und Methodik der Religionspsychologie, Fulda 1914.

[8] Georg Wobbermin, Systematische Theologie nach religionspsychologischer Methode, Bde. 1—3, Leipzig 1913/1921/1926.

[9] Karl Girgensohn, Der seelische Aufbau des religiösen Erlebens, Leipzig 1921.

[10] Rudolf Otto, Das Heilige, 30. A., München 1958. — Aufsätze, das Numinose betreffend, Stuttgart 1923. Zu Otto s. neuerdings Ansgar Paus, Religiöser Erkenntnisgrund, Leiden 1966.

[11] Wolfgang Trillhaas, Die innere Welt, München 1953.

[12] Wilhelm Pöll, Religionspsychologie — Formen der religiösen Kenntnisnahme, München 1965.

[13] Seit 1914 Wilhelm Stählin, 1929 Werner Gruehn, 1962 Wilhelm Keilbach als verantwortliche Herausgeber; unter Keilbach nunmehr Bd. 7—10 erschienen.

kritische Übersicht aus den ausgehenden fünfziger Jahren von Lieselotte Richter[14] bestätigt diesen Befund.

Psychologie, Religionswissenschaft und Theologie erweisen sich also als die eigentlichen Träger und Anreger der neuzeitlichen Religionspsychologie. Von der modernen Psychologie her wirkt ein starker Impuls auf die statistische und experimentelle Methode der heutigen Religionspsychologie; dabei ist jedoch die Frage zu stellen, ob darin nicht eine allzu starke Repristinationstendenz liegen könnte! Denn nach der Krise, welcher die Religionspsychologie durch den mächtigen Gegenschlag der „dialektischen Theologie" gegen allen „Psychologismus" beinahe erlegen war, erscheint es nunmehr, in der Epoche einer kräftigen Wiederbelebung dieser Disziplin, nicht mehr als zureichend, einfach zu den Methoden der Anfangsjahre unseres Jahrhunderts zurückzukehren; andererseits muß zugegeben werden, daß abgerissene Fäden da aufgenommen werden müssen, wo sie liegengeblieben sind. Mag man auch, wie etwa Wolfgang Trillhaas[15], mit durchaus einleuchtenden Gründen jede experimentelle Methode ablehnen, so muß man doch andererseits die experimentellen und statistischen Arbeitsweisen der heutigen Psychologie zunächst einmal auch auf religionspsychologischem Gebiet gewähren lassen, um Recht und Grenze exakt bestimmen zu können.[16] Die entscheidende künftige Aufgabe sehe ich freilich in der Aktivierung der synoptischen, d. h. interdisziplinären Zusammenarbeit. Hier dürfen wir dankbar das Wirken der Gesellschaft für Religionspsychologie begrüßen, möchten jedoch gerade in dieser Richtung zu fortwährender Initiative ermutigen.

Das Stichwort Synopse gibt Anlaß, zunächst noch auf jene Forschungsrichtungen hinzuweisen, die in einem weiteren Rahmen für die religionspsychologische Arbeit von Bedeutung sind und in ihr immer berücksichtigt werden müssen. Hier ist zu denken an die Gestalt- und Symbolforschung, die vor allem auf Christian von Ehrenfels zurückgeht.[17] Gestalt ist mehr als die Summe ihrer Teile: Jede höherentwickelte Religion strebt zur gestalthaften Erfassung des religiösen Gegenstands; wogegen man übrigens

---

[14] Lieselotte Richter, Zum Situationsbewußtsein der gegenwärtigen Religionspsychologie, ThLZ 85/1960.

[15] Art. Religionspsychologie in RGG³.

[16] Hier ist zu verweisen vor allem auf die Forschungen von Kurt Gins, s. seine Aufsätze in AR 7, 8, 9.

[17] Hierzu die Festschrift Gestalthaftes Sehen, Darmstadt 1960.

nicht mit dem Bilderverbot des AT argumentieren sollte, denn der Gott der Bibel ist sehr deutlich profiliert!

Des weiteren ist zu erwähnen die Religionspsychopathologie [18], welche besonders berufen ist, kritisch auf Entartungen religiösen Gestaltens hinzuweisen. Mythen-, Symbol- und Märchenforschung, jeweils besonders unterm religionspsychologischen Aspekt, tragen Wesentliches bei zum wissenschaftlichen Verständnis des Verhältnisses von Religion und Psyche.[19] Oft zu Unrecht gescholten, aber gerade für die Religionspsychologie unentbehrlich durch sorgsam registrierende Beobachtung ist die wissenschaftlich betriebene Parapsychologie; wer hier grundsätzliche Bedenken hegt, sollte daran denken, daß auch an der Universität Leningrad ein Institut zur Erforschung psychischer Fernwirkung eingerichtet worden ist. Es geht hierbei nicht so sehr um die Frage der metaphysischen und ontologischen Deutung parapsychologischer Phänomene, sondern um die Untersuchung belegbarer Fakten, die für die religionspsychologische Forschung ergiebig sind.[20] Schließlich sind auch psychologische Deutungen der Astrologie und der Alchemie unentbehrlich für das religionspsychologische Verständnis des Verhältnisses von Religion und Seele.[21]

Von denkbar höchster Bedeutung für die Religionspsychologie sollte schließlich jener Zweig der Psychotherapie werden, den man heute als Tiefenpsychologie zu bezeichnen pflegt, besonders in den Schulrichtungen, die auf Sigmund Freud (Psychoanalyse) und Carl Gustav Jung (Komplexe oder Analytische Psychologie) zurückgehen. Die Tiefenpsychologie, besonders die der Jungschen Richtung mit ihren Weiterentwicklungen

---

[18] Grundlegend hierzu immer noch Kurt Schneider, Zur Einführung in die Religionspsychopathologie, Tübingen 1928.

[19] Mythenforschung: s. bes. Kurt Goldammer, Religionen, Religion und christliche Offenbarung, Stuttgart 1965. Zur Mytheninterpretation: Karl Kérényi, Die Eröffnung des Zugangs zum Mythos (Wege der Forschung, Bd. 20), Darmstadt 1967; Ernst Buess, Die Geschichte des mythischen Erkennens, München 1953 (freilich noch stark im Bann der Dialektischen Theologie). Märchenforschung: Wilhelm Laiblin, Märchenforschung und Tiefenpsychologie, Darmstadt 1969.

[20] Siehe bes. Hans Bender, Parapsychologie, Darmstadt 1966. Dazu J. B. Rhine und J. G. Pratt, Parapsychologie, Bern — München 1962; hier auch genaue Darlegung der statistischen und Test-Methode in ihrer Bedeutung für die Erforschung parapsychologischer Phänomene.

[21] Alfons Rosenberg, Das Weltbild der Astrologie, Zürich 1949; C. G. Jung, Psychologie und Alchemie, Zürich 1944.

hauptsächlich durch Erich Neumann, Viktor E. Frankl und Karlfried Graf Dürckheim, ist aufs Ganze gesehen für die Religionspsychologie noch lange nicht zulänglich ausgewertet.[22]

Freuds wichtigste religionspsychologische Schriften sind ›Totem und Tabu‹ (1913), ›Die Zukunft einer Illusion‹ (1928) und ›Der Mann Moses und die monotheistische Religion‹.[23] Bei Jung läßt sich sagen, daß er nahezu in allen Schriften, besonders seit der zwischen 1911 und 1913 erfolgten Trennung von Freud, sich intensiv mit religionspsychologischen Problemen beschäftigt; hervorzuheben ist jedoch der elfte Band seiner Gesammelten Werke.[24]

Es wurde versucht, den Unterschied im religionspsychologischen Denken von Freud und Jung durch die bei Freud sich mehrfach findenden Begriffe „Dualismus" und „Monismus" zu charakterisieren.[25] Freud, als der strenger ans empirische Denken sich haltende Forscher, versage sich grundsätzlich eine letzte Gesamtdeutung der religionspsychologischen Phänomene, er halte sich entschieden an die faktisch gegebenen Urdualitäten von Ichtrieb und Sexualtrieb, von Lebens- und Todestrieb, von Logos und Ananke oder, später, Eros und Ananke, und versage sich eine übergreifende Deutung, um ja nicht die Härte der persönlichen, in der Analyse zutage tretenden Kindheitserinnerungen durch eine verharmlosende Theorie zu überspielen; er halte grundsätzlich am Biologischen und Historischen fest, ohne daraus eine Metaphysik zu machen, wobei er als entschiedener Agnostizist in metaphysischen Fragen auch weit entfernt davon sei, die Realität solcher Wahrheiten etwa zu leugnen: nein, er bleibe bei der Lösung durch den Dialog und nur durch ihn, wodurch er wiederum ein Element der Polarität betone. Jung dagegen neige immer zur monistischen Gesamttheorie, die ihn oft genug dazu verführe, ins Spekulative auszuweichen. An dieser Kontrastierung ist zweifellos etwas Richtiges; dennoch scheint sie mir nicht zulänglich zu sein, um von ihr aus das Wesentliche zu erfassen.

[22] Einen Ansatz zur Bestandsaufnahme und kritischen Würdigung stellt der Aufsatz von Wilhelm Keilbach, Tiefenpsychologie und religiöses Erleben, AR 9, Göttingen 1967, S. 9 ff. dar.

[23] In Werke Bd. 9, 14 und 16; dazu neuerdings Joachim Scharfenberg, Sigmund Freud und seine Religionskritik als Herausforderung für den christlichen Glauben, Göttingen 1968.

[24] C. G. Jung, Zur Psychologie westlicher und östlicher Religion, Gesammelte Werke Bd. 11, Zürich und Stuttgart 1963.

[25] So bes. Scharfenberg a. a. O.

Vor allem aber muß Einspruch erhoben werden gegen die heute allzu gängige einseitige Parteinahme für Freud gegenüber Jung, besonders wenn sie sich auf die Antithese Dualismus — Monismus stützt. Einmal: Freud läßt sich dazu verführen, eine historische Hypothese über Ursprung und Werden der Religion zu entwerfen, die man, gelinde gesagt, als allzu gewagt bezeichnen muß. Man denke an die „Urhordentheorie" oder gar an die Hypothesen über Mose als Würdenträger des Echnaton wie über den „Vatermord" an ihm und die Einsetzung des totemistischen Abendmahlssakraments als Ersatzhandlung, welches die Meintat zu repräsentieren und, auf dem Weg über die Reue, zu sublimieren hat. Freud hat damit zweifellos eine durch und durch monistische Lösung durch einseitige Historisierung der Ursachen einer religionspsychologischen Entwicklung versucht („Am Anfang war die Tat", so betont er mehrfach). Jung ist eine derartige historische Konstruktion nie in den Sinn gekommen; er deutet Psychisches aus der Psyche und braucht dazu keineswegs das Substrat historischer Fakten, die er erst zu erfinden hätte. Des weiteren: Jung hält ebenso streng wie Freud an der dialogischen Methode in der praktischen Therapie fest; er denkt nicht daran, die Härte des dialogischen Gegensatzes in der Analyse irgendwie zu überspielen. Und schließlich: Die Theorie hat für Jung einen rein heuristischen Charakter, sie ist für ihn weit weniger, als faktisch eben doch für Freud, ein „Dogma", das unantastbar wäre.[26] Hat man ihm doch gerade aus dieser durchaus wissenschaftlichen Zurückhaltung in der Wahrheitsfrage hinsichtlich der metaphysischen und theologischen Gültigkeit seiner Hypothesen auch den Vorwurf gemacht, er kenne im Grund keine letztgültige Wahrheit![27] Gerade in Anbetracht der immer wiederholten Versicherung Jungs, er wolle sich nicht in philosophische oder theologische Fragestellungen einlassen — was ihm freilich nicht immer recht gelingt und, auf Grund der Sachlage, auch nicht immer gelingen kann —, darf und muß man Jung in erster Linie als einen empirisch forschenden Wissenschaftler würdigen, dessen scheinbar metaphysische oder gar theologische Thesen nicht das mindeste mit „Spekulation" zu tun haben, vielmehr als eine Art Protheorie angesehen werden müssen, auf die auch die Naturwissenschaft, etwa in der Kernphysik, nicht verzichten kann, als eine Protheorie, die

---

[26] Siehe hierzu bes. Erinnerungen, Träume, Gedanken von C. G. Jung, hrsg. von Aniela Jaffé, Zürich und Stuttgart 1962, S. 151 ff., bes. 155.

[27] Vgl. Rudolf Affemann, Psychologie und Bibel, Stuttgart 1957, S. 112 ff.

Jung durch neue empirische Erkenntnisse stets wieder in Frage zu stellen bereit ist. Berücksichtigt man gebührend diese von Jung selbst deutlich genug angemeldeten Vorbehalte, so darf man über seine umfassende Protheorie das Urteil wagen: Hier handelt es sich um den bisher ersten und einzigen religionspsychologischen Entwurf im Sinn einer Gesamttheorie, der zugleich so weit als irgend denkbar an der psychologisch-empirischen Wirklichkeit orientiert bleibt und, so weit als in seiner Zeit überhaupt irgend möglich, den Gesamtbereich der religiösen Phänomene aller Zeiten und Zonen konkret zu berücksichtigen trachtet. Gerade dies letztere macht wieder den Unterschied zu Freud deutlich: Dessen Theorie gilt bestenfalls für die jüdische und für die abendländisch-christliche Religiosität; schon die Mystik des orthodoxen Christentums entzieht sich dem Verständnis durch Freudsche Kategorien, erst recht aber die mystische Religiosität des Mittleren und Fernen Ostens. Vom Jungschen Denken her erschließen sich jedoch fernöstliche religiöse Bereiche wie auch abendländische gleichermaßen. Als Beispiel sei verwiesen auf die Zusammenarbeit Jungs mit Richard Wilhelm[28] sowie auf die begeisterte Zustimmung, die, nach anfänglichem Zögern, Heinrich Zimmer gegenüber Jungs Denken aufbrachte; die Verbindung zur Jungschen Psychologie ermöglicht es Zimmer überhaupt erst, jenen Reichtum zu erschließen und auszuschöpfen, durch welchen sein großes Werk über die indische Geistes- und Religionsgeschichte seine so einzigartige Bedeutung gewinnt.[29] Dennoch war und blieb Jungs eigentliches Interesse auf religiösem Gebiet in erster Linie den Grundfragen der abendländisch-christlichen Religion zugewandt, in seinen späteren Jahren sogar nahezu ausschließlich. Seine psychologischen Interpretationen des Trinitätsdogmas[30] drücken sein tiefstes Suchen und Fragen aus: Gewiß eine für manchen befremdliche „Psycho-Theologie", höchst anstößig dazu gar noch durch die Forderung nach dogmatischer Weiterentwicklung der Trinitätslehre in Richtung auf eine „Quaternität";[31] dennoch auf jeden Fall ein äußerst fruchtbarer Ansatz für die

[28] Vgl. beider Zusammenarbeit bei Herausgabe und Kommentierung des Buchs Das Geheimnis der goldenen Blüte (erstmalig erschienen 1929; demnächst: C. G. Jung, Ges. Werke Bd. 13).

[29] Heinrich Zimmer, Philosophie und Religion Indiens, Zürich 1961.

[30] Siehe Werke Bd. 11.

[31] Siehe hierzu Ulrich Mann, Quaternität bei C. G. Jung, ThLZ 92/1967, Sp. 331—336; ferner neuerdings die Münchner Dissertation von Herbert Unterste, Die Quaternität bei C. G. Jung, 1972.

künftige Zusammenarbeit zwischen Theologie und Religionspsychologie auf einem ganz präzis abgesteckten Sachgebiet.

An Jungs Ganzheitsschau schließen sich die großangelegten Entwürfe von Erich Neumann an,[32] in welchen ein Gesamtbild des Werdens religiöser Vorstellungen unter tiefenpsychologischem Aspekt entworfen wird. Aus der Freudschule darf neuerdings besonders auf Erich Fromm verwiesen werden.[33] Hier dominiert sehr deutlich ein normativer Zug, was für jede von Freud herkommende Psychologie charakteristisch zu sein scheint; wesentlich ist dabei jedoch vor allem dies, daß auch die Freudschule, wie auch der späte Wilhelm Reich bezeugt, zu einer zunächst von diesem Ansatz her nicht zu erwartenden positiven Würdigung der Religion gelangt. Diese Entwicklungstendenz von kritischer Religionsbetrachtung zu positiver Würdigung — bei näherer und umfassenderer Kenntnisnahme! — scheint der Religionspsychologie überhaupt immanent zu sein. Ob nicht vielleicht gerade darin das sachgemäßeste und durchschlagendste Argument für die Apologie der Religion gesehen werden darf?

Nach dieser notwendigerweise nur skizzenhaften und äußerst knappen Darstellung der bisherigen Entwicklung der empirischen Religionspsychologie und ihrer Problemgeschichte wenden wir uns nun nochmals der Frage nach dem Zusammenhang von Ziel und Sinn der religionspsychologischen Wissenschaft zu, um schließlich zu einigen wissenschaftstheoretischen Erwägungen über die sachgemäße Gliederung der religionspsychologischen Disziplinen und ihrer Aufgaben zu gelangen.

Das Ziel einer Wissenschaft ist ihre ganz konkrete Causa finalis, die ihr die unmittelbaren Forschungs- und Arbeitsrichtungen zuweist. Eine Wissenschaft kann auch *mehrere Ziele* haben; dementsprechend können ihre Forschungsrichtungen und die entsprechenden Methoden u. U. sehr stark aufgefächert erscheinen, was aber nicht hindern muß, dennoch von einer einheitlichen Wissenschaft zu sprechen; man denke hierbei vergleichsweise an die Medizin, wo man auf die weit divergierenden Bereiche etwa von Psychotherapie und Strahlenforschung verweisen kann. Trotz bedeutender Unterschiede in den Zielen und Methoden kann man dann von einer einheitlichen Wissenschaft sprechen, wenn ihr *einheitlicher Sinn* evident ist, wie das im Bereich der Medizin am Tag liegt (Sinn: Die Gesundheit

---

[32] Bes. Die Große Mutter, Zürich 1956; Ursprungsgeschichte des Bewußtseins, Zürich 1949; Kulturentwicklung und Religion, Zürich 1953.

[33] Erich Fromm, Psychoanalyse und Religion, deutsch Konstanz 1966.

des Menschen). Ähnliches gilt nun auch von der Religionspsychologie. Sowenig etwa die Pathologie allein die Medizin ausmacht, sowenig die statistische oder experimentelle empirische Forschung einschlägiger Richtung die Religionspsychologie! Es sind hier innerhalb eines weiten Bereichs tatsächlich zahlreiche Ziele der religionspsychologischen Forschung denkbar und entsprechend auch zahlreiche Methoden. Dennoch stellt sich bei näherem Zusehen hinter allen Teilzielen sogar ein *einheitliches Gesamtziel* heraus, das allein schon die Religionspsychologie als eigenständige Wissenschaft rechtfertigt, nämlich die Erforschung des Zusammenhangs zwischen Religion und Psyche. Darüber hinaus hat die Religionspsychologie aber auch ganz evident einen *einheitlichen Sinn*: Er liegt, wie bei jeder Wissenschaft, allgemein gesagt, in der Hilfe für den Menschen; in unserem speziellen Fall ist er zu charakterisieren als Hilfe für den Menschen in seinem religiösen Suchen und Fragen.

Von dieser Überlegung aus stellt sich uns aber nun das Problem nach der Wahrheitsfrage unausweichlich. Hierüber bestehen freilich erhebliche Meinungsunterschiede. Zwischen dem Postulat nach strenger Selbstbeschränkung aufs Empirische und der nach Nichtausklammerung der Wahrheitsfrage, ja der Forderung nach Ausweitung des religiösen Wahrheitsbegriffs übers rein Logische hinaus,[34] finden sich zahlreiche Varianten in den Grundauffassungen der Forscher. Diese Divergenz ist aber in der Sache der Religionspsychologie selbst begründet, sie ist nicht nur die Folge des Unterschieds individueller Grundauffassungen.

Wenn die Religionspsychologie ihren Gegenstand (Zusammenhang zwischen Religion und Psyche) kritisch untersucht, so muß sie selbstverständlich offen sein für die Möglichkeit, daß sich als Ergebnis ihres Forschens herausstellen könnte, Religion sei Opium für die Psyche. Ihr Ziel könnte also ein negatives sein. Damit wäre freilich auch ihre Sinnsuche in negativer Weise terminiert; von einer solchen Voraussetzung allein aber kann keine Wissenschaft ausgehen, die diesen Namen verdient. Eine lebendige Wissenschaft geht immer von der Vermutung aus, daß sich durch ihr Forschen ein positiver Sinn gewinnen lasse; ob diese Vermutung trügt, dieses negative Ergebnis wird sie als kritische Forschung immer in Rechnung stellen, aber niemals exklusiv. Die eigentliche Basis religionspsycho-

---

[34] Besonders instruktiv für diese kontroverse Diskussionslage ist der Diskussionsbericht zu Wilhelm Keilbachs Referat auf der zweiten Arbeitstagung der neugegründeten Gesellschaft für Religionspsychologie, AR 8.

logischer Forschung ist und bleibt jedoch die Vermutung, daß die wissenschaftliche Klärung des Zusammenhangs von Religion und Psyche den religiös fragenden Menschen in seiner Suche wirklich fördert, und zwar dadurch, daß sie ihm in seiner *religiösen Praxis* hilft! Von dieser positiv gewendeten Sinnfrage her geht es aber nun auf keinen Fall an, die Wahrheitsfrage völlig auszuklammern. Freilich kann die Wahrheitsfrage auch nicht einseitig und einschichtig von der Religionspsychologie her beantwortet werden; diese Antwort kann vielmehr nur im permanenten Gespräch von den vier für die Religion einschlägigen Wissenschaftszweigen gegeben werden, und zwar niemals in einer irgendwie festliegenden Formel, sondern nicht anders als eben im stets weitergehenden Gespräch über den gemeinsamen Gegenstand. Die einschlägigen Disziplinen für dieses synoptische Gespräch sind: die Religionsphilosophie, die Religionswissenschaft, die Theologie und die Religionspsychologie.[35] Die Sinnfrage der Religionspsychologie in bezug auf ihr Forschen geht nun einmal unmerklich über in die Sinnfrage in bezug auf ihren Gegenstand.

Diese letztere Fragestellung darf natürlich niemals zu einer dogmatistischen Prämisse führen; aber die Religionspsychologie darf auch nicht die Augen verschließen davor, daß sie die Sinnfrage in bezug auf ihren Gegenstand nicht durch ein Dekret loswerden kann, einfach deshalb, weil die Psyche aus ihrem Grund heraus auf eine letzte Sinngabe aus ist und weil die Religion von ihrem Wesen her diese Sinngabe versprechen muß. Die Religionspsychologie hat sich, das muß man schon sagen, auf ein besonders schwieriges Problem eingelassen; denn der Gegenstand ihres *empirischen Forschens* stößt sie von vornherein in die Notwendigkeit, mindestens ansatzweise zu einer positiven Deutung, ja Wertung beizutragen, einer Deutung und Wertung, die jedoch aus der Empirie allein niemals erwartet werden kann. Kann sich, möglicherweise, eine rein historische Religionsforschung wenigstens teilweise mit wertfreien Ergebnissen begnügen,[36] so ist die Religionspsychologie in einer anderen Lage: die Psyche will nun einmal eine Antwort auf ihre religiöse Grundfrage. Die Religionspsychologie ist daher auf eine synoptische Zusammenarbeit

[35] Ich verweise hierzu auf die näheren Ausführungen zur Synopse in meinen Büchern Theogonische Tage, Stuttgart 1970; Das Christentum als absolute Religion, Darmstadt 1970 (²1971); Einführung in die Religionsphilosophie, Darmstadt 1970.

[36] Daß auch sie es in zahlreichen Fällen nicht kann und nicht zu tun gewillt ist, geht aus nicht wenigen Darlegungen der Verfasser dieses Sammelbands hervor.

der Art angewiesen, daß wiederum die Partner Religionsphilosophie und Theologie von ihr Antworten erwarten, welche wenigstens auf die Wertungs- und Wahrheitsfrage hin angelegt sind. Das geht aus ihren Zielen und aus ihrem Sinn hervor.

Abschließend seien nun noch einige *Erwägungen über Ort und Gliederung* der Religionspsychologie im Zusammenhang mit ihrer Aufgabe angestellt. Der Ort ist immer noch umstritten: Gehört sie zur Religionswissenschaft oder zur Psychologie? Sie überschneidet sich ja mit beiden. Wissenschaftsorganisatorisch ist ihr Ort ganz unbestimmt, wie schon ein Blick auf ihre Geschichte ergibt: Psychologen, Religionswissenschaftler, Ethnologen, Soziologen, Historiker, insbesondere aber auch Theologen haben die moderne religionspsychologische Forschung in Gang gebracht und bis zur Gegenwart in Gang gehalten. Das dürfte nicht nur am Fehlen von entsprechenden Lehrstühlen und Instituten liegen, sondern wesentlich an der Sache selbst. Ideal wäre es natürlich, wenn der Religionspsychologie endlich auch in organisatorischer Hinsicht die Grundlage für eine kontinuierliche Forschungsarbeit gegeben würde, was als dringendes Desiderat anzumelden ist. Doch auch bei zulänglicher Einrichtung und Ausstattung von Forschungsinstituten wird sich daran nichts ändern, daß die religionspsychologische Arbeit sich auf allen ihren Gebieten mit anderen einschlägigen Wissenschaftszweigen überschneidet. Mit dem Nachweis ihres einheitlichen Ziels und Sinns haben wir auch die Notwendigkeit nachgewiesen, die Religionspsychologie endlich als selbständigen Forschungszweig zu etablieren; die deckungsgleiche Überschneidung mit den Forschungsbereichen anderer Wissenschaften in der Synopse kann die Dringlichkeit dieses Postulats nicht beeinträchtigen: ob ein Psychologe sein Spezialgebiet auf dem Boden der Religionspsychologie sucht oder ein Religionspsychologe auf dem Boden der Tiefenpsychologie, ändert nichts daran, daß das Bedürfnis nach kontinuierlicher religionspsychologischer Forschungsarbeit erfüllt werden muß.

Im folgenden soll ein Vorschlag für die sachgemäße Gliederung der Religionspsychologie nach Forschungsrichtungen und Sachdisziplinen vorgelegt werden. Ich hoffe dabei mindestens auf grundsätzliche Zustimmung zur Dreigliederung der religionspsychologischen Wissenschaft in eine praktische, eine historische und eine systematische Disziplin.

Die praktische Religionspsychologie leistet die Grundlagenarbeit hinsichtlich der Erforschung der gegenwärtigen religiösen Lage. Ihre Methode ist vorwiegend die therapeutisch-analytische, weiter die experimentelle und die statistische. Diese Disziplin deckt sich weithin mit der klinischen Psychologie, welche sowohl in der medizinischen wie in der psychologischen Wissenschaft betrieben wird, ferner mit der experimentellen und statistischen Psychologie.

Die historische Religionspsychologie leistet die Grundlagenarbeit hinsichtlich der Erforschung der religiösen Entwicklung vergangener Epochen wie ihres Vergleichs in der Gegenwart. Diese Disziplin deckt sich weithin mit Bereichen der Religionshistorie und der vergleichenden Religionswissenschaft.

Die systematische Religionspsychologie leistet sodann die Interpretationsarbeit nach außen hin, und das heißt hinsichtlich der Weiterreichung der gewonnenen Ergebnisse an die synoptischen Partner; nach innen hin dient sie wiederum der praktischen und historischen Disziplin durch Erarbeitung der Protheorie und Gesamthypothese. Diese Disziplin deckt sich weithin mit Bereichen der Religionsphänomenologie, der Religionsphilosophie, besonders aber, was heutzutage weithin leider noch aussteht, der systematischen Theologie.

Hier ist, im Hinblick auf Sinn und Aufgabenstellung dieses Sammelbands, eine kurze Erinnerung an das in der Einführung Dargelegte am Platz. Theologie ist die wissenschaftliche Selbstdarstellung einer — jeder! — Religion. Sie leistet damit eine Arbeit, die von der Religionswissenschaft allein niemals geleistet werden kann, denn der Religionswissenschaftler identifiziert sich niemals mit seinem Gegenstand, d. h. der jeweils zu untersuchenden Religion, der Theologe jedoch tut dies, und zwar eben in seiner wissenschaftlichen Arbeit. Nur von der Theologie kann daher die wissenschaftlich durchleuchtete Selbstaussage einer Religion erwartet werden, die naturgemäß aus Tiefenschichten stammt, wie sie sich dem von außen an eine Religion fragend Herantretenden niemals erschließen können. Daher muß, und zwar aus rein wissenschaftstheoretischen Erwägungen heraus, die Stimme der Theologie im Quartett der synoptischen Wissenschaften mitgehört werden.

Läßt sich, über das bisher Dargelegte hinaus, noch programmatisch einiges Inhaltliche zu den Forschungsbereichen der drei religionspsychologischen Disziplinen sagen? Ein Blick auf die drei großen, die Entwicklung sowohl der Einzelseele wie der Kollektivpsyche (in Volks-, Religions- und Kulturkreisen) entscheidend bestimmenden Faktoren ermutigt zu folgendem Vorschlag, der den Einzeldisziplinen zentrale Themen zuweist, ohne damit deren Arbeitsbereiche irgendwie eingrenzen zu wollen.

Die drei großen Faktoren sind: das Alter; das gesellschaftliche Miteinandersein; das Geschlecht. Von diesen Faktoren ist das seelische Sein wesentlich bestimmt; und also auch die jeweilige Religiosität. Die Polarität der Geschlechter weist auf die eigentlich konstanten Elemente unter den drei Faktoren hin. Mit den Konstanten des religiösen und psychischen Seins hat es nun vor allem die systematische Religionspsychologie zu tun; ihre Ordnungsarbeit an den Forschungsergebnissen dient dem systematischen Verstehen vornehmlich der konstanten Grundgegebenheiten.

Die Auseinandersetzung innerhalb des gesellschaftlichen Miteinanderseins von einzelnen wie von Gruppen ist das bestimmende Thema jeder historischen Erkenntnis. Mit den religiösen und psychischen Phänomenen des Umweltbestehens und der Schicksalsmeisterung innerhalb eines geschichtlich beobachtbaren Kontinuums hat es vor allem die historische Religionspsychologie zu tun; sie leistet durch ihre Anleitung zum Verständnis historischer Entwicklungszusammenhänge die wesentliche heuristische Vorarbeit für die von der systematischen Disziplin auf der Basis der Konstanten je und je unter neuen Aspekten zu entwerfende Protheorie und Gesamthypothese, ohne welche eine empirische Forschung nicht auskommen kann.

Mit den dynamischen Faktoren des religiösen und psychischen Reifungsprozesses hat es vor allem die rein empirisch forschende praktische Religionspsychologie zu tun; sie ist in ihrer Arbeit also unablässig den Momenten des religiösen und psychischen Werdens auf der Spur und leistet damit die heuristische Vorarbeit für das geschichtliche Verstehen der religionspsychologischen Phänomene durch die historische Religionspsychologie. So ist jede der drei Disziplinen in ein sinnvolles Arbeitsverhältnis eingefügt, in welchem sie jeweils einer bestimmten Partnerdisziplin das Material verarbeitet weiterzureichen hat, welches sie von der anderen empfängt.[37]

---

[37] Wilhelm Bitter, dem diese Zeilen gewidmet sind, hat das große Verdienst, seit vielen Jahren eine interdisziplinäre religionspsychologische Arbeit gefördert, ja weithin überhaupt ermöglicht zu haben, vor allem durch sein Wirken als Leiter der Internationalen Gemeinschaft Arzt und Seelsorger; besonders zu verweisen ist auf die von ihm herausgegebenen Tagungsberichte in den einschlägigen Sammelbänden seit 1951 (Stuttgart).

B. THEOLOGIE UND RELIGIONSWISSENSCHAFT

Otto Kaiser

ALTES TESTAMENT
VOREXILISCHE LITERATUR

Die Notwendigkeit der Einbeziehung religionswissenschaftlicher Arbeit in die Alttestamentliche Wissenschaft bedarf im letzten Drittel des 20. Jahrhunderts keiner Rechtfertigung mehr.[1] Ein auch nur flüchtiger Blick auf den Verlauf der Geschichte Israels und des frühen Judentums läßt erkennen, daß das Alte Testament in einer geschichtlichen Bewegung Gestalt gewonnen hat, die wohl in keinem Augenblick nur aus sich selbst und ohne einen Blick auf ihre Vor-, Mit- und Umwelt verstanden werden kann.[2] Als die Vorfahren des späteren Israel wohl zwischen dem 14. und dem 12. Jahrhundert v. Chr. in mindestens zwei Wanderbewegungen aus dem Süden und dem Nordosten in das palästinische Kulturland ein-

---

[1] Zu den Anfängen vgl. die Artikel von W. Holsten: Religionsgeschichte 3., in: RGG³ V, Tübingen 1961, Sp. 989 ff. und J. Hempel: Religionsgeschichtliche Schule, ebd., Sp. 991 ff. Zum Bibel-Babel-Streit vgl. den Artikel von C.-M. Edsman: Panbabylonismus, ebd., Sp. 35 f. — Einen forschungsgeschichtlichen Rückblick verbindet mit seiner eigenen Darstellung W. F. Albright: The Ancient Near East and the Religion of Israel, JBL 59, 1940, S. 85 ff.

[2] Vgl. dazu M. Noth: Geschichte Israels, Göttingen ³1956 = ⁷1969; J. Bright: A History of Israel, Philadelphia o. J.; M. Metzger: Grundriß der Geschichte Israels, Neukirchen ²1967. — Zur Umwelt vgl. M. Noth: Die Welt des Alten Testaments. Einführung in die Grenzgebiete der Alttestamentlichen Wissenschaft, Berlin ⁴1962; K.-H. Bernhardt: Die Umwelt des Alten Testaments 1. Die Quellen und ihre Erforschung, Berlin 1967; ferner die Sammelwerke: Altorientalische Texte zum Alten Testament (AOT²), hrsg. H. Gressmann, Berlin und Leipzig ²1926; Documents from Old Testament Times, ed. D. W. Thomas, London 1958; Ancient Near Eastern Texts Relating to the Old Testament (ANET³), ed. J. B. Pritchard, Princeton ³1969; R. Labat, A. Caquot, M. Snycer und M. Vieyra: Les religions du Proche-Orient asiatique. Textes babyloniens, ougaritiques, hittites, présentés et traduits, Paris 1970.

drangen,[3] waren sie vermutlich weder selbst bereits samt und sonders
Jahweverehrer noch das von ihnen besetzte Land ohne eine differenzierte
Kultur und Religion.[4] Lage und Geschichte des Landes im Spannungsfeld
zwischen Vorderasien und Ägypten, Wüste und Kulturland lassen erkennen, daß jede hier Gestalt gewinnende Kultur und Religion sich im Ringen
mit den unterschiedlichsten geistigen und politischen Mächten zu behaupten
hatte. Ist der ägäische Einfluß zunächst und auf lange Strecken relativ
gering zu veranschlagen,[5] so ist der aus Nordwesten, Nordosten, Osten und

[3] Vgl. dazu A. Alt: Die Landnahme der Israeliten in Palästina (1925), Kl.
Schriften zur Geschichte des Volkes Israel I, München [4]1968, S. 89 ff.; Ders.:
Erwägungen über die Landnahme der Israeliten in Palästina (1939), ebd.,
S. 126 ff.; Ders.: Josua (1936), ebd., S. 176 ff.; H. H. Rowley: From Joseph to
Joshua, London 1950; W. F. Albright: The Archaeology of Palestine, London
(1949) [4]1960, S. 112 ff.; K. M. Kenyon: Archaeology in the Holy Land, London
[2]1965, S. 195 ff.; A. Malamat in: Die altorientalischen Reiche II. Fischer Weltgeschichte 3, Frankfurt 1966, S. 203 ff.; Y. Aharoni: The Land of the Bible.
A Historical Geography, London 1967, S. 174 ff.; M. Weippert: Die Landnahme
der israelitischen Stämme in der neueren wissenschaftlichen Diskussion, FRLANT
92, Göttingen 1967, und dazu Y. Aharoni, IEJ 19, 1969, S. 60 f. und künftig auch
S. Yeivin: The Israelite Conquest of Canaan, Publications de l'Institut historique
et archéologique néerlandais de Stamboul 27, Leiden 1971.

[4] Vgl. dazu die Anm. 8 und Anm. 52 genannte Literatur.

[5] Vgl. H. Klengel: Geschichte Syriens im 2. Jahrtausend v. u. Z. III, AWB
Institut f. Orientforschung. Veröffentlichung 40, Berlin 1970, S. 241 ff.;
W. F. Albright: Syria. The Philistines and Phoenicia, CAH[rev.] II, 33, Fasc. 51,
Cambridge 1966, S. 24 ff.; R. D. Barnett: The Sea Peoples, CAH[rev.] II, 37,
Fasc. 68, Cambridge 1969; Kenyon: Archaeology, S. 221 ff.; Aharony: Land,
S. 245 ff. Zur zunächst vorwiegend ost-westlichen Kulturdrift vgl. W. S. Smith:
Interconnections in the Ancient Near East. A Study of the Relationship Between
the Arts of Egypt, the Aegean, and Western Asia, New Haven 1965; F. Schacher-
meyr: Ägäis und Orient, Denkschriften ÖAW 93, Wien 1967; G. Steiner: Der
Sukzessionsmythos in Hesiods 'Theogonie' und ihre altorientalischen Parallelen,
Diss. Hamburg 1958; C. H. Gordon: Ugarit and Minoan Crete. The Bearing of
Their Texts on the Origin of Western Culture, New York 1966, S. 18 ff. und
besonders S. 151 ff.; M. C. Astour: Hellenosemitica. An Ethnic and Cultural
Study in West Semitic Impact on Myceneaen Greece, Leiden [2]1967 (dazu kritisch
J. D. Purvis, JNES 27, 1968, S. 154 ff.) und W. Helck: Betrachtungen zur großen
Göttin und den ihr verbundenen Gottheiten (Große Göttin), Religion und Kultur
der Alten Mittelmeerwelt in Parallelforschungen 2, München und Wien 1971,
S. 202 ff.

Süden kommende um so stärker in Rechnung zu stellen. Da sind einmal die
bis in die vorgeschichtliche Zeit hinabreichenden Verbindungen zwischen
Ägypten und Mesopotamien,[6] weiter die von Nordsyrien her in südlichem
Vormarsch befindlichen Einwirkungen aus Kleinasien und Nordwest-
mesopotamien,[7] das auf diesem Boden selbst sich formierende Kanaanäer-
tum[8] und schließlich der Austausch mit den Völkerschaften ins Auge zu
fassen, welche von dem das Kulturland säumenden Steppengürtel her vordringen.[9] Von dem Hintergrund sumerischer Kultur[10] und spezifisch
semitischen Volkstums[11] dringen im Wechsel babylonische und assyrische
Herren und Heere in Syrien ein,[12] sind mögliche kleinasiatische Einflüsse
vor und besonders nach dem Zusammenbruch des neuhethitischen Reiches
zu berücksichtigen,[13] dürfen endlich die Perser[14] und schließlich auch die

---

[6] Vgl. dazu H. Frankfort: The Birth of Civilizations in the Near East, London
1951, S. 100 ff., und I. E. S. Edwards, in: Early History of the Middle East,
CAH I, 2³, Cambridge 1971, S. 93 ff.

[7] Vgl. dazu Klengel: A. a. O., S. 156 ff. J. Bottero, in: CAH I, 2³, S. 559 ff.

[8] Vgl. dazu K. M. Kenyon: Amorites and Canaanites, London 1966; Dies.:
Archaeology, S. 135 ff. und S. 162 ff.; H. Klengel: Geschichte Syriens im 2. Jahrtausend v. u. Z. I—III, Berlin 1965—1970; V. Maag: Syrien-Palästina, in:
Kulturgeschichte des Alten Orients, hrsg. H. Schmökel, Stuttgart 1961, S. 448 ff.,
und nicht zuletzt H. Gese: Die Religionen Altsyriens, in: RM 10, 2, Stuttgart
1970, S. 3—232.

[9] Vgl. dazu z. B. J. M. Montgomery: Arabia and the Bible (1934), New York
1969, E. Auerbach: Wüste und Gelobtes Land 1, Berlin 1936, S. 13 ff. und
S. Nyberg: Beduinentum und Jahwismus, Lund 1946.

[10] Vgl. dazu z. B. S. N. Kramer: The Sumerians. Their History, Culture and
Character, Chicago 1963, und C. J. Gadd, in: CAH I, 2³, S. 93 ff.

[11] Vgl. dazu H. Schmökel: Geschichte des Alten Vorderasiens, Ho I, 2, 3,
Leiden 1957, S. 39 ff. und S. 73 ff., und S. Moscati: The Semites in Ancient
History, Cardiff 1959, S. 44 ff.

[12] Vgl. dazu Klengel: Geschichte Syriens III, S. 114 ff. und S. 140 ff.;
H. Schmökel: A. a. O., S. 187 ff. und S. 247 ff.; Ders.: Mesopotamien, in: Kulturgeschichte des Alten Orients, hrsg. H. Schmökel, Stuttgart 1961, S. 2 ff.; B. Meissner: Babylonien und Assyrien I—II, Heidelberg 1920 und 1925, und E. Dhorme:
Les religions de Babylonie et d'Assyrie. Mana I, 2, Paris 1949.

[13] Vgl. dazu G. A. Lehmann: Der Untergang des hethitischen Großreiches und
die neuen Texte aus Ugarit, UF 2, 1970, S. 39 ff.; Klengel: Geschichte Syriens 3,
S. 164 ff. und S. 218 ff.; H. Otten: Das Hethiterreich, in: Kulturgeschichte des
Alten Orients, hrsg. H. Schmökel, S. 313 ff.; Ders.: Die Religionen des alten

Griechen und die hellenistische Kultur nicht vergessen werden,[15] während
das aus der Distanz relativ monolithisch erscheinende Ägypten nicht aufhört, seinen uralten politischen Anspruch auf Südsyrien aufrechtzuerhalten
und seinen kulturellen Einfluß geltend zu machen.[16] Wie Israel sich dieser
Herausforderung gestellt, wie es dabei sein Eigenstes bewahrt und doch
gleichzeitig Verwandtes und Fremdes in einem eigentümlichen Prozeß
von Anknüpfung und Widerspruch amalgamiert hat, läßt sich in seinem

Kleinasiens, in: Religionsgeschichte des Alten Orients, HO I, 8, 1, 1, Leiden und
Köln 1964, S. 92 ff. — Eine monographische Untersuchung über mögliche Einwirkungen der Hethiter auf das Alte Testament fehlt.

[14] Vgl. dazu z. B. H. S. Nyberg: Das Reich der Achämeniden, in: Historia
Mundi 3, Bern 1954, S. 56 ff.; W. Hinz: Zarathustra, Stuttgart 1961, S. 145 ff.;
F. König: Zarathustras Jenseitsvorstellungen und das Alte Testament, Wien,
Freiburg u. a. O. 1964, aber auch H. H. Schaeder: Der Mensch in Orient und
Okzident, München 1960, S. 48 ff.

[15] Vgl. dazu M. Hengel: Judentum und Hellenismus, WUNT 10, Tübingen
1969; ferner H. G. Kippenberg: Garizim und Synagoge, RVU 30, Berlin und
New York 1971, S. 44 ff. und S. 74 ff. — Um einen sachlichen Vergleich zwischen
alttestamentlichen und griechischen Glaubensproblemen bemüht sich O. Kaiser:
Dike und Sedaqa, NZSTh 7, 1965, S. 251 ff.; Ders.: Gerechtigkeit und Heil bei
den israelitischen Propheten und griechischen Denkern des 8.—6. Jahrhunderts,
NZSTh 11, 1969, S. 312 ff., und Ders.: Der Mensch unter dem Schicksal, NZSTh
14, 1972, S. 1 ff.

[16] Vgl. dazu W. Helck: Die Beziehungen Ägyptens zu Vorderasien im 3. und
2. Jahrtausend v. Chr., ÄA 5, Wiesbaden [1]1962; [2]1971 (mir noch nicht zugänglich); H. Klengel: Geschichte Syriens III, S. 127 ff. und S. 179 ff.; A. Alt: Israel
und Ägypten. Die politischen Beziehungen der Könige von Israel und Juda zu
den Pharaonen, BWAT 6, Leipzig 1909; F. K. Kienitz: Die politische Geschichte
Ägyptens vom 7. bis zum 4. Jahrhundert vor der Zeitwende, Berlin 1953;
W. Helck: Geschichte des Alten Ägyptens, HO I, 1, 3, Leiden und Köln 1968,
S. 216 ff.; O. Kaiser: Israel und Ägypten. Die politischen und kulturellen
Beziehungen zwischen dem Volke der Bibel und dem Land der Pharaonen,
Z Museum Hildesheim NF 14, 1963; Ders.: Der geknickte Rohrstab. Zum
geschichtlichen Hintergrund der Überlieferung und Weiterbildung der propheti-
schen Ägyptensprüche im 5. Jahrhundert, in: Wort und Geschichte; FS K. Elliger,
AOAT 18, Neukirchen (im Druck); Ders.: Zwischen den Fronten. Palästina in
den Auseinandersetzungen zwischen dem Perserreich und Ägypten in der ersten
Hälfte des 4. Jahrhunderts, in: Wort, Lied und Gottesspruch II. FS J. Ziegler,
Würzburg 1972, S. 197 ff.

gesamten Verlauf nur innerhalb einer alttestamentlichen Literatur- und einer israelitisch-jüdischen Religionsgeschichte darstellen.[17]

Nur die Tiefe der durch das Exil und den Verlust der Eigenstaatlichkeit, des Königtums und die Zerstörung des Jerusalemer Tempels ausgelösten Glaubenskrise läßt es zusammen mit praktischen Gründen gerechtfertigt erscheinen, wenn im folgenden die vor- und die nachexilische Literatur getrennt behandelt werden.[18] Sachlich ist zunächst festzustellen, daß die Keime sämtlicher im Alten Testament überlieferten Literaturformen und Gattungen samt seiner großen Themen in vorexilischer Zeit zu finden sind. Eine strenge Trennung unter chronologischen Gesichtspunkten läßt sich daher weder sachlich rechtfertigen noch thematisch durchhalten. Und wer unter literargeschichtlichen Gesichtspunkten auswählen wollte, müßte sich sagen lassen, daß die Verantwortung für die letzte Gestalt sämtlicher alttestamentlicher Bücher bei der Gemeinde des zweiten Tempels liegt; zugleich würde er jedoch feststellen, daß gerade die relevanten Themen von Schöpfung und Urzeit, Heilsgeschichte, Königtum und Prophetie, Gotteslob, Gesetz und Weisheit hier wie dort ihre Behandlung gefunden haben. Mithin können letztlich nur Gründe der Arbeitsteilung dafür geltend gemacht werden, wenn sich die folgende Skizze allein die Frage stellt, in welchem Umfang die Religionsgeschichte zur Erhellung der Anfänge des israelitischen Glaubens, der Konzeption seiner geschichtstheologischen Entwürfe, seiner Lebensordnungen und seiner Prophetie beigetragen hat.

Die eigentümliche Exklusivität des Jahweglaubens, die Israel und das Judentum als Fremdlinge unter den Völkern erscheinen ließ, gibt immer erneut zu der Frage Anlaß, ob sich diese Eigentümlichkeit aus seinen Ursprüngen begreifen läßt. Daher ist es verständlich, daß das Problem der Religion der Vorfahren Israels, der Patriarchen, und das mit ihm verwandte des Ursprunges des Jahweglaubens selbst die alttestamentliche Forschung immer erneut beschäftigt. Angesichts des an der Beantwortung dieser Fragen nicht interessierten alttestamentlichen Quellenmaterials ist jeder Rekonstruktionsversuch auf eine religionsgeschichtliche Vergewisserung an Hand außerisraelitischer Quellen angewiesen. — Wer die in den

---

[17] Vgl. dazu die Entwürfe von J. Hempel: Die althebräische Literatur und ihr hellenistisch-jüdisches Nachleben, Wildpark-Potsdam 1934 = Berlin ²1968, und W. H. Schmid: Alttestamentlicher Glaube und seine Umwelt, Neukirchen 1968.

[18] Vgl. dazu den folgenden Beitrag von Herbert Schmid.

Quellenschriften des Jahwisten, Elohisten und der Priesterschrift[19] enthaltenen Erzählungen über die Patriarchenzeit auf die in ihnen enthaltenen Nachrichten über den Glauben der Vorfahren Israels überprüft, erhält ein uneinheitliches Bild: Nach der ältesten, aber nicht notwendig auch das älteste traditionsgeschichtliche Gut festhaltenden jahwistischen Quelle geht die Jahweverehrung bis in die Urzeit zurück, vgl. Gen 4, 26 b. Um so auffälliger ist es, daß Jahwe dem Mose Ex 3, 16 f. den Befehl gibt, die Ältesten Israels zu versammeln und ihnen zu eröffnen, daß ihm Jahwe, der Gott ihrer Väter, erschienen sei, um die bevorstehende Befreiung aus Ägypten anzukündigen. Beim Elohisten wird dagegen der Jahwename erst am Gottesberg offenbart, vgl. Ex 3, 14 f. Der rufende Gott gibt sich Ex 3, 6 als Gott deines Vaters, Gott Abrahams, Gott Isaaks und Gott Jakobs zu erkennen. Um so eigentümlicher erscheint es, daß Mose gegen diese 3, 13 wiederholte Selbstvorstellung den Einwand erhebt, die Israeliten würden ihn nach dem Namen dieses Gottes fragen. Auch in der Priesterschrift wird der Jahwename dem Mose erst in Ägypten kundgetan, Ex 6, 2, und gleichzeitig erklärt, daß sich Jahwe den Vätern als El Schaddaj zu erkennen gegeben habe, 6, 3. Die Frage, ob nicht mindestens ein Teil der Vorfahren Israels vor der Landnahme nicht einfach mit Jahwe gleichzusetzende Vätergötter verehrt hat, vgl. auch Jos 24, 2 ff., erscheint mithin berechtigt.

Von diesem Befund und dieser Frage ging Albrecht Alt in seiner 1929 vorgelegten Abhandlung ›Der Gott der Väter‹ aus. Sein Lösungsversuch hat die ganze weitere, bis heute nicht abgeschlossene Diskussion bestimmt.[20] Wenn Laban nach Gen 31, 53 a den Gott Abrahams und den Gott Nahors als Richter zwischen sich und Jakob anruft, gewinnt man den Eindruck, daß es sich bei diesen beiden Göttern in der Tat um zwei verschiedene Numina handelt. Bei der Suche nach weiteren, durch einen Eigennamen definierten Göttern stößt man auf den paḥad, den Schrecken oder vielmehr den Verwandten Isaaks[21] von Gen 31, 53 b und auf den Starken oder vielleicht doch eher den Stier Jakobs[22] in Gen 49, 24. Damit wäre für jeden der drei Erzväter Abraham, Isaak und Jakob ein zu ihnen gehören-

[19] Vgl. dazu O. Kaiser: Einleitung in das Alte Testament, Gütersloh [2]1970, S. 75 ff.

[20] Kl. Schriften I, S. 1 ff.

[21] Vgl. dazu W. F. Albright: From the Stone Age to Christianity, Baltimore 1946, S. 189 und S. 327.

[22] Vgl. dazu W. Helck: Große Göttin, S. 171.

der und durch ihren Namen gekennzeichneter Gott gefunden. Die Grund-
themen der Vätergeschichten scheinen nun noch erkennen zu lassen, was
diese Götter für die sie verehrenden Väter, Sippen und Stammesverbände
bedeuteten: Seit sie sich den Vätern, deren Namen sie trugen, zuerst offenbart hatten, waren sie die besonderen Beschützer ihrer Verehrer auf deren
Wanderzügen, hatten sie ihnen Landbesitz und Nachkommenschaft verheißen.[23] Als dann die Träger dieser zunächst durchaus noch getrennten
Vätergottüberlieferungen nach Kanaan kamen, hätten sie dort je ihren
Gott mit den Lokalnumina der kanaanäischen Ortsheiligtümer, den 'ēlîm,
identifiziert. Und erst als sie noch einmal später die Jahweverehrung übernahmen, wurden die ursprünglich isolierten Vätertraditionen durch das
bekannte genealogische Schema zusammengeschlossen. Die Sicherheit der
Rekonstruktion schien Alt der Vergleich mit nabatäischen und palmy-
renischen Inschriften aus den ersten Jahrhunderten der christlichen Zeitrechnung zu gewähren, stammen diese Urkunden doch von Völkern, die
ebenfalls aus der Steppe in das Kulturland eingewandert sind. So schienen
z. B. Inschriften aus der Ledscha, die aus dem Zeitraum zwischen dem
ausgehenden 2. und dem beginnenden 4. Jahrhundert n. Chr. stammen,
eine ganz ähnliche Entwicklung eines Vätergottes zum Hochgott erkennen
zu lassen, wie sie Alt für Israels Vätergötter unterstellt hatte. Aus einem
schlichten, nach seinem Offenbarungsempfänger benannten θεὸς Αὔμου
scheint hier erst ein θεὸς ἀνίκητος Αὔμου und dann ein Ζεὺς 'Ανίκητος
"Ηλιος θεὸς Αὔμου geworden zu sein.

Es kann hier weder unsere Aufgabe sein, die ausgedehnte Diskussion der
Altschen Hypothese, die sich bis zum heutigen Tage großen Ansehens
erfreut, in ihren Einzelheiten zu verfolgen noch zu den bisherigen Lösungs-
versuchen einen weiteren hinzuzufügen.[24] Die Übersicht wird jedoch zeigen,

---

[23] Die Nachkommenverheißung hat C. Westermann: Arten der Erzählung der
Genesis, in: Forschung am Alten Testament, ThB 24, München 1964, S. 19 ff. als
eine sekundäre Entwicklung aus dem älteren Segensmotiv zu erkennen gelehrt.
Zur Landbesitzverheißung vgl. ausführlich S. Herrmann: Die prophetischen
Heilserwartungen im Alten Testament, BWANT 85, Stuttgart 1965, S. 64 ff. In
das Kulturland verlegt die Landbesitzverheißung N. Lohfink: Die Landverheißung als Eid, StBSt 28, Stuttgart 1967, S. 92 f. und S. 116.

[24] Vgl. dazu, ohne Anspruch auf Vollständigkeit, A. Lods' Besprechung von
Alts grundlegender Arbeit, RHPhR 12, 1932, S. 249 f.; J. Lewy: Les textes
paléo-assyriens et l'Ancien Testament, RHR 110, 1934, S. 50 ff.; Ders.: Amur-
ritica, HUCA 32, 1961, S. 31 ff.; E. Dhorme: La religion des Hébreux nomades,

wie einerseits neu erschlossene oder verändert beurteilte außerbiblische Quellen zur Überprüfung Anlaß geben und andererseits unterschiedliche Vorstellungen über die Religion der semitischen Nomaden das Ergebnis beeinflussen. Die sich dabei ergebenden Fragen scheinen, wie es Norbert Lohfink treffend formuliert hat, „auf völliges Dunkel zu deuten. Doch in Wirklichkeit zeigen sie an, daß wir jetzt wenigstens wissen, welche Fragen

Brüssel 1937; A. Alt: Zum „Gott der Väter", PJ 36, 1940, S. 100 ff.; H. G. May: The God of My Father. A Study of Patriarchal Religion, JBR 9, 1941, S. 155 ff. 199 ff.; Ders.: The Patriarchal Idea of God, JBL 60, 1941, S. 113 ff.; J. Ph. Hyatt: Yahweh as the God of My Father, VT 5, 1955, S. 130 ff.; O. Eißfeldt: El and Yahweh, JSSt 1, 1956, S. 25 ff. = Kl. Schriften III, Tübingen 1966, S. 386 ff. (deutsch); Ders.: Jahwe, der Gott der Väter (1963), Kl. Schriften IV, Tübingen 1968, S. 79 ff.; Ders.: Der kanaanäische El als Geber der den israelitischen Erzvätern geltenden Nachkommenschafts- und Landbesitzverheißungen, WZ Halle 17, 1968, S. 45 ff.; J. Hoftijzer: Die Verheißungen an die drei Erzväter, Leiden 1956; Th. C. Vriezen: Theologie des Alten Testaments in Grundzügen, Wageningen und Neukirchen o. J.; W. Eichrodt: Theologie des Alten Testaments I, Stuttgart und Göttingen ⁵1957; G. v. Rad: Theologie des Alten Testaments I, München 1957. ⁶1969; V. Maag: Der Hirte Israels, Schw. Theol. Umschau 28, 1959, S. 2 ff.; Ders.: Malkût Jhwh, in: Congress Volume Oxford 1959, SVT 8, Leiden 1960, S. 129 ff.; Ders.: Sichembund und Vätergötter, in: Hebräische Wortforschung; FS W. Baumgartner, SVT 16, Leiden 1967, S. 205 ff.; B. Gemser: Questions Concerning the Religion of the Patriarchs (1958), in: Adhuc loquitur. Collected Essays ed. A. v. Selms und A. S. v. d. Woude, POS 7, Leiden 1968, S. 30 ff.; W. F. Albright: Abram the Hebrew. A New Archaeological Interpretation, BASOR 163, 1961, S. 36 ff.; H. Hirsch: Untersuchungen zur altassyrischen Religion, AfO Beiheft 13/14, Graz 1961; Ders.: Gott der Väter, AfO 21, 1966, S. 56 ff.; S. Mowinckel: The Name of the God of Moses, HUCA 32, 1961, S. 121 ff.; F. M. Cross jr.: Yahweh and the God of the Patriarchs, HThR 55, 1962, S. 225 ff.; P. Garelli: La religion de l'Assyrie ancienne d'après un ouvrage récent, RA 56, 1962, S. 191 ff.; Th. Andersen: Der Gott meines Vaters, StTh 16, 1963, S. 170 ff.; H. Ringgren: Israelitische Religion, RM 26, Stuttgart 1963; M. Haran: The Religion of the Patriarchs. An Attempt at a Synthesis, ASThI 4, 1965, S. 30 ff.; H. Cazelles: La religion des Patriarchs, in: DBS VII, Paris 1966, Sp. 142 ff.; H. Seebass: Der Erzvater Israel, BZAW 98, Berlin 1966; H. Weidmann: Die Patriarchen und ihre Religion im Licht der Forschung seit Julius Wellhausen, FRLANT 94, Göttingen 1968; W. H. Schmidt: Alttestamentlicher Glaube und seine Umwelt, Neukirchen 1969; H. Gese: Die Religionen Altsyriens, in: RM 10, 2, Stuttgart 1970, S. 3 ff.; W. Kornfeld: Religion und Offenbarung in der Geschichte Israels, Innsbruck, Wien und München 1970.

wir zu stellen haben und daß wir die Möglichkeiten erfassen, die in Frage kommen."[25] Einen ersten gewichtigen Einwand gegen Alts Rekonstruktion brachte Julius Lewy bei, indem er sich auf den Befund in Kappadokien gefundener altassyrischer Briefe berief. Wenn hier assyrische Kaufleute amoritischer Vergangenheit in ihren Schreiben die Verwahrungsformeln anwenden: „Assur sei Zeuge", „Assur und Ilabrat seien beide Zeugen", „Assur und dein Gott seien beide Zeugen", „Assur und der Gott deines Vaters seien beide Zeugen" oder „Assur und Amurru, der Gott meines Vaters, seien beide Zeugen",[26] wird sogleich einsichtig, daß in diesen Fällen der Gott des Vaters mit dem Gott Ilabrat oder dem Gott Amurru identisch ist.[27] Damit wird fraglich, ob der im Alten Testament erwähnte Vätergott wirklich zunächst ein namenloses, weiterhin nur durch den Namen des Offenbarungsempfängers und Vorvaters kenntlich gemachtes Numen gewesen ist.[28] Die Möglichkeit, daß es sich auch bei den Vorfahren Israels jeweils um einen namentlich bestimmten Gott handelte, der dank seines besonderen Verhältnisses zu einem einzelnen oder einer Sippe zusätzlich als der Gott des Vaters bezeichnet wurde, tritt daher neu in den Gesichtskreis. — Gegen die von Alt besonders einleuchtend am Beispiel des θεὸς Αὔμου unterstellte Entwicklung eines Sippengottes zum Hochgott läßt sich zur Zeit mindestens die Beobachtung von F. M. Cross jr. stellen, daß der Dušara, Gott des Malikato, urkundlich vor dem mit ihm gleichzusetzenden θεὸς Μαλειχάθου belegt ist.[29] Mithin ist zu fragen, ob der vermeintliche Stammbaum des θεὸς Αὔμου nicht nur auf einem mehr oder minder zufälligen Überlieferungsbefund beruht, eine Erwägung, die schon deshalb nicht völlig aus der Luft gegriffen ist, weil sich einfaches θεὸς Αὔμου noch einmal als letzte bekannte inschriftliche Bezeugung dieses Gottes findet.[30]

Aber auch der alttestamentliche Befund erwies sich bei näherer Untersuchung als nicht so eindeutig, wie es Alt unterstellt hatte. Zunächst ist es ja schon auffällig, daß sich die ursprünglichsten Bezeugungen der Vätergötter trotz der gleichzeitig unterstellten primär getrennten Überlieferung gerade in der Jakobtradition finden. Die weitere Analyse durch May,

---

[25] Landverheißung, S. 91.
[26] RHR 110, S. 51 ff. HUCA 32, S. 41 ff. Vgl. auch Seebass, S. 49 f.
[27] Zu der Annahme Lewys, es handle sich bei diesen Vätergöttern um amoritische Familiengötter vgl. H. Hirsch, AfO 21, S. 57.
[28] So May, JBL 60, S. 123. Vgl. dagegen Cross, HThR 55, S. 232.
[29] HThR 55, S. 229 ff.
[30] Vgl. dazu schon Alt, PJ 36, S. 102.

Andersen und Seebass scheint zu ergeben, daß die älteste in der Genesis greifbare Formel nicht „Gott des X" oder „Gott meines/deines Vaters X", sondern „Gott meines/deines Vaters" lautete,[31] während sich die beiden anderen erst sekundär aus ihr entwickelt zu haben scheinen. So dürfte z. B. die Formel „Verwandter Isaaks" Gen 31, 42 aus der älteren „Gefährte seines Vaters" entstanden sein, wobei „Isaak" in Gen 31, 53 b wiederum als sekundäre Erweiterung zu beurteilen wäre.[32] Den „Stier Jakobs" wird man aber seinem Kontext in Gen 49, 24 gemäß bereits als Epitheton des im Kulturland verehrten Gottes El beurteilen können,[33] wenn man nicht an ein survival des alten theriomorphen Wettergottes denken will,[34] der dann fern in die Wanderzeit zurückreichen könnte. Wie man den neuerdings dem Stammvater Israels zugeordneten Gott Israels von Gen 33, 20 endgültig einordnen wird,[35] bleibt abzuwarten.

Durch die Textfunde aus Ugarit[36] hat sich in der Zwischenzeit auch das Bild der kanaanäischen Religion selbst so entscheidend gewandelt, daß man unter den 'ēlîm der Ortsheiligtümer, vgl. Gen 16, 13; 21, 33; 31, 15 und 33, 30, eher lokale Formen des alten gemeinsemitischen[37] und aus den

---

[31] Vgl. dazu May, JBR 9, S. 155 ff. Andersen, ThSt 16, S. 171 ff.; Seebass, S. 50 ff., und Maag, Schw. Theol. Umschau 28, S. 7.

[32] Andersen, S. 175. Seebass, S. 51.

[33] Vgl. dazu Eißfeldt: Religionshistorie und Religionspolemik im Alten Testament (1955), Kl. Schr. III, S. 363 Anm. 4; Ders.: El und Jahwe (1956), Kl. Schr. III, S. 393 Anm. 2; Andersen, S. 179; Seebass, S. 51.

[34] Vgl. dazu W. Helck: Große Göttin, S. 169 ff.

[35] Vgl. dazu Maag, Schw. Theol. Umschau 28, S. 8 f.; Andersen, S. 179 f.; Seebass, S. 25 ff. und S. 88 ff.; ferner E. Nielsen: Shechem, Kopenhagen ²1959, S. 231 ff., und G. Schmitt: Der Landtag von Sichem, ATh 1, 15, Stuttgart 1964, S. 82 Anm. 4.

[36] Vgl. dazu das Referat von G. Sauer: Die Sprüche Agurs, BWANT 84, Stuttgart 1963, S. 9 ff., und die zusammenfassende Darstellung der ugaritischen Religion bei H. Gese, S. 50 ff.

[37] Vgl. dazu W. Caskel: Die altsemitischen Gottheiten in Arabien, in: Le antiche divinità semitiche. Studi racc. S. Moscati, Studi Sem. 1, Rom 1958, S. 117; S. Moscati: Considerationi conclusive, ebd., S. 121 f.; C. Brockelmann: Allah und die Götzen, ARW 21, 1922, S. 99 ff.; J. Henninger: La religion bédouine préislamique, in: L'antica società beduina. Studi racc. Fr. Gabrielli, Studi Sem. 2, Rom 1959, S. 134; T. Fahd: Le panthéon de l'Arabie centrale à la veille de l'hégire, Paris 1968, S. 253; Gese, S. 95, und M. Höfner: Die vorislamischen Religionen Arabiens, in: RM 10, 2, Stuttgart 1970, S. 357 f.

ugaritischen Texten nun wohlbekannten Gottes El[38] als primitive Orts-
numina zu sehen haben wird.[39]

Damit ergibt sich eine ganze Reihe von Möglichkeiten, die religionsgeschichtliche Entwicklung von der Patriarchenreligion vor der Landnahme
über die Elreligion nach der Landnahme bis zur allgemeinisraelitischen
Annahme des Jahwedienstes zu skizzieren. Geht man von der Voraussetzung aus, daß es sich um namenlose Sippengötter oder gar wirklich nur
jeweils von dem Vater verehrte Numina handelte,[40] wird man am ehesten
annehmen, daß die Vorfahren Israels bei ihrer je getrennten Einwanderung
in das Kulturland eben zunächst die kanaanäische Elreligion in den
Formen übernahmen, wie sie je an den Ortsheiligtümern ausgeprägt war,[41]
wobei der Gott des Vaters und El identifiziert wurden.[42] Die überlegene
Religionsstufe hätte dann die vorhergehende niedere in sich aufgenommen.
In ähnlicher Weise denkt Otto Eißfeldt unter Berufung auf Gen 35, 1 ff.
und Jos 24, 2 daran, daß die Vätergötter in diesem Prozeß abgetan
wurden,[43] während es umgekehrt nach der Annahme des Jahweglaubens in
einer Übergangsperiode noch zu einer Unterordnung Jahwes unter El
gekommen sei, vgl. Ps 82.[44] Victor Maag denkt sich dagegen angesichts des
eigentümlichen Kolorits der Genesis den Prozeß eher umgekehrt so, daß
die als Führungsgötter zu charakterisierenden Vätergötter die Elreligion
in sich aufnahmen,[45] womit er einen organischen, die weitere Sonder-

---

[38] Zu ihm vgl. jetzt Gese, S. 94 ff. Zum Verhältnis von El zu Baal vgl. aber
auch die divergierenden Ansichten von A. S. Kapelrud: Baal in the Ras Shamra
Texts, Kopenhagen, 1952, S. 137, und W. Helck: Große Göttin, S. 172.

[39] Vgl. dazu May, JBL 60, S. 114 ff.; Eißfeldt, Kl. Schr. III, S. 364, und
S. 392. IV, S. 83 ff.; Gemser, S. 52 f.; Cross, S. 232 ff.; Andersen, S. 179 ff.;
Ringgren, S. 20; Cazelles, Sp. 146 und Sp. 148 f.; Schmidt, S. 25; Fohrer, S. 22 f.,
und Gese, S. 106; ferner Dhorme, S. 345.

[40] Vgl. dazu May, JBL 60, S. 112 ff.; Andersen, S. 181 f.

[41] Vgl. dazu Anm. 39.

[42] Die von Alt aufgestellte „Ahnentafel": Vätergott-Elgottheit(-Jahwe) bleibt
also modifiziert bestehen.

[43] Kl. Schr. III, S. 363 und S. 391 f.; Maag, SVT 16, S. 208 f. mit der Ein-
grenzung auf einen Bundesschluß in Sichem. — Vgl. aber auch Andersen, S. 182.
Schmitt, S. 49 ff., und Seebass, S. 28 f.

[44] Kl. Schr. III, S. 389 f. Vgl. dagegen Fohrer, S. 94.

[45] SVT 16, S. 213 ff. Vgl. auch Cazelles, Sp. 148 f. — Es sei ausdrücklich hervorgehoben, daß Maag, SVT 7, S. 138 ff., verdienstvoll eine Parallele für eine

stellung Israels unter den Völkern eher verständlich machenden Zusammenhang gewinnt. — Wenn es jedoch zutrifft, daß sich bei den semitischen Nomaden eine Tendenz zur Verehrung eines einzigen Gottes nachweisen läßt,[46] und wenn es weiter als gesichert gelten darf, daß es sich bei El um eine alte gemeinsemitische Gottheit handelt,[47] die uns freilich in Ugarit in einer besonderen, nicht ohne weiteres auf die kanaanäischen Heiligtümer übertragbaren Form begegnet,[48] ist schließlich die Frage berechtigt, ob der von den Vätern verehrte Gott nicht eben El gewesen ist. Und gerade weil es sich bei ihm um den Gott von Nomaden gehandelt hätte, dürfte man sich ihn nicht zu primitiv und nicht zu ausschließlich als bloßen Führungs- und Schutzgott vorstellen.[49] Man wird zugestehen, daß sich unter dieser Voraussetzung die Verschmelzung des Vätergottes mit den im Kulturland angetroffenen Formen Els u n d das Weiterleben seiner Züge als jedenfalls auch einer Führungs- und Schutzgottheit zwangloser verstehen lassen, als es sonst der Fall ist.[50]

Die Frage, wie sich der vor dem Auszug aus Ägypten und vor der Landnahme verehrte Jahwe zu El und den Vätergöttern verhielt, läßt sich bis auf weiteres mangels zureichender Quellen nur auf dem ebenso reiz- wie gefahrvollen Wege mehr oder minder spekulativer Kombinationen beantworten, bei denen traditionsgeschichtliche, historische und religions-

---

Transmigration unter dem Einfluß inspirierter Führer bei den Bachtiaren beigebracht hat. Zum Problem vgl. jetzt J. Henninger: Der Glaube an den einen Gott. Über religiöse Strukturen nomadischer Gruppen, BiKi 27, 1972, S. 13 ff. und besonders S. 15.

[46] Vgl. dazu Henninger, Stud. Sem. 2, S. 135. — Zum Nomadentum der Vorfahren Israels vgl. R. de Vaux: Les Patriarches Hébreux et les découvertes modernes, RB 1949, S. 5 ff., zitiert nach desselben: Die hebräischen Patriarchen und die modernen Entdeckungen, Düsseldorf 1961, S. 55 ff.

[47] Vgl. dazu oben Anm. 37.

[48] Vgl. dazu z. B. K.-H. Bernhardt: Aschera in Ugarit und im Alten Testament, MIO 13, 1967, S. 163 ff.

[49] Vgl. dazu Henninger, S. 134.

[50] Vgl. dazu Vriezen, S. 167; B. Gemser: God in Genesis (1958), in: Adhuc loquitur, S. 29; Ders., ebd., S. 55; Bright: History of Israel, S. 90 f., und Cross, S. 232, der sich mit der Feststellung begnügt, daß die Götter der Väter jedenfalls Hochgötter waren; ferner G. Fohrer, ZAW 73, 1961, S. 7 = Studien zur alttestamentlichen Theologie, BZAW 115, Berlin 1969, S. 60; Ringgren, S. 20 f., und Kornfeld, S. 45.

geschichtliche Überlegungen eigentümlich ineinandergreifen. Es würde an dieser Stelle zu weit führen, auf die neueren und neuesten Lösungsversuche im einzelnen einzugehen.[51] Auch die andere Frage, wie sich die Jahweverehrung unter den Israeliten ausgebreitet hat, braucht uns im vorliegenden Zusammenhang nicht zu beschäftigen.[52] Gewarnt werden muß jedoch angesichts des alttestamentlichen Befundes vor allen Spekulationen, welche dem Mose eine unter ägyptischem Einfluß im allgemeinen oder gar unter dem der Sonnenreligion des Echnaton im besonderen modifizierte Gotteserfahrung zusprechen.[53] Auch wenn man die von Martin Noth vorgenom-

---

[51] Vgl. dazu Alt, Kl. Schr. I, S. 58 ff.; Hyatt, VT 5, S. 130 ff.; Eißfeldt, Kl. Schr. III, S. 386 ff. IV, S. 79 ff.; Maag, Schw. Theol. Umschau 28, S. 23 f.; Cross, S. 250 ff.; G. Fohrer: Überlieferung und Geschichte des Exodus, BZAW 91, Berlin 1964, S. 35 ff.; Ders.: Geschichte der israelitischen Religion, S. 66 ff.; Haran, ASThI 4, S. 37 ff.; Seebass, S. 56 ff. und S. 102; H. Schmid: Mose. Überlieferung und Geschichte, BZAW 110, Berlin 1968, S. 33 ff.; W. H. Schmidt: Alttestamentlicher Glaube, S. 28 ff. und S. 31 f.

[52] Vgl. dazu Alt, ebd.; M. Noth: Überlieferungsgeschichte des Pentateuch, Stuttgart 1948 (³1966 7, S. 278 f.; Ders.: Geschichte Israels³⁻⁷, S. 89 ff. und S. 125 ff.; H. H. Rowley: From Joseph to Joshua, S. 105 ff. und S. 149 ff.; Ders.: Mose und der Monotheismus, ZAW 69, 1957, S. 10 ff.; Eißfeldt, Kl. Schr. III, S. 395 ff. IV, S. 85 ff.; Bright, History, S. 145 f.; K.-H. Bernhardt: Gott und Bild, ThA 2, Berlin 1956, S. 116 ff. und besonders S. 125 ff. und S. 154 ff.; G. v. Rad: Theologie I¹, S. 18 ff. I⁶, S. 20 ff.; R. Smend: Jahwekrieg und Stämmebund, FRLANT 84, Göttingen 1963, S. 79 ff.; G. Schmitt: Der Landtag von Sichem, S. 85 ff. Vgl. dazu aber auch L. Perlitt: Bundestheologie im Alten Testament, WMANT 36, Neukirchen 1969, S. 239 ff.; S. Herrmann: Prophetische Heilserwartungen, S. 69 ff.; Ders.: Der alttestamentliche Gottesname, EvTh 26, 1966, S. 290; Ders.: Israels Aufenthalt in Ägypten, StBSt 40, Stuttgart 1970, S. 49; H. Gese: Bemerkungen zur Sinaitradition, ZAW 79, 1967, S. 137 ff.; V. Maag: Sichembund und Vätergötter, SVT 16, 1967, S. 205 ff.; H. Schmid, S. 106 ff.; H. W. Schmid: Alttestamentlicher Glaube, S. 34 f. 45 ff. 61 ff. 88 und S. 101 f.; Fohrer: Geschichte, S. 55 ff. und S. 76 ff.; V. Fritz: Israel in der Wüste, MThSt 7, Marburg 1970, S. 123 ff., und G. Widengren: What do we know about Moses , in: Proclamation and Presence; FS G. H. Davies, London 1970, S. 21 ff.

[53] Vgl. die freilich schon relativ zurückhaltenden Überlegungen bei J. H. Breasted: Die Geburt des Gewissens (= The Dawn of Conscience, New York und London 1935), Zürich 1950, S. 339 ff.; W. F. Albright: From Stone Age to Christianity, S. 205 f., und dazu grundsätzlich S. Herrmann: Israel in Ägypten, ZÄS 91, 1964, S. 63 ff., aber auch schon B. Stade: Biblische Theologie des Alten

mene Reduktion des historischen Gehaltes der Moseüberlieferung nicht für der Weisheit letzten Schluß hält,[54] hat man doch eher mit einer „tangentialen Berührung unbedeutender beduinischer Gruppen mit dem ägyptischen Territorium im Zuge der Weidesuche im Ostdelta" als mit einer intensiven zu rechnen,[55] wobei die Geschichte von der Aussetzung und Adoption des Mose m. E. teils auf den weitverbreiteten Typ der Kindheitslegende des späteren Helden,[56] teils auf einen Versuch, den ägyptischen Namen des Mose zu erklären, zurückgehen dürfte.[57]

Bedeutsam für die Beantwortung der seit langem diskutierten Frage nach der Urheimat und dem ursprünglichen Wesen Jahwes[58] könnte die zunächst in einer Inschrift aus der Zeit Ramses' II. in dem Tempel von Amara-West in Nubien im Kontext einer Liste asiatischer Gefangener gefundene Bezeugung eines t' š'św jhw' sein,[59] die sich weiterhin als Kopie einer im Amuntempel des ebenfalls nubischen Soleb aus der Zeit

Testaments I, Tübingen 1905, S. 38, und J. Wellhausen: Israelitische und jüdische Geschichte, Berlin ⁹1958, S. 31 f. — Zur Atonreligion vgl. H. Brunner: Echnaton und sein Versuch einer religiösen Reform, Universitas 17, 1962, S. 149 ff., und W. Helck: Überlegungen zur Geschichte der 18. Dyn., OrAnt 8, 1969, S. 318 ff.

[54] Überlieferungsgeschichte, S. 172 ff.; Geschichte Israels, S. 127 f. Vgl. aber auch seine vorsichtige Einschränkung S. 128 Anm. 5. — Zur neuesten Diskussion vgl. den Forschungsbericht von H. Schmid, S. 1 ff.

[55] S. Herrmann, ZÄS 91, S. 78. — Für ihren Status als Gefangene vorwiegend südpalästinensischer, nomadischer Herkunft hat jetzt W. Helck, ThLZ 97, 1972, Sp. 179 f. votiert.

[56] Vgl. dazu z. B. M. Noth: Das zweite Buch Mose, ATD 5, Göttingen 1959, S. 15 f.

[57] Mit einem freilich bescheideneren historischen Kern rechnet Herrmann, ZÄS 91, S. 77. Umfassender reflektiert er das Problem in: Israels Aufenthalt, S. 66 ff.

[58] Vgl. dazu z. B. K. Budde: Religion of Israel to the Exile. American Lecture on the History of Religions, New York und London 1899, S. 17 ff.; Stade, S. 42 f.; G. Hölscher: Geschichte der israelitischen und jüdischen Religion, Gießen 1922, S. 67 f., und R. Kittel: Die Religion des Volkes Israel, Leipzig 1929, S. 47 f.

[59] Vgl. dazu B. Grdseloff, Bulletin des études historiques juives 1, 1946, S. 81 f., zitiert nach H. H. Rowley, ZAW 69, 1957, S. 14; Ders.: Édôm, d'après les sources égyptiennes, Revue de l'histoire juive en Égypte 1, 1947, S. 69 ff., zitiert nach S. Herrmann, EvTh 26, 1966, S. 282; dazu Rowley: From Joseph to Joshua, S. 153 ff., und W. Helck: Die Beziehungen Ägyptens zu Vorderasien im 3. und 2. Jahrtausend v. Chr., Wiesbaden 1962, S. 223 und S. 237 f.

Amenophis' III. erhaltenen Liste zu erkennen gab.[60] Wenn hier das „Land der Beduinen von (?) Jhw'"[61] im Kontext der Länder der Beduinen von Laban und von Seir erscheint,[62] liegt es in der Tat nahe, auch jhw' als ein südöstlich von Palästina gelegenes Territorium anzusprechen,[63] wobei für Laban mit Grdseloff nach Rowley auf Dtn 1, 1 zu verweisen ist.[64] Ist die Möglichkeit, ägyptisches jhw' mit hebräischem jhw/jhwh in Beziehung zu setzen, grundsätzlich gegeben, ist mindestens der Schluß nicht von der Hand zu weisen, daß wir in der Liste von Soleb und von Amara West die älteste bekannte Bezeugung des Jahwenamens besitzen k ö n n t e n.[65] Stellt man in Rechnung, daß der Name eines Berges und eines Berggottes identisch sein können, wie es beim Baal Zaphon der Fall ist,[66] kann man weiter vermuten, daß sein alter Bergname auch dann erhalten blieb, als seine Verbindung mit dem gleichnamigen Berge verlorenging,[67] wobei man es dahingestellt sein lassen mag, ob und wie dieser Vorgang mit einer möglichen Weiterentwicklung zum Wettergott zusammenhängt, wie es Wolfgang Helck erwägt. Jedenfalls gewinnt von dieser möglichen frühe-

[60] Vgl. dazu Herrmann, EvTh 26, S. 282 f.; R. Giveon: Les bédouins Shosu des documents égyptiens, DMOA 18, Leiden 1971, war mir leider noch nicht zugänglich.

[61] Vgl. dazu vorerst R. Giveon: Toponymes ouest-asiatiques à Soleb, VT 14, 1964, S. 244 (Soleb Col IV A 2); ferner J. Leclant: Les fouilles de Soleb, NAG I, 1965, 13, S. 214 ff.

[62] Nach Giveon entsprechend Amara West zu ergänzen als A 4 und A 5, vgl. S. 245.

[63] Vgl. dazu Herrmann, S. 288, aber auch S. 289: „Zu übersetzen ›Land der Schasu des Jahw'‹ ist grammatisch möglich. Aber hier liegt wohl überhaupt die große Schwierigkeit, daß die Näherbestimmung einer Schasu-Gruppe durch den Namen einer Person oder eines Gottes bisher nicht nachgewiesen ist."

[64] Grdseloff nach Rowley, From Joseph to Joshua, S. 153. — Zur Sache vgl. ferner Giveon, VT 14, S. 245, und Herrmann, S. 285.

[65] Vgl. dazu Herrmann, EvTh 26, S. 289, und zurückhaltender Dens.: Israels Aufenthalt, S. 42.; H. Schmid, S. 28; R. de Vaux: The Revelation of the Divine Name YHWH, in: Proclamation and Presence, FS G. H. Davies, London 1970, S. 52 ff., und besonders S. 56: "What remains . . . is, that, in a region with which the forefathers of Israel had so many connections, there was, as early as the middle of the second millenium B. C., a geographical or ethnic name very similiar, if not identical with the name of the God of Israel."

[66] Hermann, EvTh 26, S. 289. Vgl. auch Helck: Große Göttin, S. 176.

[67] Helck: Große Göttin, S. 177.

sten Bezeugung Jahwes her unter Berücksichtigung von Ri 5, 4 f.; Dtn 33, 2 f.; Hab 3, 7; Ex 19*J und dem ursprünglichen Stationenverzeichnis der Wallfahrt zum Sinai in Num 33*[68] die Hypothese an Wahrscheinlichkeit, daß Jahwe einmal an einem Vulkan des nördlichen Ḥeǧāz verehrt wurde, sei es nun an der Harrat ar-Raḥā[69] oder an einem zur Harrat al-ʿUwairiẓ gehörenden Vulkankegel[70], etwa der Ḥala al-Badr[71]. Der Alttestamentler muß freilich hinzufügen: Wer immer Jahwe in seiner ursprünglichen Heimat und für seinen frühesten Verehrerkreis

[68] Vgl. dazu M. Noth: Der Wallfahrtsweg zum Sinai, PJ 36, 1940, S. 5 ff. — Aufsätze zur biblischen Landes- und Altertumskunde I, Neukirchen 1971, S. 55 ff.; J. Koenig: Itinéraires sinaïtiques en Arabie, RHR 166, 1964, S. 121 ff.; Ders.: La localisation du Sinaï et les traditions des scribes I, RHPhR 43, 1963, S. 2 ff. und besonders S. 24 ff.; H. Gese, in: Das ferne und nahe Wort, F. S. L. Rost, BZAW 105, Berlin 1967, S. 80 ff., besonders S. 85 ff. und zu seinen Schlüssen G. I. Daries: Hagar, el- Heǧra and the Location of Mt. Sinai, VT 22, 1972, S. 152 ff.

[69] Vgl. die generellen Überlegungen für eine Ansetzung des Sinai in Nordwestarabien von A. Musil: The Northern Heǧâz, New York 1926, S. 296 ff.; O. Eißfeldt: Artikel 'Sinai', in: RGG³ VI Sp. 44 f.; M. Noth: Das vierte Buch Mose, ATD 7, Göttingen 1966, S. 212 f.; H. Gese, S. 80 ff. und spezieller Noth, PJ 36, S. 25 = Aufsätze I, S. 73; H. v. Wissmann, in: M. Neumann van Padang: Catalogue of the Active Volcanoes and Solfataria Fields of Arabia and the Indian Ocean, Catalogue of the Active Volcanoes of the World 16, Rom 1963, S. 1 f.

[70] Zu den Vulkanen dieses Gebietes vgl. Catalogue of the Active Volcanoes 16, S. 2 ff. und die Karte S. 11 fig. 3.

[71] So zunächst A. Musil: Vorbericht seiner letzten Reise nach Arabien, Anzeiger der Akad. Wiss. Wien phil.-hist. Cl. 48, 1911, S. 154, und jetzt J. Koenig, RHPhR 43, S. 2 ff. und besonders S. 24 ff.; 44, 1964, S. 200 ff.; Ders.: Le Sinaï, montagne du feu dans un désert de ténèbres, RHR 167, 1965, S. 129 ff. Da die Argumentation von B. Moritz: Der Sinaikult in heidnischer Zeit, AGG NF 16, 2, 1916, zugunsten der Lokalisation des Sinai im Süden der gleichnamigen Halbinsel noch immer eine Rolle spielt, sei auf die kritische Auseinandersetzung mit ihr durch Koenig, RHPhR 43, S. 4 ff., ausdrücklich hingewiesen. — Zu den vulkanischen Zügen in der Sinaitradition vgl. auch J. Jeremias: Theophanie, WMANT 10, Neukirchen 1965, S. 100 ff. Zum Problem der Identität von Sinai und Horeb vgl. A. v. Gall: Altisraelitische Kultstätten, BZAW 3, Gießen 1898, S. 1 ff.; R. Hillmann: Wasser und Berg. Kosmische Verbindungslinien zwischen dem kanaanäischen Wettergott und Jahwe, Diss. Halle 1965, S. 164 ff.; H. Schmid, S. 29, und V. Fritz, S. 127 f.

gewesen sein mag, entscheidend wurde und blieb, daß Israel in ihm den
Erretter vor den Ägyptern am Meere, den voranziehenden, mitziehenden
und errettenden Gott, erkannte,[72] den Gott, der vielleicht von seiner ver-
hüllten Gegenwart in den Ausbrüchen des Vulkans her bildlos verehrt
wurde[73] und der von einer so oder anders einzugrenzenden Eidgenossen-
schaft am „Sinai" her nicht nur der Schützer der Seinen und der Wächter
über ihre Gemeinschaftstreue,[74] sondern auch der Gott war, der die Seinen
einzig anging.[75] Damit sind bereits die drei Spezifika des Gottes Israels
genannt, die sich weiterhin im Glauben nicht nur dieses Volkes, sondern
auch in dem der drei auf ihm fußenden Weltreligionen durchhält: Jahwe
ist der Gott, der seinen Namen, sein der Welt zugewandtes Wesen[76] in
geschichtlichen Führungen offenbart.[77] Er ist der voranziehende und
führende Gott. Jahwe ist als der Herr zugleich der Richter der Völker und
Menschen, der Israel und alle Völker an seinen Gemeinschaftstreue setzen-
den Willen bindet und daran mißt. Und Jahwe ist der Gott, der zu keiner
Zeit von der Forderung läßt, daß er allein als der Herr und Gott anerkannt
werde. So kommt es, wenn man so will, daß man ihn in den drei Weisen
des Erzählens von seinen Taten an Israel und der Welt, der Kundgabe
seines Willens in der Weisung und in der Ansage seines anstehenden Tuns,
mit anderen Worten: durch Geschichtserzählung,[78] die schließlich nicht
zufällig in sie eingebettete Thora und das Wort der Propheten vergegen-
wärtigt.

Die Idee einer „Urgeschichte", einer von der Erschaffung des Menschen

---

[72] Vgl. dazu A. Weiser: Glaube und Geschichte im Alten Testament (1931),
Göttingen 1961, S. 101 ff.; Noth: Überlieferungsgeschichte, S. 52 f.; Rowley:
The Faith of Israel, London 1956, S. 40 ff., und v. Rad: Theologie I[1], S. 177 ff.
I[6], S. 189 ff.

[73] So ansprechend H. Schmid, S. 57. Vgl. aber auch Bernhardt: Gott und Bild,
S. 141 ff., und zu der darin angeschnittenen Problematik der Herkunft der Lade
J. Maier: Das altisraelitische Ladeheiligtum, BZAW 93, Berlin 1965, S. 39 ff.,
mit G. Fohrer: Geschichte, S. 98 ff.

[74] Vgl. dazu L. Perlitt: Bundestheologie, S. 233 f.

[75] Vgl. dazu J. M. Montgomery: Arabia and the Bible (1934), New York
1969, S. 187, und W. Helck: Große Göttin, S. 177.

[76] Vgl. dazu H. Bietenhard, ThWB 5, S. 254 ff.

[77] Vgl. dazu V. Maag: Malkût Jhwh, SVT 7, 1960, S. 129 ff.

[78] Unter sie seien hier auch die erinnernden Vergegenwärtigungen seines Handelns im Gotteslob, in Hymnus und Danklied, subsumiert.

über wiederholte Verschuldungen der Menschen, ihre göttliche Heim-
suchung und Begnadigung bis hin zu der großen Katastrophe der Flut und
ihrem, eine neue Weltzeit begründenden Ende, wie sie in Israel nach unserem Wissen erstmals der im salomonischen Zeitalter wirkende Jahwist der
eigentlichen Heilsgeschichte vorangestellt und damit das Konzept von der
Weltgeschichte als Heilsgeschichte recht eigentlich geschaffen hat,[79] ist
Israel offensichtlich aus der Tradition des babylonischen Atraḫasīs-Epos[80]
zugewachsen.[81] Nicht anders ist die Vorstellung von den vor der Flut
lebenden Urvätern, wenn nicht bereits dem Jahwisten in Gen 4, so doch
deutlich der Priesterschrift in ihrem Sethitenstammbaum Gen 5 auf einem
noch nicht genauer zu bestimmenden Wege aus der uns in der sumerischen
Königsliste erstmals greifbaren Tradition von den Urkönigen zugewan-

[79] Vgl. dazu Kaiser: Einleitung[2], S. 80.

[80] W. G. Lambert und A. R. Millard: Atra-ḫasīs. The Babylonian Story of the
Flood, Oxford 1969.

[81] Vgl. dazu H. Gese: Geschichtliches Denken im Alten Orient und im Alten
Testament, ZThK 55, 1958, S. 142 f.; G. Fohrer: Tradition und Interpretation
im Alten Testament (1961), in: Studien zur alttestamentlichen Theologie und
Geschichte, BZAW 115, Berlin 1969, S. 70, und W. M. Clark: The Flood and
the Structure of the Pre-patriarchal History, ZAW 83, 1971, S. 184 ff. — Zu den
religionsgeschichtlichen Beziehungen von Gen 1—3 vgl. W. H. Schmidt: Die
Schöpfungsgeschichte der Priesterschrift, WMANT 17, Neukirchen [2]1967;
O. Kaiser: Die mythische Bedeutung des Meeres in Ägypten, Israel und Ugarit,
BZAW 78, Berlin [2]1962, S. 101 ff.; V. Maag: Alttestamentliche Anthropogonie
in ihrem Verhältnis zur altorientalischen Mythologie, Asiat. St 9, 1955, S. 15 ff.;
P. E. S. Thompson: The Yahwistic Creation Story, VT 21, 1971, S. 197 ff.;
E. Würthwein: Chaos und Schöpfung im mythischen Denken und in der Ur-
geschichte (1964), in: Wort und Existenz, Göttingen 1970, S. 28 ff.; A. Heidel:
The Babylonian Genesis, Chicago [2]1951; S. G. H. Brandon: Creation Legends
of the Ancient Near East, London 1963; R. Pettazzoni: Myths of Beginning and
Creation-Myths, in: Essays on the History of Religion, StHR 1, Leiden 1954,
S. 24 ff.; J. Heller: Der Name Eva, ArOr 26, 1958, S. 636 ff. — Zu Gen 6, 1—4
vgl. B. S. Childs: Myth and Reality in the Old Testament, StBTh 27, London
1960, S. 49 ff. — Zu Gen 6, 5—9, 17 vgl. A. Heidel: The Gilgamesh Epic and
Old Testament Parallels, Chicago [2]1949; O. Kaiser: Mythische Bedeutung[2],
S. 120 ff. — Zu Gen 11, 1—9 vgl. H. Gressmann: The Tower of Babel, ed.
J. Obermann, New York 1928; E. A. Speiser: Word Plays on the Creation
Epic's Version of the Founding of Babylon, Or 25, 1956, S. 317 ff.; S. N. Kramer:
The 'Babel of Tongue': A Sumerian Version, JAOS 88, 1968, S. 108 ff.

dert.[82] Wenn der Jahwist schließlich die Geschichte von Gottes Führung seit der Schöpfung des Menschen bis zur Landnahme erzählt und dabei das Reich Davids als den Zielpunkt der Israel in der Väter- wie in der Mosezeit gegebenen Verheißungen ins Auge faßt,[83] braucht man sich nur des babylonischen Schöpfungsepos enūma eliš zu erinnern, das schließlich in die Verherrlichung des Stadtgottes von Babylon, Marduk, und der von ihm geschaffenen, im Tempel Esagila zentrierten Weltordnung mündet,[84] um angesichts einer vielleicht wiederum nicht nur zufälligen Nähe sogleich die Ferne zu erkennen, die sich aus der Eigenart des Glaubens an den in der Geschichte waltenden Gott ergibt. Sie läßt keinen Raum für das Ineinander von Kosmogonie und Theogonie, weil sie die ganze, auf einer Konsubstantialität beruhende letzte Einheit von Göttern und Menschen negiert.[85] Wenn später im Königsbuch das Schicksal der Reiche von Israel und Juda an der Treue seiner Könige zu dem einen im Tempel von Jerusalem verehrten Gott gemessen wird,[86] läßt sich natürlich an das Geschichtsverständnis der babylonischen Chronik Weidner erinnern, die alles Unheil, das die Herrscher seit der Flut traf, auf ihre Vergehen gegen den Kult des babylonischen Zentralheiligtums zurückführte.[87] Geschichte als Folge menschlichen Tuns — es wäre erstaunlich, wenn Israel nicht auch darum gewußt hätte. Aber wie Hartmut Gese richtig gesehen hat,[88] kommen in Israel zwei weitere Momente hinzu: der Glaube an Gottes,

---

[82] Vgl. dazu H. Zimmern: Die altbabylonischen vor-(und nach-)sintflutlichen Könige nach neuen Quellen, ZDMG 78, 1924, S. 19 ff., und zuletzt Clark, ZAW 83, 1971, S. 188; zur Textbasis vgl. Th. Jacobsen: The Sumerian King List, AS 10, Chicago 1939 (1966).

[83] Vgl. dazu Kaiser: Einleitung[2], S. 78 ff., und N. Lohfink: Landverheißung, S. 65 ff.

[84] Vgl. dazu B. Meissner: Babylonien und Assyrien 2, Heidelberg 1925, S. 174 ff.

[85] Vgl. dazu J. A. Wilson, in: Frankfort, Wilson und Jacobsen: The Intellectual Adventure of Ancient Men, Chicago 1946 (1965), S. 66 ff.

[86] Vgl. dazu P. R. Ackroyd: Exile and Restoration, OTL, London 1968, S. 74 ff.; Kaiser: Einleitung[2], S. 136 ff.; ferner A. Jepsen: Die Quellen des Königsbuches, Halle [2]1956, S. 60 ff., und J. Debus: Die Sünde Jerobeams, FRLANT 93, Göttingen 1967, S. 93 ff.

[87] Vgl. dazu H.-G. Güterbock: Die historische Tradition bei Babyloniern und Hethitern, ZA 42, 1934, S. 47 ff.

[88] ZThK 55, 1958, S. 140 ff.

zwischen Tat und Tatfolge eintretendes und damit den Automatismus der Wirkung aufhebendes Gerichtshandeln wie der Glaube an seinen schließlich durch menschliche Schuld und menschliches Versagen nicht aufhebbaren Heilswillen. Eben dieser Glaube ließ die Priesterschrift angesichts des Verlustes der Eigenstaatlichkeit und des Exils auf die Väterverheißung,[89] das Deuteronomium auf den Mosebund und ein fiktives Heute vor der Landnahme zurückgreifen, in dem Israel noch einmal zu seinem Anfang zurückgeholt wird.[90] — Als Israel sich seine Geschichte glaubend deutete, hatte es von seiner Vor- und Umwelt offensichtlich mehr als das bloße Schreiben und Lesen gelernt. Aber es wäre Israel weder geworden noch geblieben, wenn es dies alles nicht in eigentümlicher und unverwechselbarer Weise auf den in der Geschichte offenbaren Jahwe bezogen hätte. Aus der Spannung, die durch die unterschiedliche Betonung der beiden Brennpunkte der Ellipse seines Glaubens, der Verheißung und der Forderung des in der Geschichte anwesenden und doch nicht in der Geschichte aufgehenden, den Menschen allein angehenden Gottes gewonnen und durch das jeweilige Verhältnis Israels zu seinem Gott in desperatio oder superbia je unterschiedlich belastet wurde, läßt sich der Gang der Glaubensgeschichte, wie er sich in der alttestamentlichen Literatur als ganzer spiegelt, letzlich allein begreifen.

In diese Geschichte hinein gehört auch die in ihren einzelnen Stadien kaum abschließend erhellte Vorgeschichte der in den Pentateuch inkorporierten Rechtsreihen und Rechtsbücher,[91] die in ihrer jetzigen Einbettung ohne Rücksicht auf ihre ursprüngliche Funktion und Vorgeschichte als durch Mose vermittelte Weisung Gottes an Israel verstanden werden wollen. Daß Religion und Recht bei den Alten letztlich nicht zwei streng geschiedenen Bereichen angehörten, darf als bekannt vorausgesetzt werden.[92] Die Vorstellung, daß die Götter die Garanten des Rechtes sind, läßt sich im Bereich des Keilschriftrechtes bis in die altsumerische Zeit zurückverfolgen. So handelt dort der König als Repräsentant und Stellvertreter der Gottheit, wenn er selbst mindestens in bestimmten Fällen das Urteil

---

[89] Vgl. dazu W. Zimmerli: Sinaibund und Abrahambund (1960), in: Gottes Offenbarung, ThB 19, München 1963, S. 205 ff.

[90] Vgl. dazu G. v. Rad: Theologie I, S. 218 ff. I⁶, S. 232 ff.

[91] Vgl. dazu Kaiser: Einleitung², S. 57 ff. 101 ff. und 103 ff.

[92] Vgl. dazu W. Schilling: Artikel 'Recht und Religion', RGG³ V, Sp. 820 f.

trifft oder seinen Rechtswillen in Rechtsbüchern proklamiert.[93] Will man der Eigentümlichkeit der mesopotamischen Rechtssammlungen gerecht werden, darf man sie keinesfalls in Analogie zu heutigen Gesetzbüchern als auf die Macht des Staates gestützte Corpora beurteilen. Sie können viel eher als königliche Willenskundgebungen bezeichnet werden, die, wie es in den Prologen und Epilogen zum Ausdruck kommt, göttliche Legitimation für sich in Anspruch nehmen.[94] Formal besteht der Unterschied zwischen den alttestamentlichen und den keilschriftlichen Rechtssammlungen zunächst einmal darin, daß hier an die Stelle der jeweiligen, sie erlassenden Könige der eine Mann Mose getreten ist, der sie von Jahwe als an das Volk gerichteten Auftrag vernimmt. So sind die alttestamentlichen Rechtssammlungen mindestens durch ihre Einleitung als Gottesrede stilisiert. Allein das Deuteronomium gibt sich als „Gottesauftrag aus zweiter Hand an die Laiengemeinde" aus,[95] wobei Mose selbst zum Gesetzesprediger wird. Mit Recht hat man seit langem darauf hingewiesen, daß die religiöse Durchdringung der israelitischen Sammlungen weit intensiver als die der Sammlungen des Keilschriftrechtes ist, in denen „die Religion" weithin auf Prolog und Epilog beschränkt bleibt.[96] Bei dieser Feststellung will allerdings beachtet werden, daß es sich bei den vorliegenden alttestamentlichen Rechtssammlungen um ein zum Teil doch schon rein literarisches Spätstadium der Überlieferung handelt, in dem Rechtsgut der Sakral- und der bürgerlichen Rechtsgemeinde eigentümlich miteinander verwoben ist.[97] — Seit Albrecht Alt die Beziehung zwischen dem kasuistischen Keilschriftrecht und den kasuistisch formulierten Gesetzen des Alten

---

[93] Vgl. dazu H. Schmökel: Kulturgeschichte des Alten Orients, S. 132 f.

[94] R. Haase: Einführung in das Studium keilschriftlicher Rechtsquellen, Wiesbaden 1965, S. 19.

[95] Vgl. dazu G. v. Rad: Deuteronomium-Studien, FRLANT 58, Göttingen ²1948, S. 7.

[96] Vgl. dazu J. Hempel: Althebräische Literatur, S. 74 und S. 77; J. M. Powis Smith: The Origin and History of Hebrew Law, Chicago 1931 (1960), S. 244 und S. 274; G. R. Driver und J. C. Miles: The Babylonian Laws I, Oxford 1952 (1960), S. 34, und W. Seagle: Weltgeschichte des Rechts (1941), Sonderausgabe, München 1969, S. 170 f.

[97] Vgl. dazu Kaiser: Einleitung², S. 57 ff.; K. Elliger: Leviticus, HAT I, 4, Tübingen 1966, S. 7 ff., und H. Schulz: Das Todesrecht im Alten Testament, BZAW 114, Berlin 1969, S. 188 ff.

Testaments endgültig zu allgemeinem Bewußtsein gebracht hat,[98] richtet sich der Blick der Forschung angesichts des Fehlens kanaanäischer und des offensichtlichen Verlustes der ägyptischen Rechtsbücher notgedrungen und doch vielleicht etwas zu einseitig nach Mesopotamien und Kleinasien.[99] Wenn uns bis heute auch nur eine einzige kleine Rechtssammlung aus Ägypten bekannt ist,[100] dürfen wir doch annehmen, daß auch die uns leider nicht erhaltenen Gesetzestexte des Alten Reiches und der 18. Dynastie ebenfalls kasuistisch formuliert waren.[101] Daß der Pharao seine Gesetzgebung als einen Akt der Stellvertretung Gottes zur Wahrung der göttlichen und gerechten Weltordnung verstand, bringt der Prolog des Dekretes des Königs Haremheb zum Ausdruck.[102]

Die von Alt mit Nachdruck vertretene These, daß es sich bei dem apodiktisch formulierten Recht um genuin israelitische Formen handelt,[103] läßt sich heute sowenig aufrechthalten[104] wie die andere, seit George E. Mendenhall vielfach vertretene, nach der ein, wenn nicht schon Mose so doch jedenfalls den ältesten Pentateuchquellen bekanntes und ihrer

---

[98] Die Ursprünge des israelitischen Rechts (1934), Kl. Schr. I, S. 278 ff. und besonders S. 295 ff. —Vgl. dazu schon H. Gunkel: Die israelitische Literatur, in: Kultur der Gegenwart, hrsg. Hinneberg, 1, 7, Leipzig 1906, S. 74 ff. — Einzelabdruck Darmstadt 1963, S. 24 ff., und K. Budde: Geschichte der althebräischen Litteratur, Leipzig ²1909, S. 96 ff.

[99] Vgl. den Einwurf von P. Koschaker: Keilschriftrecht, ZDMG 89, 1935, S. 1 ff. und besonders S. 22 ff., und die von Alt selbst in seinem Aufsatz ›Eine neue Provinz des Keilschriftrechts‹ (1947), Kl. Schr. III, München ²1968, S. 144 ff. auf S. 156 f. gemachten Einschränkungen. — Zum Verlust der ägyptischen Rechtsbücher vgl. E. Seidl: Altägyptisches Recht, in: Orientalisches Recht, HO I Ergänzungsband III, Leiden und Köln 1965, S. 1 f.

[100] W. Helck: Das Dekret des Königs Haremheb, ZÄS 80, 1955, S. 109 ff.

[101] Vgl. dazu Seidl, S. 4 f.

[102] Vgl. Helck, ZÄS 80, S. 114.

[103] Kl. Schr. I, S. 322 ff.

[104] Vgl. dazu R. Kilian: Apodiktisches und kasuistisches Recht im Licht ägyptischer Analogien, BZ NF 7, 1963, S. 185 ff.; G. Fohrer: Das sogenannte apodiktisch formulierte Recht und der Dekalog (1965), in: Studien zur alttestamentlichen Theologie, BZAW 115, S. 120 ff.; E. Gerstenberger: Wesen und Herkunft des 'apodiktischen Rechts', WMANT 20, Neukirchen 1965; R. Hentschke: Erwägungen zur israelitischen Rechtsgeschichte, ThV 10, Berlin 1966, S. 108 ff., und das Referat bei Kaiser: Einleitung², S. 61 ff.

Sinaiperikope zugrundeliegendes Bundesformular durch das altorientalische und insonderheit hethitische Schema des Vasallenvertrages geprägt worden sein sollte.[105] Lothar Perlitt dürfte richtig gesehen haben, daß ein derartiges Formular den älteren Pentateuchquellen durchaus fremd war und ein Einfluß des entsprechenden assyrischen Vertragsformulares nicht vor der späten Königszeit unterstellt werden kann.[106] — Aber wie immer man hier traditions- und religionsgeschichtlich argumentiert: unübersehbar ist, mit welcher Beharrlichkeit das Alte Testament den Menschen an den Willen Gottes bindet. Das wohl als Erbe der nomadischen Vergangenheit zu beurteilende Distanzgefühl Israels gegenüber seinem Gott unterwirft es dem göttlichen, Gemeinschaft stiftenden und Gemeinschaft bewahrenden Willen, schirmt es gegen die sich in Göttergeschichten spiegelnde Intimität des Menschen mit Gott ab und schafft schließlich aus dem weithin von den Kanaanäern übernommenen Kultbrauch ein Kultgesetz, das in der Zeit der Fremdherrschaft, um Julius Wellhausen zu zitieren, zum „Panzer des Monotheismus" wurde.[107]

Daß die israelitische Prophetie als solche kein religionsgeschichtlich isoliertes Phänomen gewesen ist, ließ sich schon aufgrund der im Alten Testa-

---

[105] Vgl. dazu den ausgezeichneten Forschungsbericht von D. J. McCarthy: Der Gottesbund im Alten Testament, StBSt 13, Stuttgart ²1967. Immerhin seien besonders hervorgehoben: G. E. Mendenhall: Law and Covenant in Israel and the Ancient Near East, Pittsburgh 1955 = Recht und Bund im Alten Testament und im Alten Orient, ThSt (B) 64, Zürich 1960; K. Baltzer: Das Bundesformular, WMANT 4, Neukirchen 1960; W. Beyerlin: Herkunft und Geschichte der älteren Sinaitraditionen, Tübingen 1961, nicht zu vergessen das zwar nur mit dem alttestamentlichen Befund beschäftigte, jedoch der weiteren Diskussion über das Bundesformular den Boden bereitete ›Formgeschichtliche Problem des Hexateuchs‹ (1938), in: Gesammelte Studien zum Alten Testament, ThB 8, München ³1965, S. 9 ff., von G. v. Rad. Vgl. dazu auch O. Kaiser: Einleitung in das Alte Testament, Gütersloh ¹1969, S. 62 f.

[106] Bundestheologie im Alten Testament, WMANT 36, Neukirchen 1969, S. 156 ff. und S. 283. — Auf die Problematik, hebräisches bᵉrît mit „Bund" zu übersetzen, hat E. Kutsch wiederholt aufmerksam gemacht. Vgl. seine Aufsätze ›Der Begriff bᵉrît in vordeuteronomischer Zeit‹, in: Das ferne und nahe Wort. FS L. Rost, BZAW 105, Berlin 1967, S. 133 ff., und ›Sehen und Bestimmen. Die Etymologie von bᵉrît‹, in: Archäologie und Altes Testament. FS K. Galling, Tübingen 1970, S. 165 ff.

[107] J. Wellhausen: Israelitische und jüdische Geschichte, Berlin ⁹1958, S. 175.

ment selbst vorausgesetzten Existenz von Propheten und anderen Manti-
kern bei den Nachbarvölkern vermuten, vgl. z. B. Jer 27, 9.[108] In der Tat
haben die Textfunde der letzten hundert Jahre Belege für prophetische
Erscheinungen bei den Westsemiten des Reiches von Mari am mittleren
Euphrat[109], den Hethitern[110], den Syrern[111], den Phönikern[112], den
Assyrern[113] und den Moabitern[114] erbracht. Der Versuch, ebenfalls eine

[108] Vgl. dazu die Übersicht von F. Nötscher: Prophetie im Umkreis des alten
Israel, BZ NF 10, 1966, S. 161 ff. — Zur Mantik vgl. O. Eißfeldt: Wahrsagung
im Alten Israel (1966), Kl. Schr. IV, S. 271 ff.

[109] Vgl. dazu F. Ellermeier: Prophetie in Mari und Israel, ThOA 1, Herzberg
1968, der das ganze, bis dahin bekannte Material, Literaturübersicht und um-
sichtige Auswertung bringt. Über Mari vgl. J.-R. Kupper: Northern Mesopotamia
and Syria, CAH II^rev, Fasc. 14, Cambridge 1963, S. 10 ff. oder A. Malamat:
Mari, BA 34, 1971, S. 2 ff.

[110] Vgl. dazu das Pestgebet des Mursilis, ANET², S. 394 ff. (a § 11.3), und
dazu A. Götze: Kulturgeschichte des Alten Orients. 3, 1. Kleinasien, HAW III,
1, III, 3, 1, München ²1957, S. 147 f., und Nötscher, S. 172 f.

[111] Vgl. dazu die Stele des Königs Zakir von Hamath und L°š A 11 ff. bei
H. Donner und W. Röllig: Kanaanäische und aramäische Inschriften I, Wiesbaden ²1966, Nr. 202 und dazu II, S. 204 ff. sowie S. Herrmann: Die prophetischen Heilserwartungen im Alten Testament, BWANT 85, Stuttgart 1965,
S. 58.

[112] Vgl. dazu den Reisebericht des Wen-Amun, ANET², S. 26, oder Textbuch
zur Geschichte Israels, hrsg. K. Galling, Tübingen ²1968, S. 41 ff. Zum Charakter
des Berichtes als Aktenstück vgl. H. Brunner: Grundzüge einer Geschichte der
altägyptischen Literatur, Darmstadt 1966, S. 98 ff. Zur Interpretation des die
prophetische Person bezeichnenden ᶜdd ᵉ᾽ vgl. A. Scharff, ZÄS 74, 1938, S. 147;
J. A. Wilson, ANET², S. 26 Anm. 3, und W. Helck: Beziehungen Ägyptens¹,
S. 537. Zur Sache vgl. z. B. S. Herrmann, S. 58, und Nötscher, S. 170 f.

[113] Vgl. dazu die Orakel und Offenbarungen für Asarhaddon ANET²,
S. 449 f.; R. Borger: Die Inschriften Asarhaddons, AfO Beiheft 9, Graz 1956,
S. 45, und die für Asurbanipal, ANET², S. 450 f., und dazu J. Scharbert: Die
Propheten Israels bis 700 v. Chr., Köln 1965, S. 27 f., und Nötscher, S. 173 ff.

[114] Vgl. dazu die Inschrift des Königs Mescha von Moab Z. 14 ff. und Z. 32 f.,
ANET², S. 320 f.; KAI I, Nr. 181, II, S. 168 ff. und TGI², S. 51 ff., und dazu
A. Haldar: Associations of Cult Prophets Among the Ancient Semites, Diss.
Uppsala 1945, S. 75 ff. Grundsätzlich bleibt jedoch festzuhalten, daß wir nicht
wissen, auf welche Weise und durch welche Personen der König das Orakel des
Kamosch erhalten hat.

prophetische Bewegung bei den Ägyptern nachzuweisen,[115] ist dagegen bisher als gescheitert zu betrachten, weil sich das dafür in Anspruch genommene Textmaterial letztlich dem Rahmen der altägyptischen Weisheit einfügt.[116] Dagegen ist das altarabische, zu Beginn des Jahrhunderts aus der Diskussion herausgenommene[117] Sehertum neuerdings wieder in das Blickfeld gerückt worden, um die Frühgeschichte der israelitischen Prophetie zu erhellen.[118] Unter Berufung auf die 1Sam 9, 9 getroffene, noch zwei ursprünglich selbständige Größen erkennen lassende Identifikation von Prophet und Seher[119], der eine ganze Reihe von Texten zur Seite tritt, in denen eine sowohl israelitische wie kanaanäische Gruppenprophetie belegt wird, nimmt Georg Fohrer m. E. zu Recht an, daß die alttestamentliche Prophetie eine doppelte Wurzel in einem altisraelitischen Sehertum und in dem kanaanäischen Nebiismus besessen hat.[120] Mit aller

[115] Vgl. dazu zuletzt umfassend G. Lanczkowski: Altägytischer Prophetismus, ÄA 4, Wiesbaden 1960.

[116] Vgl. in diesem Sinne H. Brunner, ThLZ 87, 1962, Sp. 585 ff.; S. Morenz, DLZ 83, 1962, Sp. 601 ff.; S. Herrmann: Prophetische Heilserwartungen, S. 16 ff.; Ders.: Prophetie in Israel und Ägypten, in: Congress Volume Bonn 1962, SVT 9, Leiden 1963, S. 47 ff.; J. Scharbert, S. 21 ff., und Nötscher, S. 163 ff.

[117] Vgl. dazu G. Hölscher: Die Profeten, Leipzig 1914, der scharf Seher und Propheten trennt, vgl. S. 125 ff., und daher dem von ihm S. 82 ff. vorgeführten Material über den kāhin keine Bedeutung für die Ableitung der israelitischen Prophetie zuspricht. Vgl. auch die Bedenken von A. Jepsen: Nabi, München 1934, S. 146.

[118] Vgl. dazu J. Pedersen: The Rôle Played by Inspired Persons Among the Israelites and the Arabs, in: Studies in Old Testament Prophecy, FS Th. H. Robinson, ed. H. H. Rowley, New York 1950, S. 127 ff.

[119] Vgl. in diesem Sinne z. B. R. Kraetzschmar: Prophet und Seher im alten Israel, SGV 23, Tübingen und Leipzig 1901, S. 19; Hölscher, S. 125 ff.; H. H. Rowley: Old Testament Prophecy and Recent Study (1945), in: The Servant of the Lord, London ²1965, S. 105 ff.; A. R. Johnson: The Cultic Prophet in Ancient Israel, Cardiff ²1962, S. 9 und S. 15; J. Lindblom: Prophecy in Ancient Israel, Oxford 1962, S. 95; G. Fohrer: Geschichte, S. 228. Entgegengesetzt Jepsen, S. 54; I. Engnell: Prophet and Prophetism in the Old Testament (1962), in: Critical Essays on the Old Testament, ed. J. T. Willis und H. Ringgren, London 1970, S. 126 f.; Scharbert, Propheten, S. 18 f.; R. Rendtorff, ThWB VI, S. 809.

[120] Vgl. dazu: Die Propheten des Alten Testaments im Blickfeld neuer Forschung (1954/55), in: Studien zur alttestamentlichen Prophetie, BZAW 99, Berlin

gebotenen Vorsicht können als Parallelen für ein derartiges Sehertum die altarabischen kuhhan (sgl. kāhin) [121] sowie das auffällige, von der Funktion her kaum noch begründete Nebeneinander von muḫḫûm (Ekstatiker) und āpilum (Beantworter) in den Mari-Briefen geltend gemacht werden. [122] Das gegenüber den anderen Provenienzen reichhaltigere Material der Mari-Briefe ist darüber hinaus geeignet, auf einige weitere Streitfragen der alttestamentlichen Prophetenforschung Licht zu werfen. Wird darüber gestritten, ob die sogenannten Schriftpropheten Kultpropheten oder inspirierte Laien gewesen sind, [123] verdient die Beobachtung von Friedrich Ellermeier Beachtung, daß in Mari sowohl kultgebundene Personen als auch Laien einer Offenbarung gewürdigt worden sind. [124] Weiter zeigen die Sprüche der Ekstatiker, daß sich Ekstase und aus ihr resultierende verständliche Spruchoffenbarung nicht ausschließen. [125] Schließlich ist von Gewicht, daß die Mari-Briefe die Annahme einer originär einzigen Grundform der prophetischen Verkündigung nicht bestätigen. [126] — Daß wir in ägyptischen [127] wie in akkadischen scheinbar prophetischen Texten [128] auf der Gegenwart dienende vaticinia ex eventu stoßen, bringt eine weit-

---

1967, S. 1 ff., und seine ›Geschichte‹, S. 228. — Vgl. ferner vorsichtig G. v. Rad: Theologie II, München [1]1960, S. 22, und eher anders; [5]1968, S. 22, einschränkend Lindblom, S. 102 ff. — Auf die im Kulttanz Israels aufbrechende Inspiration selbst führen die israelitische Prophetie H. Junker: Prophet und Seher in Israel, Trier 1928, S. 102, und W. Eichrodt: Theologie des Alten Testaments I, Göttingen und Stuttgart [5]1957, S. 207 zurück.

[121] Vgl. dazu Pedersen, a. a. O.; T. Fahd: La divination arabe, Leiden 1966, S. 91 ff., aber daneben immer noch J. Wellhausen: Reste arabischen Heidentums, Berlin [2]1897 = [3]1961, S. 130 ff.

[122] Vgl. dazu Ellermeier, S. 97 und S. 165 f.

[123] Vgl. dazu H. H. Rowley, Servant of the Lord, S. 108 ff., und O. Eissfeldt: The Prophetic Literature, in: The Old Testament and Modern Study, ed. H. H. Rowley, Oxford 1951 (1961), S. 119 ff., und zuletzt umfassend A. R. Johnson, Cultic Prophet[2].

[124] S. 83.

[125] S. 194.

[126] S. 196 und S. 201 ff.

[127] Es handelt sich um das Märchen des Pap. Westcar, AOT[2], S. 61 ff. vgl. S. 66 f., und um die Prophezeiungen des Neferti, ANET[2], S. 444 ff.

[128] Die Texte sind zusammengestellt bei A. K. Grayson und W. G. Lambert: Akkadian Prophecies, JCS 18, 1964, S. 7 ff. Vgl. auch ANET[2], S. 451 f.

läufige Parallele für die frühjüdisch-apokalyptische Literatur bei.[129] Schließlich scheint auch der in einigen Werken der ägyptischen Weisheitsliteratur faßbare Traditionsprozeß für die Frage, wie es zur Bildung der alttestamentlichen Prophetenbücher gekommen ist, von Interesse zu sein.[130] Der Versuch, nicht nur die ägyptischen Ächtungstexte, sondern auch die alttestamentlichen Fremdvölkersprüche auf ein gemeinaltorientalisches Verfluchungsschema kultischer Art zurückzuführen, ist als gescheitert zu betrachten.[131] Lassen wir das Problem der Wurzeln der messianischen Weissagungen, die über das Jerusalemer Thronbesteigungsritual und Königsideal vor allem, wenn auch nicht nur in Ägypten zu suchen sind,[132] hier unberücksichtigt, so können wir uns rückblickend dem Urteil anschließen, daß die Erweiterung des religionsgeschichtlichen Horizontes der Prophetenforschung im wesentlichen zu dem Ergebnis geführt hat, daß die Formen und Funktionen der alttestamentlichen Propheten, ihr Wortempfang, ihr Auftreten und ihre Weitergabe der Botschaft bei den Völkern des Alten Orients ihre Entsprechungen finden.[133] Daß jedenfalls in den Zeugnissen aus Mari „die Struktur eines Gott-Mensch-Verhältnisses" aufleuchtet, „das in Verheißungen und korrespondierendem Glauben lebt",[134] will bei einer weiteren Analyse des religionsgeschichtlichen Materials berücksichtigt und schließlich theologisch bedacht sein, hindert uns

[129] Vgl. dazu S. Herrmann: Prophetische Heilserwartungen, S. 31 ff.; H. Brunner, Grundzüge, S. 53 ff.; J. Spiegel, in: HO I, 1, 2, Leiden ²1970, S. 158 f.; Nötscher, S. 166 f. und S. 189 ff., sowie nicht zuletzt W. Hallo: Akkadian Apocalypses, IEJ 16, 1966, S. 231 ff.

[130] Vgl. dazu S. Herrmann: Prophetische Heilserwartungen, S. 43 ff.; Ders., SVT 9, S. 53 ff.

[131] Vgl. dazu A. Bentzen: The Ritual Background of Amos 1, 2—2, 16, OTS 8, 1950, S. 85 ff.; H. Graf Reventlow: Das Amt des Propheten bei Amos, FRLANT 80, Göttingen 1962, S. 56 ff.; G. Fohrer: Prophetie und Magie (1966), in: Studien zur alttestamentlichen Prophetie, S. 257 ff., und dagegen M. Weiss: The Pattern of the 'Execration Texts' in the Prophetic Literature, IEJ 19, 1969, S. 150 ff.

[132] Vgl. dazu G. v. Rad: Das judäische Königsritual (1947), in: Gesammelte Studien zum Alten Testament, ThB 8, München ³1965, S. 205 ff.; A. Alt: Jesaja 8, 23—9, 6. Befreiungsnacht und Krönungstag (1950), Kl. Schr. II, S. 206 ff., und E. Hammershaimb: On the Ethics of the Old Testament Prophets, in: Congress Volume Oxford 1959, SVT 7, Leiden 1960, S. 75 ff.

[133] S. Herrmann: Prophetische Heilserwartungen, S. 62.

[134] Ellermeier, S. 163.

aber nicht daran, bei dem derzeitigen Stand des Wissens das Urteil von Friedrich Nötscher aufzunehmen: „Prophetische Predigt, die sich an das Volk wendet und eine eigene Tradition begründet wie in Israel, findet sich in Mari oder sonst im Alten Orient nicht."[135]

[135] BZ NF 10, S. 186.

HERBERT SCHMID

ALTES TESTAMENT
EXILISCHE UND NACHEXILISCHE LITERATUR

Da einerseits eine Scheidung in vorexilische und exilisch-nachexilische
Literatur oft schwierig, wenn nicht gar unmöglich ist, andererseits das
Exil im Hinblick auf Traditionskomplexe wie die der Schöpfung und der
Weisheit keine allzu große Bedeutung hat, beziehen sich meine Aus-
führungen auf Grund einer Vereinbarung mit dem Verfasser des vor-
ausgehenden Beitrages auf die Urgeschichte (Gen 1—11), die Psalmen,
Klagelieder, das Hohelied, die Weisheitsliteratur (Sprüche, Hiob, Prediger), das chronistische Geschichtswerk (1. und 2. Buch der Chronik,
Esra, Nehemia), Esther und Daniel. Werden damit auch vorexilische Texte
berücksichtigt, so liegt der Schwerpunkt auf der Spätzeit des AT, die
durch die Herrschaft der Neubabylonier (Ende des 7. Jh. bis 539), der
Perser (538—332), Alexanders des Großen und der Diadochenreiche der
Ptolemäer und der Seleukiden und durch den Aufstand der Makkabäer
(168—165) gekennzeichnet ist. Die Bevölkerung von Jerusalem und Juda,
auch die Exilierten im Zweistromland — und jüdische Kolonien an anderen
Orten, wie z. B. auf der Nilinsel Elephantine[1] — waren der Religionspolitik der Babylonier, der Perser und der hellenistischen Machthaber ausgesetzt. Nach wie vor bestand ein ägyptischer und postkanaanäischer
Einfluß. Zu wenig wird in der alttestamentlichen Wissenschaft und in der
Religionswissenschaft beachtet, daß in der Spätzeit des AT das Judentum
entstand, das phänomenologisch bei aller Vielgestaltigkeit eine ethnische
und religiöse Ganzheit sui generis darstellt. Auch das heutige Judentum
ist ohne Kenntnis der ethnischen und religiösen Wurzeln nicht zu begreifen.[2]

[1] A. E. Cowley, Aramaic Papyri of the Fifth Century B. C., 1923; C. H. Gordon, Origin of the Jews in Elephantine, JNES 14, 1955, S. 56 ff.; B. Porten,
Archives from Elephantine, 1968.

[2] J. Maier, Die Problematik des „jüdischen" Staates Israel, Politische Bildung
4, 1971, S. 3 ff.

Im folgenden soll vornehmlich vom sachlichen Bereich her die Beziehung zwischen der alttestamentlichen Wissenschaft, zu deren Methoden auch die religionsgeschichtliche gehört, zur Religionswissenschaft exemplarisch — der Versuch einer Vollständigkeit würde den gesteckten Rahmen sprengen — aufgezeigt werden. Die Literaturangaben bieten eine Auswahl vor allem von neuen Arbeiten, die ihrerseits weitere Literatur nennen. Als ›Einleitung in das Alte Testament‹ wird die von Otto *Kaiser* aus dem Jahre 1969 (= Kaiser) zugrunde gelegt. Meine Darlegungen gliedern sich in folgende Teile: 1. Die Urgeschichte; 2. Die Psalmen; 3. Die Weisheit; 4. Das Frühjudentum; 5. Daniel und das Aufkommen der Apokalyptik im Judentum.

1. Die Urgeschichte

Die im deutschen Sprachraum übliche Bezeichnung „Urgeschichte" für Gen 1—11, auf die, mit Abraham beginnend, die sog. „Heilsgeschichte" folgt, ist schon deswegen problematisch, weil die Quellenschichten des Jahwisten (J) und der Priesterschrift (P)[3] eine andere Einteilung aufweisen. Nur eine weitere jahwistische Quelle, von O. *Eißfeldt*[4] „Laienquelle" (L) und von G. *Fohrer*[5] „Nomadenquelle" (N) genannt, deren Existenz allerdings umstritten ist, hat zwischen der Stadt- und Turmbaugeschichte (Gen 11,1—9) und dem Gottesbefehl an Abraham (Gen 12,1 f.) eine deutliche Cäsur. Überblickt man die jüngste Quellenschicht P, die m. E. in die vorexilische Zeit zurückgeht, aber in der nachexilischen Zeit ihre Endgestalt erfahren hat und dem Gesamtpentateuch (oder Hexateuch) zugrunde gelegt wurde, so stechen folgende Einsätze heraus: Die Schöpfung (Gen 1, 1—2, 4 a), die Zusicherung („Bund") an Noah (Gen 9, 1—17), die Zusicherung an Abraham (Gen 17) und die Anordnung des Sühnekults der Stiftshütte gegenüber Mose (Ex 25 ff.), dem in Ägypten der Jahwename offenbart worden war (Ex 6). Da mit der Genealogie der Noahsöhne Sem — er ist der Ahnherr Abrahams — Ham und Japhet die „Geschichte" der Völker einsetzt, reicht die priesterschriftliche „Urgeschichte" von der Schöpfung über die Genealogie Adams (Gen 5) bis zur Sintflut, bei der die Wasser von oben und unten

---

[3] Kaiser S. 72 ff. und 90 ff.
[4] Hexateuch-Synopse, Nachdr. 1962.
[5] E. Sellin — G. Fohrer, Einleitung in das Alte Testament, [11]1969, S. 173 ff.

den Kosmos in das Chaos zu verwandeln drohten, jedoch schließlich zurückgewiesen wurden (Gen 6, 9—8, 19 ohne J).

Ähnlich ist der Aufbau der jahwistischen Schicht, die P ein gewisses Vorbild gegeben hat, vermutlich aus der salomonischen Epoche (10. Jh.): Sie setzt ein mit der Erschaffung und dem Fall des ersten Menschenpaares (Gen 2, 4 b—3, 24) und erstreckt sich über die Geschichte von Kain und Abel bis zur Erzählung von der durch einen Regen hervorgerufenen Flut. Diese Erzählung ist durch einen Pro- und Epilog gerahmt (Gen 6, 5—8; 8, 20 f. 22).[6] Im einzelnen wurden hauptsächlich die Beziehungen zwischen der priesterschriftlichen Schöpfungsgeschichte und sumerischen, babylonischen, ägyptischen, phönizisch-kanaanäischen und griechischen Traditionen[7] sowie zwischen der komplexen biblischen Flutgeschichte und den außerbiblischen Belegen, vor allem der Tafel 11 des Gilgameschepos untersucht. Ein Problem dieser Vergleiche ist, daß in der Regel die kanaanäische Ausgestaltung dieser Motive und Stoffe literarisch nicht vorliegt. Die bisherigen Keilschriftfunde aus Ras-Schamra-Ugarit[8] enthalten keine Schöpfungsgeschichte oder Fluterzählung[9]. Der Fund eines Fragmentes des Gilgameschepos in Megiddo aus der vorisraelitischen Zeit (vermutlich mittleren Bronzezeit) beweist, daß derartige Stoffe in Kanaan bekannt waren.[10] Aber nicht nur einzelne Motive innerhalb der Urgeschichte haben Analogien in der näheren oder weiteren vorderorientalischen Umwelt. Der „geschichtliche" Aufriß von der Schöpfung zur Flut ist im sumerischakkadischen Atraḥasisepos bezeugt, worüber ausführlich W. G. *Lambert* und A. R. *Millard*[11] gehandelt haben. Es ist höchstwahrscheinlich, daß

---

[6] R. Rendtorff, Gen 8, 21 und die Urgeschichte des Jahwisten, KuD 7, 1961, S. 69 ff.

[7] W. H. Schmidt, Die Schöpfungsgeschichte der Priesterschrift, WMANT 17, 1964; die 2. Aufl. (1967) hat einen Anhang über die jahwistische Schöpfungs- und Paradiesgeschichte; O. Loretz, Schöpfung und Mythos, 1968; zum Problem der Ebenbildlichkeit s. auch H. Wildberger, Das Abbild Gottes, ThZ 21, 1965, S. 245—259 und 481—501; O. Loretz, Die Gottebenbildlichkeit des Menschen, 1967; L. Scheffczyk, Der Mensch als Bild Gottes, 1969.

[8] A. S. Kapelrud, Die Ras-Schamra-Funde und das AT, 1967.

[9] F. F. Hvidberg, The Canaanite Background of Gen 1—3, VT 10, 1960, S. 285 ff.

[10] Kaiser S. 34.

[11] Atra-ḫasis. The Babylonian Story of the Flood, with the Sumerian Flood-Story by M. Civil, 1969.

derartige Zusammenhänge auf die Urgeschichte von J und P eingewirkt haben.[12] Die beiden Quellen hatten die Absicht, die Existenz des eigenen Volkes in dem damaligen Welt- und Geschichtsbild zu verankern, wobei dasselbe durch den Jahweglauben verändert wurde. Theologische Forschung kann nicht umhin, die Gegebenheiten der jeweiligen Umwelt des AT gebührend zu berücksichtigen.[13]

2. Die Psalmen

Die gegenwärtige Forschung ist bestimmt durch die form-, kult-, gattungs- und religionsgeschichtliche Methode[14]. Die Gefahr der form- und kultgeschichtlichen Arbeit ist die, daß auf der Suche nach einem „Sitz im Leben" „Kultfeste" erfunden werden. Gegen das sog. Thronbesteigungsfest (als Thronbesteigungspsalmen gelten Ps 47; 93; 96—99) wurde inzwischen eingewandt, daß jhwh mālak nicht heiße „Jahwe ist König geworden", sondern „Jahwe (und kein anderer) herrscht als König".[15] Bedenken gegen die gattungs- und religionsgeschichtliche Methode erheben sich deswegen, weil die reinen Gattungen des Hymnus (Westermann: das beschreibende Lob), des Dankliedes (Westermann: das berichtende Lob des einzelnen oder des Volkes)[16] und des individuellen und kollektiven Klage-

[12] H. Gese, Geschichtliches Denken im Alten Orient und im AT, ThLZ 55, 1958, Sp. 127 ff.; B. Albrektson, History and the Gods, 1967.

[13] W. H. Schmidt, Alttestamentlicher Glaube und seine Umwelt, 1968.

[14] Kaiser S. 262 ff.; bes. hingewiesen sei auf H. Gunkel — J. Begrich, Einleitung in die Psalmen, ²1966; H. Gunkel, Die Psalmen, ⁵1968; C. Westermann, Das Loben Gottes in den Psalmen, ⁴1968; S. Mowinckel, Psalmstudien 2. Das Thronbesteigungsfest Jahwäs und der Ursprung der Eschatologie, 1922; A. S. Kapelrud, Scandinavian Research in the Psalms after Mowinckel, ASThI 4, 1965, S. 74 ff.; J. H. Patton, Canaanite Parallels in the Book of Psalms, 1944; H. Donner, Ugaritismen in der Psalmenforschung, ZAW 79, 1967, S. 322 ff. (kritisch gegenüber einem „Panugaritismus").

[15] D. Michel, Studien zu den sog. Thronbesteigungspsalmen, VT 6, 1956, S. 40 ff.; zur Kritik am „Bundesfestkult" s. E. Kutsch, „Bund" und Fest. Zu Gegenstand und Terminologie einer Forschungsrichtung, ThQ 150, 1970, S. 299 ff.; s. auch L. Perlitt, Bundestheologie im AT, WMANT 36, 1969.

[16] F. Crüsemann, Studien zur Formgeschichte von Hymnus und Danklied in Israel, WMANT 32, 1969.

liedes verhältnismäßig selten vorkommen. So sind z. B. die Klagelieder Jeremias gattungsmäßig keine reinen „Klagelieder" [17]. Infolgedessen werden Mischgattungen konstatiert, wenn man von der Erfindung weiterer Gattungsbezeichnungen absieht. In solchen Fällen ist es ratsam, Psalmen inhaltlich zu bestimmen, wie dies z. B. bei den Königs- und Zionsliedern üblicherweise geschieht. Religionsgeschichtlich ist zu beklagen, daß kanaanäische Lieder nur in Anklängen vorhanden sind, hauptsächlich aus dem relativ weitentfernten Ras-Schamra-Ugarit. Starken kanaanäischen Einfluß weisen die Ps 29 und 82 auf.[18] Eine umfassende Darstellung der altsyrischen Religion hat H. *Gese* [19] vorgelegt. Ein Vergleich von biblischen Psalmen mit Liedern und Gebeten aus dem Zweistromland oder Ägypten kann durchaus aufschlußreich sein.[20] Besonders eng sind die Beziehungen zwischen Ps 104 und dem Sonnenhymnus Amenophis' IV.[21] Nachdem wiederholt formale und inhaltliche Analogien zwischen mesopotamischen und biblischen Klageliedern festgestellt worden waren,[22] hat neuerdings E. R. *Dalglish* [23] Ps 51 in einer umfassenden Untersuchung mit dem altorientalischen Material verglichen. A. *Gamper* [24] ist der Bitte „richte mich!" (šapteni) in akkadischen Texten nachgegangen. Vielleicht führen weitere Studien zu einer Klärung der Frage, wer mit dem „Ich" und mit den Feinden („Frevlern") individueller Klagepsalmen gemeint ist. Meines Erachtens ist es durchaus erwägenswert, ob überlieferungsgeschichtlich

---

[17] Kaiser S. 274 ff.; O. Plöger, Die Klagelieder, in: Die Fünf Megilloth, HAT 1/18, 1969, S. 127 ff.

[18] H. Strauss, Zur Auslegung von Ps 29 auf dem Hintergrund seiner kanaanäischen Bezüge, ZAW 82, 1970, S. 91 ff.; E. Jüngling, Der Tod der Götter. Eine Untersuchung zu Ps 82, 1969.

[19] H. Gese — M. Höfner — K. Rudolph, Die Religionen Altsyriens, Altarabiens und der Mandäer, 1970.

[20] A. Falkenstein — W. v. Soden, Sumerische und akkadische Hymnen und Gebete, 1953.

[21] Dazu kritisch: K. H. Bernhardt, Amenophis IV. und Ps 104, MIOR 15, 1969, S. 193 ff.

[22] G. Widengren, The Accadian and Hebrew Psalms of Lamentation as Religious Documents; H. J. Kraus stellte die Klagelieder in einen gattungsgeschichtlichen Zusammenhang mit der sumerischen „Klage um das zerstörte Heiligtum"; s. BK 20, 1956.

[23] Psalm Fifty-One in the Light of Ancient Near Eastern Patternism, 1962.

[24] Gott als Richter in Mesopotamien und im AT, 1966.

gesehen die individuellen Klagelieder auf entsprechende Königslieder
zurückgehen (vgl. Jes 38, 10 ff.), die „demokratisiert" wurden.[25] Es darf
nicht übersehen werden, daß der erste Tempel königliches und nationales
Heiligtum zugleich war. Beachtenswert ist die Studie ›Die Rettung der
Bedrängten in den Feindpsalmen der einzelnen auf institutionelle Zusammenhänge untersucht‹ von W. *Beyerlin*[26]. Für die nachexilische Zeit
kann m. E. nicht von vornherein ausgeschlossen werden, daß „Frevler"
religiöse und politisch-wirtschaftliche Widersacher von „Frommen" und
„Gerechten" sind; allerdings ist es schwierig, die entsprechenden Psalmen
zeitlich festzulegen.

Das Datierungsproblem belastet überhaupt die Psalmenforschung. Sicher
vorexilisch sind die Königslieder (Ps 2; 18; 20; 21; 45; 72; 89; 101; 110;
132 und 144, 1—11), da es seit dem Exil keinen davidischen König in
Jerusalem gab und hasmonäische Herrscher nicht mehr in Frage kommen.[27]
Bestritten wird, daß die Zionslieder (Ps 46; 48; 76; 84; 87; 122) vorexilisch seien[28]. Doch scheint mir aus der Aufforderung der Babylonier an
Exulanten „singt für uns (eines) von den Zionsliedern!" (Ps 137) definitiv
hervorzugehen, daß es derartige Lieder in der Königszeit gab. Der Sar-
kasmus der Zwingherren wird besonders deutlich, wenn man bedenkt,
daß der Jerusalemer Gottesberg mit dem über dem heiligen Felsen er-
bauten Tempel und der Gottesstadt als unverletzlich galt. Selbst wenn
die vorliegenden Zionspsalmen in nachexilischer Zeit gedichtet worden
sind, so stammen die mythischen Motive, die zum großen Teil Entsprechungen in den Ras-Schamra-Texten haben, aus der davidisch-salomo-
nischen Epoche.[29] Die Zionsideologie geriet durch den Untergang des
Tempels und der Stadt im Jahre 587 in eine Krise (vgl. Klagelieder), was
freilich nicht ausschließt, daß sie bei der Gründung des zweiten Tempels
wiederhergestellt wurde (vgl. Sach 6, 8 aβ—10 aα; s. u. Anm. 59). Die

[25] So H. Birkeland, The Evildoers in the Book of Psalms, 1955.

[26] FRLANT 99, 1970.

[27] Vor einer (übertriebenen) "kingship-ideology" warnt K. H. Bernhardt (Das
Problem der altorientalischen Königsideologie im AT, 1961).

[28] So G. Wanke, die Zionsideologie der Korachiten in ihrem traditionsgeschichtlichen Zusammenhang, BZAW 97, 1966.

[29] H. M. Lutz, Jahwe, Jerusalem und die Völker, WMANT 27, 1968;
H. Schmid, Der Tempelbau Salomos in religionsgeschichtlicher Sicht, in: Archäo-
logie und AT (Festschr. K. Galling), 1970, S. 241 ff.; F. Stolz, Strukturen und
Figuren im Kult von Jerusalem, BZAW 119, 1970.

Psalmen verdienen auch eine frömmigkeitsgeschichtliche Beachtung, doch wirkt sich hier das Datierungsproblem ebenfalls hemmend aus.

Anhangsweise sei noch ein Wort zum Hohenlied gesagt: Allgemein sieht man in dieser Sammlung einen Komplex von Liebes- und Hochzeitsliedern. Die allegorische und typologische Deutung tritt mehr und mehr in den Hintergrund[30], wenn sie auch nicht ganz zu verschwinden scheint[31]. Vielleicht hat dies einen sachlichen Grund darin, daß „zersungene Lieder zur heiligen Hochzeit" vorliegen.[32] Gott und Göttin des ἱερός γάμος erscheinen in der Allegorisierung als Gott und Israel oder die Kirche oder die fromme Einzelseele. Nach H. *Schmökel*[33] soll die auffallende Initiative der Freundin oder Braut im Hohenlied das Verständnis desselben als einer profanen Hochzeitslyrik ausschließen. Es fragt sich m. E., ob überlieferungsgeschichtlich königliche Hochzeitslieder vorausgehen (vgl. Ps 45)[34], die nun in „demokratisierter" Form vorliegen.[35]

3. Die Weisheit

Außer den Sprüchen, dem Buche Hiob und dem Prediger, gehört eine Reihe von Psalmen (37; 49; 73; 112; 128) zur Weisheitsliteratur des AT, auch die Thorapsalmen 1; 19, 8 ff. und 119 können dazu gerechnet werden, da im Frühjudentum die „Weisheit" mit der Thora gleichgesetzt wurde (vgl. Sir 24). Die Sprüche — eine Sammlung von Sammlungen — und der Prediger wurden Salomo zugeschrieben, mit dem die Geschichte der internationalen Weisheit in Jerusalem begann.[36] Instruktiv ist 1Kön 5, 9 ff., wonach die Weisheit dieses Königs größer war als die Weisheit der „Söhne

---

[30] Kaiser S. 279 ff.

[31] L. Krinetzki, Das Hohelied, 1964.

[32] So H. Ringgren, das Hohelied, ATD 16/2, ²1962; ders., Israelitische Religion, 1963, S. 180 f.

[33] Heilige Hochzeit und Hoheslied, 1956.

[34] J. Becker, Israel deutet seine Psalmen, 1966.

[35] Anders G. Gerleman, Ruth, Das Hohelied, BK 18, 1963 (mit Hinweisen auf ägypt. Parallelen).

[36] A. Alt, Die Weisheit Salomos, ThLZ 76, 1951, Sp. 139 ff. = KS 2, S. 90 ff.; anders R. B. Scott, Solomon and the Beginning of Wisdom in Israel, SVT 3, 1955, S. 262 ff.

des Ostens" — vermutlich aramäischer Weiser aus dem Haurangebiet [37] — und der Ägyptens. Wenn Salomo Ethan, Heman, Chalchol und Darda überragte, so handelt es sich bei diesen Männern höchstwahrscheinlich um Kanaanäer [38], bei Ethan und Heman vielleicht sogar um Jerusalemer, denen die Psalmen 88 und 89 (vgl. 1Chr 15, 16) zugeschrieben wurden [39]. Die Erwähnung von Pflanzen und Tieren läßt darauf schließen, daß Salomo botanische und zoologische „Listen" im Sinne der „Listenwissenschaft" [40] anlegte; außerdem verfaßte oder sammelte er Weisheitssprüche und -lieder. Die Weisheit umfaßte demnach Natur- und Lebensweisheit, wobei letztere in höfische — hauptsächlich an Schreiberschulen des Hofes und des Tempels gepflegt — und populare Weisheit zerfiel. Zur Kunst Weiser gehörte aber auch die Traumdeutung (vgl. Gen 41, 8; Dan 2; 4; auch die Entzifferung von Schriften: Dan 5) — wohl die Mantik im weitesten Sinn — und sogar die Zauberei (vgl. Ex 7, 11). In der alttestamentlichen Weisheitsliteratur sind lediglich Lebens- und Verhaltensregeln niedergelegt, mantisches Berufswissen wurde sicherlich mündlich tradiert. Naturweisheit dürfte u. a. Gen 1; Ps 104 und den Gottesreden Hi 38 ff. zugrunde liegen, gelehrte höfisch-priesterliche Weisheit Gen 10 und wohl auch dem Itinerar Num 33 [41].

Bei aller Vielfalt der Lebensregeln, bestehend aus Feststellungen und Ratschlägen, darf nicht übersehen werden, daß der Tun-Ergehen- bzw. der Verhalten-Ergehen-Zusammenhang, somit das Prinzip der Gerechtigkeit zugrunde liegt, das die Weltordnung garantiert und auch die Bereiche des Rechts, des Kultus und des Königtums zusammenbindet. [42] Nach Spr 8, 22 ff.

[37] So O. Eißfeldt, Das AT im Lichte der safatenischen Inschriften, ZDMG 104, 1952, S. 98 ff. = KS 3, 1966, S. 299 ff.

[38] Edomitische Weisheit bezeugen Jer 49, 7; Ob 8; phönizische Ez 27, 8; 28, 3. 17; zur kanaanäischen Weisheit s. W. F. Albright, Some Canaanite-Phoenician Sources of Hebrew Wisdom, SVT 3, 1955, S. 1 ff.; G. Sauer, Die Sprüche Agurs, 1963.

[39] Über die altorientalische Weisheit im Nilland und Zweistromland (Übersetzungen) und ihre Beziehungen zu Spr, Hi und Pred informiert H. H. Schmid, Wesen und Geschichte der Weisheit, BZAW 101, 1966; die bes. Prägung der israelitischen Weisheit betont G. v. Rad, Weisheit in Israel, 1970.

[40] W. v. Soden, Leistung und Grenze sumerischer und babylonischer Wissenschaft, WG 2, 1936, S. 411—464 und 509—557.

[41] H. Schmid, Mose, BZAW 110, 1968, S. 17 ff.

[42] H. H. Schmid, Gerechtigkeit als Weltordnung, BHTh 40, 1968.

ist die Weisheit, von Gott gezeugt und nicht geschaffen, Mittlerin der Schöpfung und kosmisches Prinzip.[43] Von hier aus ist es verständlich, zu welcher Krise es kommen mußte, als auf Grund des Überhandnehmens von Erfahrungen der Ungerechtigkeit die „Erfahrungsweisheit" angezweifelt wurde (Hi; Pred; Ps 37; 49; 73).[44] Im Frühjudentum wurde die Weisheit durch die Thora als kosmisches Prinzip, Lebens- und Verhaltensregel ersetzt, die nicht so leicht auf eine einfache und deswegen anfechtbare Formel gebracht werden konnte.

Im einzelnen ist zu den Sprüchen, dem Buche Hiob und dem Prediger folgendes zu sagen [45]:

a) *Die Sprüche.* Die Worte Agurs und die Worte an Lemuel (Spr 30, 1—31, 9) zeigen, daß auch arabische Weisheit rezipiert wurde. Bemerkenswert ist die Beziehung der Rahmenverse 30, 1—6. 32 f. zur ursprünglich nicht-israelitischen Hiobdichtung. Spr 22, 17—24, 12 geht auf die ägyptische Lehre des Amen-em-ope zurück,[46] in 23, 13 f. wird die in Elephantine gefundene Lehre des Achikar 6, 82 zitiert. Neuerdings haben C. *Bauer (-Kayatz)*[47] und W. *McKane*[48] auf die Abhängigkeit von Spr 1—9 von ägyptischer Weisheit hingewiesen. Im Hintergrund der Weisheit als Person steht Maat, die Göttin der Weisheit und Gerechtigkeit. Meines Erachtens ersetzte die Weisheit eine Göttin (wohl Aschera), die in heterodoxen Kreisen Jahwe zugeordnet wurde.

b) *Das Buch Hiob,* das im großen und ganzen aus dem „Volksbuch" (die Rahmenerzählung 1, 1—2, 10; 42, 11 ff., ursprünglich ohne die beiden Wetten im Himmel, bei denen der Satan [vgl. Sach 3, 1 ff.] als Inquisitor auftritt) und den Dialogen besteht, läßt deutlich seine außerisraelitische Herkunft erkennen: Entweder ist auf Grund der Erwähnung des Landes Uz (Hi 1, 1) an Edom zu denken (vgl. Gen 36, 28; 1Chr 1, 42; Jer 25, 20; Klgl 4, 21) oder auf Grund der Erwähnung der „Söhne des Ostens" (Hi 1, 3) an das aramäische Haurangebiet (vgl. Gen 10, 23; 1Chr 1, 17; s. o.

---

[43] Bestehen hier Beziehungen zur Stoa?

[44] Zur internationalen Krise der Weisheit s. H. H. Schmid a. a. O., S. 74 ff; 131 ff.; 173 ff.; J. L. Crenshaw, Popular Questioning of the Justice of God in Ancient Israel, ZAW 82, 1970, S. 380 ff.

[45] Kaiser S. 292 ff.; 296 ff.; 306 ff.

[46] W. Richter, Recht und Ethos, StANT 15, 1966, S. 25 ff.

[47] Studien zu Proverbien 1—9, WMANT 22, 1966; dies., Einführung in die at. Weisheit, BSt 55, 1969.

[48] Proverbs. A New Approach, 1970.

Anm. 37). Im Hinblick auf die beiden Gottesreden in Hi 38—41, die wie die beiden Antworten Hiobs ursprünglich eine Einheit waren, erhebt sich m. E. wegen der Aussage Hiobs: „vom Hörensagen hatte ich von dir gehört, aber jetzt hat dich mein Auge gesehen" (42, 5), die Frage, ob die vorliegenden Gottesreden eine Theophanie ersetzen. Freilich ist hier keine Sicherheit zu gewinnen. Wenn die Frage in der Regel auch verneint wird, sei sie dennoch gestellt: Verrät der szenisch-dramatische Aufbau des Buches einen gewissen Einfluß des griechischen Dramas?[49] Im übrigen enthält das Buch Hiob so viele religionswissenschaftliche Probleme, wie den himmlischen Hofstaat und den Satan (c. 1f.), die Nachtvision eines Weisen (4, 12 ff.), den Urmenschen (15, 7 ff.), Behemoth und Leviathan (40, 15 ff.), daß auf Kommentare verwiesen werden muß.[50] In jüngster Zeit hat J. Gray[51] den Aufbau des Buches mit mesopotamischen Texten vom „leidenden Gerechten" untersucht, die in westsemitische Städte wie Ras-Schamra-Ugarit gelangt seien, vulgarisiert wurden und in dieser Form Israel bekannt wurden.

c) *Der Prediger.* Hingewiesen sei auf den neuesten deutschsprachigen Kommentar von K. Galling[52], der in der Einleitung das Verhältnis zur außerisraelitischen Literatur dahin gehend bestimmt, daß in der ptolemäischen Zeit eine Kenntnis ägyptischer Parallelen „nicht völlig ausgeschlossen", in bezug auf mesopotamische Weisheitsliteratur „besser an gedankliche Analogien als an Einflüsse (zu) denken" sei, auch finde sich keine hellenistische Wurzel (S. 77 f.). H. Gese[53] hält eine Strukturanalyse des Denkens des Predigers für notwendig. Hier sei lediglich angedeutet, daß sein Realismus auffallend ist, der auch das unverfügbare Wirken Gottes „einkalkuliert". Der Prediger denkt m. E. als Kritiker der Weisheitsschule, der er selbst angehört, kaufmännisch nüchtern: Er fragt nach dem „Gewinn" in dem von Geburt und Tod begrenzten Leben und findet

---

[49] C. Kuhl, Neuere Literaturkritik des Buches Hiob, ThR NF 21, / 1953, S. 163—205; 257—317, bes. 204 ff.

[50] G. Fohrer, Das Buch Hiob, KAT, ²1963; F. Horst — E. Kutsch, BK 16, 1960 ff.

[51] The Book of Job in the Context of Near Eastern Literature, ZAW 82, 1970, S. 251 ff.

[52] Der Pred, in: Die Fünf Megilloth, HAT 1/18, S. 73 ff.

[53] Die Krisis der Weisheit bei Kohelet, in: Les Sagesses du Prochent-Orient Ancien, 1963, bes. S. 139 ff.

ihn in der Freude als einem Geschenk Gottes (2, 10; 2, 24 ff.; 3, 12 f.; 3, 22; 5, 17 ff.; 8, 15; 9, 7; 11, 9). Er preist die Freude (8, 15; nicht Gott); sie ist sein „Teil" (2, 10; nicht Gott wie in Ps 73, 26). Der Zusammenhang von Tat und Tatfolge trifft nicht (immer) zu (vgl. 7, 15). „Weil nicht sofort das Urteil vollstreckt wird . . ., wächst den Menschen der Mut, Böses zu tun" (8, 11). Der Prediger muß Anklang im damaligen Judentum gefunden haben. Der erste Epilogist hat seine Reflexionen gerahmt (1, 1—3; 12, 9—11) und herausgegeben. Die in diesem Buche offenkundige Krise der Weisheit wurde dadurch aufgefangen, daß der zweite Epilogist verschiedentlich in den Text eingriff und im Nachwort (12, 12—14) zur Gottesfurcht (vgl. Spr 1—9) und zum Halten der Gebote mit dem begründenden Hinweis auf das Gericht Gottes mahnte. Die Krise wurde durch den Thoragehorsam (vgl. Sirach) überwunden, der sich als die erhaltende Kraft im Frühjudentum erwies.

4. Das Frühjudentum

In der nachexilischen Zeit ist — selbstverständlich unter der Voraussetzung der Geschichte Israels im weitesten Sinn — das Judentum entstanden. Eine Schwierigkeit der Erfassung dieses Prozesses ist, daß die jüdische Geschichte in der persischen Zeit wenig greifbar ist.[54] Viele nachexilische Texte sind kaum datierbar (z. B. Jes 24—27; 56—66; Joel; Jona; Sach 9—11; 12—14; Maleachi; nachexilische Psalmen; Spr 1—9; Hiob, Prediger, Esther; Priesterkodex; Zusätze zu Prophetenbüchern). Ist deswegen eine exakte Religionsgeschichte schwierig,[55] so sollte dennoch sowohl in der Theologie als auch in der Religionswissenschaft das singuläre Phänomen des Frühjudentums unter Berücksichtigung der „spätantiken" Umwelt ins Auge gefaßt werden. Wenn dies kaum geschieht, so spielen auch hermeneutische Gründe eine Rolle. Das Judentum entstand in der „Spätantike", in der „Spätzeit" des AT. Es wird deswegen — vollkommen

[54] K. Galling, Studien zur Geschichte Israels im persischen Zeitalter, 1964.
[55] Vgl. H. Ringgren, Israelitische Religion, 1963, S. 272 ff.; W. H. Schmidt, Alttestamentlicher Glaube und seine Umwelt, 1968, S. 217 ff.; W. Eichrodt, Religionsgeschichte Israels, 1969, S. 105 ff.; G. Fohrer, Geschichte der israelitischen Religion, 1969, S. 313 ff.; erfreulich ist, daß im Anschluß daran J. Maier eine ›Geschichte der jüdischen Religion‹ (1972) verfaßt, auf deren 1. Teil (›Religionsgeschichte des Frühjudentums in der hellenistisch-römischen Zeit‹) bes. hingewiesen sei.

anachronistisch — als „Spätjudentum" bezeichnet, wobei in der Bestimmung „spät" die Qualifikation „epigonenhaft" und „dekadent" mitschwingt. Zweifellos wirkt sich im christlichen Bereich die heilsgeschichtlich falsche Konzeption einer einsträngigen Sukzession von „altem Gottesvolk" (Irael und Judentum bis zur Kreuzigung Christi) und „neuem Gottesvolk" (Kirche) aus (anders Röm 9—11). Infolgedessen ist notwendiger Partner des christlichen Alttestamentlers nicht nur der Religionswissenschaftler (spätägyptische, persische und hellenistische[56] Religionen), sondern auch der hermeneutisch[57] anders orientierte jüdische Historiker[58].

Im folgenden sei das Frühjudentum in der gebotenen Kürze skizziert: Es entstand im Anschluß an den Kyroserlaß im Jahre 538 (Esr 6, 3—6), der nach dem Verständnis des Chronisten, des Verfassers vom 1. und 2. Buch der Chronik, von Esra und Nehemia (der sich die Auffassung der ersten Rückwanderer zu eigen machte), die Erlaubnis zur Rückkehr der Golah in sich schloß (Esr 1). Zu beachten ist, daß trotz verschiedener Rückwandererwellen die Golah als ein jüdisches Zentrum im mesopotamischen Bereich, allerdings im Sinne eines freiwilligen Daseins in der Fremde (wie auch die Diaspora in anderen Ländern) bestehen blieb. Die Judenheit setzte sich fortan aus Juden in und um Jerusalem und in der Galuth zusammen. Die kultische Tradition wurde durch den Bau des zweiten Tempels (520—516) fortgesetzt. War der erste Tempel ein vom König errichtetes Heiligtum, so postulierte der von dem Davididen Serubbabel zu erbauende nachexilische Tempel den messianischen Tempelherrn (vgl. Hag 2, 20 ff.; Sach 6, 9 ff.). Dabei kam es zu einer Gewaltenteilung: Neben der die Augen Jahwes symbolisierenden Menorah stehen ein priesterlicher und ein davidischer Gesalbter („Ölsohn"; Sach 4, 1—6 aα. 10 aβ—14).[59] Eschatologie, Messia-

---

[56] M. Hengel, Judentum und Hellenismus, 1969.

[57] H. Schmid, Die christlich-jüdische Auseinandersetzung um das AT in hermeneutischer Sicht, Judaica 26, 1970, S. 129 ff.

[58] Aus der von J. Maier (s. Anm. 55) angegebenen Lit. sei auf folgende jüdische Arbeiten hingewiesen: Y. Kaufmann, Tôlᵉdot ha-ᵃmûnā hăjjiśrᵉʾelît, Bd. 4, ⁴1953; Y. Baer, Jiśra'el ba-'ammîm, 1954/5; G. Allon, Mähqarîm bᵉtôlᵉdot Jiśra'el, 2 Bde., 1957/8; V. Tcherikover, Hellenistic Civilisation and the Jews, 1959; J. Klausner, Hisṭorjā šäl häb-băjit häš-šenî, 5 Bde., ⁶1963; S. M. Stern, Jᵉmē häb-băjit häš-šenî, in: Ch. H. Ben-Sasson, Tôlᵉdot 'am Jiśra'el, Bd. 1, 1969, S. 175—294; S. Safraj, 'Am Jiśra'el bîmē häb-băjit häš-šenî, 1970.

[59] Ist der „Stein der Oberseite" (Sach 4, 7) der Deckstein der Öffnung des heiligen Felsens, so wäre damit eine Repristinierung der Zionsideologie angezeigt.

nismus und schließlich seit dem Buch Daniel die universaleschatologische Apokalyptik spielen im Judentum — vor allem in Zeiten der Bedrängnis — eine die Gemeinschaft erhaltende Rolle.[60] Da es zu keiner Erneuerung des Königtums kam, erlangte faktisch der (zadokitische) Hohepriester eine königliche Autorität (vgl. Ex 28 f.; 39; Lev 8). Der Kult hatte eine sühnende Wirkung,[61] doch darf seine kosmische Bedeutung nicht übersehen werden.[62] Ein Problem ist die Entstehung der Synagoge in der Diaspora und im Lande Israel.[63]

Wesentlich zur Konstitution des Judentums in Jerusalem war die Verpflichtung der genealogisch nachgewiesenen jüdischen Bevölkerung, besonders aus Heimkehrern bestehend, auf die Thora, die Esra im Jahre 458 aus der babylonischen Golah als persisch-genehmigtes „Gesetz des Himmelsgottes" nach Jerusalem brachte (Esr 7—10; Neh 8—10). Es dürfte sich hierbei um den Gesamtpentateuch gehandelt haben.[64] Die Abwendung von den Fremden (auch von Altjudäern?) und die Zuwendung des genealogisch reinen „heiligen Samens" zur Thora sind typisch für genuines Judentum (Esr 9, 1 ff.; Neh 10, 28 ff.). Dabei lassen bereits Neh 10 und 13 das aufkommende hermeneutische Problem der Interpretation und Adaption der Thora erkennen. Es wurde schon darauf hingewiesen, daß die Thorafrömmigkeit die Weisheit rezipiert hat (vgl. die Thorapsalmen 1; 19, 8 ff.; 119). Auch das redigierte Corpus propheticum weist auf Grund der deuteronomistischen Vorstellung von Thora und Propheten[65] auf die Thora hin (vgl. Mal 3, 22). Auch in der Apokalyptik ist die Thora eine entscheidende Größe. Thora und Eschatologie sollten nicht gegeneinander ausgespielt werden. Verfehlt wäre es, die Thorafrömmigkeit nur unter dem

---

[60] O. Plöger, Theokratie und Eschatologie, WMANT 2, ³1968.

[61] K. Koch, Sühne und Sündenvergebung um die Wende von der exilischen zur nachexilischen Zeit, EvTh 26, 1966, S. 217 ff.

[62] Auch P ist kosmisch orientiert (vgl. Gen 1, 1—2, 4a; 9, 1—17).

[63] E. Janssen, Juda in der Exilszeit, FRLANT 51, 1957, bes. S. 105 ff.; V. Tcherikover a. a. O., S. 303 ff.; A. Schalit, The Letter of Antiochus III. to Zeuxis Regarding the Establishment of Jewish Military Colonies in Phrygia and Lydia, JQR 50, 1960, S. 289 ff.; I. Levi, The Synagogue, 1963; J. Weingreen, The Origin of the Synagogue, Hermathena 98, 1964, S. 68 ff.; K. Hruby, Die Synagoge, 1971.

[64] Anders U. Kellermann, Erwägungen zum Esragesetz, ZAW 80, 1968, S. 373 ff.; ders., Erwägungen zum Problem der Esradatierung, ebd. S. 55 ff.

[65] W. Zimmerli, Das Gesetz und die Propheten, 1963.

christlich bestimmten Gesichtspunkt der „Gesetzlichkeit" zu betrachten.[66] Inadäquat ist es, im Frühjudentum Jerusalems eine „Kultgemeinde" im Sinne einer Kirche zu sehen. Soziologisch handelte es sich um eine Volksgemeinschaft mit dem auf Grund des Kyroserlasses wiederaufgebauten Tempel als ihrem Mittelpunkt, der zugleich ein Focus der Diaspora war (vgl. Dan 6), und mit der Thora als göttlicher und königlich-persischer Verfassung. Der Aufbau der Mauern Jerusalems unter dem Statthalter Nehemia zeigt, daß es sich um mehr als nur eine Konfessionsgemeinschaft handelte.[67] Die Rivalität zwischen Samaria, dem ursprünglichen Sitz des Statthalters auch für Juda, und Jerusalem, der Tempelstadt auf Grund des Kyroserlasses, wurde aus zwei Gründen zugunsten Jerusalems und damit des Judentums entschieden: Die Samaritaner übernahmen die Thora aus der jüdischen Golah, weil sie zugleich „Gesetz des (persischen) Königs" war (vgl. Esr 7, 26); Jerusalem wurde verwaltungsmäßig aus Samaria herausgelöst, als Nehemia Statthalter in dem Tempelstaat Jerusalem-Juda (Synoikismos Neh 7 und 11) wurde.[68]

Die Thora war auch Grundlage jüdischer Volksgemeinschaften der Diaspora. Bezeichnend ist die Aussage Hamans in Est 3, 8: „Es gibt eine Volksgemeinschaft zerstreut und abgesondert unter den Völkerschaften, und ihre Gesetze sind anders als das des (persischen) Volkes und die königlichen Gesetze tun sie nicht . . ." Daß diese Haltung zu Verfolgungen führen konnte, zeigt Esther[69] (vgl. Dan 3 und 6).

In Krisensituationen machte man sich im Judentum Schuldbekenntnisse und Bußgebete wie die der Exilszeit zu eigen und flehte um Hilfe (vgl. Esr 9; Neh 9; Dan 9).[70] In Verfolgungen lebte die Eschatologie auf, die wahrscheinlich in verschiedener Ausprägung mehr oder weniger alle Gruppen des Judentums erfaßte.

[66] H. Schmid, Gesetz und Gnade im AT, Judaica 25, 1969, S. 3 ff. = R. Brunner, Gesetz und Gnade im AT und im jüdischen Denken, 1969, S. 3 ff.; H. J. Kraus, Zum Gesetzesverständnis der nachprophetischen Zeit, Kairos 11, 1969, S. 122 ff.

[67] U. Kellermann, Nehemia, BZAW 102, 1967.

[68] J. Bowman, Samaritanische Probleme, 1967.

[69] Zu Esther s. Kaiser S. 156 ff.; W. Dommershausen, Die Estherrolle, 1968. Ein religionsgeschichtliches Problem ist die Herkunft des Purimfestes; s. dazu H. Ringgren, Esther und Purim, SEÅ 20, 1955, S. 5 ff.

[70] O. H. Steck, Das Problem theologischer Strömungen in nachexilischer Zeit, EvTh 28, 1968, S. 445 ff., bes. 451.

5. Daniel und das Aufkommen der Apokalyptik im Judentum

Zu dem reichen frühjüdischen religiösen Leben gehört auch die Apokalyptik.[71] Sie setzte in Jerusalem z. Z. Antiochus' IV. Epiphanes um 168 v. Chr. ein, der — grob gesprochen — Jerusalem in eine hellenistische Polis (ohne Thora) mit entsprechendem Kult (ohne zadokitischen Hohenpriester) verwandeln wollte und dabei Rückhalt bei einem beträchtlichen Teil der jüdischen Stadtbevölkerung fand (vgl. 1—2Makk).[72] Die jüdische Apokalyptik ist im Zusammenhang mit der alttestamentlichen Weisheit, der eschatologischen Prophetie[73] und der griechisch-hellenistischen (Kritias, Lykophron, Polybios, frühe Stoa), auch iranischen[74] und ägyptischen Religionsgeschichte (Orakelliteratur!) zu sehen. Religionswissenschaftliche Fragen beziehen sich im Hinblick auf Daniel vor allem auf die Herkunft der Pseudonymität, der Endzeitberechnung, des Schemas von den vier Weltaltern, des „Alten an Tagen", des „Menschensohnes"[75], der Angelologie und der Auferstehung[76]. Im folgenden soll an Hand einer hypothetischen Skizze der Entstehung des Buches Daniel gezeigt werden, daß auch die religionspsychologische und religionssoziologische Fragestellung zu berücksichtigen ist.[77]

Das Buch zerfällt in Übereinstimmung mit dem Sprachenwechsel vom Aramäischen (2, 4 b—7, 28) ins Hebräische (c. 8 ff.; hebräisch ist auch die nachträgliche Einleitung 1, 1—2, 4 a) in Legenden (c. 2—7) und in apokalyptische Visionen (c. 8—12), wobei c. 7, das ursprünglich im wesentlichen mit c. 2 übereingestimmt haben dürfte, apokalyptisch stark über-

---

[71] Zur Forschungsgeschichte s. J. M. Schmidt, Die jüdische Apokalyptik, 1969; K. Koch, Ratlos vor der Apokalyptik, 1970. Einen Überblick über die jüd. Apokalypsen bieten J. Schreiner, At.-jüd. Apokalyptik, 1969 und L. Rost, Einleitung in die at. Apokryphen und Pseudepigraphen, 1971.

[72] M. Hengel a. a. O., 319 ff.

[73] P. v. d. Osten-Sacken, Die Apokalyptik in ihrem Verhältnis zu Prophetie und Weisheit, ThEx 157, 1969.

[74] F. König, Zarathustras Jenseitsvorstellungen und das AT, 1964.

[75] C. Colpe, Der Begriff „Menschensohn" (und die Methode der Erforschung messianischer Prototypen), Kairos 11, 1969, S. 241—263; 12, 1970, S. 81—112.

[76] K. Schubert, Die Entwicklung der Auferstehungslehre von der nachexilischen bis zur frührabbinischen Zeit, BZ 6, 1962, S. 177 ff.

[77] Kaiser S. 236 ff.; H. Schmid, Daniel, der Menschensohn, Judaica 27, 1971, S. 192—220.

arbeitet wurde. Von dem pseudonymen Verfasser stammen die echten
Visionen c. 8 und 9. Letzteres Kapitel zeigt, daß die visionäre Voraussage
von 1150 Tagen der Aufhebung des Tamidopfers (8, 14) auf der Grundlage eines neuen Verständnisses der jeremianischen 70 Jahre in dreieinhalb
Zeiten umgesetzt wurde und sich der Apokalyptiker durch den Bezug auf
den Prophetenkanon (Jer 25 und 29) legitimierte. Kapitel 10—12 (mit
Zusätzen) waren wohl ein Flugblatt, das redaktionell mit dem vorausgehenden Kapitel vereinigt wurde. Das Pseudonym Daniel hängt m. E.
damit zusammen, daß sich der Anonymus intensiv mit den Legenden um
den exilischen Daniel (c. 2—7) befaßte, sich mit ihm identifizierte und als
solcher auf Grund des vorgegebenen Vierreicheschemas in der Bedrängnis
durch die Religionsverfolgung eschatologisch-apokalyptische Visionen erlebte. Er gehörte thoratreuen, kultisch und eschatologisch orientierten
Kreisen in Jerusalem an, die die Daniellegenden aus der Diaspora pflegten.
Sie handeln von dem charismatisch-weisen Traumdeuter und Hermeneuten
Daniel (vgl. Joseph), der am babylonischen Hof zu Ansehen und Amt
emporstieg (Dan 4 f.; vgl. Neh 1) und unter der Prämisse des Vierreicheschemas den Anbruch der Gottesherrschaft voraussagte. Die Legenden, die
keine gewaltsame Rettung der jüdischen Minderheit in einer andersartigen Umwelt kennen (anders Esther), wurden sicherlich von solchen
Chasidim[78] in Jerusalem überliefert, die auf Erweise der Macht des Gottes
warteten, dem sie im Sinne der überlieferten Religion dienten und von
dessen Wirksamkeit sie in der ptolemäischen und seleukidischen Zeit bis
zum Jahre 168 relativ wenig merkten. Durch die religionspolitischen Ereignisse unter Antiochus IV. wurde infolge des Abfalls vieler Juden die
Frage nach dem Eingreifen Gottes und der Errettung der getreuen jüdi-
schen Minderheit, die sich nun in Jerusalem (nicht in der Diaspora) einer
heidnischen Übermacht gegenübersah, brennend. Die apokalyptischen
Glieder dieser Minderheit griffen m. E. nicht mit den Makkabäern zum
Schwert. Durch den Visionär „Daniel" wurde nicht nur das baldige
Hereinbrechen der Gottesherrschaft, sondern auch die Integration des
Gottesvolkes in das kommende Reich (c. 7 in Überarbeitung) und die
Auferstehung der getreuen und ungetreuen Juden (c. 12) verheißen. Der
Visionär wußte, daß in der oberen Welt die zukünftige Gottesherrschaft
und Errettung präsent sind. Er selbst ist gemäß dem redaktionellen Ver-

---

[78] O. Plöger, Theokratie und Eschatologie, WMANT 2, ³1968, S. 19 ff.; ders.,
Das Buch Daniel, KAT 18, 1965.

ständnis seiner Anhänger nach seinem Tode als Menschensohn zum repräsentativen Haupt der „Heiligen des Höchsten" erklärt worden (12, 13; 7, 13 f.; vgl. 8. 17).

Der Gesamtbeitrag sei mit folgender Feststellung abgeschlossen: Da die Religion Israels und des Judentums, bei aller Eigentümlichkeit[79], Religion unter den Religionen der Umwelt ist, hat sich der Theologe mit religionswissenschaftlichen Ergebnissen und Methoden zu befassen. Weil Israel und das Judentum Religion unter Religionen ist, sollte auch der Religionswissenschaftler biblische Texte untersuchen und dabei kritisch Ergebnisse und Methoden der Bibelwissenschaften berücksichtigen.

Abkürzungen: Klagelieder (= **Klgl**) / Hohes Lied (= **Hhld**) / die Weisheitsliteratur (Sprüche = **Spr**; Hiob = **Hi**; Prediger = **Pred**) / Das chronistische Geschichtswerk (1.—2. Chronik = **1—2Chr**; Esra = **Esr**; Nehemia = **Neh**) / Esther (= **Est**) / Daniel (= **Dan**).

[79] W. H. Schmidt, Das erste Gebot, ThEx 165, 1969.

OTTO MICHEL

SYNOPTISCHE EVANGELIEN UND
JOHANNEISCHE SCHRIFTEN

1. Der „Bericht" (von dem, was Jesus „getan und gelehrt hat" (Apg 1, 1), hat viele Stadien durchlaufen und fand seinen Weg aus der Enge Palästinas heraus — wo Erzähler und Lehrer mündlich tradiert hatten — in die Weite des römischen Weltreiches. Vor allem der Osten: Syrien, Kleinasien, Griechenland und als Abschluß Italien ist von den ersten Trägern der Mission erreicht worden (Röm 15, 23), und in diesem östlichen Raum hat auch die Evangelienbildung ihre endgültige Gestaltung gewonnen. Sprachlich sind diese Menschen mit ihrem Koinegriechisch, das teilweise literarisch, teilweise durch den Umgangston bestimmt war, auch durch die jüdische Tradition (einschließlich Septuaginta, apokryphes Schrifttum) hindurchgegangen: Judenchristen bzw. Proselyten waren in ihrem „Gedächtnis" und „Verständnis" durch die in Palästina geschehenen Ereignisse erzogen worden: über sie hatten sie in veränderter Zeit und unter anderen Verhältnissen zu berichten (Lk 1, 1—4). So sind die Evangelien — das vierte eingeschlossen — hellenistische Schriften aus dem Kulturraum des Ostens des römischen Imperiums. Sie wollen sich der „Anfänge" der Überlieferung bewußt werden (Lk 1, 1—4), wobei den Verfassern, denen Traditionsschichten bzw. Quellen vorlagen, ein äußerstes Maß an Gestaltungskraft zugemutet werden mußte. Apologetisch grenzte man sich in allen Schriften im steigenden Maße gegen das Judentum ab, das sich gegen die Auflösung seiner Diaspora wehrte (Apg 13, 45; 17, 5; 1Thess 2, 16). Dabei verwandte man selbst jüdische Denkvoraussetzungen und vor allem alttestamentliche Zeugnisse auch in dieser Apologie. Man begleitete aber auch den Weg der Mission nach dem Auftrag Jesu bis ans „Ende der Erde" (Apg 1, 8; Röm 10, 8) und wuchs dabei in die Fragestellungen und Aufgaben der Völkerwelt hinein. Die älteste Evangelienüberlieferung stand von Anfang an unter der doppelten Zielsetzung: Man hatte den „Bericht" so zu tradieren, daß er apologetisch und missionarisch seinen Dienst erfüllte.

In der Nennung der Länder, die der „Bericht" Jesu von Nazareth erreichte, fehlt zwar Alexandrien, aber nur mit Vorbehalt (vgl. Apg 18, 25 D: „in seiner Vaterstadt über die Lehre unterrichtet"). W. Michaelis hatte in seinem Artikel ThWV 94 f. erklärt, daß zu dem Sprachgebrauch von ὁδός in der Apg keine Parallele im NT gegeben sei. Selbstverständlich kann „Weg" soviel wie eine spezifische „Lehre" im Sinn von Dam 1, 13; 2, 6 sein; aber der Zusammenhang in Apg 18, 25 hat merkwürdige Berührung mit Motiven von Lk 1, 3 f.: Lk will offenbar sagen, daß dieser Alexandriner katechetisch genau berichten kann. Zum Nebeneinander von Gedächtnis und Verständnis in der Tradition vgl. Jos. vita 8. Es ist ganz ausgeschlossen, daß diese wichtige Diaspora vom Weg der Mission nicht berührt wurde. Die späteren gnostischen Evangelien, die mit Ägypten zusammenhängen, sollten in einer eigenen Untersuchung gewürdigt werden. Man hat die These gewagt, daß das Christentum am Nil in den Anfängen bereits gnostisch beeinflußt war (zuletzt W. Schneemelcher, Neutest. Apokryphen 1. Bd. 1968, 117). Vorsichtig (mit Recht) W. C. van Unnik, Evangelien aus dem Nilsand, 1960, S. 55. Auch für Ägypten sollte zunächst eine judenchristliche Überlieferung angenommen werden.

Vielleicht darf man annehmen, daß *eine alte Katechese*, die auf Gedächtnis und Verständnis aufgebaut war, den „Weg" des Herrn zu bestimmen suchte (Heilsplan, Erzählungsstoff und Anweisungen), daß aber die von uns überlieferte Katechese in einem weiteren Rahmen der apostolischen Tradition stand. Apg 18, 25 hat zwar entscheidende Elemente der Katechese beschrieben (vgl. auch Röm 12, 11), sprach aber nur unter Vorbehalt von dem Heilsplan, den Apollos vortrug. Zur Fragestellung vgl. E. Haenchen, Kommentar, 1965, 485 f.; H. Conzelmann, Handbuch, 1963, 109. „Bericht" (λόγος) und „Weg" (ὁδός) könnten in die Vorstufe des Evangeliums zurückgehen.

2. Das Urchristentum setzt als messianische Bewegung in einer bestimmten Periode der jüdischen Geschichte ein, geht aber aus der Taufbewegung hervor, die in der Jordansenke durch die Gestalt Johannes' des Täufers im „Bericht" zu Worte kam (Jos. ant. 18, 63 f.; 116—119; 20, 62). Doch ist der Abstand vom Täufer so groß, daß die einfache Ableitung dieser messianischen Bewegung aus dem Täufertum mit Schwierigkeiten verbunden ist. Auf jeden Fall ist es fraglich, ob der jüdische Historiker Josephus, wenn er von Jesus und dem Täufer berichtet, beide in einem bestimmten jüdischen Rahmen gesehen hat (Jos. ant. 18, 63—64). Vgl. neuerdings Sh. Pines, An Arabic version of the Test. Flav. and its implications, 1971. Fragen wir, aus welchen Voraussetzungen heraus das Urchristentum gedacht, geglaubt und gehandelt hat, so antwortet der alte messianische Bericht Mk 1, 9—11 eindeutig. Hier ist von dem „Heilsplan" die Rede,

der über der Person Jesu gewaltet hat. Jesus kam aus Nazareth in Galiläa und wurde von Johannes im Jordan getauft. Als er aus dem Wasser stieg, sah er, wie die Himmel zerrissen und der Geist auf ihn herabkam. Eine Stimme vom Himmel wurde laut, die ihm den aus Schriftworten zusammengesetzten Wortlaut eines Gotteswillens kundtat. Diese Zusammenstellung von „Geist" und „Stimme" dürfte aus palästinischer Überlieferung vorgegeben sein. Vgl. dazu die urchristliche Entsprechung Apk. Joh. 14, 13 („Stimme"—„Geist").

Man hat darauf aufmerksam gemacht, daß diese *Enthüllung" des Gotteswillens*, die ihre Bestätigung in der Verklärungsgeschichte Mk 9, 7 findet, nicht eigentlich in den Stil und in die Gattung der prophetischen Berufungsgeschichte paßt. Es fehlt vor allem der Auftrag an den Berufenen und eine Antwort seinerseits (vgl. R. Bultmann, Die Gesch. d. synopt. Trad. 3. Aufl. 1957, S. 263 ff.). Und doch darf der Zusammenhang mit dem apokalyptisch bestimmten Kontext nicht aufgelöst werden: die Enthüllung des eschatologischen Gotteswillens ist die Antwort auf diesen im Text erzählten Gehorsam Jesu in der Übernahme der Taufe. Der Geist, der herabkommt, ist durch die Prophetie (Jes 11, 2; 42, 1; 61, 1; TestLev 18, 6 ff.; TestJuda 24) bestimmt, so daß nicht nur das AT, sondern bekannte Traditionsströme des Judentums aufgenommen werden. Dabei sind diese Stoffe nicht nur erklärendes Material, sondern vorgegebener bzw. paralleler Traditionsstoff, aus dem unsere Evangelien entstanden sind bzw. dessen Breite auch sonst erschlossen werden kann. Das zusammengesetzte Schriftzitat (Ps 2, 7; Jes 42, 1) zeigt deutlich, welche Verheißungen nach dem Mk-Evangelium tragend sein sollen: die messianische Königslinie und die prophetische Gottesknechtweissagung. Selbstverständlich nimmt der Evangelist an, daß unter diesen at.lichen Stoffen die Messianität des irdischen Jesus beschrieben werden soll. Der eschatologische Gotteswille enthüllt sich als *Gabe des Geistes* und als *messianische Anrede*.

Wenn der Bericht das „Sehen" Jesu heraushebt (Mk 1,10), dann geht es ihm um ein „objektives Geschehen" (R. Bultmann, Die Geschichte, 3. Aufl. 1957, 264). Daß dies „objektive Geschehen" im folgenden Traditionsstoff eine besondere Rolle spielt (wer sieht? wer bezeugt?), zeigt das Schwergewicht des Vorgangs an. Das „objektive" Geschehen setzt die weiterführende Traditionsproblematik aus sich heraus. Aber genügt es, den Gegensatz zum „Visionären" zu betonen? Objektivität schließt Subjektivität nicht aus; auch pneumatische Vorgänge, die den Menschen ergreifen, sind nach Meinung der Tradition geschichtlich fixierbar, haben aber ihre höchst subjektive Bedeutung. Es liegt ferner nahe, das Bild der Taube speziell auf den Heiligen Geist zu beziehen (vgl. im Judentum Targ. zu Cant. 2, 12; Str. B. I 125; Zusammenhang mit der Zeit der Erlösung!). Aber das eschatologische Motiv der „Zeit der Erlösung" darf nicht unterschlagen werden (gegen R. Bultmann, „Die Geschichte" S. 267 Anm. 1).

Darf man — wenn man das Schwergewicht der palästinischen Tradition in diesem Text erkennt — das Motiv der „Berufung" ausschließen? Sicherlich will der Text nicht Fortsetzung der alttestamentlichen Propheten sein: aber ist apokalyptische „Enthüllung des Heilsplanes" ohne entsprechende Beauftragung möglich (vgl. den Zusammenhang Jes 42, 1—6)? Beauftragung und Berufung spielen in der Jesusgeschichte eine entscheidende Rolle, werden aber oft genug durch das Problem der Legitimierung gestützt. Schon der marcinische Bericht fragt nach der Legitimierung Jesu.

Das Kommen des Geistes (Jes 11, 2; 42, 1; 62, 1) und die „Himmelsstimme" (Str. B. 1, 125 ff.) sind zwei Zeugen im Legitimierungsprozeß. Wo das Zeugenproblem im NT anklingt, liegt die Verwendung von Deut 19, 13 nahe (Paulus und Johannes!). Dabei zeigt die rabbinische Überlieferung, daß man lehrmäßig bestrebt ist, die Bedeutung der „Himmelsstimme" sowohl im Verhältnis zwischen Gott und Mensch wie auch in halachischen Entscheidungen einzugrenzen. Markus will nicht eingrenzen wie vor allem die rabbinischen Überlieferungen, sondern er steht in einer apokalyptisch und pneumatisch argumentierenden Herleitung. Die Frage ist natürlich, ob diese apokalyptisch und pneumatisch argumentierende Herleitung nachösterlich ist oder ob nicht doch ein Element der Geschichte Jesu enthalten ist. Die historische Fragestellung darf also auch hier nicht ausgeschlossen, sondern muß durchgehalten werden. Die messianische Berufung Jesu soll historisch fixierbar sein. Wichtig ist ferner die Frage der Sprache der Himmelsstimme: sie kann aramäisch sein (Sota 33a; Str. B. I 126). Wenn die aramäische Sprache gebraucht wird, dann tritt der Verkündigungscharakter der Botschaft stark heraus. Die hebräische Übermittlung eines Schriftzitates dürfte aber nicht ausgeschlossen sein (im Weitergang von Jes 42, 1). Es gibt in der rabbinischen Überlieferung eine ausdrückliche Herausstellung eines Mannes durch ein Bath Kol (T. Sota 13, 3 f.; p. Sota 9, 24b, 27; b. Sota 48b). Einmal waren die Gelehrten im Hause des Gurja in Jericho zusammengetreten. Da hörten sie eine Bath Kol, welche sprach: Hier ist ein Mensch, der des Heiligen Geistes würdig ist; allein sein Geschlecht verdient es nicht. Man richtete die Augen auf Hillel den Alten (um 20 v. Chr.). Ein andermal saßen sie in Jabne und hörten eine Bath Kol, welche sprach: Hier ist ein Mensch, der des Heiligen Geistes würdig ist: allein sein Geschlecht verdient es nicht. Man richtete die Augen auf Schemuel den Kleinen (um 100 v. Chr.). Vgl. Str. B. I 129. Es handelt sich um eine Herausstellung einer besonderen Qualifikation durch Gott vor anderen. Ebenso dürfte auch eine besondere Qualifikation vor anderen ursprünglich auch im Zusammenhang Mk 1, 11 gemeint sei. Das Schwergewicht lag dann auf einer Herausstellung Jesu im Sinn von Mt 3, 17: *Dies ist — hier ein Mensch . . . mein* geliebter Sohn, ihn habe ich erwählt. Selbstverständlich könnte man den Mt-Text als Verobjektivierung bzw. Rejudaisierung von Markus ansehen — doch ist angesichts des rabbinischen Materials auch nicht ausgeschlossen, daß der Stil der Legitimierung: „dies ist . . .“ sehr altertümlich ist.

Wie in Qumran die Bewertung des Eingeweihten eine Rolle spielt, wie das Rabbinat besonders Lehrer herausstellt, wurde Jesus durch eine Bath Kol in einer alten Tradition *als Sohn, der geliebt und erwählt war, herausgestellt*. Dabei war der Text der Bath Kol ursprünglich eher eine Umschreibung als eine Zitierung des Alten Testamentes. Gerade die Qualifikationen von Männern sehen eher als Umschreibungen als etwa Zitierungen aus — vgl. das rabbinische Material bei Str. B. I 125—134. Es ist durchaus möglich, daß man auf einen Gottesknechttext (Jes 42, 1) zurückgehen kann, doch ist dieser Rückgang auf Jes 42, 1 ff. eine Verschiebung des Schwergewichtes vom „Sohnes“-Motiv auf das „Gottesknecht“-Motiv (vgl. dazu J. Jeremias, Th. Wb. V 698 ff.).

Traditionsgeschichtlich haben wir zunächst von den aramäischen bzw. hebräischen Urstoffen auszugehen, die den Vorstellungen und Problemen der Zeit entsprechen müssen: alttestamentliche Texte können durchaus von Anfang an den Bericht begleitet haben, brauchen daher nicht erst nachträglich in ihn hineingewachsen zu sein. In diesem Fall sind die Zusammenhänge von charismatischer Vollmacht und Gottesknechttradition ursprünglich: die messianische Qualifikation und die Gottesknechtverheißung gehören eng zusammen. Es ist durchaus anzunehmen, daß Taufe und charismatische Begabung im Urstoff zusammengehören.

3. H. Gollwitzer hat in seinem schönen Buch ›Krummes Holz — aufrechter Gang‹, 1970, 349 ff., von dem biblischen Urphänomen der „Stimme“ gesprochen, die in einer bestimmten Geschichte mit einem „Freunde“ konfrontiert (Ex 33, 11; Joh 15, 14). Wenn man daran denkt, daß der biblische „Freund“ der Sich-Verpflichtende, durch das Bündnis Verbundene ist, kann man diese Sprachform H. Gollwitzers durchaus aufnehmen. Man darf allerdings nicht vergessen, daß ein Mosaisches Motiv aufgenommen wird, das seine eigene Gewalt hat: Gott redet mit Moses von Angesicht zu Angesicht (Ex 33, 11). Die Begriffe „Stimme“ und „Freund“ sind bildhaft, aber als solche unentbehrlich. In der „Stimme“ vollzieht sich die Begegnung, die Konfrontation. Macht sich der „Herr“ zum Freunde, dann drückt sich darin das Wunderbare, aber auch das Sieghafte der Botschaft aus (S. 350). „Zuspruch“ und „Anspruch“ vollziehen sich nunmehr in Form der Geschichte. Die geschichtlichen Ereignisse sind nunmehr Zeugnisse des Kampfes zwischen den Hörern der Stimme einerseits und ihrem eigenen Nicht-glauben-Wollen und Nicht-glauben-Können und dem Unglauben der Zuhörer anderseits. „Also die Stimme

selbst kämpft, leidet, wird bestritten, unterliegt, siegt im Wechsel der Situationen" (S. 350).

Wir stehen im Begriff, das biblische Phänomen der „Stimme" theologisch und systematisch ernst zu nehmen. Entscheidend ist das historisch fixierbare Ereignis, die Geschichte, der Weg Jesu. Daß der älteste Evangelist die Geschichte Jesu unter das doppelte Zeichen: Geistbegabung und Stimme, gestellt hat, wirkt programmatisch. In der „Stimme" liegt die Doppelheit von Zuspruch und Anspruch. Haben wir es auch nicht mit einer Berufungsgeschichte im alttestamentlichen Sinn zu tun, so ist doch gerade das Motiv der Berufung Jesu nach Jes 42, 1—4 von entscheidender Bedeutung.

4. Es lohnt sich, den johanneischen Geschichtsbericht neben den marcinischen zu halten (Joh 1, 29—34): Zuerst treffen wir auf eine grundsätzliche christologische Aussage (1, 29), dann folgt die Identifizierung des „Nach ihm Kommenden" (1, 30 ff.): Johannes sieht den Geist herabkommen vom Himmel und auf Jesus bleiben und erhält das Wort: auf welchen du den Geist herabschweben und auf ihm bleiben siehst, der ist's, der mit dem Heiligen Geist tauft (1, 32—33). Zuletzt folgt eine abschließende christologische Aussage: Jesus ist der „Erwählte" bzw. der „Sohn Gottes" (1, 34). Der Traditionsprozeß des vierten Evangeliums hat eine andere Entwicklung hinter sich als der Text der Synoptiker. Johannes empfängt die Aufgabe, den unbekannten Jesus Israel als Messias zu präsentieren. Auch hier geht es freilich um die Enthüllung eines eschatologischen Heilsplanes, dessen Ziel im Anfang schon ausgesagt wird (1, 29: „Das Lamm Gottes"). Aber der Täufer sieht und hört, wobei das Herabkommen des Geistes durch den „Sender" gedeutet und bestimmt wird (vgl. das rabbinische Qualifikationsverfahren: dies ist . . . hier ist ein Mensch wie Mt 3, 17).

Die Aussagen Joh 1, 29. 36 und 1, 34 entsprechen einander wie Anfang und Ende. Die erste ist das eigentliche Resultat des johanneischen Lehrprozesses. Man hat gefragt, woher die „Lamm Gottes"-Tradition stammt (z. B. Passahlamm, Bild von Jes 53, 7, Tamidopfer; Umbildung einer aramäischen Begriffsbildung). Beachtenswert ist auch die Nähe der XII Test. (TestJos 19, 8; Benj 3, 8). Es scheint doch, daß der Sprachgebrauch von ApkJoh 5, 6 nicht weit von Joh 1, 29. 36 entfernt ist (liturgische Aussage). Auf jeden Fall geht es a) um eine Verwendung alttestamentlichen Bild- und Begriffsmaterials, b) um die Aufhebung der Schuld der Welt, c) um die Herausstellung eines eschatologischen Prozesses, der den alttestamentlichen Weisungen und Institutionen Ziel und Grenze setzt (vgl. 2, 19; 4, 21; 5, 39. 47; 13, 34). Das Nebeneinander dieser drei charakteristischen Kennzeichen ist typisch für den hellenistisch-judenchristlichen Lehrprozeß, in dem das JohEvgl. steht. Die abschließende Aussage Joh 1, 34 steht der synoptischen Tradition Mk 1, 11; Mt 3, 17 näher (vgl. auch das Nebeneinander von ἀγαπητός = Synoptiker und ἐκλεκτός = Johannes). Das Motiv des „Geliebt"- und „Erwählt"seins greift tief hinein in den Heilsplan Gottes. Vielleicht dürfen wir sagen: 1, 34 stammt aus dem alten palästinischen Material (= Stimme Gottes), 1, 29. 36 aus der johanneischen Lehrentwicklung, die im Bildwort das eschatologische Heil der Welt beschreibt. Die urchristliche Evangelientradition wird entfaltet.

Das Schlußverfahren hat also von Joh 1, 34 auszugehen; 1, 29. 36 ist messianische Konsequenz. Hier steht auch das feierlich betonte Legitimationswort: „Ich habe gesehen, ich habe Zeugnis abgelegt." H. Strathmann hat in seinem Artikel über Zeugnis, Zeuge, Zeugnis ablegen (ThW IV 477—520) den Ausgangspunkt seiner Betrachtung in das außerbiblische Griechisch gelegt (vgl. Aristot. Rhet. I 15) und von der Doppelsinnigkeit der Begriffsgruppe gesprochen: er unterscheidet zwischen unmittelbarer Erfahrung von Tatsachen und subjektiver Bekundung von Wahrheiten und Ansichten. Damit steht von Anfang an eine Spannung zwischen historischer Wirklichkeitserforschung und subjektiver Wahrheitsbetrachtung im Vordergrund. So wird für H. Strathmann z. B. der lukanische Zeuge sowohl Tatsachenzeuge als auch Zeuge des werbenden Bekenntnisses (S. 495). Ganz eigentümlich ist dann die Interpretation des vierten Evangeliums. Der Verfasser des vierten Evangeliums und des 1. Joh-Briefes beansprucht zwar gewiß auch im historischen Sinn Zeuge, Augenzeuge des geschichtlichen Jesus zu sein. Aber für seinen Zeugenbegriff ist dies nicht in dem Sinn wichtig wie für Lukas: es geht ihm nicht um ein Beweismittel für die Geschichtlichkeit bestimmter Vorgänge, sondern um den Eindruck der Herrlichkeit Jesu, von der zu zeugen er nicht umhin kann (S. 504). Johanneisches Zeugen ist werbendes Bekennen. Das Problem der historischen Fixierbarkeit wird aber oft nicht ernst genommen.

Wir werden leider damit rechnen müssen, daß dieser ganze hellenistische Ansatz falsch ist. Ausgangspunkt ist vielmehr für das NT zunächst die forensische Situation des Gerichts und der damit vorausgesetzten Verantwortung. Das Gerichtsverfahren Israels und des späteren Judentums kannte weder den offiziellen Vertreter der Anklage (Staatsanwalt) noch den berufsmäßigen Verteidiger (Rechtsanwalt). Der Richter stützte sich auf belastende und entlastende Aussagen von Zeugen. Tagte das Sanhedrin, dann erschienen außer den Richtern auch die Entlastungszeugen und die Belastungszeugen. Der Kreis der Zeugen war nicht beschränkt: außer den Zeugen, die sich zum Tatbestand äußerten, konnte auch jeder andere, der beim Prozeß zugegen war, das Wort ergreifen und seinen Einfluß für oder gegen den Angeklagten geltend machen (vgl. dazu O. Betz, Der Paraklet, 1963, 36 ff.).

Vorausgesetzt ist also auf jeden Fall das Prozeßverfahren. Hier kann der Zeuge sowohl auf Tatsachen hinweisen, an denen er selbst durch Wahrnehmung beteiligt ist, oder auf das Recht bzw. das Unrecht des Angeklagten Einfluß nehmen. Es ist die Frage, wieweit diese forensische Situation auf das johanneische Denken einwirkt. R. Bultmann, Kommentar zum Joh-Evangelium, 1968, 30 f., nimmt den Ableitungsversuch H. Strathmanns nicht auf, sondern geht ebenfalls auf den juristischen Sinn der Begriffsgruppe ein. Er definiert: durch eine Aussage einen in Frage stehenden Tatbestand als wirklich bezeugen. Der Zeuge gründet sich auf Wissen, besonders auf Augenzeugenschaft. Das Zeugnis findet statt vor einem Forum, das ein Urteil fällt, und ist eine für die Urteilsfindung verbindliche Aussage. Anderseits ist aber auch der Aussagende zu einer Aussage verpflichtet, und er setzt sich durch seine Aussage für das Gesagte ein. Es fragt sich auch, ob nicht der antithetische Grundcharakter von Wahrheit — Lüge, Licht — Finsternis, Leben — Tod ebenfalls auf die Begriffsgruppe einwirkt. Grundsätzlich ist aber auch in diesem Fall das Problem der historischen Fixierbarkeit nicht auszuschließen.

Johannes der Täufer ist der erste Zeuge, der bestätigt, daß Jesus der Empfänger des Geistes und der Geisttäufer ist; damit ist die messianische Prädikation inhaltlich bestimmt. Es wird behauptet, daß Jesus von Anfang an der vom AT geweissagte Messias sei und daß die von der Gemeinde bezeugte Würde der Gottessohnschaft die Messianität in sich schließe (Joh 1, 45. 49). Ja, der verborgene Messias wird durch den Täufer offenbar gemacht (Joh 1, 33; 7, 27). Alle diese Züge verraten altes judenchristliches, vorjohanneisches Material, das der Evangelist aufgenommen hat. Es stellt sich nun die Frage, wieweit diese alte judenchristliche Tradition, die geschichtsgebunden sein will, ständig durchkreuzt wird durch die Logoschristologie, die chokmatistischen Ursprung hat und als solche die verschiedenen Zeitformen zusammenfaßt.

Es ist beachtlich, daß Johannes der Täufer selbst „Stimme" eines Rufenden in der Wüste bleibt (Joh 1, 23), daß aber keine „Stimme vom Himmel" hörbar wird, die das christologische Geheimnis offenbart (Joh 1, 33). Der Sendende gibt vernehmbar kund, wer der Geisttäufer sei und unter welchen Zeichen er erkannt werden kann. Man könnte daran denken, daß die „Himmelsstimme" für den

Lehrprozeß der Synagoge nicht immer beweiskräftig war; aber das Joh-Evangelium kennt das Eingreifen der „Stimme vom Himmel her" in anderem Zusammenhang und reflektiert über Vernehmbarkeit und Verstehbarkeit dieses Phänomens (Joh 12, 28—30). Beachtlich ist, daß R. Bultmann, Kommentar zum Joh-Evangelium, 1968, S. 327, an die Verklärungsgeschichte und Mk 9, 7 erinnert, aber in dem Zusammenhang: Stimme = Donner ein mandäisches Echo wiederfinden will. Der mandäische Text mand. Lit. 201 besagt etwas anderes; ebenso Ginza 533, 22 f. Bei Johannes wird die Stimme vom Himmel als Donner mißverstanden, was als abweichender Reflexions- und Verstehensprozeß erkennbar ist. Wenn Joh 1, 33 nicht von einer Stimme vom Himmel her redet, dann lag dies an seiner Tradition, die anders argumentierte.

5. Wenn das vierte Evangelium vom „Zeugnis" und dem Akt des „Zeugens" redet, dann denkt es zunächst an den geschichtlichen Jesus und seinen Anspruch, Wahrheit, Licht und Leben zu sein. Es geht hier um den konkreten Zusammenstoß mit Menschen und Mächten, der an der Geschichte wach wird und in der Geschichte ausgetragen wird. Ein Zeugnisverfahren, das spekulativ ausgerichtet ist, scheint der Evangelist nicht zu kennen. Wir haben in der Biblischen Theologie drei Stufen zu unterscheiden: 1. messianisch und prophetisch ausgerichtete Verkündigung; 2. apokalyptisch-eschatologische Überlieferung; 3. hellenistisch-judenchristliche Logos- bzw. Weisheitslehre. Kennzeichnend ist in dieser Unterscheidung die Differenz im Zeitverständnis. Das Typische für die dritte (auch Johannes einschließende) Entwicklung ist die Sammlung älteren judenchristlichen Materials, die Umsetzung in neue hellenistische Denkformen und die Zurückstellung des Israelkonzeptes zugunsten einer universalistisch ausgerichteten Heilsgeschichte. Diese dritte Stufe der Entwicklung trägt nicht so sehr philosophisches, als vielmehr doxologisches Gepräge.

Der „Prolog" des vierten Evangeliums ist zur theologischen Voraussetzung geworden, die auch den Einzelbericht Joh 1, 29—34 nicht ausschließt. Der „Prolog" dürfte aus eigener, nicht dem Evangelium selbst entstammenden Konzeption stammen, zeigt aber die doxologische Grundstruktur des ganzen „Zeugnisses" an. Wir dürfen annehmen, daß zunächst eine Reflexion über die eschatologisch kritische Kraft des Wortes Gottes einsetzt (Hebr 4, 12—13), daß diese exegetische Reflexion sich aber auch dem Schöpfungsbericht Gen 1, 1 ff. zuwendet und ihn chokmatisch, d. h. im Sinn der Weisheitslehre umgestaltet. Weisheits- und Logostradition stoßen in der hellenistisch-jüdischen Tradition zusammen, wobei gelegentlich sich die Logostradition als stärker erweist (Sap 9, 1 ff.; Philo; Od. Sal. 33). Diese Logos- bzw. Weisheitstradition ist aber schöpfungsmäßig, nicht dualistisch wie in der Gnosis, interessiert. Wichtiger ist aber, daß Logos- und Weisheitstradition im Rabbinat mit der Thora identifiziert wurden, daß demgemäß auch die alttestamentlichen und spätjüdischen Chokma-Aussagen ohne weiteres auf die Thora übertragen wurden (z. B. Sir 24, 1—22 mit 24, 23 ff.; Bar 3, 15 ff. mit 4, 1).

Hier sei ein Gespräch mit G. Kittel im ThW IV 100 ff. eingeschaltet:

1. Nach G. Kittel ThW IV 127 geht das NT nicht von einem vorgefaßten Wortbegriff aus. Versteht man die neutestamentlichen Aussagen vom Begriff her, so erscheinen sie als verzerrt. Nicht der Begriff steht am Anfang der mit der Vokabel Logos umrissenen Gedankenreihe, sondern das geschehene Geschehen, in dem Gott sich kundtut.

2. Es geht nicht in Joh 1, 1 ff.; 1 Joh 1, 1 ff. um die Gleichsetzung des „Wortes" mit Jesus — diese Gleichsetzung des „Wortes" mit Jesus liegt in allen neutestamentlichen Aussagen zugrunde — sondern um den Übergang der Präexistenz in die Geschichte. Dieser Übergang der Präexistenz in die Geschichte durchzieht das ganze Evangelium (z. B. 1, 30; 6, 62; 8, 38. 58; 17, 5). G. Kittel ThW IV 133.

3. Die Fleischwerdung des Logos ist nach dem vierten Evangelium geschehen, um die Antithese zur Thora des Judentums sichtbar werden zu lassen. Logos und Thora treten jetzt auseinander. Nun werden alle Präexistenz- und Hoheitsaussagen, die das Judentum der Thora gab, auf den Logos, der Jesus Christus ist, übertragen. Jesus ist nicht nur Verkünder und Tradent einer Thora, sondern er ist selbst Thora, neue Thora. Alle Vorläufigkeit und Mittelbarkeit des Mosaismus ist dahin. Jetzt geschieht „Wort Gottes" in Eigentlichkeit. G. Kittel ThW IV 138—139.

Es sind zusammengeflossen: a) die urchristliche Sicht des geschichtlichen Jesus als des „Wortes"; b) das gleichfalls urchristliche Wissen um die göttliche Vorzeitlichkeit des Christus; c) die Erinnerung an den biblischen Bericht von dem „Im Anfang" geschehenen Schöpfungsprozeß (Gen 1, 1 ff.); d) die Logosmythen und Theorien der damaligen Zeit. G. Kittel ThW IV 137.

G. Kittels Aufriß analysiert einen traditionsgeschichtlichen Prozeß. Er will nicht ohne weiteres einen religionsgeschichtlichen Stoff als Grundlage annehmen, der vom neutestamentlichen Schriftsteller übernommen und korrigiert wird, sondern er fragt nach den biblischen Grundelementen, in die das religionsgeschichtliche Material eingebettet ist.

Es bahnt sich eine Frage an, die grundsätzlich ist: Arbeitet man theologisch sachkritisch und traditionsgeschichtlich konsequent, dann entsteht das Problem, ob allgemein aufgefundenes Material noch relevant ist oder nicht. Eigentlich wäre es nur dann relevant, wenn der Stoff selbst Spuren der Aufnahme bzw. der Auseinandersetzung zeigt. Die religionsgeschichtliche Sammlung kann zwar deutlich machen, was die Aufnahme eines

Motivs in der damaligen Zeit bedeutet, braucht aber nicht ohne weiteres zur Erklärung des exegetischen Motives herangezogen zu werden.

6. Man hat die Frage gestellt, ob der Begriff der „religio" mehr subjektiv (= Gefühl, Gewissenbedenken, fromme Scheu) oder mehr objektiv (= Bindung an eine Macht, ein Tabu) zu verstehen sei. Vielleicht darf man doch davon ausgehen, daß das objektive Verständnis primär einzusetzen ist, das subjektive dagegen aus dem objektiven abgeleitet werden muß (vgl. Pauly-Wissowa, RE 2. Reihe, 1. Bd. Art. religio, 1920, 565 ff.). Dabei drückt der objektive Begriff zunächst eine Negation aus (religio est, nefas est). Die Negation bildet von selbst auch eine Position aus: Ein durch „religio est" bezeichnetes Verbot gebietet stillschweigend dem Menschen, das Entgegengesetzte zu tun. So kann nachträglich der Begriff „religio" auch im positiven Sinn gebraucht werden (Plin. nat. hist. XXV 30; Stat. silv. V praef.). Die biblische Exegese arbeitet historisch und theologisch, setzt dabei das Geschehen des Gotteswortes voraus und schließt Altes und Neues Testament in diesem Sinn zusammen. Sie arbeitet aber zugleich religionswissenschaftlich, indem sie auf die Einbettung des Gotteswortes in das Menschsein und seine mannigfachen Beziehungen achtet, auch in den Raum der religio, in dem die fremden Mächte und Einflüsse mit dem eigenen Anspruch des Gotteswortes ringen. Hier erscheint das Gebundensein an das Gotteswort wie eine Äußerung menschlicher religio neben anderen; in diesem Zusammenhang tritt das Gotteswort wie eine religio anderen Ansprüchen gegenüber. Doch bleibt das Gotteswort auch in der Verkleidung der religio unverwechselbar in seiner Eigenartigkeit; es verlangt das Eigenrecht der theologischen Betrachtung gegenüber der religionswissenschaftlichen. Die der biblischen Exegese eigentlich zustehende traditionsgeschichtliche Betrachtung vollzieht sich unter ständiger Bezugnahme auf religionsgeschichtliche Sachverhalte; hier geht es um Assimilation und Abstoßung bzw. Verwerfung, um Verhüllung und Neusetzung der biblischen Wahrheit. Die Geschichte des Gotteswortes spaltet sich in dem Augenblick, in dem Jesus, Paulus und Johannes dem Judentum gegenüber einen eigenen Weg einschlagen; hier vollzieht sich eine geschichtliche Differenzierung des Gotteswortes, nicht nur Entwicklung eines religionsgeschichtlichen Vorgangs. Jetzt differiert das Verständnis von Erwählung und Berufung, Gehorsam und Glaubensvollzug in dramatischer Tiefe. Den Weg in den Hellenismus treten Judentum und Christentum unter verschiedenen Voraussetzungen, aber aus gleicher geschichtlicher Notwendigkeit an; an diesem Punkt liegt wohl ein Unterschied in der Geschichte,

nicht aber der Grund ihrer Scheidung. Der Eingang in den Hellenismus
rührt aber alle Fragen der Religionsgeschichte und des Vergleichs auf: das
Thema bleibt der Nachweis, daß das Eigene des Gotteswortes sich aufs
neue gestaltet, ohne sich zu verlieren. Daß es aber nicht dasselbe bleiben
kann, was es war, weiß die Religionsgeschichte am besten.

Zwischen der alttestamentlichen und der neutestamentlichen Botschaft steht der
gemeinsame Anspruch und Zuspruch desselben Gottes, der sich an Menschen in
Bundesschließungen einmalig und unwiderruflich hingegeben hat, dessen Kondes-
zenz das eigentliche Thema der Heiligen Schrift ist. Anspruch und Zuspruch
Gottes weisen über das Geschehen hinaus in Unbegrenztheit und Unermeßlichkeit,
so daß sowohl die Radikalität wie auch die eschatologische Zielsetzung des Neuen
Testamentes, seine heilsgeschichtliche und universalistische Besonderheit wurzel-
haft gerade aus der „Erfüllung" des Alten Testamentes stammen. Zwischen alttestamentlicher und neutestamentlicher Botschaft liegt ferner das Eigenrecht
Israels in Berufung und Erwählung, so daß sein Schicksal und seine Geschichte,
seine Diskussion und Wegbeschreibung (Halacha) bis ins kleinste, gerade wegen
seiner Abweichung vom Christentum, von außerordentlicher Wichtigkeit sind.
Über Judentum und Christentum steht das Empfangen des gemeinsamen Gottes-
spruches, das gemeinsame Sichbeugen unter die Weisung. Radikalität der Fragestellung und eschatologische Präsenz sind die beiden Merkmale des Urchristentums
(vgl. G. Kittel, Die Religionsgeschichte und das Urchristentum, nachgedruckt
1959, 152).
Auch heute noch ist die Auseinandersetzung mit H. Gunkels berühmtem Satz
notwendig: „Das Christentum ist eine synkretistische Religion" (Zum religionsgeschichtlichen Verständnis des Neuen Testamentes 1903, S. 95, vgl. S. 88. 35).
G. Kittel formuliert die Korrektur: „darum handelt es sich, ob das Wesen und
das Eigentliche an der geschichtlichen Erscheinung des Christentums mit jener
programmatischen These richtig oder falsch wiedergegeben ist: ob jenes Eigentliche Synkretismus oder Verneinung des Synkretismus gewesen ist" (G. Kittel,
Die Religionsgeschichte und das Urchristentum, 1959. 150). Die Durchsetzung der
religionsgeschichtlichen Fragestellung ist heute kaum bestritten, die Frage spitzt
sich aber im festen Schema zu: vorausgesetzt wird ein bestimmter (z. B. gnosti-
scher) Mythos, der auf orientalischem Raum seine Spuren hinterlassen hat, der
dann in der jüdischen Apokalyptik aufgenommen ist, im NT durch Anwendung
der Existentialphilosophie vergeschichtlicht wird.

Das vierte Evangelium verrät einerseits palästinisch-judenchristliche
Traditionen und Motive, steht aber anderseits in einem hellenistischen
Lehrprozeß der Diaspora. Dieser Lehrprozeß ist besonders deutlich in der
Verwendung der Logos-, der Wahrheits- und Erkenntnislehre. Zwar finden

wir Spuren alter palästinischer Lernformen, die aber hellenistisch in harter
Auseinandersetzung weitergebildet und neu verstanden sind. Vielleicht
läßt sich eine apologetische, eine abgrenzende und eine doxologische Ausrichtung dieses Lernprozesses unterscheiden, apologetisch ist die Haltung
gegenüber dem sich entwickelnden Rabbinat, aggressiv gegen die Gnosis
und ihre Zersetzung der Gemeinden, doxologisch die Herausstellung der
Einzigartigkeit des Anspruches Jesu. Der Geschichtsprozeß ist wie im
Judentum zuerst ein Lernprozeß, nicht sosehr eine dialektische Spannung
zwischen Assimilation und Abstoßung (bzw. Korrektur). Die Kontinuität
des Lernens schließt immer Übernahme und Korrekturen ein, bewahrt
aber den Vorrang der Geschichte als Spannungsfeld.

Zur alten judenchristlichen Zielsetzung gehört z. B. die Unterschrift Joh 20, 31:
„damit ihr glaubt, daß Jesus der Messias, der Sohn Gottes sei und durch ihn
glaubend Leben habt in seinem Namen." Die Auseinandersetzung mit der Frage,
ob Jesus der Messias der Juden sei, ist Thema der fortgesetzten Diskussionen mit
den Juden. Diese alte judenchristliche Zielsetzung wird überboten durch die
hellenistisch beeinflußte Logoslehre (Joh 1, 1—18) und die Autorität des von Gott
kommenden Boten, der sein „Ich bin" mit Vollmacht ausspricht (Joh 6, 20; 8, 24;
13, 19). Der christologische Lernprozeß hat daher verschiedene Schichten voneinander abzusetzen, die im heutigen Evangelium nebeneinanderstehen.

Man wird vielleicht die These: „Wir schauten seine Herrlichkeit"
(Joh 1, 14) als Ursprung der johanneischen Aussage anzusehen haben. Daß
Gottes Lichtglanz von Moses geschaut wurde (Ex. 33, 18; Philo Spec.
Leg. I 45), daß Moses' Antlitz nach der Rückkehr vom Berge strahlend
geworden war (Ex 34, 30 ff.), ist für die rabbinische Tradition von besonderer Wichtigkeit (Str. B. III 514 f.; ThW II, 249). Man wird zwar die
Einheit von 1, 14 nicht auseinanderreißen dürfen: hier liegt das Thema
des Evangeliums offenkundig vor Augen; entscheidend ist aber die Frage,
ob Jesus wie Moses Herrlichkeit Gottes (kabod) zu eigen habe. Evangelium
und Christologie sind von dieser Grundfrage bewegt: sie liegt auch in verschiedenen Fassungen den unterschiedlichen Traditionsschichten zugrunde.

Will die Religionsgeschichte letztlich die Genealogie eines Mythos sicherstellen,
so sucht die theologische Frage den exakten Ort und Grund — das „Motiv" des
Zeugnisses — zu bestimmen. Es ist anzuerkennen, daß der Evangelienstoff
historisch analytischen Fragestellungen unterliegt, daß aber gleichzeitig bestimmte
soziologische und lehrmäßige Grundmotive bei der Fixierung dieses Traditionsprozesses im Spiel sind. Diese Grundmotive sind im vierten Evangelium nicht
dieselben wie bei den synoptischen. Hier ist vor allem auf die jüdische Lehr-

entwicklung hinzuweisen, die der johanneischen parallel läuft. Der Vergleich: Moses — Christus hatte in einer bestimmten Voraussetzung in Mk 9, 2 ff.; 2Kor 3, 4 ff.; Hebr 3, 1—6 eine Reflexion veranlaßt, die nunmehr eine eigene Entwicklung nach sich zieht. Die Grundfrage nach dem „geschauten Gottesglanz" bzw. nach der durch Jesus vollzogenen Manifestation Gottes wird im vierten Evangelium eine Frage an die Traditionsgeschichte. Die Abklärung dieses Traditionsprozesses (hellenistische bzw. antignostische Lehrentwicklung?) verlangt eine sorgsame Absicherung.

Es gehört zu dem sich theologisch vollziehenden Umbruch innerhalb der theologischen Entwicklung, daß der Bultmannsche Kommentar zum Joh-Evangelium (1941, zuletzt 1968) religionsgeschichtlich vergleichend sehr vielseitig ist, daß aber oft genug der exegetische Gang zu früh unterbrochen wird und religionsphilosophische Analysen einsetzen, die das johanneische Motiv erläutern sollen. Es fehlt die Durchführung der Traditionsgeschichte und die genaue Fixierung der johanneischen Begriffe (vgl. zu Joh 1, 14 der Versuch, den Sachverhalt mit Kierkegaards Kategorien zu umschreiben [z. B. S. 46, Anm. 2]). Es kann sein, daß eine genaue Analyse des johanneischen Stoffes, des alten palästinisch-judenchristlichen Materials und der späteren hellenistischen Durchformung, weithin zu anderen Ergebnissen führen wird, wobei das Problem des gnostischen Materials und seiner Anwendung ebenfalls einer Abklärung bedarf. *Exegese der johanneischen Texte bedarf einer historischen Traditionsgeschichte.*

Religionsgeschichtliche Analyse und traditionsgeschichtlicher Aufbau bedingen sich gegenseitig. Wir sind gewohnt, methodisch mit verschiedenen Aspekten zu arbeiten, um den Anforderungen der historischen Methode zu genügen. Die Zielsetzung der theologischen Erfassung sträubt sich nicht gegen die Anwendung der religionsgeschichtlichen Kriterien, die zur Abklärung eines theologischen Tatbestandes unerläßlich bleiben.

Ein messianischer Anspruch, der über das Judentum hinausgreift, aber alle Perspektiven, die ein messianischer Anspruch in der Geschichte des Judentums geltend macht, in sich schließt, steht jetzt vor uns. Können wir in der Gegenwart auf ihn zurückgreifen, kann er über die Gegenwart hinaus in die Zukunft weisen? Erst jetzt stellen sich uns neue entscheidende Fragen in den Weg, an denen wir zu arbeiten haben.

Otto Betz

NEUES TESTAMENT
SPÄTJUDENTUM UND QUMRAN

Die Theologie des Neuen Testaments und die Religion
des nachbiblischen Judentums

1. Die gemeinsame Aufgabe

Julius Wellhausen hat einmal gesagt, Jesus sei der letzte Jude gewesen und Paulus der erste Christ. Dieses Urteil über die Entstehung des Christentums wird dem, der in Jesus den Anfänger und Vollender des christlichen Glaubens sieht, als zu pointiert und vielleicht sogar als provozierend erscheinen. Aber die in den letzten Jahrzehnten auf christlicher wie auch auf jüdischer Seite betriebene Forschung hat sich meist an die damit gezogene Grenze gehalten. So betrachtet R. Bultmann die Verkündigung Jesu lediglich als Voraussetzung der neutestamentlichen Theologie, während er Paulus als den christlichen Theologen schlechthin bezeichnet.[1] Entsprechend kann auf jüdischer Seite Jesus heute als „Bruder Jesus" und als großer Lehrer Israels dargestellt werden[2], während Paulus die Bahn des Gesetzesgehorsams verlassen und ein nicht zumutbares Bekenntnis zu Christus verlangt hat[3]. Meines Erachtens läßt sich jedoch der Anfang des Christentums mit der Formel 'Jesus der Jude und Paulus

---

[1] Theologie des Neuen Testaments, Tübingen 1948, S. 1; ferner: Zur Geschichte der Paulusforschung, in: Das Paulusbild in der neueren Forschung, ed. K. H. Rengstorf (= Wege der Forschung Bd. 24). Darmstadt 1964 (²1969), S. 337.

[2] So vor allem von J. Klausner, M. Buber, P. Winter, D. Flusser, Schalom ben Chorin. Weniger zu empfehlen sind die Darstellungen von J. Carmichael (popularisiert die Zelotenthese von R. Eisler) und H. Schoenfield (fällt in den Rationalismus des 18. Jh. zurück).

[3] Dazu H. J. Schoeps, Die Theologie des Paulus. Paulus im Lichte der jüdischen Religionsgeschichte, Tübingen 1959. Engl. Ausgabe: Paul, Kap. 4, 4.

der Christ' nicht adäquat beschreiben; der wahre Sachverhalt ist komplizierter. Denn das Jüdische und das Christliche überschneiden sich in beiden Gestalten: Jesus, der Jude aus Nazareth, hat sich für den Messias gehalten und damit den Grund für den Christusglauben der frühen Kirche gelegt.[4] Und Paulus, der Verkündiger dieses Glaubens im Weltmaßstab, war ein ehemaliger Pharisäer und als solcher ein besonders eifriger Anhänger des jüdischen Volkes, dem er sich auch nach der Berufung zum Apostel Christi in besonderer Weise verpflichtet gefühlt hat.[5] Schließlich wollten die ersten Christen in Jerusalem nichts anderes als gute Juden sein, weil sie im Christusgeschehen das Ziel der Geschichte Gottes mit Israel erreicht sahen.[6]

Das Christentum war somit an seinem Anfang mit dem Judentum eng verbunden; diese Tatsache sollte sich der christliche Theologe stets deutlich vor Augen halten. Gemeinsam ist beiden, Juden und Christen, der Glaube an Gott, der sich in der Geschichte geoffenbart hat, und damit die Bindung an die Bibel, die diese Offenbarung bezeugt. Der christliche Theologe hat wie der jüdische das Problem zu lösen, was der Glaube an Gott und die Bindung an dieses Buch in der aufgeklärten, wissenschaftlichen Welt von heute bedeuten. Er sollte aus diesem Grunde das Judentum nicht wie eine fremde oder vergangene Religion behandeln, sondern es als den Mutterboden achten, auf dem die christliche Religion gewachsen ist; ohne gründliche Kenntnis dieses Phänomens kann ihm auch der eigene Glaube nicht deutlich und in seiner Eigenart durchsichtig sein. Und weil sich dieser Glaube auf die Geschichte Israels und die geschichtliche Person Jesu bezieht, darf er nicht als ein fertiges, über dem Raum geschichtlicher Bedingtheit stehendes System allgemeiner Wahrheiten verkündigt werden. Der christliche Theologe ist vielmehr entscheidend abhängig von der wissenschaftlichen Erforschung einer bestimmten Epoche jüdischer Geschichte; er muß stets dazu bereit sein, neue, aus dem Studium der Bibel und des nachbiblischen Judentums gewonnene Erkenntnisse aufzunehmen und in sein Bekenntnis einzuarbeiten. An die Stelle eines bloßen religionsgeschichtlichen Vergleichs tritt daher der Dialog, bei dem der christliche

---

[4] Vgl. dazu meine Schrift ›Was wissen wir von Jesus?‹, Stuttgart ²1967.

[5] Vor allem Röm. 9, 1—5. Zur Berufung des Paulus und seiner biblischen Deutung dieses Erlebnisses vgl. meinen Aufsatz ›Die Vision des Paulus im Tempel von Jerusalem‹, in: Verborum Veritas, Festschrift für G. Stählin, Wuppertal 1970, S. 113—125.

[6] Das wird in der Apostelgeschichte des Lukas richtig dargestellt.

Theologe im jüdischen Gesprächspartner gleichsam den älteren Bruder und Mitarbeiter Gottes sehen sollte. Das bedeutet nicht, daß man sich der Haltlosigkeit des Historismus preisgibt und auf die Frage nach der Wahrheit verzichtet. Aber es kann für den Christen keine infalliblen Sätze, keine "pura doctrina", geben; die Wahrheit des Glaubens muß stets auch gesucht und mit Hilfe des christlich-jüdischen Dialoges neu formuliert werden.

a) Zu solch einem Dialog ist heute mehr Bereitschaft vorhanden als in früheren Zeiten. Für den jüdischen Gesprächspartner, der mit Recht von einem finsteren Mittelalter der Kirche sprechen kann, ist das freilich nicht selbstverständlich. Auf der anderen Seite empfindet der Theologe des Neuen Testaments die nachbiblisch-jüdische Literatur: die Qumrantexte, Mischna und Talmud, dazu die Midraschim, vielfach noch als Monumente einer ihm fremden Welt; sie stellen in sprachlicher und gedanklicher Hinsicht hohe Anforderungen an den Leser, der nicht in ihrem Geist aufgewachsen ist. Bisweilen kommen auch Exegeten, die das sprachliche Hindernis überwinden, über ein parteiisches oder pauschal-ablehnendes Urteil nicht hinaus. So hat zum Beispiel der liberale Theologe J. Wellhausen die Einzigartigkeit Jesu mit einer Degradierung des jüdischen Milieus und einem hohl klingenden Pathos erreicht: Mit Jesus erstand „eine Eins in der wüsten Masse, ein Mensch aus dem Schutt, den die Zwerge angehäuft haben"[7]. In bewußtem Gegensatz zu solch einer vergleichenden und wertenden Geschichtsbetrachtung hat der existentialistische Theologe R. Bultmann dem Historiker verboten, bei der Darstellung geschichtlicher Gestalten Werturteile zu fällen und Zensuren zu erteilen. Er dürfe nicht den Richter oder Schulmeister spielen, der die Weisheit irgendeines philosophischen Systems als normierende Wahrheit handhabe, sondern soll sich als suchenden, von der Ungesichertheit der Existenz bedrängten Menschen verstehen. Es müsse zu einer persönlichen Begegnung mit der Geschichte kommen, die das Wirken historischer Persönlichkeiten als Auslegung des Existierens begreifen lasse, als Möglichkeit, das eigene Dasein zu bewältigen. Dementsprechend kommt Jesus in der Darstellung Bultmanns[8] weitgehend selbst zu Wort. Er redet den Menschen an und fordert ihn dazu auf, in jeder Situation Gottes Willen zu tun, nicht auf die greifbaren, aber vergänglichen Realitäten der Welt zu bauen, sondern

---

[7] Israelitisch-jüdische Geschichte, Berlin 1894, S. 317.

[8] Jesus, Tübingen 1951. Die englische Ausgabe trägt bezeichnenderweise den Titel ›Jesus and the Word‹.

sich auf die unsichtbare und unverfügbare Wirklichkeit Gottes zu gründen. Solche Grundsätze geschichtlicher Darstellung gestatten es aber nicht, die jüdische Religion einfach als den zeitgeschichtlichen Rahmen des Auftretens Jesu zu behandeln [9] und die Grundwahrheiten ihres Glaubens in die Form negativer Werturteile zu kleiden: Die Juden der neutestamentlichen Zeit gehorchten einem Gott, der „in voller Willkür über sein Volk gebietet, an kein rationales Recht gebunden"[10]; sie lebten nach einem Gesetz, das sie „künstlich konserviert und kasuistisch fortgebildet haben" [11]; sie drückten ihre Hoffnung in apokalyptischen Schriften aus, die „von orientalischer Mythologie gesättigt sind" und deren Verfasser sich „phantastische Unsagbarkeiten himmlischer Herrlichkeit ausdenken" [12]. Die Fairneß gebietet, daß der historische Exeget nicht nur Jesus, sondern auch die jüdischen Frommen zu Wort kommen läßt, anstatt sie durch distanzierende Urteile als dunklen Hintergrund für das Wirken Jesu aufzubauen.

b) Der jüdische Gesprächspartner steht der christlichen Theologie begreiflicherweise meist kritisch gegenüber. Aber das schließt nicht aus, daß er sich der Gestalt Jesu und der Entstehung des Christentums mit viel Verständnis und Sachkenntnis zuwenden kann. Das verzerrte Bild Jesu, wie es in der mittelalterlichen Schrift ›Toledoth Jeschu‹ (Geschichte Jesu) gezeichnet wurde, ist längst durch positive Darstellungen überholt, deren Lektüre sich auch für christliche Exegeten lohnt.[13] Kennzeichnend für die meisten jüdischen Jesusforscher ist es, daß sie die Darstellung der Evangelisten weniger skeptisch betrachten, als dies bei den christlichen Exegeten, vor allem in Deutschland, üblich ist.[14] Zwar sind sich auch die jüdischen Historiker der Tatsache bewußt, daß die Evangelisten nicht so sehr geschichtliche Fakten berichten als vielmehr den Leser zum Glauben an Christus führen wollen. Aber sie bewerten dieses Christuszeugnis auch historisch und führen die dort erscheinende zeitliche Abfolge des Wirkens Jesu nicht nur auf theologische Motive der Evangelisten zurück.[15] In

---

[9] A. a. O., S. 19—24.

[10] A. a. O., S. 20.

[11] Ibid.

[12] A. a. O., S. 21.

[13] Vgl. Anmerkung 2.

[14] J. Klausner, Historijah schäl ha-baijit ha-scheni (Geschichte des Zweiten Tempels), Jerusalem 1963, Bd. 4, Kap. 12: Das Leben Jesu von Nazareth, Kap. 13: Die Lehre Jesu (S. 224—266).

[15] Vgl. J. Klausner a. a. O., S. 253 f. Tendenzkritisch verfährt P. Winter.

methodischer Hinsicht bleibt jedoch zu wünschen, daß sich die jüdischen
Forscher stärker der Literarkritik und speziell der formgeschichtlichen
Methode bedienen und sie sinngemäß auf das rabbinische Schrifttum anwenden.[16] Auf der anderen Seite sollte sich der christliche Exeget der
Grenzen deutlicher bewußt werden, die der literarkritischen Arbeit durch
den spekulativen Charakter der jüdischen Exegese und die Gesetze rabbinischer Überlieferung gesetzt sind[17]. Es kommt darauf an, den Text zu
erklären, nicht etwa, ihn zu verändern.

Auch über Paulus gibt es wertvolle jüdische Werke[18]. Als unjüdisch empfunden wird der paulinische Gebrauch des Gesetzes, seine Deutung von
Taufe und Abendmahl und die Lehre von der Kirche; schwer gangbar
finden die jüdischen Forscher den Weg, auf dem der Apostel zum Bekenntnis, Jesus sei der Kyrios und Sohn Gottes, gelangt ist. Sie konstatieren ein
Überschreiten der Grenzen, die durch den jüdischen Monotheismus gesetzt
sind, und die Übernahme hellenistisch-heidnischer Ideen.[19] Aber man sollte
bedenken, daß in den neuentdeckten Texten vom Toten Meer, die noch vor
dem Auftreten Jesu von palästinischen Juden verfaßt wurden, die göttliche Zeugung und die Gottessohnschaft des Messias erwähnt sind. Auch
die paulinische Lehre von der Rechtfertigung des glaubenden Sünders ist
dort insofern vorbereitet, als im Gebet nicht etwa die eigene Leistung,
sondern die helfende Gerechtigkeit Gottes gerühmt wird.[20]

Andererseits bleibt eine feste Grenze zwischen nachbiblisch-jüdischem
und christlichem Glauben bestehen. Als spezifisch christlich hebt sich die
Botschaft von Kreuz und Auferstehung heraus. Es ist das gemeinchristliche
Credo, Gott habe den gekreuzigten Jesus auf eine doppelte Weise „auf-

---

[16] Das scheint in der Monographie von J. Neusner, The Rabbinic Traditions
about the Pharisees, zu geschehen, die im Herbst 1971 bei Brill in Leiden erscheinen soll.

[17] Vgl. dazu H. Riesenfeld, The Gospel Tradition and its Beginning. A Study
in the Limits of "Formgeschichte", London 1957; B. Gerhardsson, Memory and
Manuscript. Oral Tradition and Written Transmission in Rabbinic Judaism and
Early Christianity, Uppsala 1961.

[18] Vor allem die Monographien von J. Klausner und H. J. Schoeps.

[19] H. J. Schoeps a. a. O., S. 155 meint, der hinter dem Christusbekenntnis
Phil 2, 5—11 stehende Mythus sei völlig unjüdisch, während er sich nach
J. A. Sanders, Dissenting Deities and Philippians 2, 1—11, JBL 88 (1969),
S. 279—290, von Qumrantexten her erklären läßt.

[20] P. Stuhlmacher, Gerechtigkeit Gottes bei Paulus, Göttingen 1965.

gestellt", nämlich von den Toten „auferweckt" und zu seiner Rechten erhöht, ihn im Himmel als Christus und Herrn inthronisiert.[21]

2. Die jüdischen Religionsparteien und Jesus

Die Texte vom Toten Meer haben es den jüdischen und den christlichen Theologen erneut zum Bewußtsein gebracht, daß das Judentum zur Zeit Jesu keine einheitliche, sondern eine recht komplexe Größe darstellt. Es gab damals kein dogmatisches Lehrgebäude, das für alle Juden normative Geltung besaß, sondern — wie Josephus hellenisierend sagt — verschiedene Religionsparteien. Schon diese Verschiedenheit verbietet pauschale, vereinfachende Urteile über die jüdische Religion. Dazu kommt, daß die Quellen für die Kenntnis der Religionsparteien nach Umfang und Darstellungsweise uneinheitlich und deshalb nicht leicht zu bewerten sind. Allen Parteien gemeinsam war das Festhalten am alleinigen Gott und dessen Offenbarung im Gesetz, der Heiligen Schrift. Die Treue gegenüber dem althergebrachten Glauben hat die Juden trotz der Glaubenskrise unter Antiochus IV. Epiphanes, der Zerstörung des Tempels, des Endes des jüdischen Staates und der Zerstreuung des Volkes davor bewahrt, im Sog der synkretistischen Kultur des Hellenismus unterzugehen. Auf der anderen Seite erlaubte die Verschiedenartigkeit der alttestamentlichen Bücher eine pluralistische Deutung des Gottesworts, die wesentlich zur Ausbildung und Eigenart der einzelnen Religionsparteien beigetragen hat. Die jüdische Geschichte dieser Zeit könnte weitgehend als eine „Geschichte der Auslegung der Heiligen Schrift" abgefaßt werden. Deshalb sollte man auch das sogenannte „Spätjudentum" richtiger als „Nachbiblisches Judentum" bezeichnen; denn sein Wesen wird vom Tradieren und Interpretieren der Bibel bestimmt. Das trifft auch auf die Autoren des Neuen Testaments und auf Jesus selbst zu. Sie haben zwar keine Kommentare zum Gesetz Moses und zu den Propheten verfaßt, wußten sich aber vom Strom der Tradition getragen, der vom Alten Testament ausging und im nachbiblischen Judentum weitergeleitet wurde; gerade auch die Christologie wurde wesentlich mit Hilfe des Schriftbeweises ausgebildet. Von daher ergibt sich die Traditionsgeschichte als eine wichtige und noch zuwenig gehandhabte Methode für die Erforschung des Neuen Testaments: Man muß danach

[21] Vgl. meine Schrift ›Was wissen wir von Jesus?‹, Stuttgart ²1967, S. 64—68.

fragen, wie Jesus und seine Jünger die Bibel ausgelegt haben, und zwar sowohl in Übereinstimmung als auch im Gegensatz zur zeitgenössischen jüdischen Interpretation.

a) Dunkel ist das Bild der *ältesten Religionspartei, der Sadduzäer.* Das kommt nicht zuletzt daher, daß das wenige, was von ihnen berichtet wird, aus der Feder von Gegnern stammt: der Christen, des Josephus und der Rabbinen. Als Partei, die sich wesentlich aus dem reichen Priesteradel Jerusalems rekrutierte, waren die Sadduzäer naturgemäß konservativ, sowohl im Blick auf die Heilige Schrift als auch hinsichtlich der unheiligen, weil von den heidnischen Römern bestimmten Politik. Beim Gesetz hielt man sich an den Wortlaut und die schriftliche Überlieferung. Das war aber doch wohl zu wenig angesichts der Tatsache, daß sich das Weltbild und die Kultur des jüdischen Volkes seit der Entstehung der biblischen Gebote erheblich geändert und auch erweitert hatten; ohne eine intensive, aktualisierende und akkomodierende Arbeit an der Tora Moses ging es nicht. Skeptisch gegenüber allen lehrmäßigen Neuerungen wie etwa der Prädestination, dem apokalyptischen Zukunftsdrama mit Totenauferstehung und Jüngstem Gericht oder auch der Engellehre, verhielten sich die Sadduzäer auch in der Politik: Für sie bestand das Heil Israels in der Wahl des kleineren Übels, d. h. der Anerkennung der mit dem Imperium Romanum geschaffenen Realitäten. Diese der Gegenwart verpflichtete, um Ruhe und Ordnung bemühte Haltung macht es verständlich, daß sich die Sadduzäer dem eschatologischen, an Gottes Zukunft orientierten und den Umbruch des Bestehenden ankündigenden Wirken Jesu verschlossen. Um einem allgemeinen Aufruhr zuvorzukommen, haben sie ihn dem römischen Statthalter angezeigt; die Pharisäer und der Vorwurf, Jesus habe das Gesetz und den Sabbat verletzt, haben mit dem Prozeß Jesu nichts zu tun.[22]

b) Den Sadduzäern sind die *Zeloten*[23], *die „Eiferer",* darin gleich, daß auch sie nur durch das negative Zeugnis ihrer Gegner, vor allem des Josephus, bekannt sind; sonst waren sie aus einem anderen Holz geschnitzt. Man hat die Zeloten vielfach als Nationalisten und antirömische Rebellen verstanden; damit wird aber das Motiv ihres Kampfes völlig verkannt. Denn ihr Begründer, der Galiläer Judas, war in erster Linie ein Exeget der Schrift und dann auch ein politisch-militärischer Führer; diese Ver-

---

[22] Das hat P. Winter richtig gesehen (On the Trial of Jesus, Berlin 1961, S. 111—135).

[23] Vgl. dazu M. Hengel, Die Zeloten, Leiden 1961.

bindung von Theologie und aktiver Widerstandspolitik macht das Neue bei den Zeloten aus. Aus dem ersten Gebot des Dekalogs, nur Gott allein und nicht anderen Göttern zu dienen, zogen sie die Konsequenz, keinen menschlichen König als Herrscher über Israel anzuerkennen. Ihr Protest richtete sich gegen den als Gott verehrten Kaiser von Rom; der von Quirinius durchgeführte Census gab den Anstoß zum öffentlichen Auftreten des Judas und zur Rebellion (6 n. Chr.). Ihr Ende fand die Partei der Zeloten im ersten Krieg gegen Rom (66—70 n. Chr.), in dem ihre Sache das jüdische Volk gewann, aber auch dessen politischen Untergang verschuldet hat.

Gerade heute hat man hier und da die These wieder zum Leben erweckt, auch Jesus sei ein gescheiterter Revolutionär und ein Zelot gewesen.[24] Das ist indessen unwahrscheinlich. Zwar haben die Zeloten wie Jesus das baldige Kommen der Gottesherrschaft und die Auferstehung der Toten erwartet, was ihre Martyriumsbereitschaft erklärt. Aber der stürmische, gegen Rom und die mit den Römern kollaborierenden Juden gerichtete Eifer der Zeloten paßt wenig zum Bilde Jesu, der dem Gebot der Gottesliebe das der Nächstenliebe an die Seite gestellt und sogar mit den verachteten Zöllnern, den willigen Werkzeugen römischer Ausbeutung, verkehrt hat. Wie sehr Jesus alle Art von Parteidoktrin und Standesschranken durchbrechen konnte, beweist die Tatsache, daß dem Kreis seiner engsten Jünger sowohl Levi, ein ehemaliger Zöllner, als auch Simon, der Zelot, angehörten. Jesus wurde zwar zusammen mit zwei wohl zelotischen Aufrührern gekreuzigt, aber nicht etwa deshalb, weil auch er ein Zelot und Rebell gewesen wäre; vielmehr wird auf der Kreuzesinschrift zutreffend angegeben, er sei der „König der Juden", d. h. der Messias gewesen.[25]

c) Die Zeloten sind historisch als Absplitterung eines linksgerichteten Flügels der Pharisäer entstanden. *Die Pharisäer*, die „Abgesonderten", die sich in der Mitte des 2. Jh. v. Chr. aus der pietistischen Bewegung der Chasidim, der „Frommen", herauskristallisiert hatten, überlebten als einzige der vier Religionsparteien die Katastrophe des jüdischen Volkes im

---

[24] So J. Carmichael, The Death of Jesus, New York 1962, nach R. Eislers gelehrtem, aber phantastischem Werk über Jesus, den König, der nie regiert hat (1929/30); S. G. F. Brandon, Jesus and the Zealots 1967; derselbe: The Trial of Jesus of Nazareth, London 1968. Zur Kritik an diesen Werken vgl. M. Hengel, War Jesus Revolutionär?, Stuttgart 1970.

[25] Mk 15, 26.

Jahre 70 n. Chr. Das danach erfolgende rasche Wiederaufblühen von
Gottesdienst und Lehrbetrieb wird gewöhnlich ihrer Initiative zugeschrieben, desgleichen auch die Festsetzung des alttestamentlichen Kanons und
die wenig später einsetzende und bis ins 5. Jh. n. Chr. fortdauernde Abfassung der großen Gesetzeskorpora: Mischna und Tosefta, des Jerusalemi-
schen und Babylonischen Talmuds und der Kommentare zum Pentateuch.
Diese Arbeit hat nicht wenig zur Koordinierung und Stabilisierung des
jüdischen Volkes beigetragen und seine spezifische, die Zerstreuung unter
den Heiden überdauernde Lebensform geprägt. Aber die Gleichsetzung
von Pharisäismus und rabbinischem Schulbetrieb ist eine unzulässige Vereinfachung und stimmt vor allem für die Zeit Jesu nicht; an diesem Punkte
sollte eine Klärung des verwickelten historischen Sachverhalts versucht
werden.[26] Vor allem aber steht fest, daß das in der christlichen Kirche
verbreitete, ungünstige Urteil über die Pharisäer dringend einer Korrektur
und Ergänzung bedarf. Sie werden bekanntlich dort zu sprichwörtlichen
Heuchlern und blinden Blindenleitern herabgewürdigt, wobei man sich
auf Sätze des Neuen Testamentes beruft: Die Pharisäer legen dem Volk
schwere Lasten auf, indem sie auch Kleinigkeiten wie Küchenkräuter ver-
zehnten; sie verschließen ihm die Tür zum Himmelreich[27], ja belegen die
Ungelehrten mit einem Fluch[28]. Dabei seihen sie Mücken und verschlucken
Kamele, tun selbst nicht, was das Gesetz befiehlt, und vollziehen die
Sonderleistungen der Frömmigkeit nur zum Schein[29]. An diesem Punkt
ist der neutestamentliche Theologe in besonderem Maße auf die Kenntnisse
jüdischer Historiker und rabbinischer Gelehrter angewiesen.[30] Er darf
nach den wenigen hyperbolischen Sätzen Jesu und der Polemik bedrängter
christlicher Gemeinden kein Gesamtbild des Pharisäismus zeichnen; die
Kritik prophetischer Leidenschaft kann erst aufgrund einer weiter reichen-
den wissenschaftlichen Information als solche richtig gewürdigt werden.
Auch müßte man prüfen, ob nicht die christlichen Gemeinden mitunter

---

[26] Sie wird offensichtlich in dem angekündigten Werk J. Neusners angestrebt,
vgl. Anmerkung 16.
[27] Mt 23, 4. 13. 23.
[28] Joh 7, 49.
[29] Mt 23, 5. 24. 28.
[30] Freilich wird auch schon in alten jüdischen Traditionen eine Kritik an den
Pharisäern geübt, die mit der in den Evangelien manches gemein hat. Vgl. dazu
J. Klausner a. a. O., Bd. 4, S. 185.

polemische Praktiken der Essener fälschlicherweise den Pharisäern an-
gelastet haben. Der Fluch gegen andersdenkende Volksgenossen ist als
solcher nicht pharisäisch, erscheint aber in den Texten vom Toten Meer,
wo er dem Urteil Gottes vorgreift und die Scheidung des Endgerichts im
voraus vollzieht.[31]

Die Pharisäer waren besonders eifrige Exegeten, ja Virtuosen in der
Auslegung der Tora. Ihre Absicht bestand aber nicht darin, die Schraube
des Gesetzes immer weiter anzuziehen und das Volk zu beschweren. Vielmehr wollten die Pharisäer die Tora für jedermann tragbar machen, ihre
altertümlichen Härten, vor allem im Strafrecht, durch humane Auslegung
mildern und ihre Satzungen der veränderten Lebensweise des jüdischen
Volkes anpassen. Denn Israels Heil, die Erlösung durch den heiligen Gott,
setzte für sie die Heiligung des Volkes voraus, die eben nur durch Verwirklichung des Gesetzes gelingt. Aus diesem Grunde wollten die Pharisäer
nicht nur Lehrer, sondern auch Täter des Wortes sein und als heilige
Gemeinschaft ein konkretes Modell für das Volk Gottes bilden. Die Tora
sollte sowohl auf alle Bereiche des Lebens ausgedehnt, als auch gegen
fahrlässige Übertretung geschützt werden. Deshalb hatte man dem schriftlich überlieferten Gesetz eine mündliche Tradition von Geboten hinzugefügt, die gleichsam als Gebrauchsanweisung und als „Zaun um die
Tora" dienen sollte; es entstand eine Art von bürgerlichem und kirchlichem Gesetzbuch daraus. Am Ende des 2. Jh. n. Chr. wurde nämlich die
mündliche Tradition, ein im Laufe der Zeit entstandenes Gewohnheits-
recht, in der Mischna, der „Lehre", schriftlich fixiert; daraufhin hat man
die Bildung und die Berechtigung der Mischnasätze, d. h. ihre Begründung
in der Heiligen Schrift, im Schulbetrieb reflektiert und durchdiskutiert. Es
leuchtet ein, daß dieses zum Talmud führende Unternehmen nicht ohne
Kasuistik und die Argumente einer spekulativen Exegese gelingen konnte;
auch war es möglich, daß der Laie die Fülle von Geboten als Last empfand.
Aber zur Zeit des Neuen Testaments waren die Pharisäer durchaus populär
und in mancher Hinsicht einflußreicher als die Sadduzäer.[32] Im Gegensatz
zu dieser auf die priesterliche Aristokratie beschränkten Partei bildeten
die Pharisäer eine nicht standesgebundene Gemeinschaft gleichberechtigter
Genossen; durch Synagoge und Lehrhaus wurden Gesetz und Gottesdienst
unter das Volk gebracht.

[31] Gemeinderegel von Qumran 2, 4—10, vgl. Joh 7, 49.
[32] Josephus, Altertümer 13, 5. 6.

Man hat auf jüdischer Seite vereinzelt auch Jesus zu den Pharisäern
gezählt, ihn einem eschatologisch orientierten Flügel dieser Religionspartei
zugeordnet.[33] Nun gibt es in der Tat zu manchen Worten Jesu, vor allem
zur Bergpredigt[34] und zu den Gleichnissen[35], aufschlußreiche Parallelen
in der rabbinischen Literatur. Aber sie machen Jesus ebensowenig zu einem
Pharisäer wie die Tatsache, daß er gelegentlich mit Pharisäern zu Tisch
saß.[36] Abgesehen davon ist unsere Kenntnis vom Pharisäismus zur Zeit
Jesu noch lückenhaft. Wir wissen nicht genau, welche Rolle beispielsweise
die Erwartung der Gottesherrschaft oder des Messias bei den Pharisäern
gespielt hat. Anscheinend wirkte die Katastrophe des Jahres 70 n. Chr.
wie eine Art von Filter, das vor allem die eschatologische Naherwartung
aus dem Strom der Überlieferung ausgeschieden hat. In jedem Falle hat
Jesus mißachtet, was im pharisäischen Programm der Heiligung an wichtiger Stelle steht, nämlich die Forderung ritueller Reinheit aufgrund von
Waschungen, Sabbatgesetz und Speisengebot.[37] Schon das historisch sichere
Faktum, daß Jesus auch mit den kultisch unreinen Außenseitern der
Gesellschaft verkehrt hat, schließt seine Zugehörigkeit zur Gemeinschaft
der Pharisäer aus. Auch fehlt die thematische, technisch präzisierte Exegese
der Tora, die Jesus freier und indirekter ins Spiel gebracht hat: Nicht die
Erfüllung des Buchstabens, sondern des durch ihn angezeigten Gotteswillens wurde von Jesus verlangt; die von den Pharisäern so hoch geachtete
mündliche Überlieferung hat er abgelehnt.[38] Dennoch ist es zu einfach,
einem formalen, d. h. jedem Gebot in gleicher Weise verpflichteten, Ge-
setzesgehorsam der Pharisäer die inhaltlich wertende und der jeweiligen
Situation geöffnete Haltung Jesu entgegenzusetzen.[39] Heute wird angesichts der allgemeinen Krise von Tradition und Moral die Forderung
nach einer praktikablen christlichen Ethik laut. Der Appell an die Freiheit
des Christen genügt in einer anarchischen Situation nicht, wenn diese
Freiheit nicht im Gehorsam gegen Gottes Gebot besteht und im Modell
eines christlichen Gemeinschaftslebens verwirklicht wird. Die Pharisäer

[33] So etwa P. Winter a. a. O., S. 133 f.

[34] Vgl. dazu die Sammlung von Parallelen in P. Billerbeck, Kommentar zum
Neuen Testament, München ²1956, Bd. 1, S. 189—474.

[35] P. Fiebig, Altjüdische Gleichnisse und die Gleichnisse Jesu, Tübingen 1904.

[36] Lk 7, 36; 14, 1.

[37] Vgl. vor allem Mk 7, 1—23.

[38] Mk 7, 8—13.

[39] Gegen R. Bultmann a. a. O., S. 58—86.

hatten zu ihrer Zeit eine Antwort auf die Frage nach einem Ethos gefunden, das sich in einer schwierigen Situation für ein ganzes Volk bewährt. Auf jüdischer Seite ist jedoch das Problem zu lösen, inwieweit ein auf dem Talmud gegründetes Recht für das Leben in einem modernen Staat noch gültig sein kann.

d) Gleichen Ursprungs wie die Pharisäer sind die *Essener*, deren Name wohl die „Frommen" meint. Den Theologen des Neuen Testaments gehen sie in mehrfacher Hinsicht an. Zunächst bieten die Essener ein aufschlußreiches Beispiel für die Art der Berichterstattung im nachbiblischen Judentum; das ist speziell für die Frage nach dem historischen Jesus und generell für das Verhältnis von Glaubenszeugnis und historischem Tatbestand wichtig. Über keine der jüdischen Religionsparteien sind wir so gut unterrichtet wie über die Essener. In den Schriften des Josephus werden sie viel ausführlicher als etwa die Pharisäer und die Sadduzäer dargestellt; Philo rühmt sie als Vorbild echten Gemeinschaftslebens und verwirklichter Frömmigkeit, Friedfertigkeit und Freiheit; [40] auch der jüngere Plinius erwähnt sie bewundernd in einer kurzen Notiz.[41] Diese Fremdberichte über die Essener werden neuerdings durch das Selbstzeugnis jener Frommen ergänzt. Denn die Handschriften, die im Laufe der Jahre 1947—1956 in Höhlen am Toten Meer entdeckt worden sind[42], müssen zum literarischen Schaffen der Essener gerechnet werden. Die Regeln, Loblieder, biblischen Kommentare und ähnliche Werke, die auf Lederrollen geschrieben in jenen Höhlen verborgen lagen,[42] bringen einen Glauben und ein gemeinschaftliches Leben zur Sprache, die sich mit den äußeren Daten der oben erwähnten Essenerberichte und auch mit dem archäologischen Befund der in der Nähe der Höhlen befindlichen Ruinen von Qumran zur Deckung bringen lassen. Was Philo, Josephus und Plinius verschwiegen oder aber auch durch psychologisierende Erklärungen verdunkelt haben, war die theologische Motivierung der essenischen vita communis; eben dieser Mangel kann mit den Texten vom Toten Meer erkannt und behoben werden.

[40] Josephus, Jüdischer Krieg, Buch 2, 119—161; Philo, Quod omnis probus liber sit, § 75—89.

[41] Historia Naturarum 5, 17.

[42] Eine zweisprachige Ausgabe dieser Texte hat E. Lohse, die Texte aus Qumran, Darmstadt 1964, geschaffen. Zum neuesten Stand der Forschung vgl. meinen Bericht ›L'État des Études sur Qumran en 1970‹, in: Études Théologiques et Religieuses 45 (1970), S. 367—380.

Trotz dieser reichen Dokumentation schwankt das Urteil über die Essener heute noch beträchtlich, besonders im Blick auf das frühe Christentum. Zwischen der Meinung R. Bultmanns, die Bedeutung der Qumrantexte für die Interpretation des Neuen Testaments werde vielfach überschätzt, ihre Entdeckung habe ihn selbst nicht zu stärkeren Eingriffen in seine Darstellung der neutestamentlichen Theologie veranlaßt,[43] und der Behauptung von J. M. Allegro, die Essener hätten praktisch alles vorweggenommen, was Jesus und die Christen zwei Jahrhunderte später glaubten und taten,[44] liegt eine breite Skala weniger extremer, richtigerer Urteile; auch die These, Jesus selbst sei ein Essener gewesen oder in Qumran erzogen worden, fehlt natürlich nicht.[45] Was haben die Essener von Qumran geglaubt und gelehrt? Auch bei ihnen war die Schriftauslegung entscheidend. Das Forschen in der Tora wurde als Vorbereitung des Weges geachtet, auf dem Gott zu seinem Volk kommen wird. Wer ihn recht empfangen will, muß nach seinem Willen fragen und sein Wort erfüllen[46]. Das große Gebot der Juden, Gott von ganzem Herzen zu lieben, wurde in Qumran als Forderung, Gott von ganzem Herzen zu suchen, neu formuliert, und man fand Gott in seinen Geboten.[47] Das Ergebnis dieses exegetischen Suchens nach Gott, gleichsam das Materialprinzip der Heiligen Schrift, war auch hier die Heiligung des Lebens. Nur haben die Essener diesem Ideal rigoroser nachgestrebt als die Pharisäer, ohne erleichternde Zugeständnisse an den Zeitgeist und an das schwache Fleisch, auch ohne eine gelehrte Diskussion, die mehrere Möglichkeiten offenläßt. Das Wort ihres priesterlichen Gründers und Leiters, des „Lehrers der Gerechtigkeit", haben auch die ihm folgenden Geschlechter von Essenern als bahnbrechend und bindend angesehen. Die entschlossene Hingabe an das Prinzip der Heiligung wurde mit der Naherwartung des Weltgerichts begründet und nach dem biblischen Gesetz für die Priester beim Tempeldienst und den Vorschriften für das Volk Israel am Sinai durchgeführt.[48] Man wollte in

---

[43] Theologie des Neuen Testaments, Tübingen [5]1958, Vorwort.

[44] The Untold Story of the Dead Sea Scrolls, Harper Magazine, August 1966.

[45] Sie wurde neuerdings wieder von J. Lehmann, Jesus Report, Düsseldorf 1970, aufgestellt.

[46] Gemeinderegel, 8, 15 f.

[47] Gemeinderegel 1, 1 f. Vgl. dazu mein Buch ›Offenbarung und Schriftforschung in der Qumransekte‹, Tübingen 1960.

[48] Ex 19, 10 f.

Qumran die Bestimmung verwirklichen, die über Israels Geschichte stets als nie voll verwirklichtes Ideal geleuchtet hat, nämlich ein Königtum von Priestern und Gottes heiliges Volk zu sein.[49] Die Gemeinde am Toten Meer verstand sich als lebendiges Heiligtum, das Gott selbst erbaut hat, und in dem man durch Toraerfüllung, Gebet und heilige Riten einen Dienst vollzog, der den sündentilgenden Opferkult im Tempel von Jerusalem überbot.[50] Sie hielt sich für das wahre Bundesvolk und verglich sich deshalb mit den Israeliten am Fuß des Sinai, die durch Waschungen, geschlechtliche Enthaltsamkeit und die Bereitschaft, alle Worte Gottes zu erfüllen, auf die Ankunft Gottes, die Übergabe des Gesetzes und die Aufrichtung des Bundes gewartet hatten.[51] Deshalb hatten sich die Männer des „Lehrers der Gerechtigkeit" von Jerusalem und dem Kulturland Judäas getrennt und waren durch einen endzeitlichen Exodus in die Wüste gezogen. Sie wollten Büßer sein, und Buße war für sie Abkehr von der unreinen Welt auch im räumlichen Sinn, aber auch Umkehr, entschlossene Hinwendung zum Leben unter dem Gesetz. Das Streben nach totaler Heiligung, nach vollkommener Reinheit des Leibes und der Seele, und die Naherwartung des kommenden Gottes erklären auch den Verzicht auf privates Eigentum — einem Kommunismus, der nicht nur den Konsum, sondern auch die Erzeugung der Güter betraf —, dann die Ehelosigkeit und schließlich das freiwillige Sich-Einordnen in eine vita communis, die das Mönchsleben der Benediktiner antizipiert hat. Dabei entspricht solch ein Dasein durchaus nicht dem Tenor alttestamentlicher Frömmigkeit, die den Gerechten gern mit irdischen Gütern und einer stattlichen Zahl von Söhnen gesegnet sieht; es steht überhaupt einzig da im Judentum, das nie wieder ein mönchisches Leben als Forderung Gottes empfunden hat. Und dennoch waren die Essener von der Schriftgemäßheit ihrers Daseins durchaus überzeugt. Zur zeitlich entschränkten Priestertora kam ähnlich wirkend die Ordnung des heiligen Krieges hinzu. Er wurde als kosmischer Kampf der „Kinder des Lichtes" gegen die „Kinder der Finsternis" erwartet und sollte

---

[49] Ex 19, 6.

[50] Vgl. dazu meinen Aufsatz ›Le ministère cultuel dans la secte de Qumrân et dans le Christianisme primitif‹, in: Recherches Bibliques, Bd. 4, 1959, S. 163—202.

[51] Vgl. dazu meinen Aufsatz ›The Eschatological Interpretation of the Sinai-Tradition in Qumran and in the New Testament‹, in: Revue de Qumran 6 (1967), S. 89—108.

nicht nur alle gottlosen Menschen, sondern auch den Teufel und dessen Dämonen ausschalten. Deshalb war die Qumrangemeinde wie der israelitische Heerbann durchgegliedert und ihre Siedlung am Toten Meer mit Mauer und Turm bewehrt. Man glaubte, schon jetzt gingen unsichtbar die Engel Gottes in diesem Heerlager ein und aus, um dann in der Endphase des kommenden Krieges sichtbar aufzutreten und den Sieg der „Kinder des Lichtes" herbeizuführen. Das große Ziel der Qumranfrommen, die sich von der Welt absonderten und als Sekte betrachteten, war paradoxerweise die „Einung", die völlige Vereinigung der Heiligen im Himmel und auf Erden zu einer Gemeinde und einem Bund. Übrigens stellt diese Gemeinde den lange gesuchten „Sitz im Leben" für einen Großteil des nachbiblisch-apokalyptischen Schrifttums dar, das man vielfach als phantastische Schreibtischproduktion einzelner Enthusiasten beurteilt hat. Das Leben der Qumrangemeinde enthüllt jedoch die gemeinschaftsbildende, Geschichte machende Wirkung der apokalyptischen Hoffnung, die trotz dauernder Enttäuschungen sich über zwei Jahrhunderte hinweg als Naherwartung erhalten hat. Auch das ist eine wichtige Lektion für den kritischen Exegeten des Neuen Testaments, der zu gern mit einer enttäuschten Naherwartung der ersten Christen rechnet und dieser Glaubensnot alle möglichen theologischen Tugenden entspringen sieht. Vor allem aber erscheint in den Qumranschriften zum ersten Mal das Bild einer „Kirche", einer eschatologischen Gemeinde, die sich als die Sammlung der Erwählten und als einzige Brücke zwischen der trostlosen Gegenwart und der glanzvollen Zukunft Gottes verstanden hat: Jetzt noch unter dem Gegenteil verborgen, tritt sie mit der Zeitenwende als das wahre Gottesvolk hervor. Der alttestamentliche Erwählungsgedanke wird durchbrochen: Nicht mehr Israel als Nation ist von Gott erwählt, sondern der einzelne Büßer, der dann zur Gemeinde findet, die als Summe der Erwählten das endzeitliche Israel ist.

Die Texte vom Toten Meer bieten sich besonders an für den Vergleich mit den ersten christlichen Gemeinden und mit Jesus selbst. Jesus und seine Jünger haben wie die Qumranfrommen an die unmittelbare Nähe des Weltendes geglaubt. Freilich haben sie diesen Glauben vor allem als Evangelium von der großen Einladung Gottes und nicht so sehr als Drohung mit dem Gericht verkündigt. Von daher erklären sich auch die Unterschiede im Wirken Jesu und seiner Jünger: Ihre Hinwendung zur Welt, zum ungelehrten Volk, zu den Kranken und Sündern; dann die Aufnahme dieser Menschen in die Gemeinschaft der Gottesherrschaft durch

Heilung von Krankheit, Vergebung der Sünden und Einladung zum eschatologischen Mahl; schließlich das Übersehen der Reinheitsgebote, die solch einem Dienst im Wege standen. Den „heiligen Krieg" der Endzeit, der in Qumran erst von der messianischen Zukunft erwartet wurde, hat Jesus durch eschatologische Entscheidungen und Heilstaten eröffnet. In diesen Rahmen gehört der für sein Wirken besonders charakteristische Exorzismus, die Austreibung von bösen Geistern; Jesus hat ihn als Sieg über den Satan und als ein Signal für die sich realisierende Gottesherrschaft verstanden.[52] Gerade die kausale Verknüpfung von Exorzismus und Gottesherrschaft wird von Qumran her deutlich. Dort glaubte man, die große Wende, der sieghafte Aufgang von Gerechtigkeit und Wahrheit, werde mit der Ausschaltung der Dämonen signalisiert, und mit dem Sturz der Teufelsherrschaft vollendet.[53] Im Unterschied von Qumran hat Jesus diesen Kampf nur gegen das Böse, nicht aber gegen die Bösen geführt. Im Sünder sah er die Beute des Teufels, die man für Gott zurückholen muß.[54]

Auch für andere Bereiche des Neuen Testaments sind die Qumrantexte wichtig. Nicht nur einzelne Begriffe oder Vorstellungen lassen sich von ihnen her besser verstehen. Gerade auch Hauptprobleme der neutestamentlichen Theologie: der messianische Anspruch Jesu, sein Ruf in die Nachfolge und die vita communis der Jünger, die Ausbildung der Christologie und der Ekklesiologie, der Vollzug von Abendmahl und Taufe, schließlich die Gerechtigkeit Gottes bei Paulus und der Dualismus des Johannesevangeliums — all dies muß im Licht der Qumrantexte gesehen und neu beantwortet werden. Das kann freilich nicht bedeuten, daß in Qumran die Wiege des Christentums stand oder daß die Theologie des Neuen Testaments in den Texten vom Toten Meer enthalten sei. Dagegen spricht schon die formale und inhaltliche Differenz der hüben und drüben hervorgebrachten Literatur. In Qumran gab es keine Evangelien und keine Episteln, keine Gleichnisse und keine Bergpredigt, keine Seligpreisungen und kein Vaterunser. Umgekehrt fehlt im Neuen Testament die Fülle von Vorschriften, die man in der Wüstengemeinde von Qumran hervorgebracht hat. Dennoch kann man in Zukunft auf manche aus dem Hellenismus geborgten Ideen, die als Schlüssel für die Exegese des Neuen Testaments benutzt werden sollten — so etwa den Gnostischen Erlöser oder den Gött-

---

[52] Mt 12, 28.
[53] Mysterienbuch von Qumran (1 Q 27, 1, I, 2 f.).
[54] Mt 12, 29.

lichen Menschen — getrost verzichten, zumal es um deren Existenz auch im Hellenismus nicht zum Besten bestellt ist; Qumran eröffnet bessere, direktere Wege zur Lösung.

e) Einer genaueren Betrachtung wert wäre die anonyme Masse des Volkes in der neutestamentlichen Zeit, der einfache Jude, der hinter der Fassade der Religionsparteien fast verschwindet. Seine wirtschaftliche Lage war schwierig, vor allem in Galiläa, wo viele Bauern infolge der Steuerlast ihr kleines Stück Land an große Latifundienbesitzer verloren hatten.[55] Es mag auch sein, daß der einfache Jude unter dem Mangel an Bildung litt, daß er fürchtete, das Gesetz zu übertreten, weil er mit dessen kasuistischer Auslegung nicht genügend vertraut war; er hungerte und dürstete wohl nach der Gerechtigkeit, die er nur als Gabe Gottes empfangen konnte. Aber sein Alltag war reguliert vom Gebet: dem Bekenntnis zum Gott Israels, dem Achtzehn-Bitten-Gebet und den Segenssprüchen, die für Speise und Trank dargebracht wurden. Auf diese Weise lebte auch der Mann des Volkes, so gut er das vermochte, nach dem Grundgesetz der Heiligung; sein Haus war ein Heiligtum, sein Tisch ein Altar. Und von der neutestamentlichen Zeit werden Unruhen berichtet, in denen Scharen einfacher Juden gegen Rom protestiert, ihr Leben für Gottes Ehre und Israels Reinheit aufs Spiel gesetzt haben. Hierher gehört z. B. der Aufruhr, den die Kaiserbilder an den Feldzeichen römischer Legionen verursacht hatten, der selbst einen Pilatus zu stummer Bewunderung und zum Einlenken zwang.[56] Zu Eruptionen endzeitlich orientierter Volksfrömmigkeit hat auch das Auftreten messianischer Propheten geführt, so etwa des Theudas, der die Spaltung des Jordans als Zeichen der großen Befreiung versprach,[57] oder des ägyptischen Juden, der die Mauern Jerusalems zum Einsturz bringen wollte.[58] Diese Propheten haben große Scharen hoffnungsfreudiger Juden in Bewegung gesetzt, ehe sie dem Gegenschlag römischer Legionäre zum Opfer fielen; sie waren Volksführer und Exegeten zugleich, die gleichsam die Wunder der Mosezeit auf eschatologischer

---

[55] Diese wirtschaftliche Misere spiegelt sich auch in den Gleichnissen Jesu, vor allem in Mk 12, 1—12 par. Vgl. dazu M. Hengel, Das Gleichnis von den Weingärtnern Mc 12, 1—12 im Lichte der Zenonpapyri und der rabbinischen Gleichnisse, in: ZNW 59 (1968), S. 1—39.

[56] Josephus, Altertümer 18, 55—59; dazu J. Klausner a. a. O., Bd. 4, S. 112.

[57] Josephus, Altertümer 20, 97 ff.

[58] Josephus, Jüdischer Krieg 2, 261 ff.

Ebene nachvollziehen wollten. Anders als die rabbinischen Stimmen aus
dieser Zeit decken solche Bewegungen auf, wie stark eschatologisch orientiert der Glaube des Volkes war; zu untersuchen bliebe, ob das auch im
Targum, der freien Übersetzung der Schrift in die Sprache des Volkes,
zum Ausdruck kommt.

f) Einen weiteren, großen und in diesem Rahmen nicht mehr darstell-
baren Bereich bildet die hellenistische, d. h. griechisch sprechende Juden-
schaft, die zahlenmäßig die Einwohner Palästinas wohl um das Dreifache
übertraf. Ihr Denken spiegelt sich in der Septuaginta, der Übersetzung
des Alten Testaments in das Griechische, im opus magnum des Philo und
des Josephus und in zahlreichen anderen Schriften. Große Teile dieser
Literatur sind gleichfalls exegetischer Art: Die Übersetzung der Septuaginta ist auch Deutung, Philo war ein großer Exeget der Tora, und
Josephus hat in den ›Altertümern‹ die Geschichte Israels auf alttestamentlicher Grundlage nachgestaltet. Hier bricht wieder das Problem der Deutung auf, wobei der Zusammenhang mit der rabbinischen Tradition, der
Einfluß griechischer Ideen und das Fehlen der Eschatologie als hauptsäch-
liche Fragen im Vordergrund stehen.

Literatur: W. Bousset-H. Greßmann, Die Religion des Judentums im spät-
hellenistischen Zeitalter, Tübingen ³1926, Nachdruck 1966. G. F. Moore, Judaism
I—III, Cambridge (Mass.) ⁷1957; E. Schürer, Geschichte des jüdischen Volkes im
Zeitalter Jesu Christi, I—III, Leipzig 1901—1909; M. Hengel, Judentum und
Hellenismus, Tübingen 1969, dort weitere Literatur. Auf jüdischer Seite ragen
heraus die Werke von J. Klausner, Geschichte des zweiten Tempels, 5 Bände,
die Monographie von A. Schalit über König Herodes, und die Darstellung der
rabbinischen Theologie von E. Urbach. Diese Werke sind in neuhebräischer
Sprache verfaßt.

GILLES QUISPEL

GNOSIS UND HELLENISTISCHE MYSTERIENRELIGIONEN

In der ›Phänomenologie der Religion‹[1] von Gerardus van der Leeuw wird man vergebens ein Kapitel über die Gnosis suchen. Nur ganz kurz wird sie in § 92, 2 besprochen. Da wird gesagt, die hellenistische Gnosis (gemeint sind die Hermetica) sei ein magisches Wissen, das mystisch „verschoben" sei, wie die brahmanistische und die buddhistische Gotteswissenschaft: *Mein* Erkennen mache das Heil, schließlich den Gott. Der Manichäismus wird überhaupt nicht besprochen.

Das ist nun allerdings erstaunlich wenig, wenn man bedenkt, daß die Gnosis in ihrer manichäischen Gestalt eine Weltreligion gewesen ist, welche in Asien etwa tausend Jahre bestanden hat, daß sie im Mittelalter als Bogomilismus und Katharismus die monolithische Einheit des Katholizismus durchbrochen hat, daß sie den Pietismus und den deutschen Idealismus auf literarischem Wege (durch die Erforschung der Ketzergeschichte) beeinflußt hat und in okkulten Bewegungen der Gegenwart (Theosophie, Anthroposophie, Hippies etc.) wieder auflebt oder auch fortlebt.

Wie läßt es sich erklären, daß ein so vielseitiger und bewanderter Theologe wie van der Leeuw das religiöse Phänomen der Gnosis so wenig beachtet hat? Dafür kann man verschiedene Gründe anführen. Erstens hatte die Theologie, wie sie glaubte, in der Zeit zwischen den Weltkriegen die Eigenart der Bibel und des christlichen Glaubens wieder entdeckt und die Religionen der Erde einfach als Unglauben beiseite geschoben. Dabei ließ sich die „Wesensschau" der Phänomenologie apologetisch verwenden, insofern aus der Eigenart der christlichen Religion („das Christentum ist die Religion der Liebe") auf ihre Wahrheit geschlossen wurde. Zwar hat van der Leeuw sich kräftig gewehrt gegen die dogmatische Behauptung, die Religionen enthielten keine Offenbarung, aber gerade durch diese Kampfhaltung blieb er der Position der dialektischen Theologie verhaftet

---

[1] Gerardus van der Leeuw, Phänomenologie der Religion, Tübingen 1933.

und hat deshalb das gnostische Element auch der jüdischen und christlichen Religion nicht genug beachtet. Weiter gilt es zu bedenken, daß die Gnostiker damals noch weithin als christliche Häretiker betrachtet wurden. Hier wirkte die Auffassung von Ferdinand Christian Baur, Franz Overbeck und Adolf von Harnack noch nach, denen zufolge die Gnosis eine christliche Religionsphilosophie, bzw. die akute Hellenisierung des Christentums sei. Deshalb wurde sie einfach der Disziplin der Kirchengeschichte überlassen, während der Religionshistoriker seine Aufmerksamkeit dann meist auf die ägyptische Religion konzentrierte. Das führte nun auch dazu, daß der akademisch ausgebildete Pfarrer oder Priester dem gnostischen Phänomen ganz hilflos und abwehrend gegenüberstand, wenn es ihm in seiner kirchlichen Praxis begegnete: man denke etwa an die anthroposophische Christengemeinschaft. Und doch hatte die Phänomenologie der Religion, wie sie van der Leeuw betrieb, die Möglichkeit, die Gnosis neu zu interpretieren. Sie klammerte die Wahrheit der Religion ein und forderte liebendes und ehrfüchtiges Verstehen der religiösen Phänomene, also auch der gnostischen Mythen, die dem heutigen Menschen so kraus und verwirrt vorkommen. Sie fragte nicht primär nach historischen Verbindungen, sondern versuchte, das Wesen zu schauen. So mußte es einmal dazu kommen, daß man auch das Wesen der Gnosis ohne Voreingenommenheit herauszustellen versuchte. Voraussetzung dabei war, daß die Gnosis nicht typisch christlich sei, daß es vielmehr eine heidnische und eine christliche Gnosis gegeben hat, welche im Grunde identisch waren: Das eben hatte die sogenannte 'Religionsgeschichtliche Schule' von Bousset und Reitzenstein gezeigt.

Schon sehr bald folgte auf die ›Phänomenologie der Religion‹ das Buch von Hans Jonas ›Gnosis und spätantiker Geist‹[2]; Jonas wurde stark von der Existenzphilosophie Martin Heideggers und der Existenztheologie Rudolf Bultmanns angeregt. Dieses vielbeachtete Buch hat das bleibende Verdienst, daß es die gnostischen Mythen ganz ernst genommen und als Äußerungen eines neuen Weltgefühls gewertet hat. Jonas hat gezeigt, daß Geworfenheit, Angst, Entfremdung des Menschen in einer feindlichen Welt wirklich die „Existentialen" waren, welche auch die Gnostiker beherrschten; auch wenn er sich später von seinem Lehrmeister Heidegger mit ganz heftigen Worten gelöst hat, sollten wir nicht vergessen, daß es erst dadurch möglich wurde festzustellen, wie sehr die Gnosis als neues revolu-

---

[2] Hans Jonas, Gnosis und spätantiker Geist, Göttingen 1934, [2]1954.

tionäres Weltgefühl sich von der kosmischen Philosophie der Griechen und
dem Schöpfungsglauben von Juden und Christen unterschied.

Auf starken Widerstand stieß die Auffassung von Jonas, die Gnosis
habe sich von einer mythischen zu einer philosophischen Gnosis entwickelt,
so daß auch Origenes und Plotin zu dieser gnostischen Bewegung gehörten
und Gnosis eigentlich mit spätantikem Geist identisch sei.

Diese Sicht konnte nicht populär werden in einer Zeit, in der die klassischen Philologen die Kontinuität zwischen Plato und dem Neuplatonismus
so stark betonten[3] und die „Nouvelle Théologie" unter Führung von
Henri de Lubac und Jean Daniélou die Christlichkeit des Origenes neu
entdeckte. Meines Erachtens hat man Jonas zu schnell zurückgewiesen.
Es mag sein, daß in phänomenologischer Sicht Origenes zum Christentum
gehört, insofern er den Glauben als Möglichkeit für alle Menschen und als
Grundlage der wissenschaftlichen Gnosis festhält. Auch ist es möglich, daß
Plotin dem alten Plato und der pythagoräischen Tradition mehr verdankt,
als man früher meinte. Fest steht aber, daß Origenes in seinem systematischen Hauptwerk ›De Principiis‹ der valentinianischen Gnosis sehr nahe-
stand; vor allem der Gestaltung, welche sich in der westlichen Schule des
Valentinianismus und im ›Tractatus Tripartitus‹ des Jung-Kodex findet[4].

Plotin hat lange Jahre Gnostiker, und zwar Valentinianer westlichen
Gepräges, in seiner Schule geduldet und mit ihnen als Freunden verkehrt,
ehe er seine Abhandlung ›Gegen die Gnostiker‹ schrieb. Wenn Plotin das
Principium Individuationis der Seele, die Begierde, für sich selbst zu sein,
als τόλμα, Hybris, rügt und damit das Heraustreten der Weltseele aus dem
Nous zu meinen scheint, kann man natürlich zur Ehrenrettung Plotins
auf den Neupythagoräer Nicomachos von Gerasa verweisen, der auch das
Wort τόλμα verwendet,[5] oder auch auf die hermetische Abhandlung ›Kore
Kosmou‹ (XXIV), wo die τόλμα als Ursünde gilt.

Es ist aber auch möglich, daß Plotin hier von seinen valentinianischen
Freunden gelernt hat, nach welchen die Weisheit (Sophia) wegen ihrer
τόλμα gefallen war, weil sie glaubte, die Gottheit, Tiefe und Stille, verstehen zu können.[6] Und selbst wenn man von solchen Details absieht,

---

[3] Philip Merlan, From Platonism to Neoplatonism, The Hague 1953.
[4] H.-Ch. Puech und G. Quispel, Le Quatrième Traité du Codex Jung, Vigiliae
Christianae IX, 1955, S. 65—102.
[5] Photius, cod. 187.
[6] Irenäus, Adversus haereses I 2, 2.

bleibt die Frage, woher denn der für Plotin grundlegende Begriff der Emanation stammt, welcher in der platonischen Tradition nicht so leicht zu belegen ist, aber sich in der valentinianischen Gnosis (und in der ägyptischen Religion) findet.

Das Verhältnis von Plotin und Origenes zur valentinianischen Gnosis ist ein historisches, nicht ein phänomenologisches Problem. Es kann erst richtig studiert werden, wenn der ›Tractatus Tripartitus‹ des Jung-Kodex und andere Schriften des Jung-Kodex herausgegeben sind. Es dürfte aber schon jetzt möglich sein zu sagen, daß die These von Jonas heuristisch sehr wichtig ist.

Die phänomenologische Methode wurde auch angewendet von Henri-Charles Puech, zuerst in seinem Buch ›Le Manichéisme‹[7], dann auch in seinen Vorlesungen am Collège de France, welche alljährlich im Auszug im ›Annuaire du Collège de France‹ erscheinen.

Dieser vorzügliche Gelehrte, der sich durch treffliche Kenntnisse und vorzügliche Formulierungen auszeichnet, hat der Gnosisforschung zwei Einsichten geschenkt, welche seitdem nicht mehr verlorengegangen sind. Erstens stellte er fest, daß die manichäische Religion phänomenologisch (und auch historisch) mit dem Gnostizismus des zweiten Jahrhunderts zusammenhängt. Dabei kann er sich auf die Funde manichäischer Handschriften in Ost-Turkestan und Medinet Madi stützen. Es ist dies eine ebenso einfache wie sichere Einsicht, welche freilich noch nicht genügend durchgedrungen ist. Noch allzuoft wird der Manichäismus als Ausläufer der iranischen Religion betrachtet. Man rekonstruiert dann auf Grund manichäischer Texte eine hypothetische iranische Vorstellung und schließt daraus, daß der Manichäismus eigentlich eine iranische Religion sei. Obwohl erst die vollständige Ausgabe aller vorhandenen gnostischen und manichäischen Quellen hier vollkommene Klarheit bringen kann, muß schon jetzt gesagt werden, daß der Manichäismus phänomenologisch und historisch gesehen eine gnostische Religion ist.

Das zweite Element, das Puech beigetragen hat, ist die Einsicht, daß die Selbsterkenntnis für die Gnosis fundamental war. Gnosis ist nach Puech zuerst und primär die Aufdeckung des wahren Selbst, das mit dem empirischen Ich nicht identisch ist. Schon sehr früh tritt das in Puechs Schriften hervor. Es ist möglich, daß die Unterscheidung von Henri Bergson zwischen « le moi fantôme » und « le moi vrai » oder auch das Begriffs-

---

[7] Henri-Charles Puech, Le Manichéisme, Paris 1949.

material der Jungschen Psychologie, mit welcher er schon früh vertraut war, Puech dazu angeregt hat, die Selbsterkenntnis als das zentrale Thema der Gnosis und des Manichäismus herauszustellen. Jedenfalls ist das von den neugefundenen Dokumenten, vor allem vom ›Evangelium Veritatis‹, bestätigt worden: da wird das Leben in der Welt der Unwissenheit, die Entdeckung des Selbst, seines Ursprungs und seiner Bestimmung ohne viel Mythologie einfach als Erlebnis dargestellt.

Noch stärker liegt der Einfluß von Jung vor in dem Buch ›Gnosis als Weltreligion‹ von G. Quispel [8]. Hier wird die Gnosis als „mythische Projektion der Selbsterfahrung" definiert. Der Ausdruck „Projektion" ist anstößig und zweideutig, außerdem nicht charakteristisch für die Gnosis, insofern von einem gewissen Standpunkt aus alle Religion als Projektion der Selbsterfahrung aufgefaßt werden kann. Es ist jedoch zu bedenken, daß damit der Mythos der Gnosis als echter Ausdruck des Lebens verständlich gemacht und mit den symbolischen Träumen, welche den Individuationsprozeß begleiten, in Verbindung gesetzt wird. Mir scheint noch immer die Jungsche Psychologie, in ganz großen Linien aufgefaßt, sehr wichtig und hilfreich für die Erforschung der gnostischen Symbole zu sein, gerade wegen der Parallelen mit dem Seelenleben, wie es sich in unserer Zeit manifestiert.

Bei dieser phänomenologischen, existentiellen und psychologischen Deutung der Gnosis drohte die Gefahr, daß die historischen Fragen und die Ursprungsfrage überhaupt nicht nur eingeklammert, sondern auch verdrängt wurden. Das haben dann die Forschungen von Gershom Scholem und die Entdeckungen von Nag Hammadi verhindert. Allerdings bleibt es eine empfindliche Lücke, daß der historische Zusammenhang zwischen antiker und mittelalterlicher Gnosis noch immer nicht einwandfrei festgestellt ist. Zwar besteht die communis opinio, daß der Katharismus von Südfrankreich und Norditalien nicht so sehr auf den Manichäismus als auf den osteuropäischen Bogomilismus und so auf den armenischen Paulicianismus und den mesopotamischen Messalianismus zurückgeht. Wir wissen bisher aber noch immer nicht genau, wie der Paulicianismus sich zur Gnosis verhält, und wir durchschauen schon gar nicht den Sachverhalt, wie der Messalianismus gnostisch sein oder werden konnte. Es ist eine dringende Aufgabe der einschlägigen Forschung, dieses brennende Problem endlich zu lösen.

---

[8] G. Quispel, Gnosis als Weltreligion, Zürich 1951.

Auf anderen Gebieten aber hat die historische Forschung große Fortschritte gemacht, meist unter dem Einfluß der Arbeiten von Gershom Scholem.

Wenn man van der Leeuw das „Genie der Oberfläche" nennen kann und Jung das „Genie des Abgrundes", dann darf man Scholem wohl als das „Genie der Präzision" bezeichnen. Obwohl geborener Mathematiker, hat er die Dokumente der jüdischen Mystik zum großen Teil erstmals verzeichnet und gesammelt, die zerstreuten Phänomene in ein übersichtliches Ganzes geordnet und so erst die Möglichkeit eröffnet, eine Geschichte der jüdischen Mystik durch den Gesamtverlauf von etwa 18 Jahrhunderten zu schreiben: das hat er dann auch getan in seinem Buch ›Major Trends in Jewish Mysticism‹ [9]. Das überraschte Publikum wurde da konfrontiert mit einer ganz unzeitgemäßen kritischen und historischen Forschung im Geist der besten Traditionen deutscher Wissenschaft des neunzehnten Jahrhunderts, nur daß kein deutscher oder jüdischer Gelehrter jener Zeit dem Irrationalismus sein Leben gewidmet haben würde. Letzten Endes will Scholem wohl der Heimkehr seines Volkes eine religiöse Dimension verschaffen und sie als Rückkehr der Schechina aus dem Exil, das große Thema der jüdischen Mystik, deuten. Weil das Werk wissenschaftlich war und Fußnoten hatte, wurde es nicht so beachtet wie die bahnbrechenden Studien Martin Bubers über den polnischen Chassidismus. Auf die Dauer aber dürften die Wirkungen von Scholems Arbeit noch stärker sein. Denn hier wurde eine fast völlig unbekannte Seite der jüdischen Religion aufgedeckt, die zwar Gesetzestreue und Gehorsam nicht oder nicht immer grundsätzlich aufhob, wohl aber, in stärkstem Gegensatz zur jüdischen Philosophie und Gesetzlichkeit, in Mythen lebte und webte und als gnostisch bezeichnet werden kann. Und diese Traditionen ließen sich ununterbrochen vom 18. Jahrhundert bis in das erste nachchristliche Jahrhundert in Palästina zurückverfolgen. Nach einiger Zeit hat dann Scholem erkannt, daß gewisse Vorstellungen der jüdischen Gnosis noch viel älter waren, als er selbst zuerst annahm, und daß christliche Gnostiker mit diesen Themen bekannt waren. Darüber schrieb er in seinem sehr gelehrten, nur für Spezialisten verfaßten Buch ›Jewish Gnosticism, Merkabah Mysticism and Talmudic Tradition‹ [10]. Es stellte sich heraus,

[9] Gershom Scholem, Major Trends in Jewish Mysticism, New York 1941.
[10] Gershom Scholem, Jewish Gnosticism, Merkabah Mysticism and Talmudic Tradition, New York 1960.

daß merkwürdige Spekulationen des valentinianischen Gnostikers Marcus Magus über die Dimensionen der „Frau Wahrheit" auf eine Thematik der jüdischen Gnosis, auf das Shiur Koma oder „Messen der Gestalt" (Gottes) zurückgingen: ja, sogar der ehemalige Pharisäer Paulus von Tarsus sollte Vertrautheit mit der Hekhalothmystik zeigen, wenn er erklärt, er sei hinaufgestiegen bis in den dritten Himmel und das Paradies. Jüdische Gnosis sei also einer der Hintergründe sowohl des Christentums wie des christlichen Gnostizismus. Dahinter stecke der Aufstand der Bilder im jüdischen Bereich. Seinerseits hatte Robert M. Grant den Beitrag der jüdischen Apokalyptik zur Bildung des Gnostizismus betont; sein Buch ›Gnosticism and Early Christianity‹[11] liest man am besten in der zweiten Auflage. Da wurde nun die Ursprungsfrage ganz neu gestellt: das Judentum galt als Ursprungsgebiet des Gnostizismus.

Allerdings erschienen diese Bücher erst, nachdem die Rollen vom Toten Meer großenteils und die Kodizes von Nag Hammadi teilweise bekanntgeworden waren. In den ersten fand man eine Betonung der daʿat, der Gnosis, welche prägnostisch anmutete. Im ›Evangelium Veritatis‹ aber sind sehr ausführliche und tiefsinnige Spekulationen enthalten über Christus als Namen Gottes, ja sogar den dzjais ñran, das Kyrion Onoma, den Eigennamen Gottes: diese Spekulationen sind zweifellos jüdischer oder judenchristlicher Herkunft, finden sich aber in einer durch und durch gnostischen, valentinianischen Schrift aus dem zweiten Jahrhundert.

Hans Jonas hat versucht, das zu leugnen. Er behauptete, die Gnostiker hätten diese jüdischen Elemente nur übernommen, um die Juden zu verspotten: so etwa das häßliche Bild des Demiurgen, des jüdischen Schöpfers im Apocryphon des Johannes[12]. Das läßt sich aber nicht halten: es ist nicht einzusehen, daß die jüdische oder judenchristliche Religion karikiert wird, wenn Christus als der Name Gottes bezeichnet wird. Auch die gnostische Auffassung einer kosmogonischen Weisheit, welche sich schon beim Samaritaner Simon Magus findet, beruht, wie der Name Achamoth beweist, auf jüdischer Grundlage und enthält keine Spur einer Karikatur.

Alexander Böhlig hat nachgewiesen, daß die jüdischen Einflüsse auf die bisher veröffentlichten Texte von Nag Hammadi besonders stark sind.[13] Es läßt sich einfach nicht leugnen, daß die verschiedenen Richtungen

---

[11] Robert M. Grant, Gnosticism and Eearly Christianity, New York ²1968.

[12] The Bible in Modern Scholarship, Nashville 1965, S. 279.

[13] Alexander Böhlig, Le Origini dello Gnosticismo, Leiden 1967, S. 109.

innerhalb des Judentums zur Entstehung des Gnostizismus beigetragen haben.

Von da aus kann man nun die Thesen der sogenannten 'Religionsgeschichtlichen Schule' kritisch prüfen. Ohne Zweifel verdient sie nicht das naive Vertrauen, das Hans Jonas und Rudolf Bultmann ihr entgegengebracht haben. Von jeher hat die Theologie sich von ihr bedroht gefühlt, weil diese Schule das Spezifische der christlichen Religion zu verkennen schien. Dabei darf nicht vergessen werden, daß die Wissenschaft alle Religionen mit derselben Unvoreingenommenheit studieren muß, ohne Nachsicht auf den Glauben der Kirche. In dieser Hinsicht hatten Bousset, Reitzenstein und Widengren recht. Aber die Theologie darf heute mit einiger Schadenfreude feststellen, daß die 'Religionsgeschichtliche Schule' von den Religionshistorikern selbst verworfen wird, und zwar weil ihre Positionen wissenschaftlich unhaltbar sind.[14] Das „Iranische Erlösungsmysterium", das Reitzenstein rekonstruiert hat, hat sich als ein Irrtum erwiesen, weil Reitzenstein manichäische mit iranischen Quellen verwechselt hat. So kann denn auch keine Rede davon sein, daß es einen iranischen Mythus des erlösten Erlösers gegeben hat, welcher dem Christentum und der Gnosis zugrunde liegen sollte. Überhaupt ist es sehr zweifelhaft, ob es eine vorchristliche Gnosis als zusammenhängendes Ganzes gegeben hat. Aber andererseits haben die Untersuchungen von Kurt Rudolph und R. Macuch[15] wahrscheinlich gemacht, daß die Mandäer, eine noch heute bestehende gnostische Sekte im Irak, jüdisch-palästinensischer Herkunft sind und schon in vorchristlicher Zeit bestanden haben. Damit ist ein Einfluß der jüdischen Täufer, welche die Vorfahren der Mandäer sind, auf die christliche Taufe, auf das Johannesevangelium und sogar auf Jesus selbst nicht unwahrscheinlich. Das hatte aber die 'Religionsgeschichtliche Schule' immer behauptet.

Vor ein besonderes Problem stellt uns die Frage nach dem Verhältnis von Gnosis und Sakrament, welche noch eingehender studiert werden muß. Im *Philippusevangelium*, gefunden in Nag Hammadi, wohl um 200 n. Chr. von einem valentinianischen Gnostiker in Antiochien verfaßt,

---

[14] C. Colpe, Die Religionsgeschichtliche Schule, Göttingen 1963; H. M. Schenke, Der Gott „Mensch" in der Gnosis, Göttingen 1962.

[15] K. Rudolph, Die Mandäer, I, Göttingen 1960, II, Göttingen 1961; R. Macuch, Anfänge der Mandäer, in: F. Altheim — R. Stiehl, Die Araber in der Alten Welt, Berlin 1965, S. 76—190.

finden wir Anspielungen auf folgende Sakramente: Taufe, Salbung, Eucharistie, Erlösung, Brautgemach (Vereinigung des Menschen mit seinem Bräutigam, dem Schutzengel). Vor allem das letzte Sakrament erinnert an die hellenistischen Mysterien (Nymphos in den Mithrasmysterien = *der* männliche „Braut"). Doch scheinen diese gnostischen Mysterien sich aus den christlichen Sakramenten entwickelt zu haben: § 53 des Philippusevangeliums erwähnt sogar das syrische Wort „pharisata", „das gebrochene Brot"; das Wort kehrt später bei den Jakobitern und den Nestorianern als Bezeichnung für die Hostie wieder. Die Sakramentalisierung der Gnosis, welche in der Pistis Sophia so auffallend ist, scheint eine spätere Entwicklung zu sein.[16] Nun sind aber die Mandäer eine gnostische Sekte, deren Sakramente, vor allem die Taufe (Masbuta), zum Teil sehr alt sind.[17]

Wann sind die Mandäer Gnostiker geworden? Oder wann haben diese Gnostiker die ursprünglich jüdischen Riten aufgenommen? Wir wissen es nicht.

Falls aber die Vorfahren der heutigen Mandäer wirklich jüdische Täufer aus dem Ostjordanland waren, müssen wir fragen, ob es dann nicht doch das Beispiel der hellenistischen Mysterien war, das zur Bildung solcher geschlossenen Kultgemeinden in Palästina geführt hat.

Erwin Goodenough hat in den stattlichen Bänden seines Werks ›Jewish Symbols in the Greco-Roman Period‹[18] immer wieder zu beweisen versucht, daß die Juden in der Diaspora, aber auch in Palästina, dem Einfluß mysterienhafter Vorstellungen ausgesetzt waren. Und obwohl nicht all sein Material überzeugend war, kann man nicht bezweifeln, daß die Juden in Palästina viel mehr heidnische mysterienhafte Symbole übernommen haben, als es dem Bilde eines vollkommen isolierten pharisäischen Volkes entspricht. Mysterieneinfluß, vor allem vom benachbarten Alexandrien aus, kann schon in vorchristlichen Zeiten in Palästina vorhanden gewesen sein. Hellenistische Vorstellungen könnten zur Merkabahmystik, zur Lehre des Aufstiegs bis vor den Thron Gottes, und auch zu den Riten der jüdischen Täufer angeregt haben. Wenn dieses Problem einmal gründlich

---

[16] H. G. Gaffron, Studien zum koptischen Philippsevangelium, Bonn 1969.

[17] E. Segelberg, Masbuta, Studies in the Ritual of the Mandaean Baptism, Uppsala 1958.

[18] Erwin Goodenough, Jewish Symbols in the Greco-Roman Period, New York 1953.

studiert ist, könnte man auch die Frage des Verhältnisses der Mysterienreligionen zum Christentum wieder aufnehmen. Man hat deren Einfluß auf die christliche Religion früher maßlos übertrieben, dann aber das Problem einfach liegenlassen, nachdem, vor allem durch die Qumranfunde, die heterodox-jüdische Perspektive des Christentums so deutlich geworden war. Die Möglichkeit besteht aber, daß das Christentum gerade deshalb kaum von den hellenistischen Mysterienreligionen beeinflußt wurde, weil es selber im Ursprung und Wesen eine Mysterienreligion ist. Epiphanius berichtet uns, daß die Judenchristen mit ihren Kleidern getauft wurden (Panarion 30, 2). Dasselbe ist bekanntlich bei den Mandäern der Fall. Das läßt auf vorchristliches, täuferisches Brauchtum schließen. Dann aber ist es von höchster Bedeutung, wenn in den judenchristlichen Pseudo-Klementinen (Hom. 11, 26, 2) folgendes Jesuswort überliefert wird: „Falls ihr nicht wiedergeboren werdet . . . werdet ihr nicht eingehen in das Himmelreich." Natürlich ist es wahr, daß auch in den hellenistischen Mysterien über die Wiedergeburt gesprochen wurde; das bedeutet aber nicht, daß das Jesuswort deshalb eine Bildung der hellenistischen Gemeinde ist und nicht authentisch sein kann. Wie würde es sich dann in der judenchristlichen Evangelientradition finden? Johannes hat offenbar im Gespräch Jesu mit Nikodemus (3, 3 und 5) das schon bestehende Wort aufgegriffen und zu einem Dialog ausgestaltet.

Mir scheint, daß überhaupt in der Gnosisforschung mehr als bisher mit dem Einfluß des Hellenismus gerechnet werden muß. Das gilt auch, wenn man nicht nur das Existenzverständnis und das Weltgefühl, sondern auch das Gotteserlebnis der Gnosis beachtet. Die 'Religionsgeschichtliche Schule' hat sich für ihre Hypothese eines iranischen, vorchristlichen Mysteriums des erlösten Erlösers vor allem auf das Lied von der Perle in den Thomasakten (c. 108—113) gestützt. Dieses schöne Gedicht erzählt bekanntlich, wie ein Prinz aus dem Osten nach Ägypten geschickt wird, um „die eine Perle" zu holen, dort seinen Auftrag vergißt, dann von einem Brief seiner Eltern erweckt wird, die Perle erhascht und bei seiner Rückkehr dem Strahlenkleid begegnet (dem höheren Selbst), welches er zurückgelassen hatte. Die 'Religionsgeschichtliche Schule' meinte in diesem Lied den vorchristlichen, parthischen Mythos des erlösten Erlösers zurückzufinden.

Das setzt voraus:

1. daß das Lied nicht christlich ist. Es steht aber in einem christlichen Buch, den Thomasakten, um 225 nach Christus in Edessa geschrieben;

2. daß es eine vorchristliche, parthische Gnosis gegeben hat; dafür fehlen
   aber die Belege;
3. daß es vom Erlöser spricht. Es könnte aber auch von der präexistenten
   Seele sprechen;
4. daß der Mythos dieser Gnosis im christlichen Edessa bekannt war.
   Nun ist es mit der Gnosis in Edessa eine merkwürdige Sache. Es ist sehr
wahrscheinlich, daß das Christentum Edessas judenchristlicher Herkunft
ist. Daneben finden wir sehr früh Enkratiten, welche nicht nur Ehe, Wein
und Fleisch verwarfen, sondern auch die Präexistenz der Seele lehrten.[19]
Zwar gab es in Edessa eine Gruppe von Quqiten, welche man als Gnostiker bezeichnen kann, aber ihre Auffassungen haben mit dem Perlenlied
nichts gemein.[20] Weil nun auch im Thomasevangelium, um 140 nach
Christus in Edessa geschrieben, vom Schutzengel als vom Ebenbilde (εἰκών)
des Menschen gesprochen wird (l. 84), dürfte man das Perlenlied als ein
typisches Erzeugnis des syrischen, ungnostischen Christentums betrachten.
Die Vorstellung aber des Schutzengels als eines Ebenbildes des Menschen
findet sich auch im Judentum und im palästinensischen Urchristentum und
geht in letzter Analyse auf die griechische Vorstellung des Dämons zurück.[21]
   Nun kann man annehmen, daß das Lied von der Perle ein christliches
Gedicht ist, und trotzdem meinen, daß die Vorstellung einer Begegnung
mit dem Lichtkleid beeinflußt ist von der iranischen Vorstellung der daēna,
der weiblichen Gestalt, welche den Gestorbenen begegnet.[22] Ich möchte das
nicht leugnen, mache aber darauf aufmerksam,
1. daß die daēna weiblich ist, der Schutzengel als Ebenbild in der Gnosis
   aber männlich;
2. daß die Vorstellung der daēna an sich noch nicht das Bestehen eines
   parthischen Mythos vom erlösten Erlöser beweist.
   Zweifellos ist aber die Syzygie des Menschen mit seinem göttlichen
Selbst eine Grundstruktur der gnostischen Religion. Sie findet sich in der
valentinianischen Gnosis. Nach ihr ist mit Christus der Engel jedes einzel-

[19] G. Quispel, Makarius, das Thomasevangelium und das Lied von der Perle,
Leiden 1969.
[20] H. J. W. Dryvers, Edessa und das jüdische Christentum, Vigiliae Christianae,
24, 1970, S. 4—33.
[21] G. Quispel, Das ewige Ebenbild des Menschen, Eranos Jahrbuch XXVI,
1969, S. 9—30.
[22] J. E. Ménard, Le Chant de la perle, Revue des Sciences Religieuses, 1968,
S. 289—325.

nen Menschen herabgekommen, welcher ihm die Gnosis schenkt und ihn nach seinem Tode in das Pleroma, in das Geistesreich, hineinführt. Es besteht durchaus die Möglichkeit, daß Valentin, der in Ägypten geboren war und dort zur christlichen Kirche gehörte, hier eine Tradition des ägyptischen Christentums verarbeitet; denn nach Origenes (De principiis, II 10, 7) bildeten der Schutzengel und der Mensch, zu dem er gehörte, eine Einheit; die Verdammung bestand eben darin, daß der Engel vom Menschen getrennt wurde, was impliziert, daß in der Seligkeit die Einheit bewahrt wurde. Das Gnostische der Vorstellung Valentins besteht nun darin, daß der Engel göttlich ist (der französische Forscher Henri Corbin hat dafür den Terminus „Kathénothéisme" gebildet), wie daß andererseits dieser Engel auf die Verbindung mit den Menschen angewiesen ist und diesen braucht. „Denn sie beten (für uns) und interzedieren wie für einen Teil von ihnen selbst: weil sie wegen uns aufgehalten werden, während sie sich beeilen, in das Pleroma zurückzukehren, beten sie für uns um die Er-lösung (aphesis), damit wir mit ihnen hineingehen. Fast brauchen sie uns, um hineinzukommen, weil ohne uns ihnen der Eintritt nicht gestattet ist" (Excerpta ex Theodoto 35).

Eine ähnliche Vorstellung kennt auch Mani: nach dem arabischen Fihrist hatte Gott dem Mani mit zwölf Jahren einen Engel geschickt namens at-Taum, der Zwilling. Dieser Engel schützte Mani, gab ihm die Offenbarung und erwartete ihn bei seinem Tode.

Auch hier ist es möglich, daß christliche Einflüsse vorliegen. In den Thomasakten erscheint der Christus in der Gestalt des Thomas (Thomas bedeutet „Zwilling", Christus ist also der Zwilling des Thomas). Im Thomasevangelium erscheint, wie gesagt, der Schutzengel als Ebenbild dem Menschen. Das Gnostische der manichäischen Vorstellung besteht wieder darin, daß dieses Göttliche den Menschen braucht, um die Wunde zu heilen, welche durch den Angriff auf die Lichtwelt entstanden ist. In diesem Sinne kann von einem erlösten Erlöser gesprochen werden: indem Gott den Menschen erlöst, erlöst er sich selber.

Diese Sicht findet sich schon früher in der Gnosis. Nach dem valentinianischen Philippusevangelium, § 7, erlöst Christus seine eigene Seele, dadurch daß er die gefallene Weisheit, Sophia, erlöst. In einer liturgischen Formel der Valentinianer heißt es, daß Jao (hier wohl Name des Christus) seine Seele, das heißt sich selbst erlöste.[23] Der gnostische Gott ist der

---

[23] Irenäus, adv. haer. I 21, 3.

leidende Gott, der von den Mächten überwältigt oder auch in die Welt gefallene Gott, der seine zerstreuten Glieder sammeln muß.

Mir scheint, daß dahinter eine hellenistische Vorstellung steckt, nämlich der Mythos von Dionysos — Zagreus. Die Zerstückelung dieses Gottes wurde von den Orphikern und den Neuplatonikern interpretiert als das Aufgehen des Weltgeistes in die Vielheit der Erscheinungen: Ipsum autem Liberum patrem Orphici noun kylikón suspicantur intelligi qui ab illo individuo natus in singulos ipse dividitur.[24] Auf denselben Mythos spielt wohl Cicero an, wenn er ›De Natura Deorum‹ 11, 27—28 sagt: Nam Pythagoras, qui censuit animum esse per naturam rerum omnem intentum et commeantem, ex quo nostri animi carperentur, non vidit distractione humanorum animorum *discerpi et lacerari deum*, et cum miseri animi essent, quod plerisque contingeret, tum dei partem esse miseram. Die Zerstückelung des Zagreus bezeichnet die Leiden des Weltgeistes in der Welt.

Diese orphische Vorstellung scheint sich wiederzufinden in einem „barbarischen" Dokument, das schon von Basilides (140 n. Chr.) zitiert wird.[25]

Da wird folgendes erzählt: im Anfang hatte es zwei Prinzipien gegeben, Licht und Finsternis. Das Licht erfuhr eine Lust, die Finsternis zu schauen. Dadurch entstand eine Spiegelung, ein Bild des Lichtes in der Materie. Dieses Bild haben dann die bösen Mächte mit räuberischer Änderung zerrissen (traxerunt). Daher gibt es kein vollkommenes Gutes in der Welt; die Welt ist eine Mischung von Gutem und Bösem, aber dennoch ein Gleichnis. Der Mythos der gefallenen Weisheit, welche die Geister der Menschen erzeugt und diese Geister auch wieder sammelt, setzt wohl die orphisch-pythagoräische Deutung des Zagreus-Mythos voraus.

Man findet nämlich die Vorstellung des leidenden und sich sammelnden Gottes weder in Israel noch, soweit mir bekannt ist, im Iran oder in Indien. Die Gnosis hat sie wohl aus Hellas übernommen. Deshalb ist es so nötig, daß den Verbindungen der Gnosis mit griechischer Philosophie und Mysterienweisheit eingehender nachgegangen werde.

In dieser Sicht fällt es auf, daß die Gnosis der Philosophie Hegels doch eigentlich sehr ähnlich ist. Nicht ohne Grund hat Ferdinand Christian Baur in seinem Buch ›Die christliche Gnosis‹[26] Hegel als Gnostiker dar-

---

[24] Macrobius, Comment. in Somnium Scipionis I 12, 11—12; J. E. Ménard, Revue des Sciences Religieuses, 1969, S. 340.
[25] Hegemonius, Acta Archelai 67, 4, 12.
[26] Ferdinand Chr. Baur, Die christliche Gnosis, Tübingen 1835.

gestellt. Diese hegelsche Deutung der Gnosis verdient nach der phänomenologischen existentialistischen wie nach der iranischen Interpretation
wieder eine neue Aufmerksamkeit.

Zweitens fällt es auf, daß die Auffassung Gottes in der Gnosis dem
christlichen Dogma doch sehr nahe steht. Denn eigentlich lehrt die christliche Kirche nicht die impassibilitas Dei, sondern sie hat auf dem fünften
Ökumenischen Konzil (553) verbindlich festgestellt, daß Einer aus der
Heiligen Dreifaltigkeit, nämlich Christus, im Fleische gelitten hat.

Zusatz

L. Koenen und A. Henrichs haben neuerdings die Entdeckung eines
griechischen Mani-Codex bekanntgegeben. Daraus geht hervor, daß Mani
von seinem 4. bis zu seinem 25. Jahr der judenchristlichen Sekte der
Elkesaïten angehörte. Da sieht man, wie Gnostik dialektisch aus dem
Judentum entstehen kann. Die Versuche Widengrens, im Mandäismus und
ebenso im Manichäismus mesopotamische und iranische vorchristliche
Gnosis (Protognosis) zu finden, sind damit widerlegt.

Dieser Fund dürfte das Ende der 'Religionsgeschichtlichen Schule' bedeuten. (Zeitschrift für Papyrologie und Epigraphik, 5, 2, 1970, S. 97—216.)

HEINRICH STEITZ

KIRCHENGESCHICHTE DER FRÜHZEIT

„Gott, dem Allmächtigen und Könige des Alls, sei für alles Dank gesagt, größter Dank auch Jesus Christus, dem Erlöser und Befreier unserer Seelen, durch welchen wir unablässig bitten, daß uns der Friede gegen äußere und innere Feinde fest und unerschüttert erhalten bleibe." [1]

Mit diesen Worten beginnt Euseb von Caesarea das X. Buch seiner ›Kirchengeschichte‹ [2]. In den Büchern I—VII beschreibt der gelehrte Historiker die Ausbreitung des Christentums und die Verfolgungen bis zum Beginn der Friedenszeit gegen Ende des 2. Jahrhunderts. Die erste Fassung dieser Darstellung wurde im Jahre 303 veröffentlicht. Aber die unter Diokletian erneut einsetzenden Verfolgungen und der Sieg Konstantins des Großen machten Ergänzungen und Erweiterungen der Kirchengeschichte erforderlich, die bald nach 324 mit der Veröffentlichung in zehn Büchern ihre endgültige Gestalt erhielt.

Euseb war der Überzeugung, daß mit Konstantin eine neue Epoche des Christentums begonnen habe. [3] Deshalb beschrieb er den Weg der christlichen Religion bis zu diesem einschneidenden Ereignis und gab dem Vorgang eine Deutung, welche die christliche Kirchengeschichtsschreibung und -deutung grundlegend bestimmte.

Kirchengeschichte begann — das war der theologische Gedanke des Euseb — mit der Inkarnation des Logos. Alles, was vorher geschah, war die von Gott gewirkte Vorbereitung auf das Heilsereignis in Jesus

---

[1] Eusebius von Caesarea, Kirchengeschichte. Hrsg. v. H. Kraft. 1967, 411.

[2] P. Meinhold, Geschichte der kirchlichen Historiographie (Orbis academicus III, 5) 1, 1967, 95—110 ›Die erste Darstellung der Geschichte der Kirche‹. Dazu die Besprechung von H. Dickerhof, Kirchenbegriff, Wissenschaftsentwicklung, Bildungssoziologie und die Formen kirchlicher Historiographie (HJ 89, 1969, 176—202).

[3] Zum Problem: P. Stockmeier, Kirchengeschichte und Geschichtlichkeit der Kirche (ZKG 81, 1970, 145—162).

Christus. Die Menschheit war auf das Kommen Jesu in der Weise vorbereitet, daß zur Zeit der gewaltigen Ausdehnung des Römischen Reiches der göttliche Logos in die Geschichte[4] eintreten konnte.

Das Christentum sei aber keine „neue" Religion, sondern die älteste der Menschheit. Die „alten Gottesfreunde"[5] hätten bereits die wahre Gotteserkenntnis zu den Völkern gebracht. Die Christenheit sei das älteste Volk; es habe „Christen vor Christus" gegeben, die in ihrer Lebenshaltung mit der Offenbarung in Christus im Einklang gestanden hätten.

Der gesamte Geschichtsablauf — das gehört auch zur Theologie des Euseb — sei durch Gott gewirkt. Deshalb setze sich im Ablauf des Geschehens stets die göttliche Wahrheit im Kampf gegen den Teufel durch[6]. Bei diesem Grundgedanken müssen zwangsläufig alle von Gott gestraft werden, die den göttlichen Logos verachten, die also einer falschen Religion anhangen. Diejenigen aber, die zur wahren Religion zählen, erlangen den Segen.[7]

Im geistesgeschichtlichen Ringen — das ist die Zielsetzung der Theologie des Euseb — falle der Sieg stets der göttlichen Wahrheit und der sie verkörpernden Kirche zu. Wo aber Geschichte als Raum des Kampfes zwischen Gott und dem Teufel verstanden wird, ist die Idee von der Verfechtung der Wahrheit bei den Gläubigen und die Leugnung der Wahrheit bei den Irrgläubigen verwirklicht. Im Grundsatz war damit der Gedanke von den zwei Reichen, dem Reich Gottes und dem des Teufels, als den beiden sich in der Geschichte widerstreitenden Mächten angedeutet.[8] Es führte ein gerader Weg von Euseb zu Augustin.

Euseb war bestrebt, seine Darstellung quellenmäßig zu belegen. Dadurch erlangte sein Werk bleibende Bedeutung; denn die Kenntnis vieler verlorengegangener Dokumente verdankt die Geschichtswissenschaft ihm

---

[4] Meinhold a. a. O. 19—23.

[5] Meinhold a. a. O. 96.

[6] G. Bauer, Geschichtlichkeit. Wege und Irrwege eines Begriffs, 1963; H.-G. Gadamer, Geschichtlichkeit (RGG[3] II, 1496—1498); A. Darlapp, Geschichtlichkeit (LThK[2] IV, 780—783).

[7] H. Berkhof, Die Theologie des Eusebius von Caesarea. 1939; K. Rahner, Kirche der Sünder (Schriften zur Theologie VI, 1965, 301—320).

[8] F. Hofmann, Der Kirchenbegriff des hl. Augustinus in seinen Grundlagen und seiner Entwicklung, 1933; W. Kamlah, Christentum und Geschichtlichkeit. Untersuchungen zur Entstehung des Christentums und zu Augustins „Bürgerschaft Gottes", [2]1951.

allein. Da er zugleich die christlichen Nachrichten auch mit nichtchristlichen [9] absicherte, gewinnt seine Darstellung universalhistorischen Charakter. Euseb war Historiker im modernen Sinn; denn er betrieb Quellen-
kritik [10].

Das Bild, das Euseb von der Kirche zeichnete, war das Ergebnis seiner
Geschichtsdeutung: alles Geschehen sei Erfüllung biblischer Verheißung.
Trotz aller Widrigkeiten habe das Christentum sich rasch ausgebreitet, so
daß „mit einem Mal" die von Tausenden besuchten Gotteshäuser vor-
handen waren. Die christliche Religion sei von ihrem Ursprungsort im
Osten nach dem Westen getragen worden, um schließlich in der Hauptstadt
des Römischen Reiches Anerkennung und durch Konstantin rechtliche
Sicherung zu finden.

Der Leser dieser ›Kirchengeschichte‹ sollte aus der Kenntnis des Geschehens Maßstäbe für das eigene Handeln [11] gewinnen. Der Untergang
der falschen Religionen bewirke Furcht, der Sieg der Wahrheit aber
Freude. Die ideale Zeit der christlichen Religion sei der Beginn in der
Urgemeinde [12] gewesen, weil da der göttliche Logos in seiner historischen
Erscheinung unmittelbar bei den Menschen gewesen sei; darum müsse sich
an dieser Frühzeit alles nachfolgende Geschehen orientieren.

Euseb hat mit dieser ersten zusammenhängenden Darstellung der
Kirchengeschichte die Forschung immer wieder angeregt, die Theologen
der Frühzeit in ihrem Bemühen, das Christentum von außerbiblischen
Religionen freizuhalten, zu begreifen.

[9] D. L. Holland, Die Synode von Antiochien (324/25) und ihre Bedeutung für
Eusebius von Caesarea und das Konzil von Nizäa (ZKG 81, 1970, 163—181).
[10] H. G. Opitz, Euseb von Caesarea als Theologe (ZNW 34, 1935, 1—19);
F. Ricken, Die Logoslehre des Eusebios von Caesarea und der Mittelplatonismus
(Theologie und Philosophie 42, 1967, 341—358).
[11] R. Laqueur, Eusebius als Historiker seiner Zeit, 1929; K. Heussi, Zum
Geschichtsverständnis des Euseb von Caesarea (Wissenschaftl. Zschr. Jena 7, 1957,
89—92); A. Dempf, Eusebius als Historiker (Jb. Bayer. Ak. d. Wiss., Phil.-hist.
Kl. 1964, Heft 11).
[12] E. Scheidweiler, Zur Kirchengeschichte des Eusebeios von Kaisareia (ZNW
49, 1958, 123—129).

a) Entstehung und Festigung der Kirche

Albrecht Ritschl[13] und Adolf von Harnack[14] hatten eine Anschauung entworfen, die lange Zeit als allgemeingültig hingenommen wurde. Rudolph Sohm[15] erschütterte das feingegliederte Gebäude. Aber die Forschung blieb nicht stehen bei dem, was von den großen Kennern der Dogmengeschichte erschlossen worden war. Walter Bauer[16] erregte Aufsehen, als er das Thema ›Rechtgläubigkeit und Ketzerei im ältesten Christentum‹ zur Diskussion stellte. Hans-Dietrich Altendorf[17] lehnte Bauers Forschungsergebnis ab. Diese wenigen Hinweise verdeutlichen, daß die theologische Frage nach dem religiösen Gehalt der frühchristlichen Entscheidungen nicht beiseite gelegt werden kann.

Mit den Ausführungen, wie sie in einem ›Kompendium der Kirchengeschichte‹[18], im ›Grundriß der Kirchengeschichte‹[19] und in ›Hand- und Lehrbüchern‹[20] aufgezeichnet sind, soll die heute allgemeingültige Auffassung erläutert werden.

Die Gemeinschaft der Jünger Jesu ist die Urform der „Kirche". Das „Gestaltwerden der Kirche"[21] ging Hand in Hand mit dem „Gestaltwerden ihrer Verkündigung". Das für die Kirche normative apostolische Zeugnis fand im neutestamentlichen Kanon seinen Niederschlag.

[13] A. Ritschl, Die Entstehung der altkatholischen Kirche, 1850.

[14] A. v. Harnack, Entstehung und Entwicklung der Kirchenverfassung, 1910.

[15] R. Sohm, Wesen und Ursprung des Katholizismus, ²1912.

[16] W. Bauer, Rechtgläubigkeit und Ketzerei im ältesten Christentum (1934) 2., durchges. Aufl. m. einem Nachtrag hrsg. v. G. Strecker (Beitr. z. hist. Theol. 10, 1964); dazu Bespr. von H.-D. Altendorf (ThLZ 91, 1966, 192 ff.).

[17] H.-D. Altendorf, Zum Stichwort: Rechtgläubigkeit und Ketzerei im ältesten Christentum (ZKG 80, 1969, 61—74).

[18] K. Heussi, Kompendium der Kirchengeschichte (1907/9), ¹²1960, ¹³1971.

[19] K. D. Schmidt, Grundriß der Kirchengeschichte, (1949) ⁴1963.

[20] K. Baus, Von der Urgemeinde zur frühchristlichen Großkirche (Handbuch der Kirchengeschichte, hrsg. v. H. Jedin, 1, 1962); L. Goppelt, die apostolische und nachapostolische Zeit (Die Kirche in ihrer Geschichte. Ein Handbuch hrsg. v. K. D. Schmidt und E. Wolf. Band 1, Lieferung A, 1962); J. Danielou — H. J. Marrou, Geschichte der Kirche, 1. Von der Gründung der Kirche bis zu Gregor dem Großen, 1963; A. Adam, Lehrbuch der Dogmengeschichte, Band 1, Die Zeit der Alten Kirche, 1965.

[21] Goppelt a. a. O. A. 1.

In der grundlegenden Stelle Mt 16, 17—19 wird die Gemeinschaft der Jünger Jesu „ecclesia" genannt. Sie war „Gemeinde"[22], weil Jesus sie in die Gottesherrschaft hineingenommen hatte. Der erste Teil des Spruches (V. 18) redet von der „Gemeinde Jesu", der zweite Teil (V. 19) vom „Reiche Gottes"[23]. Die Gemeinde Jesu ist aber nicht mit dem Reich Gottes identisch. Das Reich Gottes wird durch Jesus — den Christus — repräsentiert, nicht durch seine Gemeinde; diese ist nur durch ihr Zeugnis an der Herrschaft beteiligt. Aber alle, die Jesus als den Christus bekennen — jedoch nur sie —, sind in das Reich Gottes hineingenommen.

Die beherrschende Lebensäußerung der „Gemeinde Jesu" war ihr missionarisches Wirken. Die Mission wurde zunächst von den durch Jesus selbst beauftragten Aposteln wahrgenommen, bald auch von Wandermissionaren, die von der Gemeinde ihren Auftrag erhalten hatten. Das missionarische Kerygma dürfte aus den Missionspredigten des Petrus (Apg 2—5) am klarsten zu erheben sein: „Jesus von Nazareth, den Mann, von Gott unter euch erwiesen mit Taten und Wundern und Zeichen, welche Gott durch ihn tat unter euch, wie ihr selbst wisset, ihn, der durch Ratschluß und Vorsehung Gottes dahingegeben war, habt ihr durch die Hand der Heiden ans Kreuz geschlagen und getötet. Den hat Gott auferweckt" (Apg 2, 22—24a) und dadurch zum Christus erhöht. Schriftbeweis und Nennung von Zeugen erhärten diesen Tatbestand. Mit dem Ruf zur Buße schloß die Missionsverkündigung ab.

Die älteste Predigt der Kirche war ihrem zentralen Inhalt nach nicht mehr „Evangelium Jesu", sondern „Evangelium von Jesus Christus". Die Weiterentwicklung bedeutete die Enthüllung des Geheimnisses vom Kommen des Gottesreiches, das Jesus den Jüngern erschlossen hatte. Die Botschaft vom Reich wurde zu einer Botschaft von Jesus, weil das Reich Gottes durch ihn kommt.

Die Gemeinde Jesu hatte sich in Palästina in die jüdische Volksgemeinde eingefügt; sie lebte nach dem mosaischen Gesetz und beschränkte ihre Mission auf Israel. Das Synedrium schritt nicht gegen die Gemeinde als solche ein, sondern nur gegen die öffentliche Missionspredigt.[24]

Dies änderte sich, als Stephanus den Tempel und das damit zusammen-

---

[22] Baus a. a. O. 84—88.

[23] A. Schlatter, Geschichte der ersten Christenheit, [3—4]1927.

[24] E. Peterson, Frühkirche, Judentum und Gnosis, 1959; W. Eltester (Hrsg.), Judentum, Urchristentum, Kirche (Fschr. f. J. Jeremias, 1960).

hängende Kultgesetz grundsätzlich für „vorläufig" erklärte (Apg 6, 14). Er wurde auf Grund seiner Äußerung — wie Jesus — vom Synedrium verworfen; seine Anhänger aber wurden verfolgt. Dabei sollen (nach Apg 8, 1) einige Jünger in Jerusalem geblieben sein, während andere auswichen. Die Geflohenen waren wohl Hellenisten (Apg 8, 4 f.). Die Gemeinde Jesu wurde so auseinandergesprengt. Der in Jerusalem zurückgebliebene Teil ging unter. Die Zukunft gehörte der Gemeinde Jesu, die in die weite Welt gegangen war. Von Antiochien am Orontes — der einstigen Hauptstadt des Seleukidenreiches — aus wandten sich einige der Geflohenen mit dem Evangelium unmittelbar an die Heiden und hatten Erfolg bei dieser Missionstätigkeit.

Dieser Übergang führte das Christentum in den kulturellen Bereich des Hellenismus. Die Botschaft wurde dabei nicht nur in eine andere Sprache übertragen, sondern auch von anderen weltanschaulichen Denkvoraussetzungen aus angenommen und weitergegeben. Wie sehr dadurch die Botschaft hellenisiert wurde, zeigen die Vorstellungen über den Geist und die Sakramente, die Leiblichkeit und die Auferstehung, gegen die Paulus im ersten Korintherbrief polemisiert.[25]

Die Wende war theologisch begründet. Unter den Heiden mußte das Evangelium unter anderen heilsgeschichtlichen Bedingungen verkündigt werden. Dadurch entstand ein Ringen um die Erhaltung der ursprünglichen Einheit und Reinheit.

Die Entstehung der Kirche in der Zeit um 160—180 ist das Ergebnis der durch innere und äußere Gefahren heraufgekommenen Krise. Vornehmlich die Gnosis — aber nicht sie allein — erwies sich als bedrohlich. Die Not konnte gebannt werden, indem sich die bis dahin eigenständigen Gemeinden zu einem Verband zusammenschlossen. Die Gemeinsamkeit festigte sich. Diejenigen, die beieinander bleiben wollten, verständigten sich über bestimmte Normen, nach denen fortan entschieden werden sollte, wer Gläubiger sei oder wer als Irrgläubiger die Gemeinde zu verlassen habe. Es ist also ein Wesensmerkmal der Kirche, daß sie klar scheidet zwischen wahrer und falscher Religion.

Die Normen der wahren — der allein gültigen — Religion waren das

---

[25] K. Prümm, Religionsgeschichtliches Handbuch für den Raum der altchristlichen Umwelt, ²1954; U. v. Wilamowitz-Moellendorff, Der Glaube der Hellenen, 2 Bde., ³1960; E. Zeller, Grundriß der Geschichte der Philosophie der Griechen, ¹³1928.

„apostolische" Taufsymbol [26], der „apostolische" Schriftenkanon [27] und das „apostolische" Amt [28]. Mit dieser Festigung sollten zugleich alle „Häresien" [29] als wider die Kirche gerichtete Religionsformen — also als falsche Religionen — erklärt und niedergekämpft werden. Die Kirche wurde erkennbar an ihren Lebensäußerungen, am Gottesdienst und am Liebesdienst. Die Gemeinde bestimmte, wer die Funktionen zur Betätigung des gemeindlichen Wirkens wahrzunehmen hatte. Dies taten zunächst die Geistbegabten; fehlten sie, so konnte einer der Ältesten den Dienst ausüben. Daraus erwuchs die Sitte, einen davon hervorzuheben mit der Benennung „Bischof" [30]. Ihm wurde das Recht zuerkannt, allein für den gemeindlichen Dienst zuständig zu sein.

Der Bischof als Leiter des Gottesdienstes hatte zugleich die Verpflichtung, das im Gottesdienst dargebrachte Opfer im Liebesdienst der Gemeinde zu verwalten. Diese Funktionen gaben dem Bischof Ansehen und Macht. Als Ignatius von Antiochien [31] eine Entscheidungsinstanz im Kampf der Gemeinden gegen die Gnosis suchte, bot es sich an, den Bischof zu beauftragen, die Feststellung der Rechtgläubigkeit vorzunehmen. Der monarchische Episkopat erwuchs aus der Situation der in der wahren Religion bedrohten Gemeinde.

[26] Adam a. a. O. 192—200.

[27] H. v. Campenhausen, Das Alte Testament als Bibel der Kirche vom Ausgang des Urchristentums bis zur Entstehung des Neuen Testaments (Aus der Frühzeit des Christentums. Studien zur Kirchengeschichte des ersten und zweiten Jahrhunderts, 1963, 152—196); Ders., Die Entstehung des Neuen Testaments (Heidelberger Jahrbücher 7, 1963, 1—12); Adam a. a. O. 85—91.

[28] H. v. Campenhausen, Kirchliches Amt und geistliche Vollmacht in den ersten drei Jahrhunderten, 1953; Goppelt a. a. O. A. 121—138.

[29] E. Wolf, Häresie (RGG³ III 13); H. Grundmann, Ketzergeschichte des Mittelalters (Die Kirche in ihrer Geschichte. Ein Handbuch hrsg. v. K. D. Schmidt und E. Wolf. Band 2, Lieferung G, 1. Teil, 1963) „Ketzer nennt man seit dem 13. Jh. auf deutsch alle Häretiker, d. h. die nach kirchlichem Urteil Irrgläubigen innerhalb der Christenheit, seien es einzelne oder Sekten, die sich zwar alle auch auf die Evangelien und Apostelschriften berufen, sie aber anders verstehen und befolgen als die Kirche. Stets unterschied man sie von den Ungläubigen, von Heiden, Juden und Mohammedanern." Der Begriff „Häresie" wurde biblisch mit 1Kor 11, 19 und Tit 3, 10 begründet.

[30] Baus a. a. O. 172—180.

[31] H. Schlier, Religionsgeschichtliche Untersuchungen zu den Ignatiusbriefen, 1929; Baus a. a. O. 162—172.

Die Entwicklung führte dahin, daß es in einer Gemeinde nur noch einen Bischof geben konnte. Die Gemeinde, Amtsbezirk eines Bischofs, wurde „organisierte" (verfaßte) Gemeinde, in der „Rechtsnormen" galten. Der Bischof — er allein — durfte den Gottesdienst halten, den Liebesdienst üben; nur die von ihm geleitete Eucharistie war Rechtens und deshalb heilswirksam. Nicht allein die Wahrnehmung der Funktionen war fortan entscheidend, sondern die Ausübung des Dienstes durch den Bischof war erforderlich. Die „Ordnung der Kirche" hat ihren Ursprung im Gottesdienst, von dem aus Leitung der Eucharistie und Ausübung des Liebesdienstes ihre Bedeutung erhielten. „Ordnung der Kirche" ist von Haus „Ordnung des Gottesdienstes".

Bauer hat das Verdienst, die herkömmliche Anschauung kritisch untersucht zu haben. Er fragte nach der Bedeutung von „Unglaube, Rechtglaube, Irrglaube". Es wäre nicht auszuschließen, daß „gewisse Erscheinungen des christlichen Lebens, welche die Kirchenschriftsteller als Ketzereien abtun, ursprünglich gar keine"[32] gewesen seien. Bauer kam zu dem Ergebnis, daß in einem nicht geringen Teil der Alten Welt das Christentum zunächst in einer Form sich durchsetzte, die nicht als „rechtgläubig" im späteren Sinne gelten kann. So mag es in Edessa, in Ägypten, wohl auch in einigen Gebieten Kleinasiens und andernorts zutreffend sein, daß die spätere „Orthodoxie" keinen leichten Stand hatte. Bauer konnte darauf verweisen, daß in verschiedenen Gegenden des Römischen Weltreiches, in denen das Christentum Fuß faßte, der christliche Glaube alles andere als „einheitlich" war. Damit hat er für die Kirchengeschichte der Frühzeit einen wertvollen Beitrag geleistet.[33]

Bauer untersuchte auch die Stellung Roms in der frühen Christenheit. Das Problem hat vornehmlich die katholische Kirchengeschichtsforschung beschäftigt.[34] Rom sei — so erläutert Bauer — der Sitz der „Rechtgläubigkeit" gewesen; in Rom seien Irrlehren entschieden abgewiesen worden. Um das Jahr 96 griff Rom durch Klemens in korinthische Gemeindeangelegenheiten ein und erzwang Entscheidungen nach römischem Vorbild. Von diesem Stützpunkt aus sei Rom weiter nach Osten vorgestoßen; es

---

[32] Bauer a. a. O. 2.

[33] Altendorf a. a. O. 62 ff.

[34] H. Lietzmann, Petrus und Paulus in Rom, ²1927; H.-D. Altendorf, Die römischen Apostelgräber (ThLZ 84, 1959, 731—740); Baus a. a. O. 131—140; V. Buchheit, Christliche Romideologie im Laurentiushymnus des Prudentius, 1966 (Wege der Forschung CCLXVII,1971, 455—485).

habe das irrgläubige Christentumsverständnis erschüttert und die römische Rechtgläubigkeit zur Geltung gebracht. „Es ist ja eigentlich ein merkwürdiges Spiel der Geschichte", so meint Bauer, „daß das abendländische Rom dazu ausersehen war, gleich zu Beginn den bestimmenden Einfluß auf eine Religion, deren Wiege im Orient gestanden, auszuüben, um ihr diejenige Gestalt zu geben, in der sie Weltgeltung gewinnen sollte."[35] Hans von Campenhausen[36] hat überzeugend dargetan, daß mit Amt, Kanon und Glaubensbekenntnis kein Damm gegen Irrglaube aufgerichtet worden, und Hans-Dietrich Altendorf konnte nachweisen, daß das Problem „Rechtgläubigkeit und Ketzerei"[37] vielschichtig ist.

In seiner ›Kirchengeschichte‹ unternahm es Euseb, die „Häretiker"[38] aufzuführen und sie zeitlich einzuordnen. Das wird durch andere Zeugnisse ergänzt. Im 2. Jahrhundert fühlte sich die Christenheit durch „Häresien" bedroht; am häufigsten werden genannt Marcion, Montanus und Valentin. Vor allem Marcions Kirchengründung wurde als Gefahr gewertet.[39] Aber auch die „Neue Prophetie"[40] konnte schon im 2. Jahrhundert bis nach Rom vordringen. Valentins „Schule"[41] gewann Anhänger vornehmlich unter den Gebildeten; es darf jedoch nicht übersehen werden, daß gnostische Stimmungen auch bei unteren Schichten nachweisbar sind.

Die kirchliche Polemik nannte diese Erscheinungen „Häresie". Das bedeutete zunächst noch nicht, daß „Häretiker" auch als „Ketzer" gegolten hätten. „Häresie" bezeichnete eine „Lehrmeinung", die von einer „Weltanschauungsgemeinschaft"[42], also von einer „Partei" vertreten wurde. Wer aber zu einer solchen Partei gehörte, sonderte sich damit von selbst von der Gemeinde ab, auch wenn er — wie etwa die Valentinianer — den

---

[35] Bauer a. a. O. 242.

[36] H. v. Campenhausen, Die Entstehung der christlichen Bibel (Beitr. z. hist. Theol. 39, 1968).

[37] Altendorf a. a. O. 64 ff.

[38] H. Eger, Kaiser und Kirche in der Geschichtstheologie Eusebs von Caesarea (ZNW 38, 1939, 97—115); H. Berkhof, Kirche und Kaiser, 1947.

[39] A. v. Harnack, Marcion, ²1924, Nachdr. 1961; E. Barnikol, Die Entstehung der Kirche im 2. Jahrhundert und die Zeit Marcions, ²1933.

[40] K. Aland, Der Montanismus und die kleinasiatische Theologie (ZNW 46, 1955, 109—116; Kirchengesch. Entwürfe 1960, 105—111); Ders., Augustin und der Montanismus (Kirchengesch. Entwürfe 1960, 149—164).

[41] Baus a. a. O. 218 f.

[42] Altendorf a. a. O. 68.

Anspruch erhob, den rechten Glauben mit der Gemeinde zu teilen. Die christlichen Gemeinden wollten „Verbände zu einem heiligen Leben auf Grund einer gemeinsamen Hoffnung"[43] bleiben. Der Begriff „Häresie" erhielt erst später den Bedeutungsinhalt: Häretiker sind Ketzer!

Ketzer wurden bekämpft; die Bekämpften standen den Anwürfen oft fassungslos gegenüber. Marcion verstand sich selbst als „Erneuerer" der christlichen Botschaft, Montanus rief die Christen zur Anerkennung der „Neuen Prophetie" auf, und die Valentinianer fühlten sich als treue Glieder der Kirche. Gemeinsam waren die als Ketzer Bekämpften der Überzeugung, das „wahre" Christentum zu haben und ein „unvollkommenes" Christentum zu verbessern. Auseinandersetzungen waren unvermeidlich. Marcion und Montanus fanden in vielen Gemeinden keine Zustimmung; so kam es zur Trennung. Christliche Gemeinden exkommunizierten Häretiker. Es konnte — vornehmlich im Osten — auch vorkommen, daß ganze Gemeinden marcionitisch oder montanistisch wurden. Es gab deswegen Gemeinden, in denen eine Form der christlichen Religion in Geltung war, die in anderen Gemeinden als „häretisch" abgelehnt wurde. Von daher ist klar, daß die Mannigfaltigkeit christlicher Gläubigkeit im 2. Jahrhundert große Gefahren für die Einheit der Kirche in sich barg.

Die Beunruhigung mußte deshalb ernst genommen werden, weil die „Häresien" sich von einer Kirche abhoben, deren „Lehrhoheit" bei der Einzelgemeinde lag. Die kirchliche Lehre bestand zu diesem Zeitpunkt in einer nicht klar abgegrenzten Reihe von Glaubenssätzen, nicht in einem „Dogma"[44]. Da auch die häretischen Gemeinden „Theologie"[45] trieben, liefen die Fronten quer durch die Gemeinden. „Rechtgläubigkeit" und „Ketzerei" waren nicht klar voneinander abgegrenzt.

Trotz erheblicher Anfechtungen hat die Kirche diese Zeit der Unklarheiten überstanden. Das verdankt sie der sich bildenden „kirchlichen" Theologie, die von Irenäus und Tertullian, von Hippolyt und Klemens von Alexandrien[46] entscheidende Anstöße erhielt.

[43] A. v. Harnack, Lehrbuch der Dogmengeschichte 1, ⁴1909, 243.

[44] G. Gloege, (Christliches) Dogma (RGG³ II 221—225).

[45] A. v. Harnack, Die Entstehung der christlichen Theologie und des kirchlichen Dogmas, 1927; R. Hermann, Glaube, Lehre, Dogma, 1951.

[46] W. Völker, Der wahre Gnostiker nach Klemens von Alexandrien, 1952; Baus a. a. O. 285 ff. (Tertullian), 281 ff. (Hippolyt); Adam a. a. O. 159 ff. (Irenäus).

Am Ende des 2. Jahrhunderts war die „Kirche" eine erkennbare Größe. In ihr nahm das bischöfliche Amt einen gesicherten Platz ein; sie besaß die christliche „Bibel"; sie konnte ihre „Lehre" ausrichten. Sie stand unerschütterlich auf den „drei Säulen". Das besagt aber nicht, sie sei zu dieser Zeit bereits ein Hort der Orthodoxie gewesen. Es gab noch keine Institution, die rechtlich über „Rechtgläubigkeit" und „Ketzerei" zu entscheiden hatte. Gewiß war diese Kirche „Heilsanstalt", ausgestattet mit „kirchlichem" Recht. Das war aber noch kein „Kirchenrecht", weil die Durchsetzung der einzelnen Bestimmungen noch nicht möglich war. Auch die Bibel war nicht die unantastbare Lehrgrundlage; sie war begleitet von der lebendigen Christusverkündigung. Die Kirche lebte aus Bibel und Tradition.[47] Trotz Amt und Bibel erlangte mit der Tradition das „Bekenntnis" einen hohen Rang. Das Bekennen des Glaubens (Mt 16, 18) war die Antwort des einzelnen auf die Anrede seines Herrn. „Du bist der Christus" — das war Erklärung persönlicher Bindung. Diese aber schloß die Abwehr (1 Joh 4, 2) der Irrlehre mit ein. Indem der einzelne seinen Glauben bekannte, ordnete er sich in die Gemeinschaft der Glaubenden ein. Dabei entstand das „kirchliche Bekenntnis". Zunächst bedeutete es, daß der Täufling im Gottesdienst seine Gliedschaft in der Kirche bekannte. Als die Synode, stellvertretend für alle Glaubenden, das Bekenntnis formulierte und das Bekennen dazu forderte, war die Ungewißheit in kirchlichen Lehrfragen, die am Ende des 2. Jahrhunderts bestand, aus dem Wege geräumt. Das geschah im 4. Jahrhundert.

b) Warum siegte die christliche Religion?

Im 4. Jahrhundert wurde die christliche Religion im römischen Weltreich zunächst erlaubt, dann den anderen Kulten gleichgestellt, darnach bevorzugt und schließlich allein anerkannt. Diese Wende in der Kirchengeschichte der Frühzeit, die durch Konstantin den Großen entscheidend beeinflußt wurde, beschäftigte die Forschung zu allen Zeiten; denn der Sieg der christlichen Religion im Ringen sowohl mit den religiösen Strömungen der Spätantike wie mit der römischen Staatsmacht gehört nicht zum Naturnotwendigen im Ablauf der Ereignisse. Die Antworten auf die

---

[47] Goppelt a. a. O. A. 103—112.

Frage, warum gerade die christliche Religion siegte, weichen denn auch erheblich voneinander ab.

Der Versuch, den Sieg des Christentums mit einem Zerfallsprozeß der spätantiken Kultur zu erklären, führte zu keiner überzeugenden Lösung; denn sogleich erhebt sich die Frage, warum sich gerade die christliche und nicht irgendeine andere Religion im Zuge der allgemeinen Auflösung durchsetzte.[48] Die Antwort müßte wohl in der Richtung zu suchen sein, daß für die Menschen im 4. Jahrhundert von allen Religionsformen die christliche die überzeugendste gewesen wäre. Überlegungen in dieser Richtung können dem Problem nicht gerecht werden, weil sie die Eigenständigkeit des Christentums nicht berücksichtigen.

Im 2. Jahrhundert hatte Kelsos, der Vertreter eines philosophischen Glaubens, das Christentum als eine neue religiöse Bewegung einer Prüfung unterzogen. Er hatte sich bemüht, das christliche Schrifttum zu verstehen; er hatte sich wohl auch mit Christen über ihre Religion unterhalten. Das Ergebnis seiner Forschungen faßte er in einem gelehrten Werk[49] zusammen, in dem er nicht nur die Lehre des Christentums, sondern auch die soziale Lage der Christen kritisch erläuterte. Die Christen seien in der Mehrheit geistig nicht hochstehende Leute, deren Prediger sogar vor irdischer Weisheit warnten. Deshalb zählten zu den Christen vornehmlich die sozial unteren Schichten, denen Bildung ohnedies fremd sei, wie etwa Sklaven und Handwerker. Das sei nicht verwunderlich, da ihr Religionsgründer als Zimmermannssohn selbst aus dieser sozialen Schicht stamme. Diese Gedanken fanden im 19./20. Jahrhundert eine andere Deutung: das Christentum habe klassenkämpferisch die bis dahin herrschende Oberschicht im römischen Imperium überwunden.[50]

„Der soziale Hintergrund des Kampfes zwischen Heidentum und Christentum"[51] bot sich deswegen erneut als Forschungsgegenstand an.

Die christliche Religion hatte von jeher bei Menschen aller sozialen Schichten Anklang gefunden. Schon vor dem 4. Jahrhundert gab es christliche Senatoren und Soldaten, Professoren und Kaufleute, Handwerker

[48] F. Altheim, Literatur und Gesellschaft im ausgehenden Altertum, 1948.

[49] W. Völker, Das Bild vom nichtgnostischen Christentum bei Celsus, 1928; Baus a. a. O. 196—200.

[50] Baus a. a. O. 473.

[51] A. H. M. Jones, Der soziale Hintergrund des Kampfes zwischen Heidentum und Christentum (Wege der Forschung CCLXVII, 1971, 337—363).

und Sklaven. Tatsache aber ist, daß im ausgehenden 3. Jahrhundert die christliche Religion nicht in allen Schichten und Berufsklassen gleichmäßig vertreten war. Darum bietet es sich an, die Frage nach dem sozialen Hintergrund bei der Entscheidung für oder gegen Christus mit zu berücksichtigen.

Noch im 4. Jahrhundert war das Christentum hauptsächlich eine städtische Religion. Das hing mit der Missionsmethode zusammen. Die Missionare zogen von Stadt zu Stadt und verbreiteten die Botschaft von Jesus Christus. Die dazwischenliegenden ländlichen Gebiete blieben zunächst meist unberührt. Die Verkehrslage zwang dazu. Hinzu kam, daß der kulturelle Unterschied zwischen Stadt und Land rein sprachlich eine Verkündigung unter Bauern kaum ermöglichte. Während die Städte im Römischen Reich Griechisch oder Lateinisch als Umgangssprache hatten, wurden auf dem Lande die alten koptischen, syrischen, keltischen Sprachen gebraucht. Es dürfte auch zu bedenken sein, daß die ländliche Bevölkerung Neuerungen gegenüber zurückhaltend war. Aus solchen Gegebenheiten heraus mag es zu erklären sein, daß das Christentum in ländlichen Gegenden nur mühsam Fuß faßte.[52]

Auch in der gebildeten Oberschicht gab es bis ins ausgehende 3. Jahrhundert nur wenig Christen, obwohl schon früh die Apologeten gerade dieser Schicht sich annahmen. Aber in der Oberschicht wurde der Abstand zur christlichen Religion bildungsmäßig empfunden. Die heiligen Schriften der Christen waren keine Literatur für die Gebildeten. Das Griechische der neutestamentlichen Schriften verletzte das Sprachgefühl der Gebildeten. Die Senatoren, meist dem Adel entsprossen, verstanden sich als Träger und Erben der religiösen Tradition. Rom war mit den alten Göttern groß geworden; Ehre und Ruhm erforderten es, diese nicht zu den Dämonen zu rechnen, wie die Christen es taten.[53]

Bevor die Wende durch Konstantin eintrat, lag das Hauptgewicht des Christentums bei den unteren und mittleren Ständen der Städte, bei den Handwerkern und Kaufleuten, obwohl es Christen in allen Berufsgruppen gab. In einigen Städten war ein großer Teil der Bevölkerung christlich, in anderen heidnisch. Was bedeutete diese Tatsache im Augenblick der konstantinischen Wende?

---

[52] A. v. Harnack, Mission und Ausbreitung des Christentums in den ersten drei Jahrhunderten, [4]1924.

[53] J. Geffcken, Der Ausgang des griechisch-römischen Heidentums, [2]1929.

Noch im ausgehenden 3. Jahrhundert war die Wirtschaft im Römischen Reich landwirtschaftlich ausgerichtet. Der Staat bezog seine Einkünfte in hohem Maße aus Steuern, die dem Land und der landwirtschaftlichen Bevölkerung auferlegt waren. Die Oberschicht verdankte ihren Reichtum den verpachteten Gütern. Trotz zahlenmäßigen Übergewichts waren die Bauern keine Verteidiger der heidnischen Religiosität; sie duldeten es, als im 4. Jahrhundert die heidnischen Riten verboten wurden. Das städtische Proletariat war keine staatstragende Macht. Tumulte der Proletarier wurden von Truppen rasch niedergekämpft. Religiöse Kraft kam dem Proletariat nicht zu. In der Armee gab es wenige Christen; aber auch die Armee kämpfte nicht für die heidnischen Kulte. Die religiöse Indifferenz der Armee in einem Augenblick, da die Religionsfrage das Reich erschütterte, ist bezeichnend. Die Oberschicht wandelte sich. Konstantin erweiterte Aufgabe und Zahl der Senatoren. Männer aus niederem Stande stiegen auf, vornehmlich im Westen. Im Osten kamen noch lange die Senatoren aus den alten Familien, die ihr hellenistisches Erbe pflegten. Die höhere Bildung blieb im Osten länger als im Westen heidnisch bestimmt.[54]

Bei einer so verschiedenartig gelagerten sozialen Schichtung mußte der Übergang zu einer anderen Religion auch völlig unterschiedlich verlaufen. Im Osten war die heidnische Opposition gebildet; Hochburgen des Heidentums waren Universitäten, allen voran Athen. Als Theodosius der Große[55] die heidnischen Kulte verbot, gab es aber keinen Widerstand. Auch im Westen gab es keinen Kampf für das Heidentum. Gerade diejenigen, die durch die soziale Umwälzung in höhere Verantwortung gekommen waren, wandten sich energisch dem Christentum — als der Staatsreligion — zu. Es ist sicher, daß soziale Umwälzungen im 3. und 4. Jahrhundert den Siegeszug des Christentums begünstigten.

Mit der konstantinischen Wende wurde die christliche Religion im Römischen Reich führend. Dabei war die Unterstützung, welche die kaiserliche Regierung der christlichen Religion gewährte, eine gewaltige Hilfe; es darf aber nicht übersehen werden, daß der Sieg der christlichen

---

[54] Jones a. a. O. 357.

[55] G. Rauschen, Jahrbücher der christlichen Kirche unter dem Kaiser Theodosius d. Gr., 1897; W. Ensslin, Die Religionspolitik des Kaisers Theodosius d. Gr., 1953; A. Lippold, Theodosius d. Gr. und seine Zeit, 1968.

Religion von den Zeitgenossen einmal der Bereitschaft zum Martyrium, zum andern der einzigartigen christlichen Theologie zugeschrieben wurde.[56] Welchen Anteil hat Konstantin am Sieg der christlichen Religion? Konstantin[57] war Realpolitiker. Er mußte der Religion, welche im Römischen Reiche allen Verfolgungen widerstanden hatte, hohe Beachtung zukommen lassen. Auch seine Vorgänger[58] hatten schon politisch den Fehlschlag der Verfolgungen erkannt. Jeder Kaiser — nicht nur Konstantin — hätte die Frage prüfen müssen, ob das Christentum die Religion des römischen Imperiums werden konnte oder werden mußte.[59]

Die zeitgenössischen Beurteilungen des Problems sind aufschlußreich. Augustin[60] erklärte im 7. Buch seiner ›Bekenntnisse‹, daß der Neuplatonismus ihn nicht habe fesseln können; die biblische Botschaft von Jesus Christus habe ihn überwunden. Der Sieg des Christentums wird bei Augustin in der geistigen Kraft des Evangeliums gesehen. Damit konnten alle anderen religiösen Strömungen der Zeit nicht konkurrieren. Mit diesem Urteil steht Augustin nicht vereinzelt da. Das Empfinden der vorkonstantinischen Christenheit hat Irenäus[61] zum Ausdruck gebracht: „Er (Jesus) hat jegliche Neuheit gebracht, indem er sich selbst gebracht hat." Das Glaubenserlebnis, das die Botschaft von Jesus Christus dem Menschen der Spätantike vermittelte, ist der innere Grund für den Sieg der christlichen Religion.[62]

Auch Konstantin ist in die Reihe der Christen einzuordnen, die aus der Ergriffenheit dieses Erlebnisses ihr Christsein verstanden. Rudolf Lorenz hat die zeitgenössische Überlieferung „über eine göttliche Kundgebung

[56] M. Sdralek, Über die Ursachen, welche den Sieg des Christentums im römischen Reich erklären, 1907; W. Eltester, Die Krisis der alten Welt und das Christentum (ZNW 42, 1949, 1—19); Baus a. a. O. 474 f.

[57] J. Vogt, Konstantin der Große und sein Jahrhundert, ²1960; H. Dörries, Konstantin der Große, 1958; R. Lorenz, Das vierte bis sechste Jahrhundert (Die Kirche in ihrer Geschichte. Ein Handbuch hrsg. v. K. D. Schmidt und E. Wolf, Band 1, Lieferung C 1, 1970, C 3 ff.).

[58] J. Vogt, Zur Religiosität der Christenverfolger, 1962.

[59] Baus a. a. O. 441—449.

[60] H. v. Campenhausen, Lateinische Kirchenväter (Urban-Bücher 50) 1965, 151—222; R. Lorenz, Augustin (RGG³ I, 738—748).

[61] H. v. Campenhausen, Griechische Kirchenväter (Urban-Bücher 14) 1967, 24—31.

[62] Baus a. a. O. 472—476.

an Konstantin" im Zusammenhang der Schlacht am Pons Mulvius im Jahre 312 kritisch untersucht.[63] Die Tatsache der Hinwendung Konstantins zum Gott der Christen, einerlei aus welchen Motiven sie erfolgt sein mag, wurde zur Grundlage der kaiserlichen Religionspolitik.

Die Maßnahmen der Jahre 312 und 313 festigten die Rechtsstellung der Kirche und sicherten damit der christlichen Theologie höhere Bedeutung. Das kirchliche Eigentum, das im Zusammenhang der Verfolgungen den Christen genommen worden war, mußte zurückgegeben werden, und der Klerus wurde den offiziellen Priesterkollegien und den staatlichen Beamten gleichgestellt.[64] Als Konstantin im Westen Alleinherrscher wurde, war die Kirche gespalten. Das donatistische Schisma in Nordafrika[65] bedrohte die Regierungspolitik. Konstantin mußte die Verehrung des höchsten Gottes, der ihm die Herrschaft über die Welt anvertraut hatte, sichern. Den Hintergrund dieser Politik bildete die Theologie. Darum traf der Kaiser seine Entscheidung nur auf Grund theologischer Gutachten. Das blieb Grundzug der konstantinischen Kirchenpolitik.

Bei seiner Entscheidung 312/16 im Westen deutete Konstantin an, welche Stellung die Religion im Staate haben wird: der Staat ist „religiös"; darum gibt es für den Kaiser nicht eine Religion neben dem Staate, nicht eine Kirche im Staate, sondern nur einen „christlichen" Staat. Die Theologie von der „Einheit" bildete die Grundlage dieser Politik.

Die Entscheidung des Jahres 324 erhob Konstantin zum Alleinherrscher im römischen Imperium. Zu den wichtigsten Aufgaben, die er sofort in Angriff nahm, gehörte die Religionspolitik.[66] Aus religiöser Überzeugung richtete sich diese Politik auf die „Einheit"; von daher ergab sich auch die politische Aufgabe, alle Untertanen zur christlichen Religion hinzuführen. Der Augenblick erforderte, die im arianischen Streit verlorengegangene Einheit wiederzugewinnen. Es ist bemerkenswert, mit welchem Eifer der Kaiser an die Lösung dieses Problems ging. Das I. ökumenische Konzil in Nicaea im Jahre 325 wurde deswegen zu einem welthistorischen Ereignis. Der Entschluß, das Konzil einzuberufen, ging vom Kaiser aus. „Recht-

[63] Lorenz (Die Kirche in ihrer Geschichte 1, 1970) a. a. O. C 5 f.

[64] Lorenz (Die Kirche in ihrer Geschichte 1, 1970) a. a. O. C. 8.

[65] H. Dörries, Konstantinische Wende und Glaubensfreiheit (Wort und Stunde, 1966); J. Vogt, Zur Frage des christl. Einflusses auf die Gesetzgebung Konstantins d. Gr. (Fschr. L. Wenger II, 1945, 118—148); Baus a. a. O. 464 ff.

[66] J. Burckhardt, Die Zeit Constantins d. Gr. (1853) [6]1949; E. Schwartz, Kaiser Constantin und die christliche Kirche, [2]1936.

glaube oder Irrglaube" — das stand zur Entscheidung und das konnte nur die Theologie feststellen. Der Kaiser ließ sich persönlich über den Gegenstand des Streites unterrichten — und der Kaiser entschied! Das „Symbolum" von Nicaea ist die erste dogmatische Definition der Kirche. Auf der Grundlage dieses Dogmas konnte rechtlich festgestellt werden, wer „rechtgläubig" lehrt und wer „irrgläubig" ist. Der „Häretiker" wurde jetzt zum „Ketzer"; dieser wird rechtskräftig verurteilt und bestraft. Auch die Organe, welche die Strafe vollstrecken, werden mit Macht ausgestattet. Sie handeln im Auftrage des Gesetzgebers. Im Jahre 325 bedeutet dies: der Kaiser entscheidet in Glaubensfragen. Der Kaiser ließ Arius — so gesehen der erste Ketzer der christlichen Kirche — verurteilen und bestrafen.[67]

Das ist wohl das bedeutendste Merkmal der konstantinischen Wende! Es ist nicht richtig zu sagen, damit sei die Religion verstaatlicht worden. Die Entscheidung ist nur zu verstehen, wenn die Theologie der Einheit als Maßstab herangezogen wird. Die „Einheit" ist rechtlich im „Symbolum" verankert. Dieses aber ist „unveränderbar", weil der Heilige Geist die synodale Entscheidung wirkte.

Konstantins christliche Überzeugung spiegelt sich in der Gesetzgebung, die auf Frömmigkeit zielte: „wegen der Heiligkeit des Kreuzes wird die Kreuzigung, die 320 noch zugelassen war, verboten, ebenso die Brandmarkung im Gesicht, weil dieses Abbild himmlischer Schönheit ist." [68]

So unmöglich es ist, Konstantins Glauben zu beschreiben, so sicher ist es, die Grundlegung seiner Kirchenpolitik zu bestimmen. Rudolf Lorenz spricht von der „Hoftheologie" [69] des Kaisers. Diese wollte „christlich" sein. Sie übernahm das Gedankengut der Apologeten: Das Christentum ist vernünftige Gotteserkenntnis und Tugendlehre. In der Absicht, alle Untertanen für die Religion des Kaisers zu gewinnen, mußte der Mission hohe Bedeutung zukommen. Mission hatte aber auch eine negative Seite, nämlich die Zurückdrängung der heidnischen Kulte. Konstantin verstand sich als „Erwählten" [70] Gottes. Von daher konnte er „theologisch" handeln,

---

[67] Geschichte der Ökumenischen Konzilien. Hrsg. v. G. Dumeige und H. Bacht. I (Nizäa und Konstantinopel) 1964.

[68] Lorenz (Die Kirche in ihrer Geschichte 1, 1970) a. a. O. C 14.

[69] Lorenz (Die Kirche in ihrer Geschichte 1, 1970) a. a. O. C 14 f.

[70] J. A. Straub, Vom Herrscherideal in der Spätantike (1939) ²1964; — W. Ensslin, Gottkaiser und Kaiser von Gottes Gnaden (SAM 1943); F. Taeger, Charisma. Studien zur Geschichte des antiken Herrscherkultes, 1957/60.

sei es als „Lehrer der Völker" oder als „Erzieher der Bischöfe".[71] Die Hoftheologie verband politische und religiöse Ziele: der Kaiser zeigte den Bischöfen unter Hinweis auf das Wesentliche des Glaubens den Weg zu „Frieden und Eintracht".[72] Welche Bedeutung kommt dem Sieg der christlichen Religion zu? In der Beantwortung dieser Frage scheiden sich die Geister.[73] Die Verfechter eines asketisch bestimmten Christentums zogen sich in die Einsamkeit zurück und sammelten sich in den unterschiedlichen Formen des Mönchtums.[74] Die aus religiöser Überzeugung dem Christentum Fernerstehenden huldigten im Verborgenen heidnischen Kulten.[75] Die Theologen, welche dem Symbolum nicht zustimmten, versuchten die „Separation".[76] Kritische Kirchenmänner, die an dem Unterschied zwischen Staat und Kirche festhielten, befürchteten eine entwürdigende Abhängigkeit der Religion von der Politik.[77] Euseb[78] dürfte indessen die Meinung der Mehrheit zum Ausdruck gebracht haben, als er mit dem Jubelruf aus dem 97. Psalm die neue Zeit begrüßte: Die Kirche übernahm die Aufgabe, die Welt für Christus zu gewinnen; das aber bedeutete, die Schöpfung preist den Schöpfer!

Unbefriedigend müssen alle bis jetzt gegebenen Antworten bleiben; sie müssen unbefriedigend bleiben, solange das Problem von „Glaube und

[71] Lorenz (Die Kirche in ihrer Geschichte 1, 1970) a. a. O. C 16.

[72] K. Aland, Die religiöse Haltung Konstantins, 1957; E. Schwartz, Kaiser Constantin und die christliche Kirche, ²1936.

[73] H. Rahner, Konstantinische Wende? (StZ 167, 1960/61, 419—428).

[74] R. Lorenz, Die Anfänge des abendländischen Mönchtums im 4. Jahrhundert (ZKG 77, 1966, 1—61); P. Nagel, Die Motivierung der Askese in der alten Kirche und der Ursprung des Mönchtums, 1966; H. v. Campenhausen, Die Askese im Urchristentum (Sammlung gemeinverständlicher Vorträge und Schriften aus dem Gebiet der Theologie und Religionsgeschichte 192, 1949); H. Lietzmann, Geschichte der alten Kirche 4, ²1953, 116 ff.; A. Adam, Mönchtum (RGG³ IV, 1072—1081); J. Lacarrière, Die Gott-Trunkenen, 1967.

[75] W. Nestle, Die Haupteinwände des antiken Denkens gegen das Christentum (ARW 37, 1941/42, 51—100).

[76] H. Lietzmann, Geschichte der Alten Kirche 3, ⁴1953; Adam a. a. O. 220 ff.; H. Kraft, Homoousios (ZKG 66, 1954/55, 1—24).

[77] H. Berkhof, Kirche und Kaiser. Eine Untersuchung der byzantinischen und theokratischen Staatsauffassung im 4. Jahrhundert, 1947; K. Voigt, Staat und Kirche von Konstantin dem Großen bis zum Ende der Karolingerzeit, 1936.

[78] H. v. Campenhausen, Griechische Kirchenväter (Urban-Bücher 14) 1967, 61—71; Euseb von Caesarea, Kirchengeschichte X, 1, 3.

Leben", „Religion und Kultur", „imperium und sacerdotium" nicht in die
Theologie der Einheit eingeordnet werden kann. Darum ist die Fragestellung „Staat und Kirche" oder „Kirche und Staat" sachlich unrichtig.
Für Konstantin und seine Theologen gab es keine zwei Lebensbereiche;
für seine Theologie gab es nur einen Lebensraum, der von Gott geschaffen
war zur Verwirklichung seines — des göttlichen — Reiches.

c) Ein Reich — zwei Reiche

Konstantins Idee des religiösen Staates [79] war für die antike Welt selbstverständlich; denn der Zusammenklang von Politik und Religion gehörte
zum Gedankengut der Antike. Nach Konstantin setzte das Ringen um den
„christlichen" Staat ein, den Theodosius der Große zu sichern gedachte.
Zu diesem Zwecke verbot er die Ausübung der heidnischen Kulte.[80] Die
Idee des „einen" Reiches war gewahrt; geändert war aber die Auffassung
von Religion. Das Heidentum lebte in den verschiedenartigsten Welt-
anschauungsformen weiter; es bedurfte seelsorgerlicher Maßnahmen, um
mit Geduld die Reste religiöser Gemeinschaften für die Kirche zu
gewinnen.

Schwerwiegender als heidnische Kulte war das Heidentum in den
Herzen der Christen. Das war der Punkt, an dem Augustin [81] die Frage
nach dem „Reich" stellte.

Rudolf Lorenz [82] hat gezeigt, wie Augustin die an ihn herantretenden
Fragen von einigen wenigen Grundproblemen her, die ihn existentiell
bewegten, durchdachte. Augustins Denken ging aus von der Frage: „Wo
und auf welche Weise ist das wahre Glück zu finden?" Die Antwort lautet:
„frui Deo, d. h. Schauen, Lieben, Haben Gottes, Freude an ihm, erfüllte
Ruhe und Friede — zugleich aber auch Unterwerfung unter Gott, Bestimmung des Lebens und Verhaltens von Gott her."[83] Frui Deo ist „Liebe zu
Gott". Diese begründet die „civitas Dei", während aus der Selbstliebe die

---

[79] P. Stockmeier, Zum Problem des sog. „konstantinischen Zeitalters" (TThZ
76, 1967, 197—216).

[80] Baus a. a. O. 450—472.

[81] Lorenz (Die Kirche in ihrer Geschichte 1, 1970) a. a. O. C 54—63.

[82] R. Lorenz, Fruitio Dei bei Augustin (ZKG 62, 1950/51, 75—132); Ders.,
Die Herkunft des august. frui Deo (ZKG 64, 1952/53, 34—60).

[83] Lorenz (Die Kirche in ihrer Geschichte 1, 1970) a. a. O. C 56.

„civitas diaboli" hervorgeht. Von diesem Ansatz aus entwickelte Augustin seine „Lehre von den zwei Reichen".

Den Grundgedanken übernahm Augustin von Tyconius, einem Donatisten [84]. Aber Augustin hat daraus etwas Eigenes gestaltet. Als Augustin nach der Zerstörung Roms durch Alarich im Jahre 410 heidnische Vorwürfe zurückwies, entfaltete er eine apologetisch gemeinte Deutung der Geschichte. Von wirklicher Geschichte könne der Christ nur sprechen, wo sich das Leben der Menschen in Gemeinschaften vollziehe. Die „Gemeinschaft der Heiligen" aber kann das Geschehen erst recht gestalten. Obwohl die Geschichte sich in verschiedenartigen Gemeinschaften ereigne, gäbe es dennoch eine „Einheit der Geschichte". Diese bestehe darin, daß sie zu allen Zeiten von dem einen göttlichen Geiste geleitet werde, wobei jede Epoche die ihr von Gott zugedachte Aufgabe im Ablauf des Geschehens einnehme.

Augustins großes geschichtstheologisches Werk ›Über den Gottesstaat‹ [85] ist der Versuch, Gott von der Geschichte her zu rechtfertigen. Das Thema allen Geschehens sei der Kampf zweier Reiche miteinander, die jedoch nicht mit „Kirche" und „Staat" gleichzusetzen wären. Vielmehr meint Augustin zwei von gegensätzlichen Auffassungen des menschlichen Lebens — Religionen — gebildete Gemeinschaften. Die eine ist die „Gemeinschaft des Glaubens und der Liebe", deren Glieder von der „Liebe zu Gott" durchdrungen sind, die andere ist die „Gemeinschaft der Bürger dieser Weltzeit", deren Endziel diese Welt ist und die darum ihre Liebe nur auf Dinge dieser Welt richten. Die „Bürger des Gottesstaates" durchwandern das Leben dieser Zeit als „Pilger" ohne Bindung an die Welt, während die „Bürger des Weltstaates" in dieser Welt als in ihrem einzig möglichen Lebensraum verweilen. Zur Gliedschaft im Gottesstaat führe die „geistliche", zur Gliedschaft im Weltstaat die „natürliche" Geburt. [86] Im Gottesstaat herrschen Gottesliebe und Demut, im Weltstaat Selbstliebe und Hochmut. Das Gegeneinander der zwei Reiche ist von Gott vorgesehen. Der „Weltstaat" verfolgt den „Gottesstaat".

Diese Gedanken hat Augustin nach 410 apologetisch gewendet. Das untergegangene heidnische Römische Reich war eine sichtbare Darstellung

---

[84] Meinhold a. a. O. 161.

[85] E. Stakemeier, Civitas Dei. Die Geschichtstheologie des hl. Augustinus als Apologie der Kirche, 1955.

[86] E. Benz, Augustins Lehre von der Kirche, 1954; Meinhold a. a. O. 159—176.

des „Weltstaates". Dieses Römische Reich ist nicht an der „Gottesliebe" (an der Ausbreitung des christlichen Glaubens), sondern an der „Selbstliebe" (am Mangel an Gerechtigkeit seiner Bürger) zugrunde gegangen. Augustin verstand die „Kirche" als geistliche Gemeinschaft, die als „Gast auf Erden" durch die Zeiten wandere. Ihren Weg beschrieb er in knappen Ausführungen — von den Anfängen bis auf Theodosius den Großen. Die „Geschichte der Kirche" ist die Darstellung der aus der Liebe zu Gott lebenden Heiligen; so gesehen schreitet die Kirche von Verfolgung zu Verfolgung durch den Weltstaat unter gleichzeitiger Tröstung durch Gott, der das Ziel, die ewige Glückseligkeit denen, die ausharren, verheißen hat.

Augustin hat aber nicht die Verdammung der Welt[87] gefordert. Seine Sorge um das Seelenheil der Glaubenden kannte zugleich die Sorge um das Wohl der staatlichen Gemeinschaft. Augustin entwarf nicht eine neue Staatstheorie, sondern er versuchte, die Heiden zum christlichen Glauben zu bekehren und so allen Menschen, die Gott geschaffen hat, das Heil zuteil werden zu lassen.

Von daher wird deutlich, daß Augustin nicht nur das Seelenheil des einzelnen bedachte, sondern zugleich auch das Wohl der staatlichen Gemeinschaft, des Römischen Reiches. Für dieses Reich galten die Gebote Gottes; denn nur so sei ein friedfertiges Leben des einzelnen in der Gemeinschaft gewährleistet. Der Theologe muß in dieser Gemeinschaft seelsorgerliche Aufgaben wahrnehmen; die Aufstellung staatlicher Organisationsprogramme kann nicht seine Aufgabe sein. Dafür ist der Staatsmann zuständig, der aber auch — wie jeder andere — verpflichtet ist, Gott durch fromme Lebenshaltung zu dienen. Der Herrscher und seine Beamten müssen davon durchdrungen sein, Gott zu dienen, indem sie dem Wohle des Reiches ihre ganze Kraft widmen.[88]

Für Augustin blieb dennoch der Gegensatz „Juppiter" — „Christus" bestehen; das war für ihn der Gegensatz zwischen dem von teuflischem Hochmut getriebenen Staat der Machtgier und der in Gottesfurcht zum wahren Frieden strebenden Kirche der Demut.[89]

---

[87] J. Straub, Augustins Sorge um die regeneratio imperii. Das Imperium Romanum als civitas terrena (Wege der Forschung CCLXVII, 1971, 244—274).

[88] F. G. Maier, Augustin und das antike Rom (Tübinger Beiträge zur Altertumswissenschaft, H. 39, 1955).

[89] Straub a. a. O. 263 ff.

Es blieb also beim grundsätzlichen Gegensatz zwischen „civitas Dei" und „civitas diaboli". Trotzdem anerkannte Augustin die Ordnung, die einer politischen Gemeinschaft mit weltlicher Obrigkeit zukommt. Freilich ließ er keinen Zweifel darüber, daß ein Christ nicht Bürger zweier sich gegenseitig ausschließender Reiche sein könne. Mit dem „Reich Gottes" stehe das „Reich des Teufels" unüberbrückbar im Gegensatz; aber dem „Staat", einer nach Gottes Geboten lebenden Gemeinschaft, komme lebensnotwendige Bedeutung zu. Dem „Reich des Teufels" gegenüber gäbe es keine Gemeinsamkeit; aber in einem „Staate", in dem beide Bürgergemeinden miteinander verflochten seien, habe der Christ seinen festen Platz. Dort habe er einen Dienst — auch durch politische Mitverantwortung — wahrzunehmen.[90]

Die „Lehre vom Staat" ist in der Kirchengeschichte unterschiedlich begründet und in ihren Folgerungen verschiedenartig bewertet worden. Schon in der Kirchengeschichte der Frühzeit haben Euseb und Augustin voneinander abweichende Zielsetzungen proklamiert. Die Erinnerung an die Verfolgungszeit ließ bei vielen Christen, namentlich in mönchischen Kreisen, eine Zurückhaltung, wenn nicht gar eine Fremdheit gegenüber dem Staat, der irdischen res publica, entstehen.

Rudolf Lorenz [91] untersuchte die Frage, wie Augustin sich zu dieser für die Folgezeit so bedeutsam gewordenen Frage verhielt.

Der Staat, der — so sah es Augustin — nicht gleichzusetzen ist mit der „civitas diaboli", wurzelt zwar in der geselligen Veranlagung des Menschen, entsteht aber durch den Hochmut derer, die Begierde auf Macht entfalten. Zentralgedanke der augustinischen Staatslehre ist die „Liebe"; aus ihr fließen, wenn sie Gott zugewandt ist, Friede und Gerechtigkeit, ist sie aber auf Irdisches gerichtet, so entstehen Zerrbilder von Liebe und Gerechtigkeit. Augustin wertete den „Staat" positiv, weil er die auf Erden wandernde „civitas Dei" schützt, „um das himmlische Ziel des Genießens Gottes zu erreichen" [92].

Schon vor Augustin waren wesentliche Elemente des Verhältnisses von Religion und Politik, von Staat und Kirche durch Ambrosius von Mailand erhoben worden. Darauf haben die Forschungen von Hans-Joachim Dies-

---

[90] Straub a. a. O. 271 ff.

[91] Lorenz (Die Kirche in ihrer Geschichte 1, 1970) a. a. O. C 76 ff.

[92] O. Schilling, Die Staats- und Soziallehre des hl. Augustin, 1910; E. Bernheim, Mittelalterliche Zeitanschauungen in ihrem Einfluß auf Politik und Geschichtsschreibung, 1918.

ner [93] erneut aufmerksam gemacht. Die Ereignisse, die mit der Kirchenbuße des Kaisers Theodosius im Jahre 390 verbunden sind, lassen dies deutlich erkennen.

Theodosius hatte ein Strafgericht gegen Thessalonike von seiner damaligen Residenz Mailand aus angeordnet, um eine politische Untat bestrafen zu lassen. Die kaiserlichen Truppen richteten ein Blutbad an, das in keinem Verhältnis zur verwerflichen Tat des Volkes stand. Ambrosius nahm auf einer Synode und in einem Schreiben an den Kaiser dazu Stellung und forderte als Bischof die öffentliche Buße des Kaisers, da die Sünde anders nicht behoben werden könne. Theodosius gehorchte; er erschien als Büßer im Gotteshaus und bekannte vor der Gemeinde unter Tränen [94] seine Sünde. Daraufhin wurde der Kaiser wieder zum Sakrament zugelassen. Von da an förderte er die Kirche in noch höherem Maße als zuvor. In seiner Gesetzgebung ab 390/91 ging der Kaiser noch entschiedener gegen heidnische Kulte und Häretiker vor. Getragen wurden diese Maßnahmen von der Überzeugung, daß im Staate nur „eine" Religion, also auch nur eine Kirche sein könne.

Inwieweit auch hierbei der Gedanke des „einen" Reiches eine Rolle spielt, bedarf weiterer Forschung; jedenfalls wäre es abwegig anzunehmen, die Kirche sollte Nebenzweck für staatliche Machtentfaltung sein. Die Gesetzgebung läßt den Gedanken der „Einheit" so klar hervortreten, daß von „über-" oder „unterordnen" nicht gesprochen werden kann. Religion und Politik bildeten die Einheit, die theologisch begründet war.

Aber das Problem ist vielschichtig. Theodosius war in seiner Religionspolitik oft unsicher. Wohl war seine Gesetzgebung seit 391 eindeutig „katholisch"; aber der „Friede", der als Ergebnis der katholischen Politik erwartet wurde, trat nicht ein. Christliche Massen — vor allem Mönchsscharen — gingen gegen heidnische Kultstätten [95] vor. Der Kaiser mußte diese „Heidenverfolgungen" in unmittelbarem Zusammenhang mit seiner „katholischen" Politik sehen. Das macht es verständlich, daß die kaiserliche Politik zwar „für" die christliche Religion, nicht aber mit gleicher Entschlossenheit „gegen" andere Religionsformen gerichtet sein durfte.

[93] H.-J. Diesner, Kirche und Staat im ausgehenden vierten Jahrhundert: Ambrosius von Mailand (Wege der Forschung CCLXVII, 1971, 415—454).

[94] Diesner a. a. O. 443 ff.

[95] W. Ensslin, Die Religionspolitik des Kaisers Theodosius d. Gr. (SAM 1953, H.2); H. v. Campenhausen, Ambrosius von Mailand als Kirchenpolitiker, 1929.

Der Aufstand des Eugenius[96], der sich zum Verteidiger der heidnischen Kulte machte, zwang den Kaiser zu klaren Entscheidungen. Theodosius und Ambrosius wurden zueinander gedrängt. In der Schlacht am Frigidus wurde Eugenius vernichtet. Die letzte heidnische Reaktion war erstickt worden; der Ansturm auf die „Einheit" war abgewiesen. Es ist müßig zu fragen, ob die „Reichs"- oder die „Kirchen"-Einheit hergestellt worden sei. Sieger waren der Kaiser und der Bischof, beide zu gleichen Teilen, aber beide nur in der Gemeinsamkeit.

Ambrosius konnte den Kaiser davon überzeugen, daß nur die „Einheit" religiös und politisch gottgewollt sei. Die staatliche Gesetzgebung vernichtete die Ketzer — aus Staatsräson? Das bleibt eine ungelöste Frage! Der Kaiser stand bei Durchführung jener Maßnahmen, welche der Religion förderlich sein mußten, „in der Kirche, aber nicht über der Kirche"[97].

Die Forschung hat wiederholt die Frage untersucht, wieso Ambrosius zu so gewaltigen kirchenpolitischen Erfolgen hat kommen können.[98] Der Hinweis auf eine günstige politische Situation besagt wenig; es gab zu anderen Zeiten mindestens ebenso gute Voraussetzungen, ohne daß greifbare Ergebnisse erzielt werden konnten. Die Zeitgenossen[99] betonten, Ambrosius sei eine starke Persönlichkeit gewesen. Es wird auch erwähnt, daß er trotz seiner Herkunft zu den unteren Bevölkerungsschichten ein ebenso gutes Verhältnis gehabt habe wie zu allen anderen Gruppierungen. Sicher ist, daß der Bischof sich nicht der „Massen" bediente, um sein Ziel zu erreichen. Ambrosius wollte „Seelsorger" sein. Da dürfte der Schlüssel zum Geheimnis zu finden sein: der Theologe war Priester und Politiker zugleich. Das konnte er sein, weil die „Liebe" sein Denken und Tun bestimmte.

Augustin hat viel von Ambrosius gelernt. Auch Augustin billigte die konstantinisch-theodosianische Kirchenpolitik. Auch er gab dem Kaiser theologisch einen sicheren Platz in der Gesetzgebung für den gesamten Lebensbereich, für Staat und Kirche. Der Kaiser verwirkliche die menschliche Herrschaft des verborgenen Gottesreiches, indem er gegen Heiden

---

[96] Diesner a. a. O. 447 ff.

[97] Diesner a. a. O. 450.

[98] H. v. Campenhausen, Lateinische Kirchenväter (Urban-Bücher 50) 1965, 77—108.

[99] Diesner a. a. O. 451 f.

und Häretiker vorgehe mit dem Ziel, die wahre — die einzig wahre — Religion durchzusetzen. So müsse der irdische Herrscher Gott dienen.[100]

Beim Nachfragen nach den Wurzeln der augustinischen Lehre von den zwei Reichen darf nicht übersehen werden, welche Bedeutung dem „Problemkreis des malum"[101] zukommt. Der neunzehnjährige Augustin wurde von der Frage gequält: „woher kommt es, daß wir das Böse tun?" Von Ambrosius hatte Augustin erfahren, „daß der freie Wille des Menschen die Ursache des bösen Tuns ist"[102]. Aber dieser Ansatz wurde bei Augustin im Zusammenhang der Lehre von der Schöpfung vertieft. Wichtig wurde die theologische Erkenntnis, daß die Befreiung vom Bösen durch die „Gnade"[103] erfolge. Vom Problem „Sünde und Gnade" ausgehend, entwarf Augustin seine Deutung der Geschichte. Ziel allen Geschehens werde die gerechte Trennung der miteinander verflochtenen Gemeinschaften der Guten und der Bösen sein.[104]

Im Blick auf diese Zielsetzung haben Predigt und Seelsorge ihre Aufgaben wahrzunehmen. Kirche und Staat — beide miteinander — tragen die Verantwortung dafür, daß die Christen von Kindheit an unterwiesen werden; denn „Religion" sei erziehbar.

Aber das Erziehungswesen war weithin noch „heidnisch", d. h. „weltlich". Im Mönchtum wurde das Mißtrauen gegen die „Weisheit dieser Welt"[105] genährt. Augustin arbeitete für die Zukunft: er ordnete die profanen Wissenschaften in ein System christlicher Wissenschaften ein. Die Auslegung der Bibel erfordere alle Kenntnisse, die zum Verstehen des Textes erforderlich seien. Die Wissenschaft könne und müsse in der Schöpfungswelt den Weg zu Gott finden. So wurde bei Augustin die Wissensvermittlung wichtig für die Gestaltung der Welt.

Durch Augustin wurde die von der Autorität der Kirche getragene Theologie zum religiösen Prinzip, welches die mittelalterliche Geisteswelt gestaltete.

---

[100] Lorenz (Die Kirche in ihrer Geschichte 1, 1970) a. a. O. C 77 f.

[101] Lorenz (Die Kirche in ihrer Geschichte 1, 1970) a. a. O. C 58 ff.

[102] Lorenz (Die Kirche in ihrer Geschichte 1, 1970) a. a. O. C 59.

[103] R. Lorenz, Gnade und Erkenntnis bei Augustin (ZKG 75, 1964, 21—78).

[104] H. Eger, Die Eschatologie Augustins, 1933; E. Lewalter, Eschatologie und Weltgeschichte in der Gedankenwelt Augustins (ZKG 45, 1934, 1—51).

[105] Lorenz (Die Kirche in ihrer Geschichte 1, 1970) a. a. O. C 106 ff.

PETER MEINHOLD

ENTWICKLUNG DER RELIGIONSWISSENSCHAFT IM MITTELALTER UND ZUR REFORMATIONSZEIT

I. Das Mittelalter

Es sind schon auf dem Boden der Alten Kirche eine Reihe von Fragen und Ideen für die Entwicklung der Religionswissenschaft vorgegeben, die aber erst zu sehr viel späterer Zeit für diese in ihrem ganzen Umfang wirksam geworden sind. Sie beruhen auf der Begegnung des Christentums mit den Religionen, die in engerem oder weiterem Umkreis zur Zeit seiner Entstehung und seiner Ausbreitung über den Mittelmeerraum hinaus aufgetreten sind.

Von ungleich tieferen Wirkungen aber für die Selbstauffassung des Christentums und der Entwicklung der religionsgeschichtlichen Fragestellung ist die im 7. Jahrhundert n. Chr. einsetzende und eigentlich bis in die Gegenwart fortgehende *Auseinandersetzung mit dem Islam* gewesen.[1] Durch diese sind die vorhandenen Fragestellungen ausgeweitet und zu neuen Lösungen geführt worden. Die Auseinandersetzung des Christentums mit dem Islam ist in vierfacher Hinsicht für den Ausbau der Religionswissenschaft zu einer eigenständigen, kritisch arbeitenden Disziplin von Bedeutung geworden:

1. Zunächst geht es um die beide Religionen betreffende grundsätzliche Frage nach der Bildlosigkeit der Gottesverehrung, die ja schon im Christentum mit bestimmten neuen Konzeptionen über die religiösen Funktionen des Bildes beantwortet worden war. Die Ablehnung der religiösen Bilder war auch im Christentum ursprünglich groß; man sah in ihrer Einführung einen Rückfall in das Heidentum.[2] Erst allmählich hat man die Bilderfeindlichkeit überwunden und war zu einer tieferen Erfas-

---

[1] Vgl. dazu Gottfried Simon, Der Islam und die christliche Verkündigung, Gütersloh 1920; ferner: Gustav Pfannmüller, Handbuch der Islam-Literatur, Berlin und Leipzig 1923, bes. S. 104 ff. 137 ff. 342 ff.

[2] Eusebius v. Caesarea, Hist. eccl. VII, 18.

sung des Wesens der Bilder und ihrer Bedeutung als einer Art von visueller Verkündigung gekommen.[3]

Unter den Einwirkungen des Islams werden nun die alten Argumente gegen die Bilderverehrung wieder aufgegriffen, jetzt aber sogar von der kaiserlichen Politik vertreten: die Anfertigung von Bildern religiöser Natur widerspreche dem klaren göttlichen Verbot ihrer Herstellung, das Bild sei immer von Menschenhand gefertigt, es sei geformte Materie, die überhaupt nichts Göttliches aufnehmen könne, und die Anbetung oder kultische Verehrung des Bildes stelle den Einbruch des „Heidentums" in das Christentum dar und müsse als der Ausdruck einer Paganisierung der christlichen Religion gewertet werden.[4]

In Abwehr dieser Angriffe sind die Theologie und die Kirche zu einer tieferen Erfassung des Wesens des christlichen Glaubens und der Funktionen des Bildes gekommen. Der christliche Glaube behält die „Anbetung" allein der göttlichen Natur vor, betrachtet die Bilder als Abbilder eines Urbildes, zu dem er sich durch jene erheben läßt; die Verehrung gilt nicht dem Bild als solchem, sondern dem „Wesen" des Dargestellten, dem Urbild, zu dessen geistiger Betrachtung er durch das Bild emporgezogen wird. Christus ist das in die Materie eingegangene und mit ihr umkleidete Bild Gottes; er hat durch das Mittel der Materie unsere Erlösung vollbracht.[5] Gerade diese Reflexionen über das Wesen des Bildes haben es bewirkt, daß das Christentum nicht zu einer Religion der reinen Geistigkeit, der Ethik, der Gesetzlichkeit oder des heiligen Buches geworden ist, dessen Wort nun als Träger oder Mittler der Offenbarung gelten muß, wie es im Islam der Fall ist. So hat gerade die Begegnung mit dem Islam den christlichen Glauben zu neuen Konzeptionen über den Zusammenhang von „Bild" und „Wort" gebracht und damit auch seine Stellung in der Religionsgeschichte an einem wesentlichen Punkte präzisiert.[6]

---

[3] Gregor v. Nyssa, De S. Theodoro Martyre (Migne PG 46, 737 D — 740 A), vor allem Papst Gregor I. in seinem Brief an Bischof Serenus v. Massilia vom Oktober 600, bei Mirbt[4] Nr. 212, S. 99 f.

[4] Diese Argumente lassen sich dem Brief Papst Gregors II. (715—731) an Kaiser Leo III. entnehmen, den er im Anschluß an dessen bilderfeindliches Edikt von 726 geschrieben hat.

[5] Johannes v. Damaskus, Oratio demonstrativa de sacris et venerandis imaginibus 3; 9; 10; 14 (Migne PG 95, 317 BC; 325 B; 325 CD; 328 AB; 329 D).

[6] Vgl. dazu den in Anm. 4 genannten Brief Gregors II. und die Bestimmungen der VII. Ökumenischen Synode von Nicaea (787) bei Mirbt[4] Nr. 234, S. 116.

2. Die Begegnung mit dem Islam hat aber noch ein weiteres Ergebnis für die Religionsgeschichte gezeigt. Das Vordringen des Islams in Orient und Okzident und die Tatsache, daß er weite, ehemals christliche Gebiete für sich gewinnen konnte, führte alsbald zu einer heftigen Polemik gegen den Islam von christlicher Seite. Von den Vertretern des morgenländisch-orthodoxen Christentums (wie Johannes von Damaskus, Bartholomäus von Edessa, Niketas von Byzanz, Johannes Kantakuzenos, Michael II. Palaeologus) wurde Mohammed ebenso wie von römisch-katholischer Seite (Petrus der Ehrwürdige von Cluny, Raymund von Pennaforte, Thomas von Aquin, Riccoldus de Monte Crucis, Raymundus Lullus, Nikolaus von Kues) als christlicher Häretiker und Lügenprophet leidenschaftlich bekämpft, ebenso wie man versuchte, den Koran von der Bibel her zu widerlegen.[7] Erst allmählich bildete sich die christliche Polemik mit den entsprechenden Werken von islamischer Seite zu einer die Sprache und Kultur des ganzen Vorderen Orients umfassenden Islamkunde um, die nicht mehr einfach nur missionarischen Zielen dienen, sondern die fremde Religion als solche und um ihrer selbst willen erfassen und verstehen will. Aber eine wichtige Voraussetzung dafür ist die zwischen beiden Religionen seit dem frühen Mittelalter geübte Polemik und Apologetik.

3. Für die Entwicklung der Religionswissenschaft aber wurde auch die Tatsache von Bedeutung, daß es im Islam zur Ausbildung einer eigenen Philosophie gekommen ist, die sich teils im Anschluß an die klassische griechische Philosophie und an den Neuplatonismus entwickelt hat, teils die Verbindung mit dem Judentum einging, teils eigene philosophische Bewegungen wie den Averroismus hervorgerufen hat.[8] Arabisch-jüdische Kommentatoren des Aristoteles wie Avicenna und Avincebrol haben auch auf die mittelalterlichen Scholastiker und Mystiker wie Thomas von Aquin und Meister Eckhart einen großen Einfluß ausgeübt.[9] In Farabi und Gasali hat die islamische Philosophie sich mehr der Mystik und der spekulativen Ausgestaltung der Religion zugewandt — eine den religionsphilosophi-

---

[7] Vgl. dazu Pfannmüller a. a. O. S. 135 ff. und S. 138 ff.

[8] Vgl. Pfannmüller a. a. O. S. 348 ff.; Max Horten, Die philosophischen Systeme der spekulativen Theologen im Islam, Bonn 1912; Vgl. B. Geyer in dem Anm. 9 genannten Werk S. 313 ff. über Averroës.

[9] Vgl. Bernhard Geyer, Die patristische und scholastische Philosophie, in: Überweg-Heinze, Grundriß der Geschichte der Philosophie, II. Teil, 12. Aufl., Tübingen 1951, S. 307 ff. (Avicenna) und S. 335 ff. (Avencebrol).

schen Tendenzen der abendländischen Scholastik des 13. und 14. Jahrhunderts durchaus korrespondierende Entwicklung.[10]

4. Eine letzte Konsequenz hat die Begegnung mit dem Islam bei *Nikolaus von Kues* in bezug auf die Frage nach der Einheit der Religion ausgelöst, damit aber auch ein modernes Problem vorweggenommen. Er ist nämlich der erste, der so etwas wie eine „Ökumene der Religionen" erkannt bzw. erstrebt hat. Aus der Erfahrung der einander begegnenden oder sich aufhebenden Ansprüche von Judentum, Islam und Christentum, wie sie auch in der Zeit der Kreuzzüge dem Abendland ganz neu vermittelt worden ist, hat sich ihm die Frage nach Einheit und Verschiedenheit der Religionen ergeben. Er sucht die Lösung des Problems in der Feststellung, daß die Gottesverehrung in den verschiedenen Religionen im Kern, d. h. in der Sache, übereinkommt wegen der Umfassendheit der Gottesvorstellung, die allen Religionen zugrunde liegt, daß diese aber eine große Vielfalt in ihren „Riten" aufweisen, die sie jedoch als solche zu dulden haben.[11] Hier ist nicht nur das Problem einer sich auf den politischen Bereich erstreckenden Toleranz der Religionen konzipiert, sondern auch die Konsequenz einer Relativierung des Wahrheitsanspruchs der verschiedenen Religionen gezogen.

In Judentum und Islam sind der mittelalterlichen Kirche höchst lebendige Religionen begegnet, die dem Christentum die Ausbildung einer Religionskunde und einer Religionsphilosophie abverlangt haben, deren beider es für seine missionarischen Unternehmungen dringend bedurfte. Bei ihrer Expansion aber ist die mittelalterliche Kirche auch *mit drei anderen großen Religionen zusammengestoßen, der Religion der Kelten, der Germanen und der Slawen*, die ihrerseits viele volklich bedingte Abwandlungen im einzelnen aufzuweisen hatten.[12] Wenn sich das Christentum ihnen gegenüber schließlich als die lebensvollere und stärkere Religion

---

[10] Zu Farabi vgl. Geyer a. a. O. S. 304 ff. und zu Gazali ebd. S. 310 ff.

[11] Nikolaus von Kues, De pace fidei (1453), läßt in einem Dialog 17 Vertreter der verschiedenen Nationen und Religionen durch den göttlichen Logos zur Einheit des Glaubens geführt werden; vgl. dazu: M. Seidlmayer, Una religio in rituum varietate. Zur Religionsauffassung des Nikolaus von Kues, in: Archiv für Kulturgeschichte 36 (1954), S. 145—207.

[12] Vgl. Günter Lanczkowski, Europäische Religionsgeschichte, Freiburg 1971 (Herderbücherei Bd. 406), S. 106 f. 117 f. 123 f. für die Religion der Kelten, der Germanen und der Slawen; ferner: Jan de Vries, Keltische Religion, Stuttgart 1961 (Religionen der Menschheit, Bd. 18), S. 17 ff.

erwiesen hat, so hat es doch viele ihrer religiösen Eigenarten bewahrt, umgebildet und unter einem neuen Vorzeichen fortgesetzt. Deshalb kommt gerade den mittelalterlichen Missionsberichten, den Buß- und Beichtbüchern, den Rechtsordnungen und Ritualien und der religiösen Dichtung ein hoher religionsgeschichtlicher Wert zu, weil sie zum ersten Mal das Problem einer Transponierung der biblischen und kirchlichen Überlieferung in die Denkweise, die Sprache und die Anschauungsformen der missionierten Völker deutlich gemacht haben,[13] dessen man erst im 19. und 20. Jahrhundert wieder voll bewußt geworden ist, so daß Missions- und Religionswissenschaft aufs engste miteinander verbunden worden sind. Die Anfänge für diese Verbindung aber liegen in den schon sehr breiten religionsgeschichtlichen Erfahrungen der alten und der mittelalterlichen Kirche.

II. Die Zeit der Reformation

Die Reformation hat durch die von ihr ausgehende Kritik an den kirchlichen Zuständen des 16. Jahrhunderts und die damit im Zusammenhang stehende Besinnung auf das Wesen des christlichen Glaubens einerseits eine weitreichende Konsequenzen in sich schließende Religionskritik entwickelt, andererseits wesentliche Impulse zu neuen Konzeptionen vom Wesen und von den Erscheinungsformen der Religionen gegeben, in die dann auch das Christentum mit einbezogen worden ist. Wir stellen diese Entwicklung für das Zeitalter der Reformation an drei Gestalten dar, die sowohl für die von ihnen vertretene Religions- und Kirchenkritik als auch für die neuen Konzeptionen vom Wesen der Religion wichtige Anstöße in Richtung auf die Entwicklung der Religionswissenschaft als einer eigenen theologischen Disziplin gegeben haben. Zwar ist es erst in der Neuzeit zur Ausbildung dieser Disziplin gekommen, aber die Anfänge dafür liegen im Reformationszeitalter. Ohne die hier gegebenen Aussagen zu Gestalt und Inhalt der Religionen ist diese Entwicklung nicht zu verstehen. Ebenso sind die reformatorischen Aussagen auch in der Neuzeit immer wieder als Kriterien für die Beurteilung der Religionen und ihrer konkreten Erscheinungsformen wirksam geworden, so daß sie schon dadurch über die rein zeitgeschichtliche Bedeutung herausgehoben sind.

[13] Vgl. dazu unten die Ausführungen in ›Entwicklung der Religionswissenschaft in der Neuzeit und in der Gegenwart‹, S. 396 f.

1. Luthers Religionskritik und die religionsgeschichtliche
Begründung der Reformation

Die Neufassung des christlichen Glaubens steht bei Luther in einem
festen Zusammenhang mit seinen neugewonnenen Einsichten in bezug auf
das Wesen der Religion und die Besonderheiten religiöser Äußerungen.
Die Kritik, die Luther am Christentum seiner Zeit geübt hat, ist deshalb
als der spezifische Ausdruck einer allgemeinen Religionskritik zu werten.
Sie ist in allen seinen Werken und in allen Epochen seines Lebens in gleich-
mäßiger Stärke anzutreffen.[14] Es handelt sich dabei vornehmlich um eine
kritische Beurteilung der nichtchristlichen Religionen, die Luther von den
Anfängen seiner theologischen Arbeiten an beschäftigt haben und die er
unter dem Begriff „Heiden" zusammenfaßt. Luther hat deshalb die Miß-
bräuche, die ihm in der kirchlichen Praxis seiner Zeit entgegengetreten
sind, nicht isoliert betrachtet. Er hat sie vielmehr unter religionsgeschichtlichen Aspekten bewertet, indem er sie in Verbindung mit den Verirrungen
gesehen hat, die überhaupt im Bereich der Religion vorkommen, so daß er
sie von dem allgemeinen Phänomen „Religion" her beurteilt hat. Auch
das eigentlich Christliche an den religiösen Erscheinungen seiner Zeit hat
Luther aufgrund von allgemeinen Reflektionen über das Wesen der
Religion näher bestimmt und davon abgegrenzt.

Was ist für Luther „Religion"? Schon in der Vorlesung über den Römerbrief von 1515/16 finden sich zahlreiche religionsgeschichtliche Urteile, die
gewiß nicht nur durch die Ausführungen des Apostels Paulus in den beiden
ersten Kapiteln seines Briefes veranlaßt sind, durch diese aber entscheidende Anstöße erhalten haben. So hat Luther in der Auslegung von
Röm 1, 20 die Bemerkung gemacht, daß auch „die Heiden" ein bestimmtes
Wissen um das Wesen der Gottheit haben, ohne daß ihnen deshalb eine

---

[14] Vgl. dazu H. Vossberg, Luthers Kritik aller Religion. Eine theologie-
geschichtliche Untersuchung zu einem systematischen Hauptproblem, Leipzig und
Erlangen 1922; A. v. Harnack, Die religionsgeschichtliche Bedeutung der Re-
formation Luthers (1926), in: Christl. Welt Jg. 40 (1926) Sp. 4—10; auch in:
Reden und Aufsätze, Bd. 5 (Aus der Werkstatt des Vollendeten) Gießen 1930,
S. 86—99; Karl Holl, Was verstand Luther unter Religion? (1917), in: Ges.
Aufs. I (Tübingen [4+5]1927), S. 1—110; sehr ausführlich bespricht Friedrich Heiler,
Erscheinungsformen und Wesen der Religion, Stuttgart 1961, Luthers zahlreiche
Äußerungen zu den Phänomenen der Religion, vgl. die vielfachen Anführungen
nach dem Register.

kreatürliche oder natürliche Anlage in Richtung auf die Religion beizulegen ist.[15] Es gibt nach der Meinung Luthers kein dem Menschen von vornherein eignendes religiöses Apriori. Vielmehr stammt dieses Wissen, wie Luther bemerkt, „ex deo". Wie Gott nämlich den Inhalt des mosaischen Gesetzes in das Herz der Heiden geschrieben hat, so daß sich ihre Gesetzeskenntnis grundsätzlich nicht von der des Volkes Israel unterscheidet, so findet sich auch bei den Heiden ein „Wissen um Gott" [16]. Dieses besteht in der Anerkennung von Gottes Unsichtbarkeit, die nur an den von der Gottheit ausgehenden Wirkungen wahrzunehmen ist, niemals aber an sich geschaut werden kann. Dieses aus der Betrachtung der göttlichen Werke abzuleitende Wissen um Gott haben die Heiden dadurch verkehrt, daß sie es mit bestimmten, den Kreaturen entnommenen Größen verbunden haben. Der Fehler, den die Heiden mit einer solchen den Wünschen und Begierden ihres Herzens entspringenden Vergegenständlichung Gottes begangen haben, besteht darin, daß sie die Gottheit (divinitas) „non nudam reliquerunt et coluerunt", sondern sie nach ihren eigenen Vorstellungen umgebildet und in die Endlichkeit von Raum und Zeit gestellt haben.[17] Auf dieser Tatsache beruht es, daß sie sich selbst in ihren Gottheiten ausgesagt haben, die deshalb auch nur als die Spiegelungen der menschlichen Wünsche und des menschlichen Bewußtseins angesehen werden können. Die Heiden haben die unsichtbare, unbegreifliche, von nichts zu umschließende Gottheit lokalisiert und an die kreatürliche Welt gebunden.

Luther ist in konsequenter Fortbildung dieser Gedanken sodann der Meinung, daß die Konzeption der religiösen Kulte und von äußeren Riten sowie einzelner religiöser Aussagen als die Perversion eines ursprünglich echten Wissens um die Verehrung der Gottheit anzusprechen ist. Luther verwirft deshalb auch jede Art von „Gottesbeweis", der von einem vermeintlichen religiösen Apriori beim Menschen ausgeht oder von der Anlage des Menschen auf die Religion hin bzw. von der Verbreitung der religiösen Kulte her zu einer Begründung der Existenz Gottes kommen will. Diese ist aber gerade auf diesem Wege nicht zu gewinnen. Die Vielheit der Kulte

---

[15] Weim. Ausg. (= WA) 56, S. 177 f. (zu Röm 1, 20), bes. Z. 19 ff. und Z. 6 f.: Certissime sequitur, quod notitiam seu notionem divinitatis habuerunt, quae sine dubio ex Deo in illis est.

[16] WA 56, S. 177 Z. 11 ff.

[17] Ebd. Z. 8 ff.

in den außerchristlichen Religionen zeigt für Luther vielmehr die Perversion einer ursprünglich echten Gotteskenntnis bei den Heiden an. Sie besteht darin, daß der Mensch die eigenen Wünsche auf die unbekannte Gottheit überträgt und diese damit zu einem von ihm selbst geschaffenen Gegenüber zu sich erhebt, in das hinein er seine Vorstellungen von Gott projiziert. Nur einen einzigen „Beweis" für das dem Menschen unbegreifliche Sein und Wesen der Gottheit läßt Luther gelten. Die Heiden hätten, so bemerkt er in der Vorlesung über den Römerbrief,[18] beobachten können, wie es im Universum zugeht. Stets wird hier den unteren und niederen Wesen durch die höheren und überlegenen geholfen. Aufgrund dieser Feststellung hätten die Heiden bis zu dem einen über alle Kreaturen erhabenem Wesen aufsteigen können, das allen anderen hilft und also auch als der universale Helfer hätte bezeichnet werden können. Religionsgeschichtliche Beobachtungen haben Luther also die Erkenntnis eingegeben, daß alle Formen der Gottesverehrung letztlich darauf ausgehen, die Hilfe und den Beistand der Götter für den Menschen zu gewinnen.[19]

Nun ist es aber eine für die Beurteilung seiner religionsgeschichtlichen Anschauungen wesentliche Tatsache, daß Luther niemals nur im allgemeinen über den Begriff der Religion spricht. Er denkt vielmehr bei diesem Begriff stets ein bestimmtes Verhalten des Menschen mit, das sich sowohl der Gottheit als auch den Menschen gegenüber äußert. Es gibt deshalb den Begriff „Religion" für Luther nicht an sich, nicht im allgemeinen und nicht theoretisch, sondern stets nur in Verbindung mit einer bestimmten Verhaltensweise des Menschen, die entweder auf die Gottheit oder auf die irdischen, zwischenmenschlichen Beziehungen ausgerichtet ist. Auch jede Verderbnis der Religion hat nach Luther ihren Grund in dem Verhalten des Menschen, das er Gott oder den Kreaturen gegenüber an den Tag legt. Es gibt nach Luther verschiedene Stufen und Arten dieser im menschlichen Verhalten begründeten Religionsverderbnis.[20]

Ihr erster Grad ist die Undankbarkeit, die darin zum Ausdruck kommt, daß man die der Menschheit mit der Existenz der Kreaturen von Gott gegebenen Gaben nicht als solche annimmt, sondern über ihnen den Geber vergißt und sich nach eigenem Gutdünken einen Schöpfer und Erhalter der Welt bildet, auf den dann die vorhandenen Gaben zurückgeführt

---

[18] Ebd. Z. 7 ff.
[19] Ebd. Z. 31 ff. und S. 178 Z. 24 ff.
[20] Ebd. S. 178 Z. 27 ff.

werden. Der zweite Grad der Perversion der Religion besteht nach Luther in der Hervorhebung des menschlichen Willens und in einem nur auf sich selbst gerichteten Gebrauch der Schöpfung durch den Menschen. Aus der Aufrichtung dieses Maßstabes ergibt sich für Luther zwangsläufig der dritte Grad von Perversion der Religion. Der Mensch schreibt sich eine Mächtigkeit über die Kreaturen zu, die ihm aber, der ja selbst ein geschaffenes Wesen ist, nicht zukommt. Der höchste und letzte Grad der Depravation der Gottesverehrung äußert sich deshalb in der Errichtung von Götterbildern und in der Konzeption von bestimmten, diesen entsprechenden Verhaltensweisen. Letztlich verehrt der Mensch damit aber nur die von ihm erzeugte Fiktion der Gottheit, im Grunde sich selbst.

Mit diesen schon in der Römerbriefvorlesung entwickelten religionskritischen Bemerkungen hat Luther die Kritik an den kirchlichen Zuständen und den Verehrungsweisen seiner Zeit verbunden. Er bezeichnet diese als die höhere und geistliche Idololatrie, in der Gott allenthalben verehrt wird, nicht wie er ist, sondern wie er vorgestellt wird. Man bildet sich den gnädigen Gott ein, den man durch sein Verhalten glaubt für sich eingenommen zu haben: „et ita phantasma suum verius colunt quam Deum verum, quem similem illi phantasmati credunt." [21] Der Mensch ist also in dieser Art von Gottesverehrung seinen religiösen Illusionen erlegen. Er ist unfähig, unter diesen Voraussetzungen überhaupt noch das wahre Wesen Gottes zu erkennen und festzuhalten, obwohl ihm dieses von der Betrachtung der Gotteswirkungen in der Welt her durchaus bekannt sein könnte.

Die Religionskritik, die Luther mit diesen Ausführungen in seinem Kommentar zum Römerbrief verbindet, läßt an Schärfe nichts zu wünschen übrig. Welche Bedeutung die religionskritischen Äußerungen für Luther haben, erkennt man an ihrem abermaligen Auftreten innerhalb des Großen Katechismus, wo sie anläßlich der Auslegung des Ersten Gebotes erscheinen. Luther hat sich die Frage vorgelegt, was gemeint ist, wenn das Gebot von einem „Gott haben" spricht.[22] Wie in der Römerbriefvorlesung, so hat Luther auch an dieser Stelle das „Haben Gottes" zu der menschlichen Verhaltensweise in Beziehung gesetzt und es folgendermaßen umschrieben[23]: „Ein Gott haben nichts anders ist denn ihm von

[21] Ebd. S. 179 Z. 1 ff.; vgl. auch bes. Z. 11 ff.: Eisdem gradibus pervenitur etiam nunc ad spiritualem et subtiliorem idolatriam, quae nunc frequens est, qua Deus colitur, non sicut est, sed sicut ab eis fingitur et aestimatur.

[22] WA 30 I, S. 132 Z. 34: „Was heißt ein Gott haben oder was ist Gott?"

[23] Ebd. S. 133 Z. 2 f.; S. 134 Z. 4 f.

Herzen trauen und glauben, wie ich oft gesagt habe, daß alleine das Trauen und Glauben des Herzens macht beide, Gott und Abgott."

In diesem Zusammenhang weist Luther jede Vergegenständlichung Gottes scharf zurück. Ebenso wendet er sich leidenschaftlich gegen die Übertragung der menschlichen Wünsche auf die Gottheit, die damit nicht nur zur Fiktion des Menschen wird, sondern auch eine im Bereich der Religion unerträgliche Herabsetzung durch den Menschen erfährt. In ihr aber kommt nach Luther recht eigentlich die „Abgötterei" zum Ausdruck, d. h. die Aufrichtung eines falschen Gottesdienstes, durch den Gott zum Schuldner des Menschen gemacht und die Religion als ein Rechtsverhältnis zwischen Gott und Mensch nach dem Prinzip des „do ut des" begriffen wird. Luther hat es im Großen Katechismus aber auch als ein Bewegungsgesetz der Religionsgeschichte bezeichnet,[24] daß Gott selbst die Perversionen seiner Verehrung durch den Menschen von Zeit zu Zeit wieder aufgehoben und den falschen Gottesdienst niedergelegt hat, um die wahre Verehrung seiner selbst wiederherzustellen und die Erneuerung der Religion zu bewirken. Luther sieht dieses Gesetz sowohl in den nichtchristlichen Religionen als auch innerhalb des Judentums und Christentums wirksam.

Auch die Reformation hat Luther demgemäß unter religionsgeschichtlichen Perspektiven betrachtet, ja sie von der Religionsgeschichte her begründet.[25] Die Reformation ist eben nicht nur eine innere Angelegenheit der Kirche, gleichsam die kirchliche Selbsterneuerung. Sie ist vielmehr eine im Bereich der Religion notwendige und in allen positiven Religionen anzutreffende Protestbewegung gegen die Errichtung eines falschen Gottesdienstes von seiten des Menschen, in dem dieser sich Gott nicht zuwendet, wie er in Wahrheit ist, sondern ihn so verehrt, wie er ihm erscheint oder von ihm angesehen wird.

Diese Ausführungen machen deutlich, *daß Luther den Begriff Religion niemals losgelöst von dem Verhalten des Menschen verstanden hat.* Es ist bezeichnend, daß er den Begriff Religion nicht so sehr durch das Wort „religio" als vielmehr durch Ausdrücke wie „latria", „pietas", „cultus Dei" umschrieben hat,[26] denn sie drücken besser und klarer als der Begriff „religio" das Verhalten des Menschen zu seinem Gegenüber aus, das im

---

[24] Ebd. S. 134 Z. 35 ff.; bes. 135 Z. 1 ff.
[25] WA 6, S. 356; S. 517.
[26] Vgl. die zahlreichen Belege bei Vossberg a. a. O. S. 14 ff.

Offensein, Vertrauen, Hoffen und Erwarten erscheint. Luther hat gerade in dieser Haltung des Menschen die Antwort auf die Frage gefunden, was „einen Gott haben" bedeutet. „Einen Gott haben" heißt einen Gegenstand des Vertrauens, des Hoffens und des Erwartens haben. Die inhaltliche Ausfüllung dieses Begriffs ist sogar gleichgültig. Luther kann diese Haltung des Menschen der Gottheit gegenüber sogar mit dem Wort „glauben" umschreiben.[27] Glaubst du an einen gnädigen Gott, so hast du einen gnädigen Gott. Es ist klar, daß bei einer solchen Definition das Gottesbild selbst den Wandlungen unterworfen wird, die durch die wechselnden Gegenstände des menschlichen Vertrauens gegeben sind. Der Mensch bildet sich seine Vorstellung von Gott, indem er ihm die Wünsche beilegt, die er im Innersten seines Herzens bewegt.

Luther hat deshalb in einer durchaus kritischen Weise die Feststellung getroffen, *daß dieses Vertrauen zu Gott mit „Furcht" verbunden sein muß, wenn es echt sein soll.*[28] Wenn nämlich der Mensch sich in Situationen findet, die ihn seine Abhängigkeit von Gott vergessen lassen und eine Minderung seines Vertrauens zu Gott zur Folge haben, so muß angesichts dieses Vertrauensschwundes die Furcht als echtes religiöses Kriterium auftreten. Sie allein kann dann der Bürge dafür sein, daß es Gott gegenüber keine Sicherheit des Menschen gibt, erst recht nicht in bezug auf die Gottesverehrung. Luther spricht in diesem Zusammenhang von der Gottesfurcht als der „reverentia" oder dem „timor sanctus et filialis", die nicht mit einer knechtischen Furcht oder der Flucht vor Gott als dem Zeichen des Unglaubens identisch sind. Allein mit Furcht und Vertrauen kann man Gott begegnen; denn durch diese beiden Verhaltensweisen gibt ihm der Mensch wahrhaft die Ehre, die ihm gebührt.[29]

Die Religionskritik Luthers geht also von der Kritik an den Gottesvorstellungen zu einer *Kritik an der Art und Weise der Gottesverehrung* über. Die einzig rechte Weise der Ehrung Gottes drückt für Luthers Ver-

---

[27] WA 30 I S. 135; S. 6 f.; vgl. dazu noch die Ausführungen in der Römerbriefvorlesung über die Reziprozität des Verhältnisses Gott — Mensch, WA 56, S. 234 Z. 2—7.

[28] Ebd. S. 136 Z. 27 ff. („ein schrecklich drewen"), ferner die bekannten Erklärungen der Gebote im Kleinen Katechismus, die diese Haltung in prägnanter und eindrucksvoller Weise aussagen, wobei das Fürchten sogar der Liebe zu Gott und seiner Verehrung vorangestellt wird.

[29] Ebd. S. 136 Z. 19 ff.; S. 135 Z. 31 ff.

ständnis das Erste Gebot aus.[30] Mit ihm führt der Glaube alles das, was er besitzt und wovon er lebt, auf Gott zurück, indem er es als von Gott empfangen anerkennt. Nur eine solche Einstellung hält Gott für das, was er in Wahrheit ist, für den allmächtigen Herrn der Geschichte und für den Geber aller Gaben. Damit spricht der Mensch sich selbst alle Ehre ab, er maßt sich nicht eine falsche Eigenmächtigkeit an. Indem man Gott für das ansieht, was er in Wahrheit ist, erweist man ihm die Ehre, die ihm zukommt. Luther hat deshalb in seiner Religionskritik die Gleichsetzung von Gottesvertrauen und Gottesdienst vollzogen.[31] „Gottesdienst" ist dann als die engere Fassung des Begriffes „Vertrauen" anzusehen, weil damit die praktizierte Religion gegenüber dem Begriff der Religion bezeichnet wird.

Diese Feststellung führt für Luther eine Reihe weiterer Probleme herauf, zunächst die Frage, ob und in welchem Sinne eine rechte Gottesverehrung überhaupt möglich ist; sodann die Frage, wie das Verhalten des Menschen zu Gott auf sein Verhalten zu den Mitmenschen einwirkt. Diesen beiden Fragen werden wir im folgenden nachgehen. An ihnen läßt sich erkennen, daß Luthers positive Aussagen zu den Fragen der Gottesverehrung stets auf dem Hintergrunde einer an dem allgemeinen Phänomen „Religion" orientierten Religionskritik gesehen werden müssen.

Es macht nun eine der grundlegenden religionsgeschichtlichen Einsichten Luthers aus, daß er immer wieder neu *die Aseität Gottes* betont, zumal in seinen Abendmahlsschriften, weil hier die Frage, wie die Erhöhung Christi zur Rechten Gottes zu verstehen sei, ihn auf das Problem der Gegenständlichkeit Gottes geführt hat. Luther betont in der Ausdeutung des Ausdrucks „Rechte Gottes",[32] daß dieser ein Bild für das allumfassende, alles erfüllende und die Welt durchdringende, in stets neuer Schöpferkraft wirkende Wesen Gottes ist. Er kann sogar von einer Ubiquität Gottes sprechen, die alle Kreaturen durchdringt und erfüllt, so daß Gott überall und nirgends ist.[33]

Dieser Gott ist nicht in seiner das menschliche Begreifen schlechthin übersteigenden Erhabenheit zu fassen. Er ist wie das verzehrende Feuer,

---

[30] Ebd. S. 134 Z. 30 ff.
[31] Vgl. dazu Vilmos Vajta, Die Theologie des Gottesdienstes bei Luther, Göttingen 1952.
[32] WA 19, S. 491/92 und besonders WA 23, S. 133 f.
[33] WA 23, S. 135/137; WA 26, S. 339.

das den verbrennt, der sich ihm naht. Er ist über jedes menschliche Maß und jeden menschlichen Ausdruck erhaben. Es ist deshalb eine weitere wichtige religionsgeschichtliche Einsicht Luthers, daß Gott für den Menschen überhaupt nur durch die Einkleidung in Geschichtlichkeit, d. h. in seiner Verhüllung, faßbar ist und daß diese seine Verborgenheit gerade seine Offenbarung bedeutet.[34] Diese Beobachtung hat Luther ebenfalls durch allgemeine, der Religionsgeschichte entnommene Beobachtungen gestützt.

Der Gedanke an das alles durchdringende Wesen Gottes macht für Luther *die Frage nach der Offenbarung Gottes* notwendig. So kommt er dazu, die Notwendigkeit des Geschichtlichen und Konkreten, des Sinnlichen und Anschaubaren für die Gotteserkenntnis zu betonen. Es drücken sich für Luther Unglaube und menschliche Superbia gerade darin aus, daß sie meinen, sich zu Gott in seiner Geistigkeit erheben und die unscheinbaren geschichtlichen Formen, unter denen er dem Menschen begegnet, überspringen zu können[35]: das Wort der Verheißung, das Kind in der Krippe, den Gekreuzigten auf Golgatha, das Wasser der Taufe, Brot und Wein des Abendmahls usw. Luther bezeichnet diese geschichtlichen Größen als die „imagines", „involucra", „symbola" des ewigen Gottes. Der „Deus ipse nudus, absolutus" ist dem Menschen nicht zugänglich, so daß dieser es immer nur mit dem „deus verbo indutus" zu tun hat.[36] Hier liegt der tiefste, religionsgeschichtlich begründete Punkt des Gegensatzes Luthers gegen jede Art von mystischer Religiosität und gegen die Gottunmittelbarkeit der spiritualistischen Kreise der Reformation.

Aus dem Zusammenhang dieser Gedanken über die Offenbarung als Verhüllung Gottes ergibt sich weiterhin die religionsgeschichtliche Feststellung, daß die Idolatrie nicht in dem Festhalten an den sinnlichen Erscheinungsformen der Religion bestehen kann, sondern daß sie in der Verwechslung von Hülle und Gehalt, von Erscheinung und Wesen ihren Grund hat. Das Symbol wird vom Menschen nicht als solches aufgenommen, sondern mit der transzendenten Wirklichkeit identifiziert, die sich ihm doch niemals anders als durch das Symbol, und durch dieses auch nicht einmal ganz, erschließen kann.

---

[34] WA 18, S. 633; vgl. WA 45, S. 522.

[35] Vgl. dazu Fr. Heiler a. a. O. S. 25 f., wo verschiedene Belegstellen angegeben werden; s. ferner WA 40 II, S. 329 f.; 42, S. 284 ff.; 43, S. 458 ff.

[36] WA 23, S. 151; bes. WA 39 I, S. 246.

Im Christentum ist nun nach Luther diese Art der Religion gegeben, die nicht von hohen metaphysischen Spekulationen, sondern von den niederen geschichtlichen Gegebenheiten, nicht von oben her, sondern von unten her, d. h. von der Umkleidung der Gottheit mit Geschichtlichkeit, wie sie z. B. in dem Menschen Jesus von Nazareth uns begegnet, ihren Ausgang nimmt.[37] Andererseits ist bei Luther mit dieser Hochschätzung des Geschichtlichen auch die Polemik gegen den ganzen „Kultapparat" der Kirche verbunden. Die Idololatrie ist dann nicht nur eine solche der Heiden, sondern auch der Christen, die das lebendige Wort und das dargereichte Sakrament ihrer Zeichenhaftigkeit und Geschichtlichkeit entkleiden, weil sie in ihnen nicht den adäquaten Ausdruck göttlichen Wesens und Wirkens zu erkennen und die Offenbarung als Verhüllung zu begreifen vermögen.[38]

Luther macht nun aber eine weitere religionsgeschichtlich bedeutsame Bemerkung über die Verehrung Gottes. Er betont, daß es keine Verehrung Gottes gibt, die von dem Verhältnis des Menschen zu seinen Mitmenschen gelöst ist. Gott begegnet dem Menschen gerade in den armen und elenden, hilfsbedürftigen und verlassenen Mitmenschen. Eben darin besteht für Luther das Besondere am Christentum, daß es auf diese Zusammenhänge für die Verehrung Gottes verweist[39]: „Was du deinem Nächsten tust, der da Not leidet und im Elend steckt, das hast du dem Herrn Christus selbst getan. Herunter, sagt Christus, du findest mich in den Armen. Ich bin dir zu hoch im Himmel, du versteigst dich umsonst. Also wäre es wohl vonnöten, daß dieses hohe Gebot der Liebe mit goldenen Buchstaben geschrieben wäre an alle Stirnen der Armen, damit wir sähen und begriffen, wie nahe uns Christus auf dem Erdenreich ist." „Die Welt ist voll, voll Gottes: in allen Kreaturen, vor deiner Türe findest du Christum. Du hast ihn in deinem Hause, in deinem Hausgesinde und deinen Kindern."

Das Mühen Luthers um die Erfassung des Phänomens Religion zeigt sich am deutlichsten in der *Zusammenfassung der verschiedenen konkreten Religionen zu bestimmten Typen.* Luther hat ja eine nicht unbedeutende Zahl konkreter Religionen beurteilt, soweit das Material darüber ihm zu

---

[37] WA 10 I, 1, S. 356.
[38] In der Überspringung der Geschichte hat Luther gerade die Sünde schlechthin gesehen, vgl. WA 50, S. 246, die Ausführungen über den „Enthusiasmus", der in Adam und seinen Kindern von Anfang der Welt bis zu ihrem Ende steckt.
[39] Zitiert nach Fr. Heiler a. a. O. S. 409.

seiner Zeit zugänglich gewesen ist: die Religionen der Antike, d. h. die griechische, römische und ägyptische Religion; er kennt vom Alten Testament her die israelitische Religionsgeschichte; ebenso ist ihm der Islam mit der Gestalt Mohammeds nicht unbekannt gewesen.[40] Um die genauere Erfassung gerade dieser Religion hat sich Luther durch die von ihm befürwortete Edition des Korans bemüht.[41]

Seine Religionskritik hat nun auch *eine Zusammenschau der Religionen* veranlaßt, die, selbst wenn sie weit auseinanderliegen, doch verwandte Züge in ihnen entdeckt. So werden der Nomismus und die katholische Werkfrömmigkeit durchaus als eine Größe behandelt. „Heiden", „Juden" und „Türken" werden mit ihrer Ablehnung der christlichen Offenbarung, die ja die Verhüllung Gottes in dem Menschen Jesus von Nazareth darstellt, zusammengenommen. Katholizismus und Islam können auch mit ihrem „Enthusiasmus", d. h. mit ihrer besonderen Art von Geistigkeit, zusammengefaßt, oder Katholizismus und Heidentum können einander gleichgestellt werden, wie die Polemik Luthers gegen die Heiligenverehrung zeigt, die für ihn einen christlichen Polytheismus erzeugt hat. In dem katholischen Reliquienkult erblickt Luther eine primitive Vergegenständlichung des Heiligen. Auch das protestantische Schwärmertum erscheint ihm als eine Variante zum Katholizismus oder als ein Rückfall in katholische Werkgerechtigkeit, weil hier dem Eigenwillen und Eigenwirken des Menschen wieder ein neuer breiter Raum zuerkannt wird.[42]

In diesen Typisierungen der Religionen kommt bei Luther *eine moderne Erkenntnis der Religionswissenschaft* zum Ausdruck. Fast alle Religionen

---

[40] Vgl. dazu Vossberg a. a. O. S. 90 f. und die folgende Anmerkung.

[41] Schon 1530 hatte Luther eine neue Ausgabe des ›Libellus de ritu et moribus Turcorum‹, der nur als Inkunabeldruck aus dem Ende des 15. Jahrhunderts existierte, mit einer Vorrede versehen, vgl. WA 30 II, S. 305 ff. In dieser übt er ausdrücklich Kritik an Nikolaus v. Kues und dessen mittelalterlichem Gewährsmann Riccoldus, weil diese nur absurde und schändliche Dinge aus dem Koran wiedergegeben, dagegen *„bona quae in eo sunt"* (ebd. S. 305 Z. 12 f.) übergangen oder lächerlich gemacht hätten, so daß sie wenig Glauben und Ansehen sich erworben hätten. Vgl. ferner Luthers Übersetzung der ›Widerlegung des Korans‹ von Riccoldus, WA 53, S. 272 ff. und sein Nachwort ebd. S. 388 ff.; Luthers Vorwort zu der von ihm befürworteten Koranausgabe von Theodor Bibliander von 1543 findet sich in WA 53, S. 569—572.

[42] Zu Luthers Urteilen über die Heiligenverehrung vgl. Fr. Heiler a. a. O. S. 431.

lassen sich auf einige wenige Typen und Erscheinungsformen reduzieren.
Die Produktivität im Bereich der Religion ist keine unbegrenzte. Eine
letzte Vereinfachung dieser Typen hat Luther vorgenommen, wenn er
überhaupt nur noch zwei Religionsformen in allen konkreten Erscheinungen der Religionsgeschichte gelten lassen will, die eine der vollkommensten
Veräußerlichung der Religion und die andere der vollkommensten Hingabe an Gott[43]: „Denn von Anfang der Welt sind gewest zweierlei
Geschlecht, die nach Gott fragen, und sind noch, werden auch bleiben bis
zur Welt Ende. Die ersten waren, welche ohne Herz, ohne Gnade, ohne
Geist, allein mit äußerlichen Werken, Opfern, und Zeremonien Gott
dieneten und noch dienen." Ihnen steht der andere Typ gegenüber, den
Luther schlechthin als den „Frommen" charakterisiert, weil er ganz theo-
zentrisch ausgerichtet ist[44]: „Die Frummen wissen, daß man Gott muß
ehren mit dem Glauben und auf kein Ding bauen, aller Ding gelassen
stehen, inwendig und auswendig."

2. Die Religion des Gewissens bei Melanchthon

Die Kennzeichnung des Religionsverständnisses Luthers als „Gewissensreligion", die Karl Holl geprägt hat, trifft recht eigentlich für Melanchthon,
dagegen nur in einem sehr beschränkten Umfang für Luther zu, wie unsere
Ausführungen gezeigt haben. Melanchthon hat die Religion vom Gewissen
des Menschen her begründet und von diesem aus nicht nur einen religionsgeschichtlichen Aufriß gegeben, sondern auch die Einteilung der Menschheit
in die beiden Gruppen des befriedeten bzw. unbefriedeten Gewissens vorgenommen.[45] Damit hat er nicht nur die formale und sachliche Verbindung
von Philosophie und Theologie hergestellt, sondern auch *neue Ansätze für
die Entwicklung der Religionswissenschaft gelegt*, die freilich erst im Zeitalter der Aufklärung zu voller Ausgestaltung gebracht worden sind.
Nach Melanchthon sind dem Menschen bestimmte natürliche Prinzipien
und Erkenntniswahrheiten eingestiftet, die mit den in der Bibel gegebenen,
auf Offenbarung beruhenden übernatürlichen Wahrheiten verbunden wer-

[43] Zitiert nach Vossberg a. a. O. S. 116.
[44] Ebd. S. 116 f.
[45] Vgl. dazu P. Meinhold, Philipp Melanchthon, der Lehrer der Kirche, Berlin
1960, S. 77 ff.

den müssen. Diese Zusammenordnung hat er durch den Begriff des „lumen naturale" zum Ausdruck gebracht. Dem Menschen eignet mit seinem kreatürlichen Sein „das Licht der Natur", das also zur Ausstattung des Menschen von Natur aus hinzugehört, denn der Mensch wird durch dieses Licht nicht nur zu bestimmten sittlichen Handlungen veranlaßt, sondern auch auf das Wissen um die Existenz der Gottheit und zu ihrer Verehrung geführt.[46] Hatte Luther in der Auslegung des Römerbriefes den Gedanken vertreten, daß diese Anlage des Menschen „ex deo" stamme, so verlegt sie Melanchthon, ohne diesen Ursprung zu betonen, in die dem Menschen mit seiner Natur gegebene Anlage. Von Natur aus sind dem Menschen letzte sittliche Prinzipien angeboren. Von Natur aus wird der Mensch auf die Erkenntnis Gottes als des Schöpfers und des gerechten Vergelters aller menschlichen Taten geführt. Daß der Mensch von Natur aus nach gewissen sittlichen Maximen handelt, hat Melanchthon als das ihm eingestiftete „natürliche Gesetz", als die „lex naturalis", bezeichnet, das allerdings mit dem auf der göttlichen Offenbarung beruhenden Dekalog oder dem „göttlichen Gesetz" identisch sein soll.[47] Dieses bringt also mit seinen Forderungen in inhaltlicher Hinsicht nichts, was über die natürlichen Anlagen des Menschen hinausgeht, die vielmehr als eine Zusammenfassung des Naturgesetzes in einer geradezu klassischen Form anzusprechen sind. Infolge der durch die Sünde geschwächten Natur des Menschen stellen sie aber eine große Erleichterung in bezug auf das Erkennen und die Befolgung des natürlichen Gesetzes für den Menschen dar.

Bei Melanchthon bilden nun *diese im Menschen verankerten natürlichen Grundlagen die Gegebenheiten, an welche die göttliche Offenbarung anknüpft*, indem sie sie ergänzt und vertieft.

So können also die Wahrheiten der Offenbarung als eine Ergänzung oder Erweiterung der dem Menschen mit dem „lumen naturale" eingepflanzten religiösen und sittlichen Wahrheiten erscheinen. Zu den dem Menschen von Natur aus eignenden sittlichen und religiösen Prinzipien treten also die in der Bibel enthaltenen Offenbarungswahrheiten hinzu, indem sie jene in Richtung auf diejenigen Prinzipien und Lehren ausbauen, die der Mensch nicht von Natur aus konzipieren kann. Es handelt sich dabei um die Lehren von der Trinität und der Menschwerdung, um die

---

[46] CR XIII, 648 f.; XXI, 686; XII, 614.

[47] R. Seeberg, Lehrbuch der Dogmengeschichte, Bd. IV, Leipzig [2+3]1920, S. 436 ff.

Verheißungen des Evangeliums von der Vergebung der Sünden, der Gnade und der Rechtfertigung.[48] Die natürliche Gotteserkenntnis des Menschen wird also durch die göttliche Offenbarung, die Christus der Menschheit vermittelt hat, bereichert und ausgeweitet. Die an das Naturgesetz sich anschließende natürliche Moral, die wegen der Schwächung der menschlichen Kräfte durch die Sünde immer unvollkommen sein muß, empfängt deshalb ihren erhöhten religiösen Wert durch das Hinzutreten des Evangeliums, das keinen anderen Zweck hat als den, den Menschen zur Erfüllung des Naturgesetzes zu befähigen. Aber auch mit dem Evangelium ist eine prinzipielle neue Ethik nicht gegeben. Auch das Handeln des Christen ist Verwirklichung des Naturgesetzes, die allerdings durch den Glauben an Christus und die auf ihm beruhende Vergebung der Sünden vollkommener als die des natürlichen Menschen ist.[49]

Melanchthon hat mit diesen Gedanken die in religionsphilosophischer Hinsicht so bedeutsame Verbindung von Philosophie und Theologie, von Vernunft und Offenbarung, von Gesetz und Evangelium vorgenommen. Mit den Erkenntnissen der Vernunft und mit den natürlichen Lebensordnungen wird der „ganz andere" und irrationale Inhalt der Offenbarung kombiniert. Diese knüpft also an die natürlichen und psychologischen Vorgegebenheiten auf seiten des Menschen an, nicht etwa, um sie inhaltlich und qualitativ zu verändern, sondern um sie in ihrem natürlichen Bestande und als Voraussetzung für das Handeln des durch das Evangelium erneuerten Menschen anzuerkennen.

Die Notwendigkeit der göttlichen Offenbarung hat Melanchthon aus der in der Menschheit verbreiteten Sünde abgeleitet. Sünde ist für ihn der Verstoß gegen die der Vernunft eingeborenen Prinzipien, die der Mensch auch von Natur aus einzusehen vermag. Die durch die Sünde bewirkte Schwächung der Natur macht deshalb die Ergänzung der natürlichen Ausstattung des Menschen durch die göttliche Offenbarung notwendig. Die Existenz der Sünde bezeichnet also die schmale Grenze, die Melanchthon zwischen Vernunft und Offenbarung, zwischen Gesetz und Evangelium gezogen hat: eine schmale Grenze, denn sobald sie einmal fällt, steht der Gleichsetzung der natürlichen Lebensordnung und der natürlichen Gotteserkenntnis mit dem Inhalt der Offenbarung und dem aus ihr abzuleitenden göttlichen Gesetz nichts mehr im Wege. Die Natur

---

[48] CR XXI, 712, bes. 713; 716 ff.; bes. 801.
[49] Vgl. dazu R. Seeberg a. a. O. S. 471 ff.

kann dann selbst als die Offenbarung Gottes angesehen werden. Das Leben nach der Natur ist dann das dem göttlichen Willen entsprechende Leben. Gesetz und Evangelium bezeichnen dann nicht mehr einen prinzipiellen, sondern nur noch einen graduellen Unterschied im Verhältnis des Menschen zu Gott, zum Nächsten und zur Gesellschaft.[50]

In diesen Gedanken Melanchthons liegen die Anknüpfungspunkte für die „natürlichen Systeme" der Aufklärungstheologie und -philosophie. Auf diesem Untergrunde konnte sich *eine Wissenschaft von der Religion entwickeln, die die mit dem Gewissen des Menschen gegebenen Voraussetzungen für alle Religionen anerkennt,* von ihnen aus auch die Besonderheiten des Christentums nach dem religionsgeschichtlichen Zusammenhang erklärt. Man darf diesen Ansatzpunkt für die Entwicklung der Religionsphilosophie der Aufklärung, den Melanchthon gelegt hat, keineswegs gering veranschlagen, denn von ihm aus ist einmal das Problem Vernunft und Offenbarung, zum anderen die Frage nach der „wahren" Religion entwickelt worden.

Dieser Ansatzpunkt Melanchthons macht es aber auch verständlich, daß die lutherische Orthodoxie sich vor dem Abgleiten in den Rationalismus durch die energische Betonung der Sünde des Menschen und der Unterscheidung einer allgemeinen und einer speziellen Offenbarung zu schützen gesucht hat.[51] Melanchthon freilich wollte durch die Kombination von Vernunft und Offenbarung gerade die Notwendigkeit und die Besonderheit dieser gegenüber jener betonen. Aber dann hat er gerade durch diese Koordination die Auflösung der Offenbarung nach der inhaltlichen und formalen Seite hin vorbereitet und die Entwicklung einer Religionsphilosophie eingeleitet, die sich an die von ihm gelegten natürlichen Grundlagen, wie sie zur Ausstattung jedes Menschen gehören, angeschlossen hat. Da das Gewissen des Menschen der Ort ist, an dem einerseits die aus der Nichterfüllung des Gesetzes erwachsende Beunruhigung, andererseits aber auch die durch die Gewißheit von der Sündenvergebung kommende Beruhigung erfahren wird, so ist es ganz konsequent, *wenn man das Religionsverständnis Melanchthons als „Gewissensreligion" bezeichnet.* Gerade das Christentum kann mit seiner Botschaft von der Vergebung der Sünden die Befriedung des durch das Gesetz in Unruhe gebrachten Gewissens herbeiführen

---

[50] Vgl. R. Seeberg a. a. O. S. 437 ff. und S. 476 ff.

[51] Vgl. dazu Ernst Troeltsch, Vernunft und Offenbarung bei Johann Gerhard und Melanchthon, Göttingen, 1891, bes. S. 160 ff. und S. 192.

und dieses zu einem wesentlichen geschichtlichen Faktor machen, der seinen Niederschlag im Handeln der Menschen gewinnt. So ist es Melanchthon möglich, alle Bewegung und Unruhe in der Geschichte als den Kampf des befriedeten und des unbefriedeten Gewissens, als das Ringen des natürlichen Menschen mit dem durch Christus zur inneren Ruhe gebrachten Menschen zu deuten.[52] Damit freilich hat er dann eine Dimension seiner Religionsphilosophie abgewonnen, die noch auf lange hinaus fortgewirkt hat, indem sie nicht nur das Religionsverständnis des Menschen der Neuzeit, sondern auch die Deutung der Geschichte ganz wesentlich mit beeinflußt hat.

3. Religionsphänomenologische Beobachtungen Calvins

Calvins grundlegendes Werk, der ›Unterricht in der christlichen Religion‹, hat in seiner letzten Gestalt, der Ausgabe von 1559, die durchgegliederte systematische Zusammenfassung der Gedanken erhalten, von der die weiten geschichtlichen Wirkungen nicht allein für den reformierten Bereich ausgegangen sind. Das in diesem Werk aufgeführte gewaltige Gebäude der Gedanken ruht auf einem vierfachen Fundament, indem es (erstens) von Gott dem Schöpfer, (zweitens) von Gott dem Erlöser, (drittens) von der Art des Gnadenempfangs und (viertens) von der Gemeinschaft mit Christus handelt, in die wir durch die von Gott dazu bestimmten äußeren Mittel gerufen werden. Der ›Unterricht in der christlichen Religion‹ in der Ausgabe von 1559[53] gleicht einem Monument, das sich nicht am Abschluß, sondern zu Beginn eines neuen und langen Weges erhebt. Spätere Generationen haben sich an diesem klassischen Werk für das kirchliche Leben und die Entwicklung der theologischen Gedanken immer wieder neu orientieren können. Das gilt insbesondere für das von Calvin in diesem Buch entwickelte Religionsverständnis.

Die ›Institutio christianae religionis‹ wird durch *allgemeine Erwägungen über das Wesen der Religion* eröffnet.[54] Religion ist für Calvin die Beu-

---

[52] CR XXI, 780, 782.
[53] Die Institutio Calvins in der Ausgabe von 1559 findet sich im CR XXX; eine hervorragende Übersetzung fertigte O. Weber, Unterricht in der christlichen Religion ... Nach der letzten Ausgabe übersetzt und bearbeitet von Otto Weber, 2. Aufl. Neukirchen-Vluyn / Krs. Moers, 1963.
[54] Vgl. dazu R. Seeberg a. a. O. S. 560 ff.

gung unter eine gegebene Wirklichkeit und die Erfahrung von der schlechthinnigen Abhängigkeit des Menschen von Gott. Sie erwächst nicht aus dem Verlangen des Menschen nach einem ewigen, ihm unverlierbaren Gut, wie im Gegensatz zu bestimmten Äußerungen der mittelalterlichen Theologie gesagt wird. Das Glückseligkeitsstreben des Menschen reicht für Calvin nicht aus, um die Anlage des Menschen zur Religion zu begründen und damit auch ihrem Wesen gerecht zu werden, denn der Mensch lebt nicht zu seiner eigenen Glückseligkeit, sondern zur Erkenntnis und Verehrung Gottes, die auch die Erkenntnis des Menschen von sich selbst zur Folge haben. Das Leben ohne Gott ist für Calvin ein Leben ohne Realität. Der Mensch ist auf die Gotteserkenntnis angelegt; es lebt ein „semen religionis" in allen Menschen.[55]

Die wahre Erkenntnis Gottes ist dem Menschen jedoch nur dann möglich, wenn Gott sich ihm selbst erschlossen hat. Das hat Gott in der Heiligen Schrift getan, die uns zugleich das göttliche Gesetz, an dem sich unser Handeln zu orientieren hat, enthüllt. Es verrät *eine bedeutsame religionsphilosophische Einsicht* Calvins, wenn er damit den Gedanken ausspricht, daß der Mensch nur dann Gott in der rechten Weise ehren kann, wenn er bereit ist, ihm zu dienen. Deshalb muß das von Gott gegebene Gesetz immer über dem Leben des Menschen stehen. Nur durch die Annahme und Befolgung desselben macht er die Ehre Gottes und den Dienst um Gottes willen zum Inhalt seiner Gottesverehrung. Somit bestimmen zwei Momente den Religionsbegriff Calvins, in deren Miteinander er das charakteristische Kennzeichen der Religion an sich gesehen hat: das Bewußtsein der vollkommenen Abhängigkeit des Menschen von Gott in allen Dingen seines Lebens und die am göttlichen Gesetz sich orientierenden Aktivitäten des Menschen in der Welt.[56]

Für Calvin gibt es die Erkenntnis Gottes aus Natur und Geschichte, weil Gott immer als der allmächtige Schöpfer und Lenker der Welt anerkannt wird. Diese allgemeine Gotteserkenntnis gewinnt nun aber durch die zu ihr hinzutretende Offenbarung Gottes sofort eine bestimmte Erweiterung. Schon im Alten Testament ist in diesem Sinn die natürliche Gotteserkenntnis des Menschen durch die übernatürliche, auf der göttlichen Offenbarung beruhende vertieft worden, sofern Gott in den beiden Tafeln des Gesetzes

---

[55] Inst. I, 3, 1: semen religionis und, damit gleichbedeutend, sensus divinitatis; ib. 2: ad religionem propensio.

[56] Inst. I, 12, 1; II, 1, 1; 8, 2; III, 2, 26; 14, 9; vgl. R. Seeberg a. a. O. S. 461.

seinen Willen kundgetan und damit auch die Art seiner Verehrung angegeben hat. Calvin hat Gott als den allmächtigen, unaufhörlich wirksamen, alles Leben ordnenden und in seinen Schranken erhaltenden
göttlichen Willen verstanden.[57] Gott ist allen Menschen zu jeder Zeit und
an allen Orten mit seinem Willen nahe, der das Maß seiner Verehrung
ebenso wie das Verhältnis der Menschen zueinander geregelt hat. Immer
muß in der Welt der göttliche Wille zur Durchsetzung kommen, denn
gerade darin besteht die wahre Ehrung Gottes, daß in der Welt der göttliche Wille realisiert wird. Die Frage nach dem Warum des göttlichen
Willens ist vom Menschen niemals zu beantworten, denn sonst würde der
Mensch ja über Gott stehen, sein Handeln begreifen und sogar beurteilen
können. Gott steht vielmehr als der immer frei, gut und gerecht Handelnde
über allen menschlichen Vorstellungen von Gerechtigkeit und Güte. Der
Mensch ist nicht fähig, den Sinn des göttlichen Handelns zu begreifen, das
vielmehr mit seiner unbedingten Souveränität und Freiheit vom Menschen
anerkannt werden muß.[58]

Auch Calvin hat mit diesen Gedanken *die Prinzipien einer Religionsphilosophie entwickelt.* Diese geht davon aus, daß Gott in seinem Wort
ein vollgültiges Zeugnis über sich selbst abgelegt hat. Mithin kann der
Mensch nur in dem Maße adäquat von Gott sprechen, als es Gott gefallen
hat, von sich selbst zu reden. Jede andere nicht am göttlichen Wort orientierte Aussage des Menschen über Gott ist nichts als die Wiedergabe seiner
individuellen Vorstellungen von Gott. Der Mensch verweilt dann bei den
subjektiven Eindrücken, die das Wirken Gottes in ihm hervorgerufen hat,
er reicht aber niemals mit seiner Konzeption an das wahre Wesen Gottes
heran. Auch Calvin hat mit diesen Feststellungen bereits gewisse religionsgeschichtliche und religionsphilosophische Gedanken ad absurdum geführt,
die freilich erst im 19. Jahrhundert durch Ludwig Feuerbach aufgebracht
und verbreitet worden sind und die die Aussagen des Menschen über Gott
als Selbstaussagen des Menschen oder als Spiegelungen seines Bewußtseins
erklären wollten.[59]

---

[57] Inst. I, 17, 1.
[58] Inst. III, 23, 2.
[59] Vgl. die Polemik, die schon Calvin gegen die Behauptung von einer Erfindung der Gottesverehrung durch einige mächtige und kluge Menschen, die andere
dadurch zu Unterwerfung und Gehorsam bringen wollten, geführt hat, Inst. I,
3, 2.

Den religionsphilosophischen Gedanken Calvins eignet aber auch noch ein anderes Prinzip. Es gründet auf der Idee, daß Gottes Wille und seine Gerechtigkeit identisch sind, so daß man alles, was Gott will, gerade darum, weil er es will, für gerecht und gut ansehen muß. Der Hinweis auf den unerforschlichen Willen Gottes stellt für Calvin die letzte Antwort auf die Frage nach dem Warum des göttlichen Handelns und auf die menschlichen Reflektionen über die Gründe desselben dar. Calvin hat mit diesen Gedanken allen religionsphilosophischen Überlegungen eine bestimmte Grenze gesetzt, weil sie dazu anleiten, das Wesen Gottes als das unerklärbare Numen zu begreifen, das durch sich selbst ist und als solches das Wesen und den Inhalt der Religion bezeichnet.[60]

Diese gedanklichen Ansätze religionsphänomenologischer Art sind erst in der Neuzeit wieder aufgegriffen und fortgebildet worden. Calvin aber hat schon im Reformationszeitalter den Grund für diese Entwicklung gelegt, indem er *das Verstehen der Religion als eines eigenen Phänomens, das durch sich selbst ist und deshalb nur durch sich selbst erklärt werden kann,* mit aller Unnachgiebigkeit und der Prägnanz der Gedanken gefordert hat.

Überblickt man diese religionsgeschichtlichen und religionsphilosophischen Ansätze in der Theologie der Reformatoren, so müssen wir feststellen, daß diese in einer großen Breite eine Fülle von Ideen enthalten, die erst in späterer Zeit zu voller Ausbildung gekommen sind. Luther, Melanchthon und Calvin haben je in ihrer Weise ein bestimmtes Religionsverständnis entwickelt, von dem aus der Ausbau der Religionswissenschaft als einer eigenen theologischen Disziplin möglich geworden ist. Die in ihren Aussagen zum Phänomen „Religion" enthaltenen Ansätze haben eine Verselbständigung erfahren, die die hier vorliegenden Konzeptionen zu voller Entfaltung hat kommen lassen.

Das gilt zunächst für die von Luther ausgesprochene Religionskritik. Sie ist auf seiten der Reformation immer wirksam geblieben, denn sie bestimmte das Selbstverständnis derselben, indem sie dazu angeleitet hat, ihr Wesen als eine allgemeine religionsgeschichtliche Erscheinung zu begreifen. Das gilt sodann für die Gewissensreligion Melanchthons, die den Grund für die Entwicklung der „natürlichen Systeme" der Aufklärung

---

[60] Vgl. dazu die Ausführungen über die Religionsphänomenologie in ›Kirchengeschichte der Neuzeit und Gegenwart‹, S. 392 ff.

abgegeben hat, mit denen dann freilich auch die Abkehr von der Religion der Offenbarung und die Zukehr zu einer Religion der Vernunft verbunden gewesen ist, die ihren Höhepunkt im 18. Jahrhundert erreicht hat. Endlich haben die religionsphänomenologischen Bemerkungen Calvins zu neuen Konzeptionen vom Wesen der Religion angeregt, die aus sich selbst verstanden und durch sich selbst erklärt werden muß. Erst in der Religionsphänomenologie der Neuzeit ist unter Einbeziehung eines weiten religionsgeschichtlichen Materials voller Ernst mit diesem Prinzip gemacht worden.

Daß man sich im Zeitalter der Reformation auch von diesen Ansätzen aus um die Gewinnung neuen religionsgeschichtlichen Materials bemüht hat, zeigt die Forderung Luthers nach einer neuen Übersetzung und einer neuen Ausgabe des Korans, die der Auseinandersetzung mit dieser Religion dienen sollte, zugleich aber auch deren Wesen und auf diesem Hintergrunde dann auch die Reichtümer der eigenen Religion besser verstehen und erkennen lassen sollte.[61] Die Entwicklung der modernen Religionswissenschaft ist also in den Grundgedanken der drei Reformatoren Luther, Melanchthon und Calvin vorbereitet, wenngleich man auch noch von ihrer Ausbildung als einer eigenen theologischen Disziplin weit entfernt gewesen ist.

[61] Vgl. dazu oben Anm. 41. Auch bei Sebastian Franck und Jean Bodin ist das Bemühen um eine neue Erfassung der Gestalt und Lehre Mohammeds erkennbar, vgl. für Franck seine Übersetzung der spätmittelalterlichen Schrift ›Libellus de ritu et moribus Turcorum‹ von 1530, WA 30 II, S. 304; zu Jean Bodin und die Toleranzforderungen vgl. E. Benz, Der Toleranz-Gedanke in der Religionswissenschaft, in: DVjS XII (1934) S. 540—571.

PETER MEINHOLD

ENTWICKLUNG DER RELIGIONSWISSENSCHAFT
IN DER NEUZEIT UND IN DER GEGENWART

Erst im Zeitalter der Aufklärung sind die verschiedenen in der Reformationszeit gegebenen Ansätze für eine Wissenschaft von den Religionen zu einer gedanklich fundierten Ausbildung gekommen. Das hat zunächst seinen Grund in der im 17. Jahrhundert erfolgten Erweiterung des Weltbildes und der Weltkenntnis, die dem abendländischen Denken durch die in die fernöstliche, afrikanische und amerikanische Welt vordringende Mission vermittelt worden ist. Mit diesem Vorgang sind fremde, bisher nur dem Namen nach bekannte Religionen in das Blickfeld des abendländischen Denkens getreten, die eine Bearbeitung der neuen, mit ihnen gegebenen Probleme seitens der Theologie erforderlich gemacht haben.

Die Zuleitung eines neuen und reichen religionsgeschichtlichen Materials hat zunächst die Vergleiche der verschiedenen Religionen untereinander angeregt und damit zur Entdeckung von Parallelen mit dem Christentum geführt. Die isolierte Betrachtung einer Religion oder gar die Verabsolutierung des christlichen Standpunktes ist durch diese in der Aufklärung einsetzende religionsgeschichtliche Arbeit unmöglich geworden. Vielmehr ist man sich dessen bewußt geworden, daß es auch außerhalb des Christentums hochstehende Religionen gibt, deren Ethik an die des Christentums heranreicht, ja ihr ebenbürtig, wenn nicht sogar überlegen ist.[1]

In der *Verarbeitung dieser ersten religionsgeschichtlichen Erfahrungen* ist freilich die Aufklärung noch sehr konstruktiv vorgegangen, so daß man eine gewisse Hilflosigkeit und Fremdheit dem Phänomen „Religion" gegenüber an allen ihren Arbeiten feststellen muß. Man versucht, dieses Phänomen von der *Idee einer allgemeinen Natur- und Vernunftreligion* aus zu begreifen, indem man diese zum Maßstab für die Beurteilung aller

[1] Vgl. dazu E. Hirsch, Geschichte der neuern evangelischen Theologie im Zusammenhang mit den allgemeinen Bewegungen des europäischen Denkens Bd. I—V, Gütersloh 1949—1954, Bd. I S. 330 f. und Bd. II S. 81 f. über Christian Wolffs berühmte Rektoratsrede von 1721 über die Ethik der Chinesen.

positiven Religionen erhebt. Nur soweit diese mit der Vernunftreligion übereinstimmen, können sie anerkannt werden. Mit diesem Verfahren, das an die im Religionsverständnis Melanchthons liegenden Ansätze anknüpft, glaubt man den Maßstab gefunden zu haben, mit dem die Religionen gegenüber dem Moment ihrer Geschichtsgebundenheit, die für das Denken der Aufklärung eine so schwere, durchaus nicht aufzulösende Belastung darstellt, bewertet werden müssen. Eben deshalb wird auch die Religion mit der sich an der Vernunft orientierenden Moral verbunden, ja geradezu mit ihr identifiziert — ein Gedanke, den Kants Religionsphilosophie in wahrhaft klassischer Weise zum Ausdruck bringt.[2]

Diese Arbeiten haben für das Religionsverständnis der Aufklärung eine doppelte Folge gehabt: einerseits wird von dem rationalen Ansatz des Phänomens „Religion" her *die Realität aller transzendenten und transsubjektiven Momente in der Religion in Abrede gestellt.* Andrerseits werden *alle echten emotionalen Elemente ihres Lebens entsprechend abgewertet* oder als subjektive Verirrungen bezeichnet.[3] Die Rationalisierung der religiösen Erscheinungen hat deshalb eine ungeheure Verarmung für die Erfassung des Religiösen, ja eine Beschränkung des Blickes für die Besonderheiten des Phänomens Religion zur Folge. Gleichzeitig nötigt aber diese Einstellung dazu, die geschichtliche Einkleidung der Religion genauer zu untersuchen, eine religionsvergleichende Betrachtung zu üben und überhaupt nach der Depravation der religiösen Momente durch den menschlichen Träger derselben zu fragen. So wird *der Blick auf das menschliche Subjekt, den rationalen Religionsträger, gelenkt,* der aus sich heraus viele Produktionen auf dem Gebiet der Religion erzeugt haben sollte, so daß man sich zu sehr subjektivistischen Religionstheorien verleiten ließ. Man wollte das Phänomen „Religion" vom Subjekt ableiten, d. h. von den mannigfachen Wünschen, Erfahrungen und Nöten des Menschen aus erklären.[4] Auch noch eine andere Betrachtungsweise hat sich aus dieser

[2] Immanuel Kant, Die Religion innerhalb der Grenzen der bloßen Vernunft. Hrsg. von Karl Vorländer, 5. Aufl., Leipzig 1922 (Meiners Philosophische Bibliothek, Bd. 45), die die Religion in der praktischen Vernunft begründet sein läßt.

[3] Kant mit seiner Polemik gegen Em. Swedenborg ist ein charakteristischer Vertreter dieser Haltung, die gerade das visionäre Moment gänzlich abwertet, weil es „Geisterseherei" ist.

[4] Vgl. die Theorien von Matthew Tindal (1656—1733) bei Hirsch I S. 326 ff., bes. S. 329 f. oder von David Hume (1711—1776) bei Hirsch III S. 37 ff., bes. S. 44 ff.

grundsätzlichen Einstellung der Aufklärung zum Phänomen „Religion" ergeben. Sie ist in einer immer differenzierter werdenden Beobachtung der Erscheinungswelt der Religionen gegeben. Durch die Zusammenordnung des neuen, ungeheuer reichen religionsgeschichtlichen Materials, das die Empirie auf ganz unterschiedliche Weise darbietet, hat man neue allgemeine Gesetzmäßigkeiten zum Verstehen des Phänomens „Religion" zu entwickeln gelernt.[5]

Die Bedeutung dieser von der Aufklärung vertretenen Zielsetzungen für die religionswissenschaftliche Arbeit liegt auf der Hand: Man glaubt, das Wesen der Religionen in ihren Gemeinsamkeiten, die der religionsgeschichtliche Vergleich festgestellt hat, finden zu können. Das Geschichtliche, das Besondere, das Einmalige jeder einzelnen Religion gilt als Entstellung und Entartung der ihr vorausliegenden allgemeinen Vernunftprinzipien. So kommt man zu einer *Konstruktion der Religionsgeschichte,* die das Phänomen „Religion" entweder aus der abstrakten Vernunft ableitet und für seine geschichtliche Ausgestaltung den Menschen als den jeweiligen Religionsträger verantwortlich macht, oder aber man verlegt den Ursprung der Religion in die durch gewaltige Naturerscheinungen geweckten Gefühle des Menschen von Furcht und Ohnmacht der Natur gegenüber, um dann von den primitiven, ganz auf diesen Gefühlen beruhenden Religionsformen aus die Entwicklung zu den höheren, geläuterten aufsteigen zu lassen, so daß aus einem anfänglichen Polytheismus der Naturelemente sich langsam ein sich personalisierender Monotheismus herausgebildet haben sollte.[6]

Zu einer Überwindung dieser in der Aufklärung weitverbreiteten, noch bis in die erste Hälfte des 19. Jahrhunderts sich erstreckenden Ideen ist es einmal dadurch gekommen, daß man den Blick wieder auf die von der Aufklärung geleugneten und von ihr vernachlässigten Realitäten des religiösen Lebens gerichtet hat. Sodann hat schon Gotthold Ephraim *Lessing* die Religionsgeschichte als einen umfassenden, auf die ›Erziehung des Menschengeschlechts‹ gerichteten Prozeß verstanden, in dem die geschichtlichen Formen der Religion notwendige Durchgangsstufen im Hinblick auf die Gewinnung einer die ganze Menschheit umgreifenden Humanität und von ihr gelebten Gesittung darstellen.[7] Schließlich hat Johann Gott-

---

[5] Hirsch III S. 49 f. im Anschluß an Hume.
[6] Vgl. dazu Hirsch III S. 47 f. für Hume.
[7] Zu Lessing vgl. Hirsch IV S. 120 ff., bes. S. 135 ff.

fried *Herder* gerade die individuelle geschichtliche Gestalt der Religion als die einzig mögliche Darstellung ihrer irrationalen Momente angesprochen und die Entwicklung der Religionsgeschichte mit der der Menschheitsgeschichte in Zusammenhang gebracht, die in ihren einzelnen Phasen nur durch Einfühlung und Verstehen, durch intuitives und kongeniales Erfassen aller ihrer Erscheinungen ergriffen werden kann.[8]

Die eigentlichen Anstöße aber zur Herbeiführung einer neuen Epoche für die Religionswissenschaft sind von Friedrich Daniel Ernst *Schleiermacher* ausgegangen. Gegen die Rationalisierung und Ethisierung der Religion im Zeitalter der Aufklärung hat er ihr wieder den eigenen Ort im lebendigen Menschen selbst gegeben und sie wieder als eine Realität eigener Art begreifen lassen.[9] Er definiert sie als „staunendes Anschauen des Unendlichen". Auch die geschichtliche Gestalt der Religion wird nicht nach Art der Aufklärung als „zufällig", sondern als „notwendig" von ihrem Wesen her bezeichnet, weil die in unendlicher Fülle erscheinende Religion sich in die begrenzte irdische Gestalt kleiden muß, um sich überhaupt realisieren zu können. Es kommt also nach Schleiermacher darauf an, *die Individuation der Religion in den Religionen* zu erkennen, wenn man den Geist der einzelnen Religionen, die eigene, in sich geschlossene Welten darstellen, begreifen will: „Ihr könnt es euch nicht fest genug einprägen, daß alles nur darauf ankommt, ihre [d. h. der Religion] Grundanschauung zu finden, daß euch alle Kenntnis vom einzelnen nichts hilft, solange ihr diese nicht habt, und daß ihr sie nicht eher habt, bis ihr alles einzelne aus einem erklären könnt", ruft er in seinen die neue Epoche für die Religionswissenschaft begründenden ›Reden über die Religion‹ aus.[10]

Schleiermacher hat der Religion wieder die eigene Provinz gegeben, indem er sie in das Gefühl des Menschen verlegt, das sich von Vernunft und Denken ebenso wie von Handeln und Wollen unterscheidet. Es hat seine eigenen Anschauungsweisen und Sprachformen; mit ihm ist ein neues

---

[8] Zu Herder vgl. Hirsch IV S. 207 ff. und P. Meinhold a. a. O. S. 113 ff.

[9] Schleiermachers Buch ›Über die Religion, Reden an die Gebildeten unter ihren Verächtern‹, erschien 1799. Wir benutzen die Ausgabe von R. Otto, Göttingen 1899. Schleiermacher definiert: „Religion haben, heißt das Universum anschauen" (S. 70). Vgl. auch S. 31 ff., bes. S. 32: „Anschauen des Universums ... ist die allgemeinste und höchste Formel der Religion."

[10] Ebd. S. 154.

Prinzip für das Verstehen der Religionen mit der intuitiven Erfassung ihrer Lebensmitte gegeben. Religion kann als ein eigenes, lebendiges Wesen nur durch sich selbst und aus sich selbst verstanden werden[11]: „Ob es euch mit diesen Vorsichtsmaßregeln gelingen wird, den Geist der Religion zu entdecken? Ich weiß es nicht, aber ich fürchte, daß auch Religion nur durch sich selbst verstanden werden kann." Mit diesen Worten hat Schleiermacher *die wesentlichen Motive ausgedrückt, die auch in den Fragestellungen der Religionswissenschaft der Gegenwart noch nachwirken,* weil sie die Entwicklung einer Wissenschaft von der Religion als einer eigenen Disziplin mit eigenen Verstehensmethoden und eigenen Arbeitsgrundsätzen inaugurieren. Man kann nicht sagen, daß diese Ansätze heute schon ausgeschöpft sind. Sie erscheinen aber in der Entwicklung der verschiedenen, gleich zu besprechenden Disziplinen der modernen Religionswissenschaft.

Als Reaktion gegen die vom Subjekt ausgehende Begründung der Religion bei Schleiermacher erfolgt bei Georg Wilhelm Friedrich *Hegel* erneut die Zukehr zur objektiven Seite des religiösen Phänomens. Nach Hegel realisiert jede einzelne Religion an ihrem Teile die „Idee der Religion", die allerdings ihre volle Verwirklichung nur in der Religionsgeschichte im ganzen finden kann.[12] In der Inkongruenz von Idee und Erscheinung der Religion gründen auch *Hegels religionskritische Bemerkungen,*[13] wie er sie z. B. zu den indischen Religionen abgegeben hat. Bei den Schülern Hegels[14] haben diese dann ihre eigene Umgestaltung bis zu dem folgeschweren Urteil vom Opiat der Religion erfahren — jenem Gedanken, dem in einer letzten Verallgemeinerung, ohne daß sein konstruktiver Charakter dabei durchschaut und nach seinem Ursprung erkannt worden ist, die politische Einkleidung gegeben wird, die für weite Teile der modernen Welt die Einstellung zum Phänomen „Religion" ein für allemal festgelegt hat.[15]

---

[11] Ebd. S. 156.

[12] Vgl. Georg Lasson, Einführung in Hegels Religionsphilosophie, Leipzig 1930 (Philosoph. Bibliothek Bd. 65), bes. S. 96 ff.

[13] G. W. Fr. Hegel, Vorlesungen über die Philosophie der Religion, II. Teil: Die bestimmte Religion, Kap. 1: Die Naturreligion, hrsg. von Georg Lasson, Leipzig 1927 (Philos. Bibl. Bd. 60), S. 148 ff.

[14] Vgl. dazu P. Meinhold, Heinrich Heine als Kritiker seiner Zeit, in: Zeitschrift für Religions- und Geistesgeschichte, 8. Jg. (1956), S. 319—345.

[15] Vgl. P. Meinhold, „Opium des Volkes?" Zur Religionskritik von Heinrich

Als eine weitere Reaktion auf den Ansatz Schleiermachers für den Begriff Religion muß man es bezeichnen, wenn Friedrich Wilhelm Joseph *Schelling* im Mythos die besondere Ausdrucksform des religiösen Weltbildes und die sprachliche Einkleidung für die Offenbarung findet, wie er beides in seiner ›Philosophie der Mythologie und der Offenbarung‹ entwickelt hat.[16] *Die Religionsgeschichte wird als eine Geschichte der Mythologie begriffen,* die von den Griechen aus in mehr oder weniger reiner Form zu allen Völkern gedrungen ist, die sie dann jeweils in ihrer Weise ausgedrückt haben. Georg Friedrich *Creuzer* und Johann Joseph *Görres* haben deshalb die allgemeine Religionsgeschichte als „Mythengeschichte" aufgefaßt, der eine in bezug auf die asiatische Welt, der andere in bezug auf die Völkerwelt überhaupt.[17] Der Mythos wird als Bildersprache verstanden, die letzte religiöse Erfahrungen im Umgang mit der Natur, den Glauben an eine Urgottheit und ihr allmächtiges Wirken in der kreatürlichen Welt aussagen will; er reicht bis in die fernste Urzeit zurück, hat aber bei den verschiedenen Völkern seine jeweilige geschichtliche Ausgestaltung gefunden. Jacob *Grimms* berühmte ›Deutsche Mythologie‹ beruht auf dem Gedanken, daß der Mythos, aus dem Monotheismus hervorgegangen, erst später in einen Vielgötterglauben zerlegt worden ist, sich aber in der lebendigen Volkstradition erhalten hat, um schließlich in Sage, Märchen und Epos in einer für die nordische Welt höchst charakteristischen, ausgebildeten Gestalt fortzuleben.[18] Nach Karl Otfried *Müller* drückt der Mythos gewisse Grunderfahrungen des menschlichen Lebens im Umgang mit Natur und Gesellschaft aus, ohne dann freilich immer einen reinen Ausdruck gefunden zu haben. Neben den Mythos müssen deshalb

Heine und Karl Marx, in: Monatsschrift für Pastoraltheologie, 49. Jg. (1960), S. 161—176.

[16] Vgl. dazu Jan de Vries, Forschungsgeschichte der Mythologie, Freiburg — München 1961, S. 72 ff. mit den Zitaten aus der 1857 erschienenen ›Philosophie der Mythologie und der Offenbarung‹.

[17] Georg Friedrich Creuzer, Symbolik und Mythologie der alten Völker, bes. der Griechen, 2. Aufl., Leipzig und Darmstadt 1819; vgl. Jan de Vries a. a. O. S. 153 ff.; Joh. Joseph Görres, Mythengeschichte der asiatischen Welt, 2 Bde., Heidelberg 1810; vgl. de Vries a. a. O. S. 157 ff.

[18] Jacob Grimm, Deutsche Mythologie. Vierte Ausgabe, besorgt von Elard Hugo Meyer, Bd. I—III (Gütersloh 1875—1877), vgl. de Vries a. a. O. S. 163 ff.

Symbol, Bild und Gleichnis als ein weiterer Ausdruck der durch den Menschen gemachten religiösen Erfahrungen in seinem Umgang mit der ihn umgebenden Welt treten.[19]

Neben diese sich zunächst nur auf die nordischen Völker richtende Mythologie ist dann bald auch die der persischen, balto-slawischen und keltischen Völker getreten, bis die neu erschlossenen indischen Texte eine ganz neue Welt in die Betrachtung gerückt haben, die, wie man bald erkannt hat, nur von der gesicherten sprachlichen Grundlage aus gedeutet werden können.[20] So sind *die Zusammenhänge von Sprachtheorie und Mythendeutung* immer schärfer hervorgetreten, bis ihnen Max *Müller* mit der Begründung der vergleichenden Sprach- und Religionsforschung einen bleibenden Ausdruck verliehen hat.[21] Bedeutsame religionsgeschichtliche Werke sind aus dieser Arbeitsrichtung hervorgegangen,[22] die sich dann auch auf die Erforschung der antiken Kulturen und Religionen erstreckt haben. Immer schärfer ist dabei *das Prinzip einer vergleichenden Religionswissenschaft* ausgebildet worden, die dem Phänomen „Religion" durch den Vergleich aller seiner primitiven und fortgebildeten Erscheinungen untereinander nahekommen wollte.

Erst auf dem Hintergrunde dieser freilich sehr einseitigen Betonung von der Bedeutung der Mythologie für die Einkleidung religiöser Erfahrungen wird das in der Theologie schon des 19. Jahrhunderts einsetzende, aber erst in der des 20. Jahrhunderts mit aller Konsequenz und unter neuen existential-philosophischen Voraussetzungen durchgeführte *Prinzip einer „Entmythologisierung"*, insbesondere der biblischen Botschaft, als theologisches Arbeitsprinzip verständlich. Es hat allerdings nicht zu einer religionsgeschichtlichen Ausweitung der theologischen Arbeiten, sondern nur zu ihrer Verengung und zu einer neuen rationalen und ethisierenden Fassung der biblischen Aussagen in der Angleichung an die jeweilige

---

[19] Karl Otfried Müller, Prolegomena zu einer wissenschaftlichen Mythologie, Göttingen 1825; vgl. de Vries a. a. O. S. 188 ff.

[20] Vgl. zu dieser Entwicklung de Vries a. a. O. S. 199 ff.

[21] Max Müller, Essays on Comparative Mythology, Oxford 1858; deutsche Ausgabe: Vergleichende Mythologie in Essays. Leipzig 1869—1876; vgl. de Vries a. a. O. S. 225 ff.

[22] Von Max Müller angeregt und redigiert ist die Textsammlung: Sacred Books of the East, Oxford 1879 ff., eine Wiedergabe klassischer Schriften aus den östlichen Religionen in wissenschaftlicher Übersetzung.

existentiale Denkvoraussetzung geführt, soviel auch zu diesem Problem in allen Bereichen der Theologie gesagt worden sein mag.[23]

Zur Ausbildung der Religionswissenschaft als einer selbständigen Disziplin ist es erst durch *die entschlossene Abwendung von der Mythologie und die entschiedene Zukehr zur vergleichenden Religionsgeschichte* gekommen, die dann auch das Christentum in die Welt der Religionen mit einbezieht, um sein Wesen gerade durch den Vergleich mit diesen zu erhellen. Insbesondere hat die „Religionsgeschichtliche Schule" sich dieser Aufgabe unterzogen, die vom Beginn des 20. Jahrhunderts die Entwicklung der Religionswissenschaft und der Theologie beherrscht und nachdrücklich beeinflußt hat.[24]

Drei Motive haben die Entwicklung der „Religionsgeschichtlichen Schule" bestimmt: einmal der Gegensatz gegen die historisch-exegetischen und dogmatisch-systematischen Voraussetzungen für die theologische Arbeit; man wollte eine in dogmatischer Hinsicht unvoreingenommene und wahrhaft historische Behandlung des Alten und Neuen Testamentes, die auf dem Hintergrunde der zeitgeschichtlichen Religionsformen verstanden werden sollen; sodann die Ausdehnung der religionsgeschichtlichen Fragestellung auf die Theologie überhaupt: das Christentum sollte den anderen Weltreligionen gegenübergestellt, „sein Wesen" sollte neu durch den religionsgeschichtlichen Vergleich, nicht aber einfach aus der Bibel und dem kirchlichen Bekenntnis erhoben werden, auf allen Gebieten der Theologie sollte die religionsgeschichtliche Betrachtungsweise konsequent durchgeführt werden; schließlich die Tendenz auf Information der Öffentlichkeit, der in einer neuen Weise der christliche Glaube durch die Vermittlung der in der religionsgeschichtlichen Arbeit gewonnenen Ergebnisse wieder nahegebracht und gerade dadurch auf ein geläutertes, vereinfachtes, aber historisch und religiös wahres Fundament gestellt werden sollte. Die ›Religionsgeschichtlichen Volksbücher‹ und ›Die Religion in Geschichte und Gegenwart‹ (in ihrer ersten Auflage) wollten diese neuen Tendenzen

[23] Vgl. dazu die in der Reihe ›Theologische Forschung‹ erschienenen Sammelbände, die zum Teil mehrere Auflagen erlebt haben: Kerygma und Mythos I—VI, Bd. 1 und 2. Bd. V ist mit zwei Ergänzungsbänden erschienen.

[24] Zuerst hat wohl Wilhelm Bousset, Die Mission und die sogenannte Religionsgeschichtliche Schule, Göttingen 1907, diese Bezeichnung aufgenommen; Ernst Troeltsch verstand sich als der „Systematiker" dieser Richtung; vgl. Carsten Colpe, Die religionsgeschichtliche Schule. Darstellung und Kritik ihres Bildes vom gnostischen Erlösermythos, Göttingen 1961.

der religionsgeschichtlichen Arbeit auch bei den Gebildeten populär machen und damit eine neue Art von Apologetik mit dieser vermeintlich streng historischen, jedoch in Wahrheit auf ihren eigenen Prämissen von der geschichtlichen Faktizität beruhenden religionsgeschichtlichen Betrachtungsweise treiben.[25]

Das wichtigste Resultat dieser neuen religionsgeschichtlichen Arbeitsweise für die Theologie liegt zweifellos in der Entdeckung vom streng eschatologischen Charakter der Verkündigung Jesu. Der sog. „historische Jesus"[26], den die Zeit mit ihrem unbändigen Verlangen nach gesicherter Wirklichkeit und als frei von aller kirchlichen Übermalung zu ergreifen suchte, konnte kein anderer als der Künder der dem modernen Menschen nicht mehr zugänglichen eschatologischen Predigt sein, die sich in den Begriffen „Reich Gottes" und „Herrschaft Gottes" ausspricht, die eben nicht als innerweltliche Größen und als die Ziele einer vom Menschen bestimmten innerweltlichen Entwicklung, sondern konsequent eschatologisch als die Zeichen des Anbruchs einer neuen, durch die Ankunft Jesu bestimmten Wirklichkeit zu deuten sind. Der Gebrauch bestimmter messianischer Hoheitstitel durch Jesus sollte nicht auf ihn selbst zurückgehen, sondern das Werk der Gemeinde sein, die ihn nach Art der hellenistischen Mysterienreligionen zu ihrem „Kultgott" erhoben und seine Verehrung auf eine „Kultlegende" gegründet hat, um sich über die Illusionen der Naherwartung und die Enttäuschung über die nicht eingetretene Parusie des vermeintlichen „Menschensohnes" hinwegzusetzen.[27]

[25] G. W. Ittel, Urchristentum und Fremdreligionen im Urteil der Religionsgeschichtlichen Schule (Phil. Diss. Maschinenschrift), Erlangen 1956.

[26] Vgl. dazu Albert Schweitzer, Geschichte der Leben-Jesu-Forschung, 6. Aufl., Tübingen 1951, S. XII: „Das geschichtliche Problem des Lebens Jesu, wie es sich der wissenschaftlich verfahrenden Forschung enthüllt hat, darf ... durch die aus der spätjüdischen Eschatologie gewonnene Erkenntnis als im wesentlichen gelöst angesehen werden" (Aus der Vorrede zur sechsten Auflage).

[27] Bezeichnend ist Wilhelm Bousset, Kyrios Christos. Geschichte des Christusglaubens von den Anfängen des Christentums bis Irenäus, 3. Aufl., Göttingen 1926, bes. S. 103: „Kyrioskult, Gottesdienst und Sakrament werden die gefährlichsten und bedeutendsten Gegner der urchristlichen eschatologischen Grundstimmung." — Für Paulus vgl. Hans-Joachim Schoeps, Paulus. Die Theologie des Apostels im Lichte der jüdischen Religionsgeschichte, Tübingen 1959, bes. S. 124: „Die ausgebliebene Parusie hat die Erwartung des Endgerichts in die Zeit nach dem Tod verschieben lassen. Und sie hat vor allem zur Entstehung der katholischen Kirche geführt, die mit dem resignierten Trost, daß vor Gott tausend Jahre

In der Folge der neuen Fragestellung verstand sich die Kirchengeschichte als Frömmigkeitsgeschichte, während die Dogmatik ihren Ausgangspunkt entweder wieder bei der von Schleiermacher postulierten „religiösen Erfahrung" nehmen oder aber aufgrund der besonderen Art der im Christentum vermittelten religiösen Erkenntnis sich als „Religionsphilosophie" verstehen und zu einer neuen Wertabstufung für die Religionen der Menschheit kommen sollte. Aber auch ein so bedeutendes Werk wie Ernst *Troeltschs* ›Soziallehren der christlichen Gruppen und Kirchen‹ verdankt, wie er selbst gesteht, den Anregungen der „Religionsgeschichtlichen Schule" seine Entstehung.[28]

Ihren entschiedensten Gegner fand die „Religionsgeschichtliche Schule" in der „dialektischen Theologie"[29], die freilich nicht nur die von jener aufgeworfenen Fragen wie das Problem der Geschichte und nach der religionsgeschichtlichen Stellung des Christentums ignoriert, sondern sich auch bis zu der äußerst mißverständlichen Behauptung gesteigert hat, daß das Christentum „keine Religion, sondern die Krisis aller Religion"[30] sei. Die ehrlichste Konsequenz aus den Erschütterungen, die die Arbeit der „Religionsgeschichtlichen Schule" für Kirche und Theologie zur Folge hatte, zog Albert *Schweitzer,* der ja selbst an der Durchsetzung ihrer

wie ein Tag sind, die eschatologische Erwartung in ihr Religionssystem einbauen konnte. Paulus hat ihr dies ermöglicht, weil in seiner Lehre die Ansätze zur einstweiligen und dann zur dauernden Meisterung des verlängerten Zwischenzustandes zwischen Epiphanie und Parusie angelegt waren."

[28] Ernst Troeltsch, Die Soziallehren der christlichen Kirchen und Gruppen, 3. Aufl., Tübingen 1923 (Ges. Schr. I); vgl. dazu den Aufsatz von Ernst Troeltsch ›Meine Bücher‹, in: Aufsätze zur Geistesgeschichte und Religionssoziologie, Tübingen 1925 (= Ges. Schr. Bd. IV) S. 10 f.

[29] Der Grund der Gegnerschaft erhellt aus der folgenden Anmerkung. Auch ein so kritisch und religionsgeschichtlich arbeitender Theologe wie Rudolf Bultmann (vgl. sein Werk ›Das Urchristentum im Rahmen der antiken Religionen‹, 1949) gehörte anfänglich zur dialektischen Theologie.

[30] Vgl. Karl Barth, Kirchliche Dogmatik I, 2 (Zürich 1938) S. 327; S. 330 f.: „Die Offenbarung knüpft nicht an die schon vorhandene und betätigte Religion des Menschen, sondern sie widerspricht ihr, wie zuvor die Religion der Offenbarung widersprach, sie hebt sie auf, wie zuvor die Religion die Offenbarung aufhob."; ferner E. Brunner, Religionsphilosophie evangelischer Theologie, München 1927, S. 74 und in: Offenbarung und Vernunft. Die Lehre von der christlichen Glaubenserkenntnis, Zürich 1941, S. 267 ff.: „In Jesus Christus ist auch ‚die christliche Religion' gerichtet so gut wie alle anderen Religionen."

Resultate einen wesentlichen Anteil hatte, indem er sich, wie er bekannt hat,[31] weil er für den modernen Menschen keinen Zugang mehr zur Eschatologie Jesu aufdecken konnte, ganz auf die Herstellung eines Willenseinklangs mit Jesus beschränkte und sich aus der Kirche und der zivilisierten Welt Europas zurückzog, um als Arzt im Innern Afrikas die Rettung eines Christentums der selbstlosen Tat für die Gegenwart zu praktizieren; er wurde der neue „Heilige" des unter den Einwirkungen der „Religionsgeschichtlichen Schule" stehenden, aber gerade in ethischer Hinsicht so sehr aktivierten Protestantismus. Zur Errichtung eigener religionswissenschaftlicher Lehrstühle in den theologischen Fakultäten ist es aber trotz dieser Breitenwirkungen der religionsgeschichtlichen Arbeiten nicht gekommen, von wenigen Ausnahmen (Leipzig, Marburg und Berlin) abgesehen.[32]

Unabhängig von dieser Entwicklung ist *der systematische Ausbau der Religionswissenschaft* erfolgt. Sie sollte auf der Basis der Empirie (z. B. auch der religiösen Erfahrung) beruhen, mit der Methode des Vergleichs arbeiten, die jeweiligen Grundformen der verschiedenen Religionen zu ermitteln suchen und die Gesetze ihrer geschichtlichen Entwicklung zu allgemeinem Ausdruck bringen. Diese Disziplin ist in den angelsächsischen Ländern als "Comparative Religion" bezeichnet worden;[33] sie sollte den Ursprung, die Strukturen und die charakteristischen Merkmale der verschiedenen Religionen der Welt feststellen, um Übereinstimmungen und Unterschiede oder ihre Beziehungen untereinander herausarbeiten und neue Wertungen hinsichtlich ihrer Superiorität oder Inferiorität vornehmen zu können. So ist schließlich das Phänomen der Religion in den Mittelpunkt der religionswissenschaftlichen Arbeit gerückt, die Friedrich *Heiler* schon 1921 mit folgendem Wort charakterisiert hat[34]: „Die Religions-

---

[31] Vgl. das Kapitel ›Schlußbetrachtung‹ in der ›Geschichte der Leben-Jesu-Forschung‹ a. a. O. S. 631 ff., bes. S. 640 f.

[32] Einen entsprechenden Neubau der Theologie forderten E. Troeltsch, Über historische und dogmatische Methode in der Theologie (in Ges. Schr. II, S. 729 ff.); ferner Carl Clemen, Die religionsgeschichtliche Methode in der Theologie, Gießen 1904; Max Reischle, Theologie und Religionsgeschichte, Hannover 1904.

[33] Grundlegend sind dafür die Werke von L. H. Jordan, Comparative religion, its genesis and its growth, London 1905, und: Comparative religion, its adjuncts and allies, Oxford 1916.

[34] Friedrich Heiler, Das Gebet, Eine religionsgeschichtliche und religionspsychologische Untersuchung, 4. Aufl., München 1921, S. 16 f.

wissenschaft hat es . . . im Unterschiede von der speziellen und allgemeinen Religionsgeschichte nicht mit den einzelnen Religionen und religiösen Persönlichkeiten zu tun, sondern mit der Religion überhaupt. . . . Sie sucht zu ergründen, was Religion ist, wie sie im Seelenleben der Menschen entsteht und im Gemeinschaftsleben der Menschen sich fortbildet, was sie für unser Geistes- und Kulturleben bedeutet." In dieser Definition sind freilich verschiedene Arbeitsmöglichkeiten bzw. -richtungen zusammengeschlossen, die als *Disziplinen der modernen Religionswissenschaft* ausgebildet worden sind, denen wir uns im weiteren zuwenden:

1. *Die Religionsphänomenologie.* Die hiermit angedeutete Entwicklung ist nur durch die Erfassung des religiösen Phänomens selbst möglich geworden, wie sie Rudolf *Otto* in seinem grundlegenden Werk ›Das Heilige‹ gegeben hat, dem die gleiche epochale Bedeutung wie Schleiermachers ›Reden über die Religion‹ zukommt.[35] Das Wesen der Religion ist nach Rudolf Otto stets das „Ganz Andere", das „Fremdartige", das immer zum menschlichen Leben sich in Beziehung bringt, indem es als solches erfahren und ausgedrückt wird und bestimmte Reaktionen des Menschen auslöst. Dieses „Andere" ist immer auf das Heil des Menschen gerichtet und verweist ihn damit auf die über sein Leben hinausreichenden Dimensionen. Erst von dieser Grundlegung für den Begriff „Religion" als einer durch sich selbst seienden, sich stets selbst bezeugenden und in charakteristischer Weise vom Menschen erfahrenen Größe, die mit ihrem numinosen Charakter weder ableitbar noch auflösbar ist, ist die neue Wissenschaft von den religiösen Phänomenen überhaupt möglich geworden.

Der Begriff der „Religionsphänomenologie" ist freilich in höchstem Maße widersprüchlich, denn wenn Phänomenologie die Rede von dem Sich-Zeigenden ist, Religion aber stets das „Ganz Andere" meint, das wesensmäßig verborgen bleiben muß, weil es als „Grenzerlebnis" rational nicht erfaßbar ist, wie ist dann eine Wissenschaft von dem Sich-nicht-Zeigenden überhaupt denkbar, wie kann es „Religionsphänomenologie" überhaupt geben?

Der eigentliche Begründer der Religionsphänomenologie, der nieder-

---

[35] Vgl. dazu: Rudolf Ottos Bedeutung für die Religionswissenschaft und die Theologie heute. Zur Hundertjahrfeier seines Geburtstages, 25. September 1969, hrsg. von Ernst Benz, Leiden 1971; Rudolf Otto, Das Heilige. Über das Irrationale in der Idee des Göttlichen und sein Verhältnis zum Rationalen, Breslau 1917 ([26]—[28]1947).

ländische Religionswissenschaftler Gerardus *van der Leeuw*, behebt diesen Widerspruch, indem er feststellt[36]: „Es liegt hier eine Antinomie vor, die für alle Religionen, aber auch für alles Verstehen wesentlich ist. Und gerade, daß sie für beide, Religion und Verstehen, gilt, macht unsere Wissenschaft möglich." Verstehen bedeutet in diesem Zusammenhang „hingebende Liebe", in der sich uns und durch die wir uns die Dinge erschließen. So ist *die Religionsphänomenologie eine Wissenschaft eigener Art, die es mit den religiösen Phänomenen als solchen zu tun hat*, seine Bedeutung für das Leben des Menschen immer wieder neu erschließen will, das sich zeigende religiöse Phänomen interpretiert, um es der sich noch nicht oder nicht erschließenden und offenbarenden Realität zu konfrontieren, um zugleich sie aber auch als solche zu respektieren.

Friedrich *Heiler* hat in seinem letzten großen Werk über ›Erscheinungsformen und Wesen der Religion‹ die religionsphänomenologische Arbeitsweise als eine sich in drei konzentrischen Kreisen vollziehende beschrieben,[37] die sich gleichermaßen auf die sinnliche Erscheinungswelt (das institutionelle Element), die geistige Vorstellungswelt (Idee und Lehren) und die psychische Erlebniswelt (Ehrfurcht, Vertrauen, Glaube, Liebe, seelische Tiefenschichten) der Religion richtet, zwischen denen allen und der göttlichen Wirklichkeit eine niemals auszuschöpfende Korrespondenz besteht. Die Religionsphänomenologie mündet deshalb in die Frage nach der vollkommenen (nicht der wahren!) Religion, die Friedrich Heiler in folgender Weise beantwortet[38]: „Die vollkommenste Religion ist diejenige, in welcher das institutionell-kultische, das rationale und das mystische Element vereint sind und die größtmögliche Annäherung des endlichen Seins an das unendliche Mysterium erfolgt."

2. *Die Religionspsychologie* hat eine bis auf die Anfänge des christlichen Glaubens zurückgehende Geschichte. Sie beginnt dort, wo der Mensch sein

---

[36] Gerardus van der Leeuw, Phänomenologie der Religion, 2. Aufl., Tübingen 1956, S. 781. Dort auch die im Text vorangestellten Fragen.

[37] Friedrich Heiler, Erscheinungsformen und Wesen der Religion, Stuttgart 1961 (Die Religionen der Menschheit, hrsg. von Christel Matthias Schröder Bd. 1). Auch die Schriftenreihe ›Symbolik der Religionen‹, hrsg. von Ferdinand Herrmann, Stuttgart 1958—1968 (Bd. 1—16), ist in diesem Zusammenhang zu nennen, denn sie sucht den besonderen bildhaften Ausdruck festzustellen, in den die Religionen ihre Vorstellungen und Lehren kleiden.

[38] Friedrich Heiler a. a. O. S. 21.

Ich entdeckt und nach der Beteiligung desselben an der Gestaltung und dem Ausdruck seines religiösen Lebens fragt.[39] Schon der Apostel *Paulus* hat das Selbstverständnis des Glaubenden unter diesen Gesichtspunkten ausgedrückt und die auf ihn einwirkenden transsubjektiven Realitäten nach den menschlichen und psychologischen Bedingtheiten zu begreifen versucht.[40] Ebenso hat *Augustinus* seinen geistigen Werdegang in dem steten Achten auf die Entwicklung seines Ichs als einer wesentlichen Voraussetzung für die Rezeption des Glaubens in seinen ›Konfessionen‹ beschrieben.[41] Die großen *Mystiker* haben den Vorgang ihrer Erweckung oder Wiedergeburt unter der Berücksichtigung der von ihnen selbst geschaffenen inneren Dispositionen dafür ausgedrückt. Im *Pietismus* ist die religionspsychologische Fragestellung vorhanden, wenn er die Zergliederung der religiösen Erfahrungen nach Zeit, Ort und Umständen für ihr Zustandekommen vornimmt oder die Methoden zu ihrer Herbeiführung entwickelt.[42] In den ›Pensées‹ von Blaise *Pascal*, in den das eigene Leben nach der Fülle der es ständig umgebenden Begleiterscheinungen zerlegenden ›Confessions‹ von Jean Jacques *Rousseau* oder in den so ungeheuer selbstkritischen Schriften von Søren *Kierkegaard* liegt ein kaum recht ausgewertetes reiches religionspsychologisches Material vor. Die Religionspsychologie ist so alt wie die bewußte Aufnahme des religiösen Phänomens durch den Menschen und die kritische Reflektion über diesen Vorgang.[43]

Die moderne Religionspsychologie hat als Wissenschaft ihren Anfang in Amerika zu Beginn des 19. Jahrhunderts genommen, als man in der "The Great Awakening" genannten Erweckungsbewegung die von ihr hervorgerufenen religiösen Erlebnisse der „Bekehrung", der „Erneuerung" und der „Wiedergeburt" untersuchte, um sich dann von diesen außerordentlichen religiösen Erfahrungen mehr den alltäglichen des Durch-

---

[39] Vgl. zu diesem Fragenkomplex P. Meinhold, Das Selbstverständnis des Glaubenden, in: Wahrheit und Verkündigung. Festschrift Michael Schmaus, Bd. I / München, Paderborn, Wien, 1967, S. 393—414.

[40] Vgl. P. Meinhold, Selbstverständnis a. a. O. S. 393 ff.

[41] Vgl. P. Meinhold, Selbstverständnis a. a. O. S. 399 ff.

[42] Es mag genügen, hier nur auf die bekannten Selbstzeugnisse von A. H. Francke und John Wesley über ihre Bekehrung zu verweisen.

[43] Vgl. die Ausgabe der Briefe und Tagebücher von Søren Kierkegaard, die zum Beleg obiger Ausführung ein reiches Material enthalten.

schnittsmenschen zuzuwenden.[44] Die amerikanische Religionspsychologie hat sich von vornherein als eine empirische Wissenschaft verstanden, die sich als solche vor allem durch ihre Arbeitsmethoden qualifiziert. Neben die Auswertung von Briefen, Tagebüchern und Gesprächen treten alsbald der Fragebogen und das Experiment. Diese amerikanische Richtung in der Religionspsychologie hatte ihre hervorragenden Vertreter in E. D. *Starbuck* (›The Psychology of Religion‹, 1899) und in W. *James* (›Varieties of Religious Experience‹, 1902).[45] Diese sog. „Hallsche Schule" (nach Granville Stanley *Hall* [1846—1924])[46] hatte ihren Ableger in Deutschland in der „Würzburger Schule", die dann ihrerseits durch die selbständigen Arbeiten auf diesem Gebiet von Wilhelm *Stählin*, Karl *Girgensohn*, Werner *Gruehn*, Karl *Beth* und Georg *Wobbermin* abgelöst worden ist.[47]

[44] Edwin Diller Starbuck (1866—1947), Psychologie of Religion. Empirical Study of the Growth of Religious Consciousness, London 1899, in deutscher Ausgabe Bd. I und II, Leipzig 1909.

[45] William James (1842—1910) lehrte von 1876—1907 an der Harvard-Universität und richtete das erste psychologische Laboratorium in den USA ein. In deutscher Ausgabe erschien von ihm: Die religiöse Erfahrung in ihrer Mannigfaltigkeit. Materialien und Studien zu einer Psychologie und Pathologie des religiösen Lebens. Ins Deutsche übertragen von Georg Wobbermin, Leipzig 1907.

[46] Charakteristisch für diese von der Jugendpsychologie ausgehende Richtung ist das Werk von Granville Stanley Hall, Jesus, the Christ, in the Light of Psychology, 2 vols., New York 1917.

[47] Wilhelm Stählin (1883—1968) wirkte als Begründer und erster Herausgeber des Archivs für Religionspsychologie Bd. I (1914) und II (1921); Karl Girgensohn (1875—1929), Der seelische Aufbau des religiösen Erlebens. Eine religionspsychologische Untersuchung auf experimenteller Grundlage. Leipzig 1921; 2. Aufl., hrsg. von W. Gruehn, Gütersloh 1930; Werner Gruehn (1887 bis 1959), für die Jahre 1929, 1930 und 1936 Herausgeber des Archivs für Religionspsychologie (unter erweitertem Titel), verfaßte u. a.: Das Werterlebnis. Eine religionspsychologische Studie auf experimenteller Grundlage, Leipzig 1924; Religionspsychologie, Breslau 1926, ²1927; Seelsorge im Licht gegenwärtiger Psychologie, Schwerin 1926, ²1927; Die Frömmigkeit der Gegenwart. Grundtatsachen der empirischen Psychologie, Konstanz 1956; 2., verb. Aufl. 1960; Karl Beth (1872—1945), von 1908—1938 Professor für Religionsphilosophie und Religionspsychologie in Wien, dann in Chicago, schrieb u. a.: Religion und Magie. Ein religionsgeschichtlicher Beitrag zur psychologischen Grundlegung der religiösen Prinzipienlehre, 2. Aufl., Leipzig 1927; Georg Wobbermin (1869—1943), Aufgabe und Bedeutung der Religionspsychologie, Berlin 1910; Zum Streit um die

Letzterer wollte im Gegensatz zu einem sterilen Psychologismus und
Historismus die stete Subjekt-Objekt-Bezogenheit aller religiösen Erfahrung durch den „religionspsychologischen Zirkel" erklären, um damit
beide Seiten in das rechte Verhältnis zueinander zu setzen. Für das
Christentum fand er es in der immer wieder neu auszuwiegenden Relation
von Heiliger Schrift und eigenpersönlicher Glaubenserfahrung.[48]

Die Religionspsychologie hat in Deutschland ebenfalls unter dem aus-
gesprochenen *Gegensatz gegen die dialektische Theologie* gearbeitet,[49] die
bei ihrer Ablehnung von Psychologismus und Historismus die Bedeutung
der religionspsychologischen Fragestellung überhaupt verkannt und die
Bestellung dieses wichtigen Gebietes sträflich vernachlässigt hat. Sodann
mußte sich die Religionspsychologie *gegenüber den Einseitigkeiten der
Völkerpsychologie* behaupten, wie sie von Wilhelm *Wundt* betrieben
wurde. Dieser hatte innerhalb seiner umfangreichen „Völkerpsychologie"
auch das religiöse Leben behandelt, das er nicht individualpsychologisch,
sondern eben „völkerpsychologisch" gedeutet haben wollte.[50] Da hat sich
ihm dann ein sehr fragwürdiges Verständnis von „Religion" ergeben:
diese wird als personifizierende Naturbetrachtung und Naturbeseelung
hingestellt, die ihren Niederschlag in den Mythen der Völker gefunden
haben sollte. Die Betrachtung Wundts richtete sich vornehmlich auf die
Naturvölker und die Primitiven, von denen aus dann unter Berücksichtigung der Ergebnisse der vergleichenden Religionsgeschichte die Entwicklung der Religion bei den Völkern verfolgt werden sollte. Aber Wundt

---

Religionspsychologie, Berlin 1913; sein Hauptwerk: Systematische Theologie nach
religionspsychologischer Methode. Bd. 1: Die religionspsychologische Methode in
Religionswissenschaft und Theologie, Leipzig 1913; Bd. 2: Das Wesen der
Religion, Leipzig 1922; Bd. 3: Wesen und Wahrheit des Christentums, Leipzig
1925; 2. und 3. Aufl., Leipzig 1925/1926; Einführung in die vergleichende
Religionsgeschichte, Leipzig 1920; Wobbermin gab von 1926—1938 die ›Zeitschrift für Religionspsychologie‹ heraus.

[48] Vgl. das in Anm. 47 angegebene Werk Bd. 1 S. 128 ff.

[49] Vgl. dazu die Ausführungen von Karl Barth in seiner Kirchlichen Dogmatik
Bd. I, 1 (Die Lehre vom Worte Gottes, Zürich 1932, [5]1947) über ›Das Wort
Gottes und der Mensch‹ und ›Das Wort Gottes und die Erfahrung‹, S. 198 ff. und
S. 206 ff.

[50] Wilhelm Wundt, Völkerpsychologie. Eine Untersuchung der Entwicklungs-
gesetze von Sprache, Mythus und Sitte, Bd. 2: Mythus und Religion, Teil 1—3,
Leipzig 1905—1909; 2. Aufl. Bd. 4—6, Teil 1—3, Leipzig 1910—1915.

selbst ist bei diesem großen Unternehmen nicht bis zu den Religionen der Gegenwart vorgestoßen. Immerhin ist durch ihn das Interesse an der Religion der Naturvölker geweckt worden. Bestimmte Sachzusammenhänge, bei denen die thematische Seite ebenso wichtig ist wie die psychologische, sind neu in Angriff genommen worden, wobei auch das Moment ihrer inneren Entwicklung besondere Beachtung gefunden hat.[51]

In die Auseinandersetzung mit Wilhelm Wundt ist insbesondere Rudolf *Otto* eingetreten. In seinem Aufsatz ›Das Gefühl des Überweltlichen‹ führt er alle angeblichen psychologischen Erklärungen des religiösen Phänomens ad absurdum.[52] Religion kann nicht einfach die „personifizierende Apperzeption", d. h. die vom Menschen ausgehende Naturbeseelung sein, sowenig wie die kindliche Beseelung toter Gegenstände diesen eine echte Existenz verleihen kann. Es fehlt bei dem Wundtschen Ansatz der Religion das spezifische Merkmal des Religiösen, auf das es ankommt, wenn man dieses näher bestimmen will, nämlich das, was die Götter zu Göttern macht, was aber niemals durch die bloße Steigerung menschlicher Eigenschaften erreicht werden kann. „Personifizierte Naturkräfte" sind überhaupt niemals Gegenstand von Religion, sondern dienen höchstens als Vermittler, Anreger und Erwecker religiöser Erfahrungen und Eindrücke.

Durch die Auseinandersetzung mit Wilhelm Wundt ist die Religionspsychologie zu einer *Wissenschaft des Verstehens psychologischer Gegebenheiten* für Aufnahme und Ausdruck des religiösen Phänomens geworden. Es ist deutlich geworden, daß sie bei ihrer Arbeit stets auf die Intentionen und die Objektivationen der religiösen Erfahrung zu achten hat, die immer weit über alle rein subjektiven Momente hinausgehen.

Eine neue Infragestellung der Ernsthaftigkeit ihrer Arbeiten hat der Religionspsychologie von seiten der Tiefenpsychologie und der Psychoanalyse gedroht, wie sie mit allerdings sehr unterschiedlichem Einsatz von Sigmund *Freud*, Alfred *Adler* und Carl Gustav *Jung* betrieben worden ist,[53] die religiöse Äußerungen und Erfahrungen aus echten oder unechten

---

[51] Friedrich Heiler, Das Gebet. Eine religionsgeschichtliche und religionspsychologische Untersuchung, München 1918, ⁴1921; Nathan Söderblom, Das Werden des Gottesglaubens. Untersuchungen über die Anfänge der Religion, Leipzig 1916.

[52] Der Aufsatz ist wiederabgedruckt in: Rudolf Otto, Aufsätze das Numinose betreffend, Gotha 1923, S. 213—251.

[53] Zu Freud vgl. Ernst Stalter, Theologisch-Kerygmatische Überlegungen zur Religionskritik Sigmund Freuds, in: Schmaus-Festschrift (vgl. oben Anm. 39)

Komplexen des Menschen und seinen geistig-seelischen Neurosen oder psychischen Defekten und krankhaften Anlagen herleiten wollten, was allerdings nur unter ausschließlicher Konzentration auf das Subjekt und bei völliger Mißachtung der transpersonalen Seite der religiösen Erfahrung möglich war. Andererseits ist dadurch aber auch die Notwendigkeit einer *Erforschung der Besonderheiten des religiösen Lebens*, das sich auch in aberranten Formen äußern und das Persönlichkeitsbild des einzelnen völlig verändern kann, erkannt worden.[54]

Erst auf dem Hintergrunde dieser vielseitigen Bezüge der Religionspsychologie kann deren eigentliche Aufgabe deutlich werden: sie muß den Blick auf den Menschen als den stets veränderlichen, von seiner Umwelt her immer wieder bestimmten Träger des Phänomens „Religion" richten. Sie hat ferner die Funktionen der Religion im Menschen selbst, ihre Wirkungen auf sein Denken, sein Gefühl, seinen Willen und seine zwischenmenschlichen Beziehungen zu untersuchen. Schließlich muß sie nach den menschlichen Dispositionen für die Rezeption und die Verarbeitung religiöser Erlebnisse fragen. Da das religiöse Leben einer Höhenwanderung, ja dem Gehen auf einem schmalen Grat gleicht, von dem aus jederzeit ein Absturz möglich ist, so hat die Religionspsychologie auch den Verirrungen und krankhaften Erscheinungen im Bereich des religiösen Lebens nachzugehen, gegebenenfalls auch dessen halluzinatorischen und illusionistischen Charakter aufzudecken und eine entsprechende Religionspsychotherapie zu entwickeln.[55]

Gegenwärtig kommt im Rahmen der Theologie diesen Erfordernissen nur das Werk von Wolfgang *Trillhaas*, ›Die innere Welt. Religionspsychologie‹, 2., umgearbeitete Auflage der ›Grundzüge der Religionspsychologie‹ (München 1953), nach. Trillhaas geht von der Frage nach dem Sinn der Religion für das Gesamtgefüge des Menschen aus und zeichnet sich in seinen Untersuchungen durch die Fülle der verarbeiteten Quellen gegen-

Bd. I S. 285—325. Zu Jung: Josef Goldbrunner, Individuation. Die Tiefenpsychologie von Carl Gustav Jung, Krailling-München 1949.

[54] Neuerdings Joachim Scharfenberg, Sigmund Freud und seine Religionskritik als Herausforderung für den christlichen Glauben, Göttingen 1968.

[55] Vgl. dazu neuerdings: Josef Rudin, Psychotherapie und Religion, Freiburg 1960; Hans-Jörg Weitbrecht, Beiträge zur Religionspsychopathologie, insbesondere zur Psychopathologie der Bekehrung, Heidelberg 1948; J. G. McKenzie, Nervous Disorders and Religion. A Study of Souls in the Making, London 1951; vgl. auch W. Trillhaas, Art. Religionspsychologie RGG[3] V 1025 ff.

über älteren Werken dieser Art aus, indem er nicht nur Fragebogen auswertet, sondern vor allem die religiöse Reflexion, das Nachdenken des Glaubenden über sich selbst, wie es in den Aussagen der Theologen, der Mystiker und einfacher Glaubender in früheren Generationen und in der Gegenwart besonders im Roman, in der Kunst und im allgemein-menschlichen Verhalten seinen Ausdruck gefunden hat. Hier bleibt das Phänomen „Religion" als solches bestehen; es wird in seiner transsubjektiven Realität anerkannt und nicht irgendwoher abgeleitet und „erklärt", sondern nach seinem subjektiven Ausdruck und nach seiner Gestaltung durch den Menschen gefragt. In der Tatsache, daß dieses Werk nur den christlich-abendländischen Menschen und seine Welt berücksichtigt, liegen freilich seine Grenzen, die aber wohl heute noch nicht überschreitbar sind. [56]

In diesem Zusammenhang ist auch die großangelegte Studie von Ernst *Benz*, ›Die Vision. Erfahrungsformen und Bilderwelt‹ (Stuttgart 1969), zu nennen. In der Verarbeitung eines ungeheuer reichen Materials zeigt dieses Werk die Wandlungen der religiösen Erfahrung im christlichen Bereich auf, indem die Realität der Überwelt, die in einer unendlichen Fülle von Formen im Zusammenhang mit dem jeweiligen Weltverständnis und dem religiösen Bewußtsein einer Epoche erfahren wird, an der bisher so noch niemals überblickten Vielgestaltigkeit ihres Ausdrucks zur Darstellung kommt. Das Buch behandelt in höchst lebendiger, anschaulicher Weise mit einer erstaunlichen Belesenheit tatsächlich alle Probleme der Religionspsychologie und ist als die schwer zu übertreffende Einlösung ihrer neuen Sicht und des sich daraus ergebenden Arbeitsprogramms zu werten. [57]

3. *Die Religionssoziologie* ist eine junge Wissenschaft, hat aber ihre Vorläufer im 19. Jahrhundert, von denen sie die ersten Anstöße empfangen hat. Zu ihnen gehört auch Karl *Marx* [58], der die Religion als ein gesell-

---

[56] Bei Trillhaas scheint im Unterschied zu Ernst Benz (vgl. die folgende Anm.) eine bewußte Beschränkung auf den christlichen Bereich vorzuliegen.

[57] Ernst Benz verweist auf die Schwierigkeit, für den nichtchristlichen Bereich die gleiche Frage zu behandeln. Es schwebt ihm aber eine Ausweitung seiner Studien in dieser Hinsicht vor.

[58] Marx hat seine Gesellschafts- und Religionskritik in der ›Kritik der Hegelschen Rechtsphilosophie‹ ausgesprochen, vgl. Kritische Gesamtausgabe, Abt. I Bd. I, 1 (1927) S. 607 ff. Zur Sache vgl. P. Meinhold, „Opium des Volkes". Zur Religionskritik von Heinrich Heine und Karl Marx, in: Monatsschrift für Pastoraltheologie, 49. Jg. (1960) S. 161—176.

schaftliches Produkt angesehen hat, von dessen illusionärer Welt der
Mensch zu befreien ist, um ihn zum Handeln in der ihn umgebenden
wirklichen Welt zu bringen, wie es die Zwecke der Gesellschaft erfordern.
Nach Karl *Kautsky* ist das Christentum ursprünglich eine Religion der
Proletarier gewesen, seit Konstantin dem Großen aber zur Religion der
herrschenden Klasse geworden, die die Proletarier unterdrückt, die Skla-
verei, die Besitzlosigkeit der Masse und die Anhäufung des Reichtums in
einigen wenigen Händen sanktioniert.[59] Die Antworten von kirchlicher
Seite auf diese provozierenden Behauptungen durch Gerhard *Uhlhorn*,
Alexander von *Oettingen* und Heinrich *Pesch* haben zum Erweis der historischen Unhaltbarkeit dieser Thesen viel Material im einzelnen dargeboten,
aber dem Problem der ständigen Wechselwirkung von Religion und
Gesellschaft doch noch nicht in der Tiefe nachgehen können.[60]

*Die eigentlich wissenschaftliche, theologisch relevante Epoche der Reli-
gionssoziologie ist erst durch Ernst Troeltsch* und sein den Einschnitt mar-
kierendes Werk ›Die Soziallehren der christlichen Kirchen und Gruppen‹
eingeleitet worden.[61] Er unterscheidet drei soziologisch verschiedene Formen der Verwirklichung des religiösen Lebens im Christentum: die Kirche,
die immer auf den Kompromiß mit der Welt in ethischer und religiöser
Hinsicht aus ist; die Sekte, die ethisch radikal ist und im Sinn der Bergpredigt in der Zurückhaltung von der Welt lebt, und die Mystik, die in
der Neuzeit das soziologisch indifferente „Asyl" der Gebildeten abgibt,
das als eine Ergänzung zu dem im Kirchen- und Sektentypus sich realisie-
renden Glaubensleben auszusprechen ist.[62] Troeltsch hat die allgemeine

[59] Karl Kautsky, Der Ursprung des Christentums. Eine historische Untersuchung, 9. Aufl., Stuttgart 1919, bes. S. 338 ff. über den proletarischen Charakter
der ersten Gemeinden und S. 441 ff. über ihre Umbildung in dem oben genannten
Sinne.

[60] Gerhard Uhlhorn, Die christliche Liebestätigkeit. Bd. 1—3, Stuttgart 1882
—1890, 2. Aufl. 1895 und photomech. Nachdruck Darmstadt 1959; Alexander
von Oettingen, Die Moralstatistik und die christliche Sittenlehre. Versuch einer
Sozialethik auf empirischer Grundlage. Teil 1 und 2, Erlangen 1868—1874, Teil 1
in 3. Aufl. 1882; Heinrich Pesch (geb. 1876), Liberalismus, Sozialismus und
christliche Gesellschaftsauffassung, 2 Bde., Freiburg 1893—1900, 2. Aufl. 1898 bis
1901; Die soziale Befähigung der Kirche, Berlin 1911.

[61] Ernst Troeltsch, Die Soziallehren der christlichen Kirchen und Gruppen,
3. Aufl., Tübingen 1923 (= Ges. Schriften Bd. I).

[62] E. Troeltsch a. a. O. S. 967.

geistesgeschichtliche und soziologische Bedeutung der radikalen Gruppen des Protestantismus im Täufertum und Spiritualismus, im Puritanismus und Pietismus hervorgehoben und von sich bekannt, daß er in dem verwirrenden Strudel von Fragen, in die ihn die Theorien von Karl Marx gestürzt hatten, einen geistigen Halt an Max Weber und seinen religionssoziologischen Arbeiten gefunden habe.[63]

In der Tat ist Max Weber der eigentliche Begründer der modernen Religionssoziologie sowohl nach der grundsätzlichen Seite wie in bezug auf die praktische Durchführung, wobei er sein Augenmerk vor allem auf die Wirtschaftsethik der Weltreligionen gerichtet hat.[64] Weber ist dabei erstens insbesondere der Frage nach der Wirkung religiöser Gehalte auf die von Laien getragene Ethik des Alltags und der wirtschaftlichen Konsequenzen aus derselben eingegangen; sodann beschäftigt ihn das Problem, wie vorgegebene soziale Gliederungen auf die religiösen Ideen wirken und zu bestimmter Lebensführung anleiten; schließlich will er den Geist der modernen Welt und ihre ethischen Verhaltensweisen feststellen, der freilich durch die religiös bedingten Systeme der Lebensreglementierung in den Weltreligionen bestimmt ist.[65] Damit hat Weber die grundlegenden Probleme der modernen Religionssoziologie angeschlagen, über die auch die sog. „klassischen Vertreter der Religionssoziologie" wie Lujo *Brentano,* Ferdinand *Tönnies,* Werner *Sombart* und Max *Scheler* nicht hinausgekommen sind.[66]

---

[63] E. Troeltsch, Meine Bücher, in: Aufsätze zur Geistesgeschichte und Religionssoziologie, Tübingen 1925 (= Ges. Schriften Bd. IV), S. 10 f.

[64] Max Weber, Gesammelte Aufsätze zur Religionssoziologie Bd. I (4. Aufl., Tübingen 1947); Bd. II und III (Tübingen 1921); Bd. I enthält den grundlegenden Aufsatz von 1904/1905: Die protestantische Ethik und der Geist des Kapitalismus; vgl. dazu Savramis, Religionssoziologie (Anm. 70), S. 50 f. und S. 168 Anm. 1.

[65] Vgl. dazu die grundlegenden Ausführungen Webers in: Wirtschaft und Gesellschaft, 1. Halbbd. (3. Aufl., Tübingen 1947) S. 1 ff.

[66] Lujo Brentano (1844—1931), Der wirtschaftliche Mensch in der Geschichte, Leipzig 1923; Werner Sombart (1863—1941), Der moderne Kapitalismus, Bd. 1: Die Genesis des Kapitalismus, Leipzig 1902; Der Bourgeois, München und Leipzig 1923; Ferdinand Tönnies (1855—1936), Die Kulturbedeutung der Religionen, in: Schmollers Jahrb. für Gesetzgebung, Verwaltung und Volkswirtschaft, hrsg. von A. Spiethoff, 48 (1924), S. 1—30; Max Scheler (1874—1928), Der Bourgeois

Erst Joachim *Wach* hat, ausgehend von der Kritik an Max Weber, den *Aufbau einer systematischen Religionssoziologie* gefordert, in der die Wechselbeziehungen zwischen Religion und Gesellschaft, nicht wie bei Weber nur der Wirtschaft, behandelt werden, wobei das Phänomen „Religion" als eine nie versiegende Quelle erscheint, die immer von neuem die religiösen Gestalten ergreift und sich den gerade als solchen anzuerkennenden typischen Ausdruck verschafft.[67]

Von Wach und Weber ausgehend, hat Alfred *Müller-Armack* wieder den Problemkreis „Religion und Wirtschaft" bearbeitet und die Einbeziehung der Gegenwart in die soziologischen Betrachtungen gefordert, weil gerade die religiösen Mächte „diese unsere reale Wirklichkeit" am allertiefsten beeinflussen und auch heute noch in positiver oder negativer Hinsicht beherrschen.[68]

Neue Wege zur Begründung unserer Disziplin hat dann erst Gustav *Mensching* beschritten.[69] Die Religionssoziologie hat es „mit den zur Erscheinungswelt der Religion gehörigen soziologischen Gebilden und Vorgängen zu tun, deren Strukturen und Gesetze sie zu erforschen hat", bringen doch die Religionen auch eigene soziologische Erscheinungen (Lehrer und Schüler, Meister-und-Jünger-Gemeinschaften, Orden, Sekten, Gemeinde, Kirche usw.) hervor, die auch nach ihrem Verhältnis zur lebendigen Religion und untereinander verglichen werden müssen.[70] Mensching führt seine Darstellung bis an die Gegenwart heran, ohne freilich die Frage nach der Stellung der Religion in der modernen Gesell-

---

und die religiösen Mächte, in: Vom Umsturz der Werte, 2 Bde., 2. Aufl., Leipzig 1923, S. 269 ff.; ferner: Schriften zur Soziologie und Weltanschauungslehre, Bd. 1—3, Leipzig 1923—1924 (Bd. 3: Christentum und Gesellschaft, 1. und 2. Halbbd. 1924). Vgl. zum Ganzen die kritische Erörterung bei Dem. Savramis, Religionssoziologie (Anm. 72), S. 53 ff.

[67] Joachim Wach, Religionssoziologie. Nach der vierten Auflage übersetzt von Helmut Schoeck, Tübingen 1951. Der Titel der amerikanischen Ausgabe lautet: Sociology of Religion, Chicago/Ill.

[68] Alfred Müller-Armack, Religion und Wirtschaft. Geistesgeschichtliche Hintergründe unserer europäischen Lebensform, Stuttgart 1959, bes. S. 496 und S. 557 f. Vgl. schon vor sein Werk ›Religionssoziologie des deutschen Ostens‹.

[69] Gustav Mensching, Soziologie der Religion, Bonn 1947, und: Soziologie der großen Religionen, Bonn 1966.

[70] G. Mensching in: Soziologie der großen Religionen, S. 17 ff.

schaft zu berühren, für die jedoch das Material nur auf der „Basis geschichtlich erforschter Soziologie der Religionen" bereitgestellt werden kann.[71] Mit grundsätzlicher Zustimmung ist diesem Programm Demosthenes *Savramis*, ›Religionssoziologie. Eine Einführung‹, München 1968, gefolgt. Er hat *der Religionssoziologie die eigene Stellung zwischen Theologie und Religionswissenschaft einerseits und den Sozialwissenschaften andererseits* gegeben, denn „das Transzendente", wie das religiöse Phänomen von ihm definiert wird, begleitet die irdische Daseinssphäre in jedem Augenblick, indem es spezielle Wirkungen soziologischer Art ausübt.[72] In seinem neuesten Werk ›Theologie und Gesellschaft‹ (München 1971) ist er diesen besonderen Wirkungen nachgegangen. Die Gesellschaft wird als „Katalysator" der zeitgebundenen Theologie erkannt, womit eine neue positive Funktion der Gesellschaft für die religiöse und theologische Begründung der soziologischen Auswirkungen des Glaubens gegeben ist.[73] Die Religionssoziologie bildet also in der Gegenwart dank dieser auf das Grundsätzliche gehenden Untersuchungen eine wichtige, vor neuen Aufgaben sich findende Disziplin der Religionswissenschaft.

4. Die Religionspädagogik. Das Bemühen um eine neue Fassung der grundsätzlichen Aufgaben dieser Disziplin der Religionswissenschaft beherrscht die seit einigen Jahren besonders intensiv geführte Diskussion um ihre Ansatzpunkte und ihren Aufbau. Dabei ist klargeworden, daß man beides nur im Zusammenhang mit dem Menschenbild, der allgemeinen pädagogischen Zielsetzung und den Resultaten der Religionswissenschaft näher bestimmen kann. Die Überlegungen haben zwei Problemkreise für die Neufassung der Thematik dieser Disziplin deutlich werden lassen, die allerdings noch nicht eindeutig in das rechte Verhältnis zueinander haben gesetzt werden können; zunächst die Frage, ob und inwieweit der Mensch überhaupt zur „Religion" erzogen werden kann bzw. muß, sodann die Frage nach seiner Erziehung innerhalb einer bestimmten Religion, insbesondere der christlichen, durch die dafür zuständigen und verantwortlichen Gemeinschaften.

---

[71] Ebd. S. 5.

[72] Demosthenes Savramis, Religionssoziologie. Eine Einführung, München 1968, S. 117.

[73] Demosthenes Savramis, Theologie und Gesellschaft, München 1971, bes. S. 94 ff.

Die Diskussion hat bei dieser Frage angesetzt, nachdem die älteren Bestimmungen dieses Begriffs durch die katholische bzw. die evangelische Theologie[74] ins Wanken geraten waren und sich angesichts eines tiefgreifenden gesellschaftlichen Wandels und damit im Zusammenhang einer völligen Umgestaltung der allgemeinen Bildungs- und Schulziele als nicht mehr tragfähig für die Orientierung der religionspädagogischen Arbeiten erwiesen, so etwa das durch A. *Weber* und H. *Stieglitz* zum Ausdruck gebrachte katholische Verständnis als die Hinführung zum Glaubensgut der Kirche[75] oder die besonders durch Gerhard *Bohne* und Otto *Hammelsbeck* vertretene protestantische Auffassung als die kirchlich bestimmte Unterweisung von den Forderungen des Wortes Gottes her, das freilich als die permanente Beunruhigung aller rein humanistisch oder idealistisch ausgerichteten Pädagogik verstanden wird, oder als die Unterrichtung, die durch die mit dem welthaften Dasein der Kirche gegebene Problematik bestimmt ist.[76]

In den letzten zehn Jahren ist man nun aber sowohl auf protestantischer wie katholischer Seite *um eine Neufassung der Aufgaben der Religionspädagogik intensiv bemüht.* Die Protestanten scheiden dabei zwischen dem allgemeinen schulischen Unterricht und einer kirchlichen Katechetik ganz von ihren verschiedenen Erfordernissen her, ohne allerdings angesichts der allgemeinen Schulproblematik zur Klarheit darüber zu kommen, worin dann die spezifischen Aufgaben und die Begründung einer allgemeinen,

---

[74] Wir behandeln, der heutigen Diskussion folgend, nur diese Frage. Die erste tritt auch in der Pädagogik ganz in den Hintergrund. Für Goethe bildete sie den Ansatz zur Entwicklung seiner religionspädagogischen Gedanken in der „Pädagogischen Provinz", für die Zusammenschau und Differenzierung der drei von ihm unterschiedenen Religionen der Ehrfurcht, vgl. dazu P. Meinhold, Goethe zur Geschichte des Christentums, Freiburg 1958, S. 157 ff.

[75] Vgl. dazu W. Langer in seinem Beitrag in dem Neuen Pädagogischen Lexikon (vgl. Anm. 77), S. 953.

[76] Gerhard Bohne, Das Wort Gottes und der Unterricht. Zur Grundlegung einer evangelischen Pädagogik, Berlin 1929, 3. Aufl. 1964; neuerdings: Grundlagen der Erziehung. 1. Halbbd.: Die Wahrheit über den Menschen und die Erziehung, Hamburg 1951, 2. Aufl. 1958; 2. Halbbd.: Aufgabe und Weg der Erziehung, Hamburg 1953, 2. Aufl. 1960; Oskar Hammelsbeck, Leben unter dem Wort als Frage des kirchlichen Unterrichts, München 1938 (Theologische Existenz heute, Heft 55); Glaube und Bildung, München 1940; Evangelische Lehre von der Erziehung, München 1950.

etwa auch die Erwachsenenbildung mit einbeziehenden Religionspädagogik bestehen soll. Einerseits steht damit die gesellschaftliche bzw. gesellschaftskritische Funktion der Religionspädagogik, andererseits die Frage nach ihrem Zusammenhang mit dem Gesamt der Bildung und nach der Substanz des Christlichen zur Diskussion.[77]

Die auf katholischer Seite geführte Aussprache zur Grundlegung der Religionspädagogik knüpft an die alte Idee einer naturrechtlich begründeten allgemeinen Disposition des Menschen zur Religion an und versucht, sie durch den religiösen Unterricht zu ihrer Erfüllung durch den Glauben zu führen. Dieser Ansatz arbeitet einerseits mit einem bestimmten Menschenbild; andererseits aber macht er auch die Orientierung an der Offenbarung und an der die religiöse Unterweisung letztlich tragenden und verantwortenden Kirche notwendig.[78]

Immerhin bahnt sich auch im katholischen Bereich die Abgrenzung der allgemeinen Religionspädagogik von der eigentlich kirchlich bestimmten Katechetik an, wenn jener die Aufgabe zugewiesen wird, „die eher empirische Wissenschaft von Hilfestellungen zur menschlichen Religiosität" zu sein. *Die allgemeine Religionspädagogik* würde danach die „Grundlagenprobleme" in einer Theologie der Erziehung und Bildung „am Schnittpunkt theologischer und pädagogischer Anthropologie" zu entwickeln haben, während die *besondere Religionspädagogik* die Theorie

---

[77] Wir verweisen auf die Diskussion in den bekannten Handbüchern, vgl. ›Pädagogisches Lexikon in zwei Bänden‹, hrsg. von W. Horney, Joh. Peter Ruppert und Walter Schultze. Wissenschaftliche Beratung Hans Scheuerl, Gütersloh 1970 (Bertelsmann-Fachverlag), Art. Religionspädagogik, 1. Evgl. Sicht von W. Uhsadel (Sp. 723—724); 2. Kath. Sicht von W. Schöpping (Sp. 724—726); ›Handbuch pädagogischer Grundbegriffe‹, hrsg. von Josef Speck und Gerhard Wehle, Bd. I, München 1970, Art. Glaube und Erziehung von Erich Feifel (S. 537—598); ›Lexikon der Pädagogik‹, Neue Ausgabe, hrsg. vom Willmann-Institut München—Wien. Leitung der Herausgabe: Prof. Dr. Heinrich Rombach, Bd. III, Freiburg—Basel—Wien 1971, Art. Religionspädagogik, A. Evgl. von G. Otto und P. Sauer, S. 413—416, B. Kath. von H. Schilling. 416—417; ›Neues Pädagogisches Lexikon‹, hrsg. von H.-Herm. Groothoff und Martin Stallmann, Stuttgart—Berlin 1971, Art. Religionspädagogik. Evgl. von M. Stallmann (Sp. 945—951); Kath. von W. Langer (Sp. 951—954).

[78] Vgl. dazu die Ausführungen von Erich Feifel in dem Artikel ›Glaube und Erziehung‹ im ›Handbuch pädagogischer Grundbegriffe‹ (vgl. Anm. 77), Bd. I S. 590 ff.

und die Probleme des christlich-kirchlichen, dabei aber ökumenisch aufgeschlossenen Handelns reflektieren müßte.[79] Sowohl auf protestantischer
wie auf katholischer Seite bemühen sich anerkannte Religionspädagogen
um die Klärung dieser neuen Grundlagen, vgl. Helmuth *Kittel*, ›Evangelische Religionspädagogik‹ (Berlin 1970) und Hans *Schilling*, ›Grundlagen
der Religionspädagogik‹ (München 1970), die für die evangelische wie
katholische Position grundlegenden Werke der beiden letzten Jahre.

5. Die Religionsphilosophie. Auch dieser Disziplin als einer solchen der
Religionswissenschaft sind bestimmte Abgrenzungen, Fragestellungen,
Arbeits- und Erkenntnismethoden vorgegeben. Sie ist ebenso von der
Dogmatik als einer spezifisch theologischen Disziplin, in der es immer um
die Frage nach dem Grund, dem Recht, den Ansprüchen und dem Welt-
verhältnis der christlichen Verkündigung nach kirchlichem Verständnis
geht, wie von der sich mit den Phänomenen der einzelnen Religionen
beschäftigenden Religionsgeschichte und Religionsphänomenologie zu
trennen, denn sie setzt die zu jeder Zeit neuen Resultate dieser beiden
Disziplinen ebenso voraus wie die aller anderen Teilgebiete der Religionswissenschaft. In dieser nimmt sie nun ihre eigene Stellung ein, indem sie
sich durch die Besonderheit der Fragestellung von diesen unterscheidet,
mag sie dabei auch mit dem Material oder den Ergebnissen der Arbeiten
derselben dauernd umgehen.

Ihre Fragen sind ihr durch das Problem der Individuation der Religion
in den Religionen gegeben: sie fragt nach dem Wesen und dem Wahrheits-
anspruch der Religion, nach ihrer Bezogenheit auf das menschliche Denken
und die Vernunft, nach der Bedeutung der Religion für das Selbst- und
Weltverständnis des Menschen, nach ihrer gesellschaftlichen Relevanz,
nach ihrem Anteil an der Bewältigung der aktuellen Weltprobleme und
nach ihrem Einfluß und ihrer Gestaltungskraft für das kulturelle Leben
der Menschheit. Sie sucht alle diese Fragen in der Kraft des menschlichen
Denkens zu lösen. Wenn die Dogmatik als das Werk des über sich selbst
und seine stete Weltbezogenheit reflektierenden Glaubens innerhalb der
christlichen Religion verstanden werden kann, so läßt sich die Religionsphilosophie in Analogie und Abgrenzung dazu als das Werk des über den
Glauben und alle seine von der Vernunft, der steten menschlichen Verpflichtung zum Handeln und zur Weltgestaltung, in Bejahung oder Ver-

---

[79] So H. Schilling in seinem Beitrag im ›Lexikon der Pädagogik‹, Bd. III,
S. 417 (vgl. Anm. 75).

neinung des Daseins und von einem ohne Religion gelebten Leben her gegebenen Probleme begreifen. Gerade mit einem solchen weiten Aufgabenkreis *hat die Religionsphilosophie eine eigene Arbeit als eine Disziplin der Religionswissenschaft zu erfüllen,* die ihr von keiner anderen Seite abgenommen werden kann, der sie vielmehr mit einem immer wieder neuen Ansatz ihres Denkens und ihrer Aufgabenstellung nachzugehen hat.[80]

Hat schon Rudolf *Ottos Werk über das Heilige* in seinen Konsequenzen eine große Bedeutung für die Behauptung der Eigenständigkeit der Religionsphilosophie gehabt, so hat sich diese auch noch von der Seite der Philosophie aus ergeben, z. B. bei Max *Scheler,* der „das Heilige" als ein apriorisches Phänomen im Menschen selbst verankerte, zu dem aber wesensmäßig trotz seiner damit gegebenen Endlichkeit die Bezogenheit auf eine Sphäre der Absolutheit gehören soll, von der aus dann wieder eine Erschließbarkeit des Daseins Gottes möglich sein soll.[81]

Die von M. Scheler ausgehenden Anregungen haben zu einem Aufblühen der neueren katholischen Religionsphilosophie geführt. Sofern in ihr der thomistische Denkansatz durch die Frage nach der apriorischen Grundlage der Religion im Menschen erneuert wird, mag die Bezeichnung als „Neuscholastik" oder „Neothomismus" berechtigt sein. Tatsächlich sind in den religionsphilosophischen Werken von R. *Guardini,* E. *Przywara,* J. *Maritain* und G. *Marcel* ebenso grundlegende wie denkmächtige Konzeptionen erhalten, die jede schulmäßige Verengung sprengen.[82] Sie haben eine überzeugende Würdigung und Kritik im Anschluß an die Deutung Max Schelers und seines Einflusses durch Heinrich *Fries,* ›Die katholische Religionsphilosophie der Gegenwart‹ (Heidelberg 1949), gefunden. Fries hebt nun aber auch *die bleibende Aufgabe der katholischen Religionsphilosophie* hervor, die nicht nur dem „Ideenreichtum der Glaubenslehren" (J. P. Steffes) nachzugehen, sondern diesen auch mit den Auffassungen der Philosophie und den Lehren anderer Religionen zu

[80] Vgl. den systematischen Artikel zu ›Religionsphilosophie‹ von N. H. Søe und den instruktiven Beitrag von Wolfgang Trillhaas über ›Religionsphilosophen‹ in der RGG³ V Sp. 1010 ff. und 1014 ff.

[81] Vgl. dazu Heinrich Fries, Die katholische Religionsphilosophie der Gegenwart. Der Einfluß Max Schelers auf ihre Formen und Gestalten. Eine problemgeschichtliche Studie, Heidelberg 1949.

[82] Vgl. die Charakteristik von J. B. Metz in LThK² VIII Sp. 1190 ff., der die Religionsphilosophie einerseits von der Religionswissenschaft, andererseits von der Theologie abgrenzt bzw. zu beiden Disziplinen in Beziehung setzt.

konfrontieren und nach seiner allgemeinen Gültigkeit bzw. Wahrheit
darzustellen hat.[83]

Im Bereich des Protestantismus ist es zur Entwicklung dieser Disziplin
erst sehr spät gekommen, weil auf diesem Gebiet die Haltung der dialektischen Theologie einer Entwicklung der Religionsphilosophie zu einem
selbständigen Zweige der Theologie mit einer eigenen Fragestellung nicht
gerade günstig war, wie E. *Brunners* ›Religionsphilosophie protestantischer
Theologie‹ beweist.[84] Trotzdem ist auch innerhalb der protestantischen
Theologie durch einen Denker wie Paul *Tillich* die religionsphilosophische
Fragestellung durch sein uns erst jetzt wieder in seinem ganzen Umfang
zugänglich werdendes Werk wachgehalten. Tillich geht dabei einerseits
von dem Idealismus Hegels, andererseits von der neueren philosophischen
Phänomenologie aus, um von daher eine allgemeine religionsphilosophische
Begründung seines theologischen Systems zu geben.[85] Erst nach dem
Zweiten Weltkrieg (1955) (wenn man hier einmal von den schon früher
ansetzenden Arbeiten Karl *Heims*[86], die 1952 abgeschlossen wurden, ab-
sehen darf, weil ihnen eine größere Nachwirkung nicht beschieden war)
ist von dänischer Seite aus durch Søren *Holm* und N. H. *Søe* wieder eine
Religionsphilosophie entwickelt worden, die beide 1960 (Holm) bzw.
1967 (Søe) ihre deutsche Übersetzung erhalten haben.[87] Die beiden Forscher betonen energisch die Selbständigkeit der Religionsphilosophie durch
deren Fragestellung, die ihr von dem auch das philosophische Denken
berührenden Anspruch des Phänomens Religion her zukommt. Emanuel
Hirsch hat in seinen ›Grundfragen christlicher Religionsphilosophie‹ (1963)

---

[83] Vgl. außer den genannten Autoren auch die älteren Werke von Heinrich
Scholz, Religionsphilosophie, 2. Ausg. Berlin 1922; Georg Wobbermin, Religions-
philosophie, Berlin 1924; J. P. Steffes, Religionsphilosophie, Kempten und
München 1925.

[84] E. Brunner, Religionsphilosophie evangelischer Theologie, München 1927,
2. Aufl., München 1948; vgl. ferner: E. Brunner, Offenbarung und Vernunft,
Zürich 1941.

[85] Von den zahlreichen Arbeiten nennen wir hier nur: Paul Tillich, Religionsphilosophie, 1925 (= Ges. Werke I [1959] S. 295—364).

[86] Karl Heim, Der evangelische Glaube und das Denken der Gegenwart,
6 Bde., Berlin 1930—52; 2.—5. Aufl. 1953—1957.

[87] Sören Holm, Religionsfilosofi, Kopenhagen 1955 (deutsche Ausgabe: Stuttgart 1960); N. H. Søe, Religionsfilosofi, Kopenhagen 1955 (deutsche Ausgabe:
Stuttgart 1967).

einen Überblick über die unserer Disziplin aufgegebene Thematik geboten, von der sie sich aufgrund der von der Sache geforderten Stringenz ohne Schaden für ihre eigene Sache nicht zurückziehen kann.[88] Gleichzeitig hat Karl *Jaspers* die von der Offenbarung ausgehenden Ansprüche mit denen des „philosophischen Glaubens" (›Der philosophische Glaube angesichts der Offenbarung‹, München 1963) konfrontiert und durch ihre Abgrenzung voneinander das unvereinbare Gegenüber der beiden Größen statuiert.[89]

Erst angesichts dieses scheinbar nicht zu behebenden Dilemmas verdient das neue Werk von Ulrich *Mann*, ›Einführung in die Religionsphilosophie‹ (1970) besondere Aufmerksamkeit. Mann hat zunächst das „Erscheinungsbild" der Religionsphilosophie bestimmt, indem sie die von Vernunft, Ethik, Intuition und Geist ausgehende Begründung und Kritik der Religion darstellt, an die dann die „außerphilosophische" Behandlung des Phänomens „Religion" insbesondere durch Theologie und Psychologie angeschlossen wird. Erst dann wird von den genannten vier Arten der Selbstverwirklichung des Menschen her der grundsätzliche und methodische Aufbau der Religionsphilosophie unternommen, unter denen die einzelnen religionsphilosophischen Probleme systematisch abgehandelt werden. Es ist *ein entscheidender Schritt zum Neubau der Religionsphilosophie* getan, der mit seiner konstruktiven Stärke die sinnvolle Grundlegung einer lange von der protestantischen Theologie mißachteten Disziplin bedeutet.[90]

6. Wir können diesen Überblick über die Religionswissenschaft der Gegenwart nicht beschließen, ohne nicht auf den entscheidenden Wandel zu verweisen, den die *Begegnung der Religionen in der Gegenwart* für ihr Selbstverständnis heraufgeführt hat.[91] Das heutige Zusammentreffen der

---

[88] Emanuel Hirsch, Grundfragen christlicher Religionsphilosophie, Gütersloh 1963.

[89] Karl Jaspers, Der philosophische Glaube angesichts der Offenbarung, München 1963.

[90] Vgl. ferner die Schriften von Ulrich Mann, in denen die oben genannte grundlegende Position vorbereitet ist: Theologische Religionsphilosophie im Grundriß, Heidelberg 1961; — Das Christentum als absolute Religion, Darmstadt 1970 (²1971). — Neuerdings ist erschienen, ohne hier noch berücksichtigt werden zu können: Wolfgang Trillhaas, Religionsphilosophie, Berlin—New York 1972.

[91] Vgl. dazu: Günter Lanczkowski, Begegnung und Wandel der Religionen, Düsseldorf—Köln 1971. In diesem Werk werden die vielschichtigen Probleme der

Religionen fußt auf anderen Prinzipien, als sie bisher für die Regelung ihrer Beziehungen proklamiert wurden. Galt bisher dafür der Grundsatz der allgemeinen Toleranz und der gegenseitigen Duldung, die die Religionen einander entgegenzubringen haben, so baut sich ihre Begegnung in der Gegenwart *auf den Prinzipien der Religionsfreiheit, des Verstehens, des Dialogs und der Kooperation* auf.

Der Begriff der Religionsfreiheit ist durch den Ökumenischen Rat der Kirchen zuletzt im Jahre 1965 dahin interpretiert worden, daß sie das Recht des Menschen einschließt, seine Religion und das Bekenntnis seines Glaubens aufrechtzuerhalten oder zu wechseln, sie allein oder in Gemeinschaft mit anderen über alle nationalen Grenzen hinweg zu betätigen, Informationen darüber einzuholen oder abzugeben.[92] In dieser Definition wird der Begriff „Religion" im Sinn von „Glaubensüberzeugung" und „gelebter Glaube" verstanden, so daß die dafür beanspruchte Freiheit auch dem „Unglauben" oder dem „Nichtglauben" als den Korrelatbegriffen zuerkannt werden kann. Immerhin scheint der Begriff der „Glaubensfreiheit" als ein allgemeines Menschenrecht verstanden zu werden; man kann diese Folgerung aus der Bemerkung in der Erklärung ableiten, daß „die Ausübung sowohl des Rechts auf Glaubensfreiheit als auch anderer Menschenrechte" nur solchen Bestimmungen unterworfen sein sollte, „die im berechtigten Interesse der Aufrechterhaltung der öffentlichen Ordnung erlassen werden müssen"[93]. Für alle Menschen muß deshalb „das Recht, in Glaubensfreiheit zu leben", ohne daß sie irgendwelchen politischen, wirtschaftlichen oder sozialen Nachteilen deshalb ausgesetzt werden, gewährleistet sein.

Auch das Zweite Vatikanische Konzil hat den Begriff „Religionsfreiheit" neu dahin definiert, daß sie die absolute Freiheit von jedem Zwang von einzelnen oder von Gruppen in religiösen Dingen umfaßt.[94] Diese Freiheit gehört schlechterdings zum Personsein des Menschen, begreift aber auch die Freiheit der religiösen Gemeinschaften in sich, nach ihren eigenen Normen zu leben und ihre Glieder in bezug auf die Verehrung Gottes mit

Begegnung der Religionen in der Gegenwart behandelt und die Konsequenzen für die Religionswissenschaft aufgezeigt.

[92] Vgl. die Wiedergabe dieser Erklärung des Ökumenischen Rates der Kirchen in: EPD ZA Nr. 160 vom 17. Juli 1965.

[93] Abschnitt 7 der Erklärung, vgl. Anm. 92.

[94] Die ›Erklärung über die Religionsfreiheit‹, in: Konzilsdekrete 2, hrsg. vom Paulinus-Verlag, Recklinghausen, 3. Aufl. 1966, S. 11 ff.

allem, was sie an Konsequenzen einschließt, zu unterrichten und anzuleiten. Da diese Freiheit aber nur in der Gesellschaft verwirklicht werden kann, so muß diese so geordnet sein, daß die Realisierung dieser so verstandenen doppelten Freiheit jederzeit in der heutigen pluralistischen Gesellschaft möglich ist.

Mit dieser Erklärung der katholischen Kirche zum Problem der Religionsfreiheit war *ein weiterer wichtiger Schritt in Richtung auf eine neue Verständigung mit den nichtchristlichen Religionen getan.* Mit ihr stand die ›Erklärung über das Verhältnis der [katholischen] Kirche zu den nichtchristlichen Religionen‹ in sachlichem Zusammenhang, denen eine neue „brüderliche" Haltung entgegengebracht werden sollte.[95] Der Hinduismus, der Buddhismus, der Islam und das Judentum werden direkt angesprochen; es wird gesagt, welche besonderen Momente die katholische Kirche an ihnen als ihr je besonders und eigenstes Gut hochschätzt und zur Grundlage des Dialogs mit ihnen zu machen bereit ist. Zum ersten Mal haben damit die religiösen Güter der vier großen Weltreligionen eine besondere Würdigung erfahren, von der aus das Gespräch mit ihnen eröffnet werden kann.

So ruht gerade in der Gegenwart die Begegnung der Religionen auf einer neuen Basis, wie sie in den christlichen Überlegungen von Genf und Rom zum Begriff der Religionsfreiheit zum Ausdruck gekommen ist. Aber *auch auf nichtchristlicher Seite hat sich eine Entwicklung in der gleichen Richtung angebahnt.* Im Oktober 1968 versammelte sich in Kalkutta / Indien die „Erste Geistliche Gipfelkonferenz", auf der diejenigen Religionen vertreten waren, die sich selbst als Weltreligionen verstehen.[96] Man suchte eine neue Verständigung in geistig-geistlicher Hinsicht. Der in Kalkutta errichtete „Tempel des Verstehens" sollte die Repräsentanten von zehn Weltreligionen zu Gebet und Meditation vereinen. Das gemeinsame Gespräch stand unter dem Thema ›Die Relevanz der Religion für die moderne Welt‹. Jede Religion legte durch ihre Vertreter dar, was sie als Religion zur Bewältigung der heutigen Weltprobleme beitragen könne. So

---

[95] Die ›Erklärung über das Verhältnis der Kirche zu den nichtchristlichen Religionen‹, ebd. S. 29 ff.

[96] Vgl. dazu den Aktenband: The World Religions speak on "The Relevance of Religion in the Modern World", ed. by Finley P. Dunne jr., Den Haag 1970. Dieses Werk berichtet über „Die Erste Geistliche Gipfel-Konferenz" ("The Spiritual Summit Conference"), die vom 22.—26. Oktober 1968 in Indien gehalten wurde.

war ein äußerst anregender und fruchtbarer Dialog eröffnet worden, der von selbst in die Frage nach einer Kooperation der Religionen mündete.[97]

Die Zusammenarbeit der Religionen kam auf der Konferenz von Tokio im Januar 1970 zur Einlösung. Diese besonders zahlreich aus der fernöstlichen Welt beschickte Konferenz ging der Frage nach dem Beitrag der Weltreligionen zur Sicherung eines die Welt umfassenden Friedens nach. Es zeigten sich die Schwierigkeiten, aber auch die Bedeutsamkeiten für ein Zusammenwirken der Religionen zu diesem die Völker so tief entzweienden Thema. Immerhin konnte die Konferenz eine Botschaft verabschieden, in der die die Religionen verbindenden Gemeinsamkeiten im Verständnis des Friedens und ihrer Aufgaben, die sie gerade als Religionen haben, zum Ausdruck gelangten.[98]

Die Gegenwart ist so nicht nur zu einer neuen, bisher so noch nicht dagewesenen Erfahrung von der Pluralität der Religionen in einer die Welt umgreifenden Gesellschaft, sondern auch von den neuen Grundsätzen, auf denen ihre Begegnung heute aufbaut, gekommen: es sind die Religionsfreiheit und ein neues gegenseitiges Verstehen, der Dialog und die Kooperation.

Diese neue Situation wird auch ihre Auswirkungen auf die Entwicklung der Religionswissenschaft haben. Es sind die gleichen Fragen, die von der Welt her an die Religionen ergehen, die sie in einer neuen Weise zu beantworten haben, die sie aber auch nötigt, neue Aussagen zu dem Problem ihrer Pluralität zu machen, wodurch auch die künftige Entwicklung der Religionswissenschaft bestimmt sein wird.[99]

[97] Die Kooperation der Religionen in der Gegenwart kam am deutlichsten auf der „Weltkonferenz über Religion und Frieden" („World Conference on Religion and Peace"), die vom 16.—20. Oktober 1970 in Kyoto, Japan, gehalten wurde, zum Ausdruck, vgl. den Bericht in der Herder-Korrespondenz: ›Die Religionen diskutieren über den Frieden‹, 24. Jg. (1970) S. 560 ff., ferner den Bericht über ›Ökumenische Konsultationen der Religionen‹ vom 15.—25. März 1970 in Beirut, ebd. S. 211 ff. und den Artikel ›Zum Dialog mit den afrikanischen Religionen‹, ebd. S. 217 ff.

[98] Zur Kongreßbotschaft vgl. Herder-Korrespondenz 24. Jg. (1970) S. 562.

[99] Grundlegend ist dafür das Werk von Ernst Benz, Neue Religionen, Stuttgart 1971; vgl. ferner: Werner Kohler, Die Lotus-Lehre und die modernen Religionen in Japan, Zürich 1962; sowie Ernst Benz, Ideen zu einer Theologie der Religionsgeschichte, Wiesbaden 1960 (Ak. Wiss. Mainz, Geistes- und Sozialwiss. Kl. Jg. 1960 Nr. 5).

CARL HEINZ RATSCHOW

SYSTEMATISCHE THEOLOGIE

A. Die Lage des Problems in der Systematischen Theologie

Die Systematische Theologie pflegt man in Dogmatik, Ethik und
Religionsphilosophie einzuteilen. In diesen drei Disziplinen vollzieht sich
die Reflektion des christlichen Glaubens über seinen Grund, seinen Inhalt
und seine Ausdrucksgestalten auch in der Gegenwart. Man würde meinen,
daß ein Glaube an einen Gott sich selbst nach Grund, Inhalt und Ausdruck
nur zu begreifen vermag, wenn er darauf reflektiert, daß es anderwärts
auch Gläubigkeiten an Gott oder Götter gibt, die sich ebenfalls nach ihrem
Grund, Inhalt und Ausdruck zu begreifen versuchen. Aber tatsächlich ist
die religionswissenschaftliche Fragestellung in den meisten Dogmatiken
nicht zu finden. Es gibt evangelische Dogmatiken, in denen der Leser nicht
erfährt, daß das evangelische Christentum als Religion unter Religionen
seinen Platz hat, und in denen die Fragen, die sich aus dieser Tatsache
ergeben, auch nur gestellt werden. In den Ethiken hat die religionswissenschaftliche Sicht 'religiösen' Handelns bislang noch keinen Platz. Das
ist eigentlich verwunderlich. Die Ethiker sprechen heute gerne von anthropologischen Grundgegebenheiten der Ethik. Es würde naheliegen, daraus auch religionswissenschaftlich Folgerungen zu ziehen. In den Werken
zur Religionsphilosophie ist religionswissenschaftliches Fragen zwar
präsent. Das ist innerhalb der Religionsphilosophie auch unvermeidbar;
denn die Religionsphilosophie ist einer der Vorläufer und Schrittmacher
der Religionswissenschaft. Sie gehört geradezu zur Religionswissenschaft
als Reflektion der Tatsache, daß *die* Religion über das Christentum hinaus
und im Christentum mit ihren Phänomenen und Wertungen lebendig ist,
um es ganz allgemein zu sagen. Die Religionsphilosophie ist methodisch
zwar mit Recht von der Religionswissenschaft getrennt. Sie steht derselben
eigenständig gegenüber. Sie kann sich auch als christliche oder theologische
Religionsphilosophie von ihrem 'Inhalt', den sie mit der Religionswissenschaft gemeinsam hat, nicht befreien. Aber in der Religionsphilosophie ist

heute ein Zurücktreten der spezifisch religionswissenschaftlichen Probleme zu beobachten, wenn man moderne Entwürfe z. B. mit der Religionsphilosophie Hegels vergleicht.

Dieses Bild, daß die Systematische Theologie nämlich weithin die religionswissenschaftliche Fragestellung nicht beachtet, wird dadurch bestätigt, daß dort, wo diese Fragestellung in den Dogmatiken auftaucht, eine erstaunliche Unkenntnis der außerchristlichen Religionen sichtbar wird. Fehlurteile gröblichster Art sowie längst vergangene Schemata der Einschätzung und der Einteilung der Religionen werden in manchen Dogmatiken mitgeschleppt. Dem entspricht es, daß in den letzten zwanzig Jahren nur missionswissenschaftliche Lehrstühle in theologischen Fakultäten neu errichtet wurden, religionswissenschaftliche Lehrstühle aber in missionswissenschaftliche verwandelt wurden. Offenbar meint man, evangelische Theologie als Selbstgespräch führen zu können und in der systematisch-theologischen Ausbildung der zukünftigen Pfarrer und Studienräte auf die religionswissenschaftlichen Probleme verzichten zu können.

Diese Situation ist entstanden, weil in den zwanziger Jahren unseres Jahrhunderts zumal von der dialektischen Theologie die Ansicht vertreten wurde, daß das Christentum nicht Religion sei. Für diese Ansicht spricht, daß der Grundunterschied zwischen dem Christentum und den Religionen sich in alle Erstreckungen des Glaubens und Glaubenshandelns verfolgen läßt. Man kann den Grundunterschied von der fides, qua creditur in die fides, quae creditur verfolgen und, indem man ihn in diesen Verzweigungen betont, totalisieren. Gegen diese Ansicht spricht Gewichtiges, weil die christliche Verkündigung, der Glaube und die Theologie nicht nur Rohre oder Kanäle sind, durch die jener Grundunterschied unverändert hindurchfließend bewahrt werden kann. Vielmehr sind, um nur das Äußere hier zu nennen, am Quellort christlichen Glaubens wie in der langen Geschichte seiner Aneignungen und Ausdrücke spezifisch religiöse Kräfte am Werke, die nicht außer acht bleiben können, wenn das Ganze verstanden werden soll. Das Christentum ist in seinem Ursprungsausdruck wie in seinen Kirchentümern Religion unter Religionen. Das ist in der Theologie der zwanziger Jahre auch nicht bestritten. Die Frage ist vielmehr, ob es sich von dieser Tatsache nicht zu befreien habe, um es selbst zu werden. Aber dabei ist die Frage unabweisbar, was denn diese Religion sei, von der sich das Christentum befreien soll. Für jene Trennung von Christentum und Religion ist Religion der Versuch des Menschen, vor Gott durch religiöse Werkerei gerecht zu werden. Für uns ist Religion der Lebensvorgang, der da anhebt, wo ein Gott — oder ein Ereignis wie die bodhi — einen Menschen betrifft und ihm sein Leben gründet sowie dessen Sinn erschließt und dessen Grenze ausmacht. Jener Gesichtspunkt der Werkerei vor Gott ist allerdings von zentraler diakritischer Bedeutung für den Vergleich von Christentum und Religion, wie Luther als erster eingehend erfaßte. Aber er macht die Religion nicht zur Religion. Darum ist er für die Bestimmung des Grundverhältnisses von Religion und Christentum defekt. Ist er aber defekt, so ist diese Scheidung von Christentum und Religion hinfällig.

Wie immer die Frage, ob das Christentum Religion sei, auch heute beantwortbar sei, die Folgen jener theoretischen Zerreißung von Christentum und Religion tragen wir heute. Wir tragen sie als fehlende Integration religionswissenschaftlicher Kenntnisse und Fragestellungen in Dogmatik und Ethik. Für die Religionsphilosophie waren diese Folgen andere. Da die Religionsphilosophie sich von der religionswissenschaftlichen Frage nicht losreißen ließ, ist sie selbst in Verruf und Verkümmerung geraten. Sie ist heute an deutschen theologischen Fakultäten nur noch selten in der Ausbildung von Gewicht. Sie ist nur in wenigen Lehrstühlen in der Bundesrepublik vertreten. Diese Folgen sind wirksam in einer Zeit, in der die asiatischen Religionen in Westeuropa missionierend erscheinen. Diese Folgen wirken sich aus in einer Situation, in der wir Christen, wie Cantwell Smith mit Recht sagt, nicht mehr unter uns Gedanken austauschen können, sondern in der unsere theologischen Meinungen von Muslimen und Hinduisten und anderen mitgehört werden, und zwar interessiert mitgehört werden. Aber die Frage nach Religion ist in den letzten zwanzig Jahren noch in ganz anderer Weise innerhalb der Kirchentümer lebendig geworden. Die christliche Tradition klingt im Zusammenhang mit dem großen Traditionsabbruch im westlichen Leben ab. Die Bedürftigkeit nach religiöser Sinnerhellung erhebt sich daraus mit Macht. Damit stellt sich die religionswissenschaftliche Frage völlig neu. Die Schulpädagogik hat die Virulenz der religionswissenschaftlichen Problematik rasch erfaßt. Ihre Anfrage findet eine dafür unbereite Dogmatik und Ethik und keine Religionsphilosophie mehr vor.

B. Die Religionswissenschaft in der Dogmatik, geschichtlicher Überblick

Wenn wir das Verhältnis von Dogmatik und Religionswissenschaft zutreffend bestimmen wollen, so müssen wir uns folgenden historischen

Sachverhalt vergegenwärtigen. Das Problem des Verhältnisses zwischen den Religionen und dem Christentum ist in der Reformation in zwiefacher Weise bestimmt worden. Luther ist mit dieser Frage in zwei großen Komplexen fertig geworden. Erstens erörtert Luther diese Frage im Zusammenhang der Überlegung, ob Gott mit Hilfe der natürlichen Vernunft erkannt werden könne. Diese Frage hat er insoweit bejaht, als die natürliche Vernunft zwar erkennen könne, daß ein Gott sei, auch daß er gerecht etc. sei. Aber sie könne nicht erkennen, wie Gott gegen sie gesinnet sei, und komme daher über fruchtlose allgemeine Einsichten nicht hinaus. Zweitens ordnet Luther die Frage nach der außerchristlichen Religion seinem Schema von Gesetz und Evangelium ein. Die Religionen verhalten sich zum Christentum, wie sich das Gesetz zum Evangelium verhält. In der schwierigen Relation von Gesetz und Evangelium ist sowohl das äußere Gegenüber von Religion und Christentum wie ihre innere Zusammengehörigkeit angegeben. Zumal ist dieses Verhältnis damit aus einer theoretischen Erörterung zu einem Problem akuten Betroffenseins geworden. Dies ist vielleicht für das Problemganze die gewichtigste Neuorientierung. Auf der anderen Seite hat Calvin dies Problem in ganz anderen Bahnen angesehen. Die Frage nach der Religion wird von ihm ganz aus der Erkenntnisfrage heraus angefaßt. Dies legt sich Calvin nahe, weil ihm der Glaube eben cognitio ist, wie er in Fr. 1 des Genfer Katechismus lernen läßt. In den Religionen waltet ein Stück wirklicher Gotteserkenntnis, wenn sie auch durch Bosheit und Unwissenheit unterdrückt ist. So ist dem christlichen Glauben ein semen religionis vorangestellt. Zwischen Religion und Christentum waltet das Nacheinander von Grund und Folge, Allgemeinem und Speziellem. Das Entwicklungsschema von Religion zu Christentum läßt sich befriedigend anwenden, und so wird das Ganze durchschaubar.

Der theologische Begriff von Religion hat sich im Laufe des 17. Jahrhunderts im wesentlichen auf die Frage der natürlichen Gotteserkenntnis als Antwort der Frage nach den Religionen eingependelt. Damit ist diese Frage religionsphilosophisch verengt. Wenn auch die außerchristlichen Religionen immer mehr ins Blickfeld kommen, wie Philipp Nikolai zeigt, und auch die religionsgeschichtliche Parallele durchaus besprochen wird, so kommt man doch nicht weit über die These von den Resten einer ursprünglichen Offenbarung oder über die Meinung einer Nachahmung biblischer Sachverhalte hinaus. Dogmatische Folgen werden nicht gezogen.

Die Aufklärung kennt das Problem der Religionen nur als die Frage nach der natürlichen Religion. Immer grundsätzlicher wird das Entwicklungsschema angewendet. Lessings ›Erziehung des Menschengeschlechtes‹ zeigt sehr deutlich, wie man sich aufklärerisch eine aufsteigende Linie von den Religionen zum Christentum denkt. Die natürliche Religion ist der Vernunft erschlossen. Sie bewegt sich in der Einsicht vernünftiger Wesen in die Zweckmäßigkeit und Sinnhaftigkeit, in die Schönheit und Größe der Welt und ihrer Gesetze. Jerusalems Werk ›Betrachtungen über die vornehmsten Wahrheiten der Religion‹ zieht aus den „ursprünglichen Begriffen", die er sich „nach der Natur der Dinge von Weisheit und Güte" machen kann, seine Folgerungen auf die Religion. In den dogmatischen Einsichten wird hiervon voller Gebrauch gemacht. Die Dogmatik ist von der Wahrnehmung *der* Religion bestimmt und damit der Vernunft zugänglich. Das alles ist nicht eigentlich Religionswissenschaft. Aber man meint doch, diese Prinzipien von Religion auf die Religionen der Antike oder auf den Islam, der seine Anziehung zu entfalten beginnt, anwenden zu können. Das Christentum wird in die natürliche Religion einbezogen, und J. S. Semler meint, daß „die übertriebene Unterscheidung der christlichen Religion von der natürlichen . . . stets mehr wirklichen Schaden als gewissen Vorteil nach sich gezogen" hat. „Sie gehören aber beide durchaus zusammen, wie man den Mesnchen nicht vom Christen trennen kann." Diese ganzen Aufstellungen sind religionsphilosophisch begründet. Eine Möglichkeit, dieselben religionswissenschaftlich zu fundieren, bestand nur in Ansätzen.

Unter dem Aspekt der Religions-Philosophie hat auch Schleiermacher in seiner Glaubenslehre das Verhältnis der Religionen zum Christentum abgehandelt. Die Paragraphen 7 bis 10 umfassen als Mittelstück der Lehrsätze diese Einsichten. Sie sind überschrieben: „Von den Verschiedenheiten der frommen Gemeinschaften überhaupt." Schleiermacher geht dabei in § 7 von dem aufklärerischen Modell, daß die verschiedenen frommen Gemeinschaften verschiedene Entwicklungsstufen seien, aus. Aber damit sind für ihn nicht alle Verschiedenheiten erfaßbar. Diese Unterschiede sind als verschiedene „Gattungen oder Arten" zu erfassen. In der Verschiedenheit der Arten aber liegt allen „eine dunkle Ahndung des wahren Gottes" zugrunde.

Die Überlegungen Schleiermachers sind, wie § 8 und § 9 zeigen, über das Religionsphilosophische hinaus schon religionswissenschaftlich gemeint, soweit das möglich war. Gegenüber der religionsphilosophischen „Schau" der Reden ist hier auf das konkrete Erscheinungsbild der Religionen in der Eigenart „ihrer frommen Erregungen" abgehoben. Gleichwohl grenzt sich Schleiermacher von einer „allgemeinen kritischen Religionsgeschichte" ab (§ 9, 2) und bleibt bei der religionsphilosophischen Konzeption. Seine Überlegungen dienen der Erwägung des der Glaubenslehre vorausliegenden, sie grundlegenden allgemeinen Begriffes. Ein Einfluß der Religionswissenschaft geschieht auf diese Grundlegung nicht. Nur im Filter der religionsphilosophischen Durchdringung wird religionsgeschichtlich Konkretes sichtbar. Das geschieht in den „Lehnsätzen". Das heißt, es geschieht nicht in der Glaubenslehre selbst. Der allgemeine Horizont von Religion wird der Glaubenslehre zwar vorausgestellt. Aber abgesehen von dieser „Einstimmung" haben diese Fragen keinen sichtbaren Einfluß auf die Gestaltung der Glaubenslehre.

Schleiermacher hat die Dogmatik auch in dieser Frage bis an die Schwelle der dialektischen Theologie bestimmt. Die Dogmatiker haben nämlich in ihren Prolegomena einen Teil über die Religion, der religionsphilosophisch gemeint ist und der sich mehr oder weniger religionswissenschaftlich orientiert erweist. So beginnt z. B. R. A. Lipsius seine ›Evangelisch-protestantische Dogmatik‹ mit einem fast 100 Seiten umfassenden Teile über ›Die Religion‹. Die theologische Prinzipienlehre besteht A. aus diesem Teil, sie fügt B. Das Christentum und C. Den Protestantismus hinzu und zeigt damit den Schritt von Allgemeinem zum Besonderen.

Lipsius ist in der großen Prinzipienlehre seiner Dogmatik dadurch interessant, daß er zeigt, wie ein Versuch, Schleiermachers religionsphilosophischen Zugang zur Glaubenslehre zu erneuern, zu dieser Zeit aussieht. Das Konzept des Entwurfes zeigt sich nämlich in allen Teilen durch religionswissenschaftliche Materialien und Fragestellungen ausgeweitet und durchlöchert. Immer noch ist die Meinung, einen religionsphilosophischen Überlegungsgang durchzuführen. Aber in der Mitte des Ganzen steht eine ausgedehnte Erwägung religionspsychologischer Probleme, die Antwort verlangen. Sie sprengen den religionsphilosophischen Gedankengang. Lipsius kann deutlich machen, wie die Dogmatik um 1900 vor der Frage steht, ihre traditionell üblichen religionsphilosophischen Überlegungen zur „Religion" durch religionswissenschaftliche Materialien und Fragestellungen zu erweitern oder auch zu ersetzen. Aber Lipsius weigert sich nun doch, sich auf diese Materialien wirklich einzulassen, was Ernst Troeltsch ihm in den ›Göttinger Gelehrten Anzeigen‹ (1894) auch vorhält.

Der Kampf um die Religionswissenschaft wird akut. Das riesige Material aus den verschiedenen Religionen ist in die Museen und Archive zusammengeströmt. Eine immense Arbeit an Sprachen und Texten hat begonnen, dies Material zu sichten. Die ersten großen Darstellungen der Religionen, die Anspruch auf Wissenschaftlichkeit machen können, erscheinen. Die historische Denkweise und Methodik floriert. Abhängigkeits-Verhältnisse und Entwicklungsketten werden philologisch-historisch erschlossen. Die ersten 'Konzeptionen' greifen, wie der Babel-Bibel-Streit gezeigt hat, weit aus und erregen die Gemüter. In dieser Zeit liegt die Kontroverse zwischen E. Troeltsch und W. Herrmann. Sie ist typisch für die ganze Situation.

Troeltsch vertritt den religionswissenschaftlichen Standpunkt. Er tritt in seiner Schrift ›Die Absolutheit des Christentums und die Religionsgeschichte‹ (1901) für den Versuch ein, mit dem historischen Bewußtsein Ernst zu machen. Er bestreitet die Möglichkeit, für ein historisches Objekt allgemeine Notwendigkeiten absoluter Kausalitäten anzuerkennen. Eine geschichtliche Erscheinung kann daher nicht mit strenger Sicherheit bewiesen werden. Zwar hat Troeltsch damit den Anspruch des Christentums, „die höchste und folgerichtigst entfaltete religiöse Lebenswelt" zu sein, nicht relativiert. Aber er hat diese These auch nicht anders als „eine Verbindung gegenwärtig absoluter Entscheidung und historisch-relativer Entwicklungskonstruktion" verstanden.

W. Herrmann hat dies Buch in der ›Theologischen Literaturzeitung‹ (1902) besprochen. Er hat sich dann in der ›Realencyklopädie für protestantische Theologie und Kirche‹ unter dem Stichwort „Religion" noch grundsätzlich mit Troeltsch und der Religionswissenschaft beschäftigt. In beiden Veröffentlichungen bestreitet er der vergleichenden Religionsgeschichte oder der Religionswissenschaft die Möglichkeit zu urteilen. Sein Standpunkt ist der: „Haben wir die Vorstellung von der Religion, die wir allein für richtig halten können, nur in der Form einer aus der eigenen religiösen Lebendigkeit erwachsenen Anschauung, die wir so, wie wir sie haben, niemandem mitteilen können, so versteht sich von selbst, daß es eine Wissenschaft von der Religion nicht geben kann" (RE[3] XVI/590). Herrmann hat seine Vorstellung von Religion so weit vitalisiert, daß er schon eine Mitteilung derselben für zweifelhaft hält und darum jede wissenschaftliche Bemühung um dieselbe abweist. Für Herrmann ist Kenntnis und Studium außerchristlicher Religion unwichtig. Man kann dabei „nichts" erfahren. Das Denken Herrmanns ist so total auf den Entstehungsbereich des christlichen Glaubens fixiert, der im individuellen Erleben geschieht, daß er jede Relevanz der Religionsgeschichte bestreitet. Obwohl er durchaus von dem sogenannten „Inhalt des Glaubens" im Unterschied von dem nur erlebbaren Grund des Glaubens spricht, vermag er über seinen Ansatz nicht hinauszusehen. Dabei mißversteht er wie viele Theologen seiner Zeit die Arbeitsrichtung der Religionsgeschichte völlig. Er meint, die Religionsgeschichte wolle das Verständnis von Religion begründen, statt es vorauszusetzen. Davon ist aber nur bei Außenseitern die Rede. Dieses Problem ist in der Religionswissenschaft immer wieder unter der Fragestellung verhandelt worden, ob ein Religionshistoriker eine Religion verstehen könne, ohne selbst in einer eigenen Religion festen Stand zu haben. Es ist bis in die Gegenwart immer wieder von den führenden Religionswissenschaftlern zu Recht betont worden, daß nur der, der selbst glaubt, fremden Glauben „verstehen" kann. Insofern gehört die Religion sehr wohl zu den Voraussetzungen der Religionswissenschaft. Das war auch E. Troeltsch deutlich, wie das Vorwort zur 1. Auflage seiner Absolutheitsschrift zeigt.

Die Situation im Verhältnis von Dogmatik und Religionswissenschaft also war zu Beginn unseres Jahrhunderts durchaus ungeklärt. Von der Dogmatik aus war dies Verhältnis skeptisch abwartend und eigentlich negativ. Dies hat sich nach zwei Seiten hin entfaltet. Wir nehmen die Linie des größten Erfolges zuerst. In dieser Situation nämlich mußte der Widerspruch der dialektischen Theologie gegen alle Formen von „Vor-Verständnissen" des Glaubens oder „natürlichen" Vorbildungen religiöser Art von starker Wirksamkeit sein. Das Mißtrauen gegen Schleiermachers theologischen Ansatz, den man anthropologisch nannte, zog zumal die Religionswissenschaft zur Rechenschaft. Glaube trat gegen Religion und Dogmatik gegen Religionswissenschaft. Religion hat bei Barth den Charakter der menschlichen Bemühung, aus eigenen Kräften vor den selbstgemachten Göttern gerecht zu werden: Glaubenslose Selbstsicherung. Religion heißt bei Gogarten (nach 1945) Ausdruck der Gebundenheit des Menschen durch den Weltnomos und Verdeckung Gottes. In beiden Fällen hat Religionswissenschaft mit Systematischer Theologie nichts zu tun — es sei denn, sie stelle den ausschließenden Gegensatz von Christentum und Religion dar. So hat sich die Meinung verbreitet, Religion habe es mit Anthropologie zu tun, das Christentum nur sei zu Theologie in der Lage. Für die Religionen hat Feuerbach eben doch recht. Für das Christentum aber soll das nicht gelten. Das ist den Angriffen der Religionskritik gegenüber ein sehr schwacher und in sich gefährdeter Standpunkt. E. Brunner meint in diesem Sinne im I. Bd. seiner Dogmatik, „die christliche Lehre von der Religion ... ist ein Teil seiner Lehre vom Menschen, nicht aber die Grundlage seiner Dogmatik" (S. 106). Daß die „Lehre von der Religion" die Grundlage der Dogmatik abgeben könne, ist von religionswissenschaftlicher Seite nie behauptet. Es ist aber die Frage, ob das Christentum, das, um es ganz vorsichtig zu sagen, de facto den Stellenwert von Religion einnimmt, sich selbst angemessen verstehen kann, ohne die Frage nach dem Verhältnis von Religion und Christentum geklärt zu haben. Brunner macht dabei auf den wesentlichen Unterschied von Religionswissenschaft und Theologie aufmerksam, der in der Debatte zwischen Troeltsch und W. Herrmann schon anklang. Er stellt nämlich den rein feststellenden Charakter der Religionswissenschaft gegen den normativen Charakter der Systematischen Theologie. Er meint, von hier aus sei zu erkennen, warum die Religionswissenschaft der Systematischen Theologie nichts bedeuten könne.

Die zweite Seite der Entfaltung unseres Problems wird in der evangelischen Theologie vom Entwicklungsschema her versucht. Paul Althaus ist der gewichtigste Vertreter dieser Arbeitsrichtung. Die Frage der Religion wird in dem Bereich der Uroffenbarung verhandelt. Die Religionswissenschaft ist für die Systematische Theologie wichtig, weil sie diesen Bereich vor Augen hat. Die Uroffenbarung stellt zwar auch ein anthropologisches Grundphänomen dar. Aber es ist nicht ohne Gottes Einwirken. Man kann diese Uroffenbarung erst von Christus her klar erfassen. Aber sie ist vor und außer Christus Einwirken Gottes. Die Religionen sind nicht ohne Gott, wenn sie auch nicht zur Erkenntnis Gottes führen. Zumal wird die religionswissenschaftliche Arbeit von Wichtigkeit, weil die Christenheit „universale Evangelisation" treibt. Althaus weist im ersten Band seiner ›Christlichen Wahrheit‹ den Versuch ab, aus der religionsgeschichtlichen Vergleichung „Kriterien für die Schätzung und Einordnung des Evangeliums zu gewinnen" (S. 156). Die Systematische Theologie befaßt sich vielmehr mit der Religionswissenschaft, „um im Anschauen aller Religionen die ökumenische Tragweite des Glaubens an das Evangelium ... zum Bewußtsein zu bringen" (S. 157). Althaus' zentraler Schluß ist: „Die Wahrheit in den Religionen bedarf der Befreiung" (S. 168). Die Wahrheit ist in den Religionen gebunden. Das Christentum soll sie befreien, denn seine Rechtfertigungsbotschaft ist allen Erlösungslehren überlegen.

Die Position Althaus' ist der Paul Tillichs verwandt. Tillich ist gegenüber der sogenannten Uroffenbarung reserviert. Aber seine Behandlung der Religionen geht doch in ähnliche Richtung wie Althaus. Das Christentum ist Religion unter Religionen. Seine Freiheit zur Profanität wie sein Zentrum, das „protestantische Prinzip" der Rechtfertigung, richten das Christentum selbst wie die Religionen und Quasireligionen. Wenn Tillich die Religionswissenschaft aufnimmt, so tut er das nicht so optimistisch wie Althaus, bei dem die christliche Wahrheit darin erst recht hervortritt. Tillich geht auf den „Dialog" mit den Religionen zu, wie er es nannte. Er versteht darunter die gemeinsame Beugung unter die „prophetische Kritik". Die Religionen wie das Christentum werden in ihrem zweideutigen Charakter sichtbar. Dabei ist Tillich an manchen Stellen Barth näher als Althaus. Die Zweideutigkeit aller Religion — auch des Christentums — läßt die Systematische Theologie unter religionswissenschaftlicher Hilfe zum kritischen Blick gerade auch auf das Christentum werden. Tillich bestreitet nicht, daß die Religionen von der Wahrheit Gottes bewegt sind. Aber er ist demgegenüber, was die Christentümer de facto — auch in ihren Theologien — vermögen, sehr viel skeptischer als Althaus. Die „protestantische Ära" ist eben nicht mit dem „protestantischen Prinzip" identisch.

Die Position der evangelischen Theologie ist in der Frage des Verhältnisses der Systematischen Theologie zur Religionswissenschaft nicht einheitlich. Dabei wird es immer dringlicher, diese Grundfrage zu klären, weil erstens die Religionskritik immer härter wird. Sie aber faßt das Christentum grundsätzlich als Religion. Und weil zweitens die Auseinandersetzung der in Asien wie Europa aufeinandertreffenden Religionen immer akuter wird.

C. Die Angewiesenheit der Systematischen Theologie auf die Religionswissenschaft

Unser Thema ist es, das Verhältnis von Religionswissenschaft und Systematischer Theologie zu bestimmen. Wir haben uns nicht darüber zu äußern, wie sich das Christentum zu den außerchristlichen Religionen verhalte. Gleichwohl haben wir gesehen, daß die Ablehnung wie Aufnahme religionswissenschaftlicher Gesichtspunkte in die Systematische Theologie immer das Grundproblem von Religion und Christentum widerspiegelte. Wir müssen also mit einigen Thesen zu dem Verhältnis des Christentums zu den Religionen einsetzen, um verständlich zu bleiben.

· 1. Die Religionen bringen das Christentum nicht entwicklungsgeschichtlich hervor. Das Bild von der entwicklungsgeschichtlichen Abfolge der Religionen mit ihrer Aufgipfelung im Christentum ist im Einzelnen wie im Ganzen falsch. Jede Religion ist von ihrem Grundereignis her eigenständig.

2. Das Christentum ist Religion wie der Hinduismus oder der Buddhismus, insofern es seinen Gläubigen, wie es Religionen tun, das sinnverstellende Lebensleiden sowie den stetigen Bruch in das Sterben hinein zur sinnhaften Möglichkeit, verantwortlich zu leben, aufschließt und somit menschliches Dasein transzendiert. Alle Religion ist Erlösungsreligion.

3. Das Christentum stellt wie alle Religion den durchaus menschlichen Antwortbereich auf das Hervortreten Gottes dar. Im Christentum wie in jeder Religion gewinnt die menschliche Antwort auf die praesentia dei Gestalt. Die Religionen sind als diese Gestalten da. Als solche sind sie Religionen.

Diese drei Thesen scheinen hinzureichen, um das Verhältnis von Religionswissenschaft und Systematischer Theologie zu beschreiben. Zuerst erläutern wir die sich aus der *ersten These* ergebenden Folgerungen. Jede Religion versteht sich im Verhältnis zu ihrem Grundereignis eigenständig. Die Bodhi Gautama Buddhas, die Offenbarung der himmlischen Tafeln an Muhammad, das Eintreten Kalis in das Leben Ramakrishnans, die Epiphanie Apolls vor Epimenides wie die Ereignung Gottes als Jesus von Nazareth für Petrus oder Zachäus bezeichnen Grundereignisse göttlicher Präsenz oder letztgültiger Vergewisserung, die schlechthin eigenständig sind. Die sich mit diesen Grundereignissen verbindenden Vorstellungen und Begriffe sind durchaus entwicklungsgeschichtlich bedingt. Aber nicht die res religionum! Hier interessiert uns mit der ersten These aber diese res religionum: Gott. Mit dieser Feststellung ist das zentrale dogmatische Problem gegeben, wie sich dieses: Gott zu dem ganz bestimmten Gott verhält, der Israel aus dem Knechtshause Ägypten führte und der von Jesus als Vatergott prädiziert ist. Christliche Dogmatik ist defekt, wenn sie ihre Überzeugung von Offenbarung, Wort Gottes und Gott dem nicht aussetzt, was Offenbarung, Wort Gottes und Gott für andere Religionen besagen. Die selbstverständliche Gewißheit dogmatischen Redens von Gott kann sich nur aus dem Reinigungsbad dieser Aussetzung an die Gewißheit der anderen Religionen zu der Klarheit erheben, die der christliche Glaube braucht, um aus seiner Geschichtszugewandtheit zur vollen Gegenwärtigkeit zu erwachsen. Diese dogmatische Arbeit erstreckt sich auf den Gesamtzusammenhang dogmatischen Redens.

Die zweite These faßt die Religionen als Erlösungsreligionen ins Auge. Sie versucht dem gerecht zu werden, daß das wahre Leben aus der Erlösung in allen Religionen dieses hiesige Menschenleben mit seiner Möglichkeit, verantwortlich dazusein, in der Welt begabt. Wir haben es hier speziell mit dem ethischen Problem zu tun. Das ethische Problem wartet am dringlichsten einer religionswissenschaftlichen Hilfe. Unsere evangelische Ethik vermag nur noch sehr mühsam das Gesetz zu bestimmen. Das spezifische Verständnis des Gesetzes aber ist vor allem ein religionswissenschaftliches Problem, weil hier die Auseinandersetzung einerseits mit den Quasireligionen, andererseits aber mit den außerchristlichen Religionen überhaupt liegt. An dieser Stelle hat die Forschung kaum begonnen. Der eingehende Vergleich der Religionen als der Lebensbewegung, in der menschliches, d. h. sterbendes Dasein die Möglichkeit eröffnet bekommt, dennoch verantwortungsfroh dazusein, verspricht für die ethische Reflektion endliche Klärung ihrer Grundlagen.

Die dritte These ist als Charakterisierung dessen gemeint, was die Religionsphilosophie in ihrem Verhältnis zur Religionswissenschaft angeht. Jedoch der Belang dieser These geht weit darüber hinaus. Die Dogmatik kann nicht übersehen, daß Jesus in seiner Prädizierung als „Sohn Gottes" in einen religionsgeschichtlich zu erläuternden Verstehensbereich hineingenommen ist, ohne dessen Kenntnis Fehlurteile unvermeidbar sind. Die Systematische Theologie ist als Ganze von dieser dritten These in allen ihren Überlegungen betroffen. Es gibt keinen dogmatischen oder ethischen Gedanken, der nicht seine religionswissenschaftliche Erklärung brauchte, um in seiner Eigenart verstanden zu sein. Die Folge davon ist, daß viele Scheinprobleme aus der Dogmatik und Ethik verschwinden und die oben so genannte res religionum in ihrem spezifisch christlichen Grund hervortritt. Je tiefer eine Dogmatik und Ethik dem homo religiosus nachgeht, je klarer er sich ihr darstellt, um so heller wird das ihn als Christen motivierende Grundereignis heraustreten. Wir haben unsere Dogmatik wie unsere Ethik selbst nicht nur als dogmengeschichtlich zu definierendes Geschehen zu erfassen, wie es meistens ja auch zu Recht geschieht, sondern wir müssen darüber hinaus lernen, unser dogmatisches wie unser ethisches Tun als ein religionsgeschichtlich zu beschreibendes und zu reflektierendes Tun zu ergreifen.

HANS-RUDOLF MÜLLER-SCHWEFE

PRAKTISCHE THEOLOGIE UND RELIGIONSWISSENSCHAFT

Die Praktische Theologie wird heute gern als Handlungswissenschaft definiert.[1] Das ist sinnvoll zunächst in dem allgemeinen Sinn, daß die Theologie als Wissenschaft auch auf Praxis aus ist. Praktische Theologie ist in dieser Beziehung also Theorie von der Praxis. Aber das kann verschieden verstanden werden.

Nehmen wir Theologie als eine Theorie, die praktiziert, angewandt werden will, dann ist schon alles falsch. Denn eben Theorie im Sinne der Wissenschaft fällt nicht vom Himmel; sie wird selber nur in der Praxis gewonnen. Wenn aber alle Wissenschaft insofern praktisch ist, als sie sich im Umgang mit der Wirklichkeit bildet und darum auch wieder auf sie angewandt werden will, dann sind also Theorie und Praxis aufeinander unlösbar bezogen. Theorie entzündet sich an der Praxis des Lebens, sie bildet Modelle des Verstehens — meist im Sinne der Wiederholbarkeit — und wendet diese Bilder auf die Wirklichkeit an; am Resultat beginnt dann eine neue Runde der Theoriebildung. Dabei ist es nicht nur so, daß im Sinne des Wissenschaftspositivismus die Praxis die Theorie korrigieren muß. Vielmehr gilt grundsätzlicher, daß eben in der Praxis die Verendlichung des Lebens sich ereignet, aus der dann der Geist sich aufatmend erhebt, um Luft zu holen und von neuem den Überblick auf das Gegebene anzuwenden. Es ist dann natürlich die Frage, wie diese Dialektik genommen wird, ob als Bewegung einer ewigen Wiederkehr oder als Spaltung, in der das Bewußtsein transzendiert, oder als Schöpfung, die im Glauben angenommen werden kann. Wissenschaft ist also keine Theorie im Sinne

[1] Das ist, wie immer im einzelnen das Verhältnis von Theorie und Praxis bestimmt wird, der gemeinsame Ausgangspunkt in der Theologie. Vgl. E. Jüngel / K. Rahner / M. Seitz: Praktische Theologie zwischen Wissenschaft und Praxis. 1968; R. Bohren in: Einführung in das Studium der evangel. Theologie. 1965; D. Bastian: Theologie der Frage. 1969; H. Schröer in: Theologie als Wissenschaft in der Gesellschaft. hrsg. von H. Siemers in: H.-R. Reuter. 1970; G. Otto: Praktisch-theologisches Handbuch. 1970.

des Ewig-Gültigen, sondern vom Seienden abgezogene und auf das Seiende bezogene Theorie, die erste Phase in einer Bewegung, deren zweite Praxis heißt.

C. Fr. von Weizsäcker nennt Wissenschaft die Religion unserer Zeit.[2] Das kann aber nicht nur meinen, daß der Mensch von der Wissenschaft das Heil erhofft, daß die Wissenschaftler die Priester der neuen Religion sind und daß es auch ein Mysterium gibt, das geglaubt werden muß. Es muß auch bedeuten, daß Wissenschaft erst in der Anwendung zur Religion wird; es geht um Praxis.

Wenden wir diese Wahrheit auf die Wissenschaft von der Religion an, dann genügt es also nicht zu sagen, daß der Gegenstand ihrer wissenschaftlichen Betrachtung die vorfindlichen Religionen seien. Ihre Aufgabe erschöpft sich auch nicht nur darin, einen religionsphilosophischen Begriff von Religion zu bilden, der dann an den vorhandenen Religionen bewährt und korrigiert werden will. Vielmehr verlangt unser Verständnis von Wissenschaft als Religion, daß wir die Wissenschaft von der Religion auf Praxis beziehen, ja als eine Praxis verstehen.

Die vorhandenen Religionen wollen also nicht nur wissenschaftlich erfaßt und also auf einen Allgemeinbegriff „Religion" zurückgeführt werden. Religion kann aber auch nicht einfach in Wissenschaft verschwinden, weil das wissenschaftliche Verhalten per definitionem immer voraussetzt, daß der Wissenschaft etwas vorgegeben ist, das nicht mit ihr identisch ist. Schließlich erhebt sich, wenn die Wissenschaft von der Religion zum Ziel gekommen ist, die Religion wieder aus der Wissenschaft und über sie wie ein Phönix aus der Asche. Denn in dem Augenblick, in dem Religion als Erfahrung der Wissenschaft unterworfen worden ist, erhebt sich aus der Wissenschaft selbst in ihrem Vollzug die Erfahrung der Fragwürdigkeit des Endlichen, die Erfahrung des Einzelseins und die Sinnfrage, und das Spiel beginnt von neuem.

Welche Folgerungen sind daraus für das Verhältnis von Religionswissenschaft und Theologie als Wissenschaft zu ziehen?

1. Es gibt Religionswissenschaft erst, seitdem sich die Theologie als Wissenschaft etabliert hat.

2. Die Wissenschaft wird dann insofern zum Schicksal der Theologie, als sie die Theologie zwingt, die Erfahrung des Gottes der Offenbarung und der anderen Götter der Vernunft zu unterwerfen.

---

[2] C. Fr. von Weizsäcker, Tragweite der Wissenschaft. 1965.

3. In dem Augenblick, in dem die Theologie der Wissenschaft unterworfen wird, entsteht die Religionswissenschaft. Offenbarungsglaube erscheint im Koordinatensystem der Wissenschaft als eine Religion unter anderen.

4. Wird dann Wissenschaft selber zur Religion, dann erscheint Theologie als Teilbereich der Religionswissenschaft. Aber dieser Untergang der Theologie in Religionswissenschaft und der Religion in Wissenschaft ist zugleich der Beginn von neuer Religion als Erfahrung. Wenn alles, was wirklich ist, dem wissenschaftlichen Aspekt unterworfen ist, dann wird alles, was die Wissenschaft tut, selbst ein Unternehmen, das dem Dunkel, der unabschließbaren Offenheit, der Endlichkeit, der Fraglichkeit ausgesetzt ist. In diese Erfahrung tritt die Welt in unseren Tagen ein.

5. Das bedeutet für die Praktische Theologie als Wissenschaft: Sie ist nicht nur Theorie der Praxis; sie ist nicht nur Handlungswissenschaft. Sondern indem sie die Praxis der lebenden Religion des Christentums der Wissenschaft unterwirft, wird die Praxis selbst zum Ort von neuer religiöser Erfahrung im eben beschriebenen Sinne. Die wissenschaftlichen Praktiken in Homiletik und Liturgik, in Religionspädagogik, Poimenik und Kybernetik verwandeln sich bei der wissenschaftlichen Handhabung in den Ort, an dem Offenbarung erfahrbar wird.

6. Dann muß das Verhältnis von Praktischer Theologie und Religionswissenschaft also dahin praktiziert werden, daß die Praxis des christlichen Glaubens auf ihren Zusammenhang mit Praktiken von Religion wissenschaftlich befragt wird und daß in der Analogie sich Strukturen und Modelle religiöser und christlicher Praxis ergeben, die immer zugleich das Ende aller Praxis und damit neue religiöse Erfahrung anzeigen.

Wenn wir also Praktische Theologie als Handlungswissenschaft verstehen, die nicht nur die Praxis wissenschaftlich bedenkt, sondern vor allem wissenschaftlich erhobene Praktiken anwendet und im Experiment neuen religiösen Erfahrungen aussetzt, dann kann ihr Verhältnis zur Religionswissenschaft im ganzen beschrieben und für die einzelnen Sachbereiche der Praktischen Theologie dargestellt werden.

Grundsätzlich muß von der Praktischen Theologie aus an die Religionswissenschaft die Frage gestellt werden, ob sie sich mit ihrem Gegenstand Religion zugleich schon in der nötigen Strenge der Erfahrung von Wissenschaft als Religion im beschriebenen Sinne aussetzt. Der Versuch, das Phänomen einer bestimmten Religion, etwa der Bantu im südlichen Afrika oder des Buddhismus, vom Richtbild des allgemeinen Begriffs Religion zu erfassen, ist ebenso unzureichend wie das Unternehmen, die konkrete Erscheinung von Religion im allgemeinen Begriff aufzufangen und dann darein aufzulösen. Über beide Ansätze hinaus müßte es sich heute darum handeln, daß konkretes religiöses Verhalten in den Horizont der Wissenschaft eingebracht und damit nicht vernichtet, sondern als Praxis, meinetwegen als Technik des Menschen erfaßt und zugleich ausgeübt wird.

Karl Barth hat im Anschluß an Tendenzen der Links-Hegelianer Religion für überwunden erklärt. Er hat dabei ihre Überholung durch die Aufklärung der Vernunft und ihre Überwindung durch die Offenbarung zwar unterschieden, aber doch beide Weisen der Überwindung nicht kritisch genug miteinander konfrontiert. Bonhoeffer ist ihm in diesem Punkte gefolgt.

Diese Fragestellung harrt immer noch der Bearbeitung und Bewältigung. Wenn Religion im Sinne der aufgeklärten und kritischen Vernunft („innerhalb der bloßen Vernunft") verstanden und auf Grenzaussagen reduziert wird, dann ist das nur ein erster Schritt, dem der zweite folgen muß. Er besteht darin, daß der wissenschaftliche Umgang mit der Wirklichkeit selber religiöse Züge annimmt. Vernunft ist keine neutrale Instanz, ihre Autonomie, die Bonhoeffer mit Barth rechtens preist, ist nicht weniger als eben ein Verhalten, das es mit dem Ganzen der Wirklichkeit zu tun hat. Eben die Erfahrung, die der Mensch im wissenschaftlichen Umgang mit Welt und Mensch macht, führt erneut zu religiösen Erfahrungen.

Diesem Sachverhalt sieht sich die Theologie, vor allem die Praktische Theologie, gegenüber. Indem sie ihren Gegenstand, die religiöse und säkulare Wirklichkeit, wissenschaftlich beschreibt und bedenkt und als Handlungswissenschaft praktiziert, erfährt sie die Fragwürdigkeit menschlichen Seins und Handelns, und zwar im Sinne des Ja und Nein zu dem Sein in der Welt. Sie erfährt, mit Barth zu reden, am Kreuzweg Jesus Christus. Das kann aber kein Rückgang auf Offenbarung im Sinne der Tradition oder im Sinne einer bloßen Setzung sein, sondern die Erfahrung, daß in der Konfrontation mit der Offenbarung und ihrer Wirkungsgeschichte sich Eröffnung der Wirklichkeit ereignet, Annahme der unausweichlichen Existenz und zugleich ihre Kreuzigung und Überholung, nicht durch die Produktivkraft von Menschen, sondern durch Gott. Die Theologie unterscheidet sich von der Religionswissenschaft also nicht schon durch den Rekurs auf Offenbarung, sondern durch die nicht-verfügbare Erfahrung des Geistes, der öffnet.

I

Die Erforschung des christlichen Gottesdienstes in der Liturgiewissenschaft, seines Ursprungs, seiner Entwicklung, seiner Strukturen und Aktionen hat sich seit jeher der Erkenntnisse der Religionswissenschaft mit Nutzen bedient. Es ging aber nicht nur darum, den Ursprung der Formen und die Grundhaltung in der Umwelt und Vorwelt aufzuspüren und im Vergleich das Spezifische christlichen Gottesdienstes zu erheben. Notwendig führte die der Theologie wie der Religionswissenschaft gemeinsame wissenschaftliche Blickrichtung dazu, die Struktur dessen herauszuarbeiten, was als Liturgie und Kult bei allen menschlichen Gemeinschaften angetroffen wird, d. h. diese Erscheinungen zu verstehen, indem sie der Vernunft unterworfen wurden. Da konnte man sich entweder von den allgemeinen Beobachtungen her dem christlichen Gottesdienst nähern,[3] oder umgekehrt von diesem ausgehen und ihn in den größeren Zusammenhang von Kult überhaupt hineinstellen.[4]

Dieser gemeinsame wissenschaftliche Ansatz führte aber mit Notwendigkeit über die Erfassung von Analogien, Entwicklungen und Strukturen hinaus. Es mußte aus ihm Kritik am Kult entstehen. Das sah für die Religionswissenschaft so aus, daß sie die Gottesdienstausübung für die Sache der Primitiven hielt. Dann konnte man den Primitiven in jedem Menschen entdecken; er muß diesen Ursprung aufarbeiten, um zu sich selbst zu kommen.[5] Oder man sah in den Formen des Kultes Zeichen dafür, daß der einzelne das Leben nicht rational bewältigt und zu Ersatzhandlungen greift, wozu vor allem auch der Griff zu gemeinsamen Handlungen und Praktiken gehört.[6] In der Praktischen Theologie entsprach dieser Auflösung der gottesdienstlichen Formen die Auffassung vom christlichen Gottesdienst als Information und Anweisung zur Aktion. Der Kultus hat kein Recht als Darstellung, sondern nur als Herstellung von Gemeinschaft und zur Vorbereitung auf die Veränderung der Gesellschaft; er ist insofern nur antiliturgisch zu handhaben.[7]

[3] G. van der Leeuw, Phänomenologie der Religion. ²1956.

[4] Joseph Pieper, Muße und Kult. 1954.

[5] Zum Beispiel C. G. Jung: Antwort an Hiob. 1952.

[6] Zum Beispiel Sigmund Freud, Zukunft einer Illusion. Ges. W. Bd. XIV. 1948.

[7] Das muß herauskommen, wenn sich die Theologie der Wissenschaft als Religion unterwirft. Aufschlußreich dafür die Position einer Theologie nach dem

Die Anwendung der Wissenschaft aber führt über diese Phase hinaus, in doppelter Hinsicht. Einmal stößt gerade der Vollzug von kultfreier wissenschaftlicher Haltung, meinethalben im Sinne von Verwandlung der Welt ins Machbare, selbst wieder auf das Phänomen Religion. Die Praktizierung der machbaren Welt stellt einen neuen Kult dar, im strengen Sinn des Wortes. Der folgenreiche Umgang des Menschen mit dem Leben als Material, das technisch beherrscht und verwandelt werden kann und muß, zeigt alle Kennzeichen eines säkularen Kults: Opfer der eigenen Lebenskraft, um im größeren Zusammenhang zu leben, Zwang zur Wiederholung, Produktion von Bildern und Idolen, und anderes mehr. Zugleich kann auf dieser Stufe in einer sozusagen zweiten Naivität wieder verstanden werden, was Kultus eigentlich meint; den Vollzug von Handlungen, so daß das Leben über sich hinaus weist. Freilich ist an dieser Stelle zu beachten, daß die erste Naivität den Kult unreflektiert ausübt, unbewußt und blind; die zweite Naivität aber nach dem unbekannten Gott ruft ins Dunkel hinein. Harvey Cox hat diese Haltung im ›Fest der Narren‹ eindrucksvoll beschrieben.[8]

Und hier erst kommt es zur eigentlichen, der Lage entsprechenden Anfrage der Liturgiewissenschaft an die Religionswissenschaft.

1. Die Praktische Theologie möchte Auskunft darüber haben, welche Verhaltensweisen den Menschen dort bestimmen, wo die Wissenschaft die Wirklichkeit in den Horizont der „transzendentalen Publizität" gebracht hat und bringt. Was bedeutet es vor allem, daß der Mensch eine Welt von künstlichen Strukturen schafft, sich in ihnen bewegt und durch richtiges Verhalten sichert und zugleich durch diese Strukturen von sich selbst entfremdet wird.[9] Wieweit entsteht Aberglaube als Rückfall in vorwissenschaftliches Verhalten, wieweit gibt es religiöses Verhalten, das sozusagen "nach-wissenschaftlich" ist.[10] Vielleicht gewinnen die Sekten in dieser Sicht

---

Tode Gottes, also z. B. das ›Politische Nachtgebet von Köln‹ oder die Haltung von Ernst Lange in seiner zweiten Phase: Die verbesserliche Welt. 1968.

[8] Harvey Cox: Fest der Narren. 1970.

[9] Die Einsichten von Habermas: Strukturwandel der Öffentlichkeit [5]1971, müßten auf die Frage nach dem Verhalten des Menschen im technischen Zeitalter angewandt werden. Am unbefangensten weiß sich McLuhan in diesen Dimensionen zu bewegen.

[10] In diese Richtung stößt das Buch ›Häresien der Zeit‹, 1961, hrsg. von Anton Böhm, vor.

ganz neue Beleuchtung nicht als Zerfallsprodukt der großen Religionen, sondern als Modelle der Umwandlung von Religion und Kult im Zeitalter der Wissenschaft.

2. Speziell interessiert die Frage nach den Formen des säkularen Kultes im nachwissenschaftlichen Zeitalter. Welche Rolle spielt der Konsum von Bildern in Werbung und Information und vor allem die sekundäre Präsenz der Welt im Fernsehen? Müßte es nicht gelingen, den Kult des konsumierenden Menschen zu beschreiben?

3. Die Frage fällt dann natürlich auf die Praktische Theologie zurück. Welche Praxis des Lebens und des festlichen Umgangs mit dem Ganzen der Wirklichkeit nimmt der christliche Gottesdienst im Zeitalter transzendentaler Publizität an? Was kann es bedeuten, daß Jesus Christus diesem Menschen den wahren Gottesdienst ermöglicht?

4. Welche Rolle spielt die Erfahrung mit Drogen, die dem Bewußtsein Erweiterung seiner Räume und die Überschreitung der Reflexion in Bildwirklichkeiten erlaubt? Welche Art von Wirklichkeit wird da produziert? Wie verhält sie sich zu den Erfahrungen, die die aktive Meditation vermittelt?

Mit der letzten Frage haben wir schon das Gebiet der Seelenführung berührt, dem wir uns nun zuwenden.

II

Das zweite Gebiet, auf dem die Praktische Theologie das Gespräch mit der Religionswissenschaft aufnehmen muß, ist die Seelsorge. Ihr ist herkömmlicherweise die Religionspsychologie benachbart; jedoch geht es heute eher um die Tiefenpsychologie und die Lehre von der Meditation.

Immer noch ist die Religionspsychologie herkömmlicher Observanz für die Praktische Theologie von Interesse. Nur zu ihrem Schaden verachtet sie die von dorther kommende Hilfe. Der wirkliche Mensch lebt nicht ohne religiöse Anlage, und er macht religiöse Erfahrung. Darum bleibt es wichtig, die Religionspsychologie zu hören, wenn sie die typischen Züge religiösen Verhaltens und religiöse Erfahrung erfaßt und ordnet.

Nun ist aber die Psychologie aus erkennbaren Gründen im neunzehnten Jahrhundert aus einer beschreibenden zu einer Handlungswissenschaft umgebildet worden. Da der Gegenstand der Psychologie die Seele, also das Unbewußte, der Sitz der Spontaneität, der Brunnen der Bilder war, mußte bald die Wissenschaft von der Seele die Form einer Lehre von der Behandlung der Seele annehmen. Nicht nur der seelischen Erkrankungen wegen, sondern um überhaupt die Seele wissenschaftlich erfassen zu können, muß man die Seele analysieren. Man konnte dabei entgegengesetzt vorgehen. Freud war daran interessiert, die seelische Dimension des Menschen als Produktion des Menschen anzusehen, freilich des Ich, das nicht fertig wird mit den Eindrücken und Einflüssen der Umwelt. Jung dagegen meinte umgekehrt die Seele als das eigentliche Zentrum des Lebens ansehen zu können, die sich im Prozeß des Bewußtwerdens ausgestaltet und verwirklicht.

Dieser entgegengesetzte Ansatz wirkte sich natürlich für die Auffassung von Religion vom Standpunkt der Psychologie her aus. Während für Freud die Religion aus Verdrängung entsteht und den Menschen in der Entfremdung festhält, meint Jung sie positiv beschreiben zu können. Nur die Auseinandersetzung mit den großen, dem einzelnen vorgegebenen Bildern belebt den Menschen und bringt ihn zu sich selbst. Wenn er die großen Bilder immer mehr in sich hineinnimmt und sich anbildet, dann verwirklicht er sich in den Bildern, die Bilder in seinem Selbst.

Zunächst erscheint Freud gegenüber der Religion als seelischer Wirklichkeit der Konsequentere. Denn die Aufgabe der Wissenschaft ist ja die Aufhellung der Wirklichkeit und ihre Bearbeitung vom Richtmaß der Vernunft her. Aber das ist nur die halbe Wahrheit. Denn der Mensch kann bei der Analyse der Psyche, also auch der religiösen Erfahrungen, nicht stehenbleiben, und das aus zwei Gründen.

Zunächst muß klar sein: wenn wir — wie Freud das begann und etwa Mitscherlich ihm nachtut — die seelischen Bilder und Stimmungen wissenschaftlich, d. h. von der allgemeinen Vernunft her analysieren, dann lösen wir nicht im geringsten die Bilder auf, sondern setzen nur an die Stelle der Bilder Ideologien, allgemeine Schemata vom gleichen, freien, liebevollen Menschen. Wir lösen den Menschen von seelischen Projektionen, um ihn im gleichen Augenblick Projektionen der Vernunft auszusetzen. Dann wird der Mensch zwar frei von Komplexen, er wird aber in einem nie gekannten und völlig neuen Sinne dem Einfluß von Abstraktionen ausgesetzt.[11]

---

[11] Diese Wirkung der Welt der Demokratie hat Günter Grass in seinen ›Hundejahren‹ bei seiner Darstellung der Höllenfahrt seiner Helden eindrücklich beschrieben.

Erst wenn wir das sehen, können wir auch das zweite erkennen: Wenn der Mensch also die Ideologien auch als Kräfte erfährt, die den Menschen bilden, und zwar als Kräfte, die ein Gemächte von Menschen und nichts als das sind, dann muß er also auch die Auseinandersetzung mit diesen Imaginationen unternehmen, indem er sich entweder mit ihnen identifiziert oder aber auch sie wiederum in Frage stellt.

Dann taucht aber das Problem der Religion und ihrer Bildwelt wieder auf. Religiöse Bilder können dann signalisieren, daß der Mensch im Zusammenhang der Wirklichkeit von Bildern gesteuert wird und sich mit ihnen auseinandersetzen muß; er muß die Frage stellen, ob die Bilder ihn auf den Ursprung des Lebens hinweisen, der selbst kein Bild ist. Und zugleich nach der anderen Seite hin werfen die Ideologien und Projektionen den Menschen ständig auf ihn selbst zurück. Er muß sich von den Entwürfen distanzieren, gerade wo er sich durch sie hindurch verwirklicht. Dann steht er vor der Frage nach dem Sinn.

In diesem Zusammenhang taucht also heute die Frage nach der Meditation neu auf.

Wir werden in Europa (und Nordamerika) von einer Flut von Angeboten östlicher Meditationspraktiken überschwemmt. Soweit solche Angebote ernsthaft sind, können sie zweierlei versprechen und auch leisten.

Zum ersten können sie dem Menschen, der sich gnostisch von sich selbst, von seiner Seele und seinem Leibe entfremdet, helfen, zu sich selbst zurückzukehren und die Begegung mit der eigenen Vergangenheit und den kollektiven Schichten der Existenz zu vollziehen. Diese Hilfe ist medizinisch wichtig und wird auch sozialmedizinisch von immer größerer Bedeutung werden.

Meistens wird aber mit dieser Hilfe zugleich noch ein weiteres verkauft: Das Angebot geht auf Befreiung von lastendem Ernst der Wirklichkeit und Einkehr in die Ruhe des Ganzen. Dann ist nicht die Identifizierung mit der Bilderwelt im Ursprung wichtig, sondern daß alle Wirklichkeit als bloßes Bild hinterstiegen wird und der Mensch aus allem Schein aussteigt. Hier liegt ohne Zweifel die eigentliche Faszination der Meditationspraktiken. Der des Lebens überdrüssige, von der Vielfalt der Bilder verwirrte und von den Erfahrungen bedrängte Mensch ist anfällig für die Aussicht, alles hinter sich zu lassen.

Diesem Bereich kann nun der europäische Mensch entweder dadurch sich nähern, daß er sozusagen nach Osten pilgert und sich also zurück in den Ursprung tastet.[12] Oder er kann ihn dadurch suchen, daß er die Aufklärung vollendet, so daß das Bewußtsein umschlägt.[13] Beide Wege führen ins Weiselose, sie sind Pfade nach Utopia.

Diese Lösungen können für die westliche Welt aber nur Grenzwerte markieren. Der Überdruß am Leben, die Erfahrung schrecklicher Verwirrung durch die Bilder, die Verantwortung für unübersehbare Zusammenhänge wecken zwar in uns Abendländern die Sehnsucht, alles hinter uns zu lassen. Das Abendland ist aber angetreten unter der Verheißung, zum Ziel zu kommen durch Annahme der Wirklichkeit. Geschichtlich gesprochen: Unsere säkularisierte Welt ist von der Differenz von Schöpfer und Geschöpf bestimmt. Darum liegen auch die eigentlichen Möglichkeiten und Aufgaben der Meditation in dem Schnittpunkt von Glauben (bzw. Unglauben) und Denken. Der in der Zeit vor allem durch Denken und Produzieren sich verwirklichende Mensch muß sein Ziel erreichen, indem er seine Verwirklichung zugleich annimmt als auch nach vorn mit Hilfe des Glaubens transzendiert.

In dieser Linie bedeutet die aus der Psychoanalyse entwickelte Methode der Gruppentherapie eine erste Hilfe. Meditation nimmt hier die Form der Bewußtseinserhellung an. Aussprechen und Annehmen treten unter das Vorzeichen der Erlaubnis Gottes, sich selbst zu bejahen und den anderen, weil beide bejaht sind.

Darüber hinaus muß aber eine zweite Stufe erreicht werden: Zur Entlastung muß die Einübung in den rechten Umgang mit den Informationen und Bildern treten, die vom Menschen produziert werden. Da genügt es nicht, den Menschen in die Schwebelage einzuweisen.[14] Er muß Lebensformen angeboten bekommen, die ihn in die Lage versetzen, der Vergeblichkeit und Schemenhaftigkeit der Bilder,[15] der Entfremdung vom Personalen standzuhalten. Eine neue Form von Aszetik wäre hier zu fordern. Sie ist aber noch nirgends vorhanden. Am ehesten ist hier Hilfe von den Kommunitäten wie Taizé zu erwarten.[16]

Aber die Frage, die hier die Theologie an die Wissenschaft von der Seele richtet, wendet sich auf diese selbst zurück. Wenn die Kirche glaubt,

---

[12] Die Darstellung dieses Weges läßt Amerika augenblicklich Hesse wieder entdecken.

[13] In dieser Richtung sehe ich die Lösung von Herbert Marcuse.

[14] So tut McLuhan.

[15] Darauf weist Bense hin. Vgl. Max Bense, Plakatwelt. 1954.

[16] Vgl. dazu Hans-Eckehard Bahr, Totale Freizeit. 1963; ders.: Poiesis. 1965.

daß Jesu Weg als Kreuzesweg zum Leben führt und daß er als Christus über die Mächte des Kosmos triumphiert und herrscht, welche Gestalt nimmt dann das Leben des Christen im Zeitalter der Manipulation an? Die urchristliche Gemeinde machte den Schritt vom Galater- zum Epheser-brief. Wie sieht dieser Schritt heute aus? Was bedeutet die Herrschaft Christi über die Mächte, die durch das Denken des Menschen produziert werden, über die Strukturen der technischen Welt? Hier könnten die An-regungen von Teilhard de Chardin fruchtbar werden.[17]

III

Der dritte Bereich, in dem das Verhältnis von Praktischer Theologie und Religionswissenschaft zum Tragen kommen muß, ist die Religions-soziologie.

Man kann vielleicht sagen, daß heute dieses Verhältnis erst wirklich aktuell wird. Die Soziologie ist zwar von ihrem Ursprung her als Hand-lungswissenschaft angesetzt gewesen; sie hat sich aber zu ihrer eigenen Konsequenz durchringen müssen. Dabei durchlief sie die Phasen der theoretischen Aufklärung des Ursprungs der Gesellschaft, der Konstruk-tion dieser Gesellschaft, um heute als ein Unternehmen dazustehen, das diese Konstruktion selber wiederum reflektiert.[18]

Parallel dazu entwickelte sich die Religionssoziologie aus dem Versuch, vom Standpunkt der Aufklärung aus die Verbindung von Religion und Gesellschaft als Gefälle anzusehen und dabei entweder die Impulse der Religion auf die Formung der Gesellschaft herauszustellen (Max Weber) oder den Abbau von Religion als vorwissenschaftlichen Verhaltens der Gruppen zu einem rationalen Weltverhalten (Dürckheim, Problem der Säkularisation). Damit trat dann das Problem der Säkularisation der Religion in den Vordergrund. Religion wurde als das Phänomen an-gesehen, das in einer aufgeklärten Gesellschaft verschwinden muß oder verschwinden wird und nur als Antrieb im privaten Bereich erhalten bleibt. Diese Position mußte aber in dem Augenblick überwunden werden, in dem entweder empirisch die „Mehrdimensionalität" der Religion in

---

[17] Teilhard de Chardin: Lobgesang des Alls. 1961.
[18] Vgl. dazu: Friedrich Fürstenberg: Religionssoziologie. 1964; Joachim Matthes: Religion und Gesellschaft. 1967 (vde).

der Gesellschaft entdeckt wurde oder das Unternehmen einer rationalen Gesellschaft selbst zum Problem wurde. Das letztere geschah bei H. Schelsky in einer ebenso deutlichen wie unzureichenden Weise, wenn er die Frage stellte: „Ist die Dauerreflexion institutionalisierbar?" [19] Was bedeutet es, so fragt Schelsky, wenn die Reflexion des Subjektes in das Gefüge der Gesellschaft eingeht? Muß nicht das Subjekt sich aus jeder Institutionalisierung wieder erheben und so seine religiöse Dimension gewinnen? — Dieser Ansatz muß aber ausgeweitet werden: Es geht nicht um die Gewinnung eines religiösen Kontrapunktes zur Gesellschaft, sondern vielmehr um die Problematik der sich produzierenden Gesellschaft selbst, also darum, daß das Unternehmen der Gesellung selbst problematisch wird. Erst so tritt die Religionssoziologie in die ihr heute angemessene Problemstellung ein.

Und hier beginnt die Konstellation von Religionssoziologie und Praktischer Theologie.[20] Sie wird zunächst darin sichtbar, daß die Theologie, auf ihre Rolle in der Gesellschaft befragt, nicht nur auf die Antriebe des Christentums als Religion in der Geschichte verweist, sondern der Offenbarung als eines Motivs inne wird, das noch jede Ordnung der Gemeinschaft aufbricht und in Bewegung bringt. Dann muß also im gegenwärtigen Prozeß der Gesellschaft die Rolle des Christentums ambivalent erscheinen. Es ist eingegangen in Strukturen der Gesellschaft, die um des Menschen willen unter dem Vorzeichen der Vernunft gebrochen werden müssen. Es ist zugleich aber ein Antrieb, der diesen Bruch auch mit den Gestalten des Christentums selbst bewerkstelligt. Darüber hinaus beansprucht es, auch noch jede der Vernunft mögliche Gestaltung der Gesellschaft zu überholen, weil der Gott der Offenbarung die Menschheit auf dem Wege des Bruchs mit jeder Eigengestalt halten und noch die letzte denkbare Gestalt kritisch überholen will.

Unter diesem Vorzeichen müßte dann die Rolle der Religion für die Gesellschaft und ihre Praxis neu beschrieben werden.

1. Religion kann und wird in der Gesellschaft nicht verschwinden, weil der Mensch, wenn er als gesellschaftliches Wesen beginnt, sich zu konstituieren, immer schon aus einer geordneten Welt herkommt und weil diese

---

[19] Helmut Schelsky in: Ev. Ethik. 1957. (= Ges. Aufsätze: Auf der Suche nach Wirklichkeit. 1965. S. 250 ff.)

[20] Diese Phase beginnt mit Trutz Rendtorff: Zur Säkularisationsproblematik. (Abgedruckt bei Matthes, a. a. O. S. 208 ff.)

Herkunft — wie immer auch — problematisch ist. Das macht Religion als Ursprung jeder Gesellschaft unüberwindlich.

2. Die Praxis der Gesellschaft lebt, gerade auch in ihren Ideologien Frieden und Freiheit, Gleichheit und Glück, von Antrieben, die nicht nur religiös vermittelt sind, sondern ihre religiöse Virulenz in der Gegenwart erweisen. Und eben diese Antriebe müssen religiös nicht nur als „Irrationalismen" verstanden werden, sondern als Richtbilder, die noch jede Praxis brechen.

3. Wenn die Gesellschaft sich säkular versteht und also mit sich selbst und ihrer Vernunft beginnt, dann erfährt sie doch in der Praxis, daß der sich selbst und Welt verwirklichende Mensch über einer bodenlosen Tiefe hängt.

4. Wenn aus Verantwortung für den Menschen Gemeinschaft im Sinne der Gesellschaft geplant und dargestellt wird, dann muß die Gestaltung so geschehen, daß die Ordnungsvorstellungen der Soziologen sich die Fragen der Religion gefallen lassen, die Frage z. B. nach der Gefährdung des Menschen eben durch die Planung.

5. Was auf dem so angedeuteten Wege aus Kirche und Religion werden wird, ist offen. Es muß auch offenbleiben. Denn von der Religionssoziologie aus ist deutlich, daß die Praxis der Gesellschaft selbst ein Prozeß ist, der gerade als säkularer nicht ohne religiöse Dimensionen vor sich gehen wird. Von der Praktischen Theologie aus ist klar, daß die religiöse Dimension als das alle Wirklichkeit annehmende und transzendierende Element in der Gemeinschaft als Religion angelegt und als Offenbarung ereignet ist. In diesem Sinne kann die Praktische Theologie nichts anderes tun als dieser Offenbarung in der Gestaltung der Gesellschaft gerecht werden und zugleich jede Gesellschaft der Offenbarung konfrontieren.

WERNER SCHILLING

ÖKUMENISCHE THEOLOGIE UND MISSIONSWISSENSCHAFT

1. Die Ökumenische Theologie betreibt eine Bearbeitung der grundsätzlichen Fragen, die heute im zwischenkirchlichen Dialog, nicht konfessionellem Monolog, aufkommen.[1] Gab es immer schon die „vertikale Ökumene", nämlich die der kirchlichen Tradition durch die Jahrhunderte, so ist heute die „Ökumenische Theologie" mehr „horizontal" im Sinne des „brüderlichen Dienstes" der Kirchen aneinander ausgerichtet. Hervorgegangen aus „Fortsetzungsbewegungen" der Weltkirchenkonferenzen in Stockholm (1925) und Lausanne (1927), konstituierte sich im Jahre 1948 in Amsterdam der „Ökumenische Rat der Kirchen". In Lund (1952), Evanston (1954) und Neu-Delhi (1961) zeigte sich auf dessen „Vollversammlungen" immer deutlicher, daß die christlichen Konfessionen und Denominationen durch diesen Zusammenschluß auf neue Weise begegnen und voneinander lernen. Eine enge Verbindung der damit aufkommenden „Ökumenischen Theologie" mit der Mission bzw. mit der Missionswissenschaft war von Anfang an dadurch gegeben, daß die Arbeit der Mission durch die Uneinigkeit der Verkünder gestört wurde und auch nach der erfolgten Neupflanzung junger Kirchen in der fremdreligiösen Umwelt neue, schwierige theologische und kirchliche Probleme entstanden. Denn die Missionswissenschaft ist diejenige theologische Disziplin, die nach ihrer historischen Seite hin die Ausbreitung des christlichen Glaubens in die Völkerwelt hinein erforscht, nach ihrer systematischen und praktischen Seite aber die Besinnung auf die biblisch-theologische Begründung der Mission und ihrer Ziele sowie die Aufgaben und Methoden der missionarischen Verkündigung bearbeitet. Es liegt daher auf der Hand, daß Ökumenische Theologie und Missionswissenschaft, wenn auch keine Einheit bildend, doch aneinander gewiesen sind.

---

[1] W. A. Visser't Hooft; Unter dem einen Ruf. Eine Theologie der Ökumenischen Bewegung, 1960; G. Thils: Historie Doctrinal du Mouvement Oecumenique, Louvain 1955.

Zwar liefen die ökumenischen Weltkirchenkonferenzen und die Welt-
Missionskonferenzen längere Zeit nebeneinander her. Aber in Neu-Delhi
(1961) erfolgte der bedeutsame Zusammenschluß des Internationalen
Missionsrats mit dem Ökumenischen Rat der Kirchen, erwachsen aus der
neutestamentlichen Erkenntnis, daß Sendung und Einheit der Kirche,
„Mission" und „Ökumene" zusammengehören. Die Partnerschaft beider
aber zur Religionswissenschaft ist durch die Notwendigkeit einer wissenschaftlichen Kenntnis des religiösen Gegenübers zum Zwecke der gezielten
Verkündigung als auch eines friedlichen Zusammenlebens der „Jungen
Kirchen" mit ihrer Umwelt gegeben. Denn jedes ernsthafte Bezeugen hat
auch immer ein Verstehen zur Voraussetzung. Daher wurde die Bedeutung
der Religionswissenschaft für die Ökumenische Theologie und Missionswissenschaft offenkundig, als die „Jungen Kirchen" in Asien und Afrika
danach zu fragen begannen, ob den Fremdreligionen nicht mit mehr Ehrfurcht zu begegnen sei als bisher, weil Gott schon, bevor das Evangelium
zu ihnen gekommen sei, unter den Menschen wirksam gewesen wäre.
Durch das damit (und zugleich durch andere Fragen) aufkommende Problem einer „einheimischen Theologie"[2] und deren neue Fragestellungen
waren Ökumenische Theologie und Missionswissenschaft an eine neue
Ernstnahme der Religionswissenschaft zum Nutzen ihrer eigenen Arbeit
gewiesen, nachdem lange in der Theologie unter dem Einflusse der „dialektischen Theologie" (Karl Barth) das gesamte Problem der Religion unter
ein theologisches Verdikt gestellt worden war und dadurch die außer-
christliche Religionswissenschaft innerhalb der theologischen Fakultäten
verkümmerte.

2. So bahnte sich in jüngster Zeit eine neue Entwicklung an, die zeigt,
wie sehr das Verhältnis zur Religionswissenschaft gerade für die Missionswissenschaft hochbedeutsam bleibt und dogmatisch weder auszuklammern
noch zu unterdrücken ist, weil es in der Missionsaufgabe der Kirche und
deren Sendung seine aktuellste Zuspitzung erfährt. Diese Tatsache wird
z. B. am Phänomen der „nachchristlichen Religiosität" in besonderer Weise
aktuell und bedrängend. Denn das Aufkommen neuer Religionsgebilde,
z. B. in Japan und anderswo, sowie der überraschende Eingang von christlichem Gedankengut in diese Neureligionen stellen Probleme, denen man
nur unter Zuhilfenahme der Religionswissenschaft gewachsen wäre. Auch

---

[2] Theol. Stimmen aus Asien, Afrika und Lateinamerika, hrsg. von P. Beyerhaus, H. W. Gensichen, G. Rosenkranz und G. Vicedom, München 1965.

die heutigen nachchristlichen chiliastisch-messianischen Bewegungen in
Afrika und Südostasien, aber auch in Brasilien und Neuguinea, nicht zuletzt aber die (wenn auch veränderte und verzerrte) Aufnahme christlicher
Gedanken sogar durch die großen Weltreligionen (Buddhismus, Islam,
Hinduismus), bringen die Aufgabe mit sich, das christliche Gedankengut
in diesen Religionen abzugrenzen, freizulegen und zur Wirkung zu
bringen.

Damit tauchen neue Problemstellungen auf, denen die traditionellen
Kernfächer der Theologie ziemlich hilflos gegenüberstehen müssen, so daß
die Zusammenarbeit mit der Religionswissenschaft unumgänglich ist. Zu
diesem Problem einer Teilintegration bestimmter Aussagen des Evangeliums in die fremden Religionen hinein kommt heute für die Missionswissenschaft ein zweites, ebenso gewichtiges, nämlich die Notwendigkeit
des rechten Verständnisses der sich auf der ganzen Welt heute ausbreiten-
den Krypto- oder Pseudoreligiosität. Wir gehen nicht einer „religionslosen"
Welt entgegen, wie theologische Theoretiker meinten, sondern das Auftauchen neuer, teils politisch gefärbter Religionsgebilde gehört zu den
Zeichen der Zeit. Man denke z. B. an den Maoismus in China,[3] der immer
mehr zu einer Religion der Weltverbesserung wird. Natürlich ist dabei für
die Missionswissenschaft und Ökumenische Theologie die Kenntnis der
Religionswelt nie Selbstzweck, sondern dient der Verkündigung des biblischen Evangeliums von Jesus Christus an die Menschen dieser anderen
Religionen, ohne dabei zu einem Synkretismus zu führen.

3. Was nun das differenziertere Gespräch von Missionswissenschaft und
Ökumenischer Theologie auf der einen, der Religionswissenschaft auf der
anderen Seite betrifft, so wird dieses immer von der jeweiligen Verschiedenheit der Grundauffassungen bestimmt sein. Ganz abgesehen
davon, daß sich die Religionswissenschaft in Fächer wie Religionsgeschichte,
-phänomenologie, -soziologie und -psychologie aufspaltet, denen auch
auf der anderen Seite verschiedene Disziplinen (Missionsgeschichte, systematische Missionswissenschaft) gegenüberstehen, gibt es weder eine einheitliche Religions- noch Missionswissenschaft. Daher kann es auch keinen
einheitlichen Stand des Gesprächs geben. Es gibt nur ein solches, das nach
den verschiedenen Standorten und Methoden innerhalb dieser Wissenschaften und ihrer einzelnen Fächer differiert. Sowohl Religions- als auch

---

[3] W. Schilling, Einst Konfuzius — heute Mao Tsē-Tung. Die Mao-Faszination
und ihre Hintergründe, Weilheim/München 1971.

Missionswissenschaft sprechen in einer Fülle verschiedener Zungen, wie andere Wissenschaften auch. In die Missionswissenschaft wirken verschiedene Theologien hinein, und auch die Religionswissenschaft steht unter dem Einfluß rationaler oder irrationaler Vorentscheidungen. So wird eine rationalistisch (oder gar atheistisch!) bestimmte Religionswissenschaft, die es ja auch gibt (z. B. die sowjetische) vom Gespräch mit der Missionswissenschaft nichts erwarten und daher ein solches nicht führen. Auch eine nur historisch-philologisch eingestellte Religionswissenschaft, die nur Textkunde treibt und allein auf etymologischen Erklärungen beruht, wird der Missionswissenschaft letzten Endes gleichgültig gegenüberstehen. Es kommt für die eine Seite immer darauf an, ob sie zugestehen kann, daß die andere ihre Erkenntnisse beeinflussen könnte. Nur dann ist ein partnerschaftliches Verhältnis zu erwarten. So wird es für die Religionswissenschaft darauf ankommen, ob sie von der Missionswissenschaft die Selbstaussage einer lebenden Religion (die „Interpretatio Christiana") erwarten und verwerten will, um entsprechend ihrem Selbstverständnis als Wissenschaft das Ganze des Gegenstandes wissenschaftlich erschöpfend behandeln zu können. Wenn das nicht der Fall ist, wird es kein fruchtbares Gespräch geben. Auf der anderen Seite gibt es Modelle von „Theologie", deren Strukturen in die Missionswissenschaft hineinragend das fruchtbare Gespräch zwischen diesen beiden Wissenschaften verhindern. Die beherrschende Frage nach dem Verhältnis von Offenbarung und Religionen, auf die verschieden geantwortet wird, dringt hier unablässig mit Schärfe herein. Innertheologische Problematik spitzt sich innerhalb der Missionswissenschaft zum Entscheidungszwang zu, weil es hier zur aktuellen Begegnung mit dem lebendigen Anspruch und der gelebten Frömmigkeit der Person des fremdreligiösen Gegenübers kommt, aber auch zur Auseinandersetzung mit der Schein- und Pseudoreligiosität neumodischer Quasi-Religionen.

So ist also das Gespräch zwischen Religions- und Missionswissenschaft oft in bestimmter Weise durch Differenzen in Grundsatzfragen bzw. deren verschiedene Beantwortung bestimmt und auch teilweise gehemmt. Doch wird das Gespräch überall dort als notwendig und hilfreich erkannt und geführt, wo die Grenze zum Irrationalen als solche erkannt und dieses selbst (das Irrationale) als solches respektiert und die persönliche Gewissensentscheidung geachtet wird. Das kann wie folgt erläutert werden.

Eine extrem rationale Religionswissenschaft, die als eigenes Dogma proklamiert, alle Religion sei nur das Fürwahrhalten eines obskuren Aberglaubens, braucht im wissenschaftlichen Sinne nicht wertlos zu sein, weil sie mindestens zur Materialsammlung beitragen kann. Aber sie wird wegen ihrer Sterilität in den eigentlichen religionsphänomenologischen Fragestellungen nichts im positiven Sinne für die Missionswissenschaft austragen. Andererseits wird die Missionswissenschaft von dieser Art der Religionsbetrachtung nicht als Partner akzeptiert werden können. Zu einem fruchtbaren Gespräch kann es nur kommen, wo beide dem irrationalen Charakter des Forschungsobjekts nicht nur gerecht werden, sondern ihm auch einen relativen Wert beimessen. Eine für die Missionswissenschaft hilfreiche Religionswissenschaft müßte heute den Drang haben, das irrationale Leben des religiösen Wesenskerns verstehen zu wollen, und zwar unter sorgsamer Heraushebung der jeweiligen Eigenart des jeweils vorliegenden Phänomens. In der Missionswissenschaft ist man daher heute bezüglich allzu verfestigter dogmatischer Diktionen vorsichtiger geworden. Man spricht mehr vom „Rätsel" der Religionen (z. B. G. Vicedom), statt von deren fertigen Beurteilungen. Das erscheint sachgemäß. Denn tatsächlich ist das Ereignis der Religionen in der Menschheitsgeschichte undurchsichtig und unerklärbar wie der Mensch selbst.

Zwar gibt es auch heute noch Teile der Missionswissenschaft, die aufgrund überholter theologischer Positionen jede Fremdreligion als „Unglauben" vom christlichen Offenbarungsanspruch her werten wollen. So z. B. wenn Gollwitzer im Anschluß an K. Barth noch glaubt, in bezug auf die Religion Feuerbach Beifall zollen zu müssen, und zwar in der seltsamen Annahme, durch das Pochen auf das Wort der Offenbarung, das „den Realitätsbeweis in der den Hörer treffenden Anrede" führe, selbst dem Illusionsverdacht des Gottesleugners entronnen zu sein. Eine auf solche naiven, aber selbstbewußt auftretenden Grundpositionen gestellte Missionswissenschaft wird in der Praxis der Missionsarbeit alles nur von der Konfrontation mit dem religiösen Gegenüber erwarten, nicht aber von einem sachgemäßen Dialog. Das hat Folgen für die Wertung der Religionswissenschaft als Partner. Auch wird es auf der anderen Seite der Religionswissenschaft schwer, eine in dieser Weise geprägte Missionswissenschaft als echten Partner akzeptieren zu können. Nachdem aber selbst im römischen Katholizismus heute die Frage nach der Bedeutsamkeit der Religionen neu aufgebrochen ist und im Jahre 1964 Papst Paul VI. ein „Sekretariat für die Nichtchristen" errichtete, hat sich auch hier eine neue positive Wertung der Religionswissenschaft angebahnt. Man fragt hier mit Recht hinüber zur evangelischen Missionswissenschaft, ob nicht die bekannte Grenzziehung (hier: Religion als Menschenwerk, dort: christ-

licher Glaube als Gottes Werk) selbst nur ein „menschliches Werk" sei und
damit selbst unter das Verdikt des „peccatum" falle bzw. ob diese Grenzziehung tatsächlich als Grenzziehung Gottes anzusehen sei.

4. Daher hat sich heute ein neues Gespräch im Sinne des Dialogs zwischen Religions- und Missionswissenschaft (sowohl auf evangelischer als
auch auf katholischer Seite) angebahnt, dazu vor allem aber auch der
Dialog als missionarische Methode. Der Slogan "We have to dialogue"
wurde sowohl beim Weltrat der Kirchen als auch beim Internationalen
Missionsrat in Genf in gleicher Weise populär,[4] dazu ebenso in Rom,
erkenntlich an der vatikanischen Veröffentlichung ›Guide for dialogue
with Non-Christians‹[5]. Man ist sich heute in der Missionswissenschaft
beider Konfessionen weithin darin einig, daß nicht die schroffe Konfrontation, sondern die innere Berührung der Glaubensformen im Dialog
die dem Inhalt sachgemäße Methode und Form ist. Damit aber werden
alle Teilgebiete der Religionswissenschaft, nicht nur wie bisher die Religionsgeschichte und -phänomenologie, sondern auch die Religionssoziologie
(Prägung der religiösen Phänomene durch soziale Umwelt und deren
Veränderungen), die Religionspsychologie (Verständnis der psychischen
Strukturen des Menschen und der Eigenart des religiösen Akts) und der
Religionspsychopathologie (phasenweise Veränderungen des Persönlich-
keitsbildes, die sich auf das religiöse Erlebnis auswirken) in tieferer Weise
als bisher für Inhalt und Methoden der missionarischen Verkündigung
fruchtbar gemacht. Das bedeutet, daß die Religionswissenschaft durch Ver-
mittelung des entsprechenden Handwerkszeugs die Voraussetzungen für
einen echten „Dialog", der für die Missionswissenschaft ein solcher des
liebenden „Verstehens" im Sinne der Kondeszendenz des göttlichen Wortes zu sein hat, liefert.

Das gilt unbeschadet der Tatsache, daß eine ihrem Auftrag verantwortliche Missionswissenschaft unter „Dialog" nicht ein unverbindliches,
relativierendes Gespräch oder gar eine zeugnislose Koexistenz verstehen
wird. Der „Dialog" wird vielmehr immer das helfende innere Zeugnis in
der Kraft der Liebe Gottes und des Heiligen Geistes einschließen, damit
aber auf das letzte Bekennen und Tatzeugnis hinzielen und zur Entschei-

---

[4] Vgl. E. Perrys, The Gospel in Dispute, New York 1958; H. W. Gensichen,
Christen im Dialog mit Menschen anderen Glaubens, in: EMZ, 24, 1967, Heft 2,
S. 83 ff.

[5] Published by the Vatican Secretariat for Non-christians, Rom 1967.

dung rufen. Aber die Missionswissenschaft wird den Missionar nicht in der
Rolle des Überlegenen (oder gar des Propagandisten!) sehen, der im Voll-
besitz der „reinen Lehre" statische Wahrheiten austeilt. Ihr Ideal wird
vielmehr der „Zeuge" sein, der sich auf die gleiche Stufe mit den Missions-
objekten stellt und sich gemeinsam mit den „zu Bekehrenden" letzten
Endes in der gleichen Rolle vor Gott sieht, nämlich der des Bettlers in
menschlicher Solidarität. Aber gerade dadurch ist man wieder an den vertieften Kontakt mit der Religionswissenschaft gewiesen. Die Orientierung
der Missionswissenschaft bei der Religionswissenschaft wird nicht zuletzt
um der gebotenen Liebe willen zur unabdingbaren Voraussetzung einer
wirklichen Ernstnahme des Sendungsauftrags der Kirche.

Die Missionswissenschaft hat davon auszugehen, daß die Fremdreligion
eine die Wirklichkeit des Lebens angehende und bestimmende Macht ist.
Ihr Wesen kann nicht in den von systematischen Theologen oft konstruier-
ten Denksystemen, die manchmal Enge des Horizonts verraten, ein-
gefangen werden. Die Missionswissenschaft wird ferner zu lernen haben,
daß der jüngste Wandel in der Religionswelt (auch innerhalb der großen
Religionen) so bedeutsam ist, daß es heute schon nicht mehr genügt, die
Fenster theologischer Seminare nach dieser Richtung hin zu öffnen,
sondern daß es notwendig geworden ist, Menschen einzusetzen, die die
Lebensbewegungen dieser Religionen an Ort und Stelle studieren, um
Rüstzeug für die geistige Auseinandersetzung mit jenen qualifizierten
Führergestalten zu gewinnen, die in den letzten zwanzig Jahren im nationalen, religiösen und sozialpolitischen Umbruch Asiens unablässig den
Fremdreligionen zugewachsen sind. Es hat in den Fremdreligionen eine
gewisse geistige und geistliche Vertiefung zu blühen angefangen, welche
die Missionswissenschaft teils heute schon mit Härte und Dringlichkeit zu
spüren bekommt. Zur Bewältigung der damit aufkommenden Fragen
reichen die traditionellen Fächer der Theologie nicht aus. Daher hat die
Religionswissenschaft eine große Zukunft in den theologischen Fakultäten,
sosehr das auch von diesen selbst oft heute noch bezweifelt werden mag.

5. Die Bedeutung des Kontaktes zwischen Religions- und Missionswissenschaft wird dadurch erhöht, daß es in jüngster Zeit zu einem gewissen Strukturwandel der Weltmission kam. War früher das klare Missions-
ziel die Bekehrung, Taufe und Gemeindegründung, so spricht man heute
vielfach nur noch von „Begegnung" im Sinne gegenseitiger Befruchtung.
Die christliche Mission tastet heute behutsam nach den bedeutungsvollen
Zusammenhängen zwischen den religiösen Überzeugungen der Menschen

und den ihrer Gesellschaft eine Ordnung gebenden Vorstellungen und Institutionen. Daraus ergab sich eine gewisse Unsicherheit hinsichtlich der Klarheit der Missionsziele, so daß teilweise von einer Grundlagenkrise der Mission gesprochen werden kann.[6] Die ökumenische Bewegung sieht sich dem Vorwurf ausgesetzt, daß sie mit ihrem Universalismus, der die Mission Gottes in der geschichtlichen Entwicklung sehe, die Weltgeschichte zur Heilsgeschichte mache und die Mission in ein soziales Wirken abgleiten lasse. Hier kann es nicht darum gehen, in diesem Grundsatzstreit eine Position zu beziehen, sondern um die Feststellung, daß durch diese jüngste Entwicklung die Bedeutung des Kontaktes zwischen Missions- und Religionswissenschaft noch erheblich zugenommen hat.

Die wichtigsten Dokumente zum Verständnis der gegenwärtigen Lage sind: Die sog. ›Wheaton-Erklärungen‹[7], das Missions-Dekret ›Ad Gentes‹ des 2. Vatikanischen Konzils[8] und der Bericht der Uppsalenser Sektion II über die ›Erneuerung der Mission‹[9]. An diesen Dokumenten zeigt sich, wie sehr es heute in der Missionswissenschaft um die letzten Grundlagen, Ziele und Methoden des Missionsverständnisses geht. Wir stehen vor einer gewissen Gespaltenheit in den Grundauffassungen, denn was den einen die notwendige „Strukturveränderung" der Mission bedeutet, erscheint den anderen als „Grundlagenkrise". Es entbrannte in jüngster Zeit eine „Krise um die Mission" mit der gegenwärtigen Spaltung in „Ökumeniker" und „Evangelikale". Natürlich handelt es sich um eine innere Auseinandersetzung der Missionswissenschaft, die hier zwangsläufig der Beachtung bedarf, weil sie das Verhältnis zur Religionswissenschaft stark berührt.

Den „Ökumenikern" geht es um die Spannungsfelder der Gesellschaft als Einsatzort der Mission, wobei sie großen Nachdruck auf den Entwicklungsdienst an farbigen Völkern, auf ein neues Ernstnehmen der nichtchristlichen Religionen und auf sozialethische Fragen im Blick auf das Rassenproblem legen. Es geht ihnen um die „horizontale", „mitmenschliche" Dimension. Die „Evangelikalen" dagegen sehen mehr den traditionellen Einsatzort beim einzelnen Menschen und bei der Sinnfrage des

---

[6] Vgl. P. Beyerhaus, Die Grundlagenkrise der Mission, Wuppertal 1970; G. Vicedom, Mission in einer Welt der Revolution, Wuppertal 1970.

[7] The Wheaton-Declaration, in: International Review of Missions, Nr. 10/ 1966, S. 437 ff.

[8] Dekret über die Missionstätigkeit der Kirche, hrsg. von J. Glazik, Münster 1967.

[9] Bericht aus Uppsala 1968, hrsg. v. N. Goodall, Genf 1968.

Lebens, nicht so sehr in gesellschaftspolitischen Fragestellungen. Sie bean-
standen bei den anderen ein Verblassen der eigentlichen Botschaft und der
Zukunftshoffnung der Bibel, sehen in der neuen „Ökumenischen Missions-
theologie" eine mangelnde Unterscheidung der Erkenntnis Christi von
einem allgemeinen menschlich-ethischen Vorbild und befürchten, daß das
Herzstück der Mission, nämlich die Pflanzung des lebendigen Christusglaubens, zu kurz käme oder ganz vergessen werde, wenn nur der
Nachdruck auf die gesellschaftlich-sozialethischen Konsequenzen des
Evangeliums abgestellt werde.[10] Über die Berechtigung der beiden Anliegen ist hier nicht zu befinden, wohl aber zu konstatieren, daß unter
beiden Aspekten das Verhältnis zur Religionswissenschaft bedeutsam
bleibt. Dies für die „Ökumeniker" insoweit, als gerade die neue Ernstnahme des religiösen Gegenübers und dessen gesellschaftlicher Bedingtheiten eine differenzierte Kenntnis, besonders auch der modernen Wandlungen und soziologischen Fakten innerhalb der Phänomenologie der
Religionen, bedingt. Für die „Evangelikalen" aber bleibt der Kontakt zur
Religionswissenschaft nicht weniger bedeutungsvoll, weil das Geheimnis
echter Mission und ihre innere Vollmacht darin liegen, die Bezeugung und
Darbietung des verkündeten Heils in menschlicher Wärme und Nähe
geschehen zu lassen, die dem Wesen des Evangeliums entspricht. Das heißt:
Auch das Werk des „Evangelikalen" bedarf mit der Liebe zum nichtchristlichen Nächsten einer verstehenden Ernstnahme des religiösen Gegenübers
und dessen, was ihm heilig ist. Diese Verpflichtung gilt auch dort, wo das
Wissen um das vorgegebene apostolische Zeugnis und das Ziel der individuellen Pflanzung des Christusglaubens im Vordergrund steht. Um dieser
Verpflichtung aber gerecht zu werden, bedarf es eines fundierten Wissens
um Struktur, Lebensmitte und Wesenskern der fremden Religionsform,
der man jeweils gegenübersteht. Diese Erfordernisse kann nur eine
Religionswissenschaft vermitteln, die das Innerste jener numinosen Ap-
perzeptionen zu verstehen sich bemüht hat, um die es sich in den einzelnen
konkreten Religionen handelt. Beide, die „Ökumeniker" wie die „Evangelikalen", bedürfen daher der Religionswissenschaft als Hilfsquelle und
Partner, wobei unter „Hilfsquelle" keineswegs eine synkretistische Vermischung angedeutet ist, sondern ein verstehendes Aufspüren der innersten
Sinnschichten im Glaubensleben des zu gewinnenden religiösen Gegenübers.

---

[10] Vgl. die ›Frankfurter Erklärung zur Grundlagenkrise der Mission‹, EMZ,
27, 1970, Heft 2, S. 98 ff.

Denn alle Religionen bzw. ihre Symbole enthalten neben ihrer Realschicht eine Sinnschicht, die durch erstere repräsentiert wird, also „gemeint" ist. Sich diese Sinnschicht von der Religionswissenschaft her immer neu aufzeigen zu lassen, bedeutet für die Missionswissenschaft jene unmittelbare Berührungsfläche, die sie davor bewahrt, die Gläubigen und Diener einer fremden Religion nur als Werkzeuge der „Dämonen" zu sehen. Die Fülle und Qualität dessen, was die Missionswissenschaft hierbei aus der Religionswissenschaft lernen kann, verbietet es, die Fremdreligion nur in primitiver Weise abzuwerten, und führt — bei allem Wissen um die „ganz andere" Qualität der christlichen Offenbarung — auf den Weg der Duldsamkeit (Lk 9, 55).

6. Die Missionswissenschaft bleibt bei alledem eine theologische Disziplin, die insoweit an die Kirche gebunden und ihr verpflichtet ist. Das bedeutet aber nicht, daß sie sich von der Kirche vorschreiben lassen müsse, was als Ergebnis ihrer Forschung herauskommt. Sie dient vielmehr der Kirche frei forschend und autonom. Unter diesem Vorzeichen kann eine recht verstandene Missionswissenschaft, von der Religionswissenschaft her belehrt, unter Umständen sogar die Existenz der großen Fremdreligionen und deren Mission in positiver Weise schätzen, nämlich im Hinblick auf den Angriff des bolschewistischen und maoistischen Atheismus, deren Pseudoreligiosität und die davon ausgehenden Gefahren für Weltfrieden und Menschenrechte. Die Achtung aller gläubigen Menschen voreinander resultiert aus der Erkenntnis, daß es vielfach dieselben existentiellen Fragen sind, die die Menschen in den verschiedenen Religionen bedrängen. Alle Religionen stimmen im Wissen darum überein, daß es Höheres gibt als Materie und Sinnenwelt. Sie alle verehren, bitten und danken, ergriffen vom Erlebnis des Heiligen. Sie sehen gemeinsame Aufgaben in der Abwendung von Elend und Not, in der Verteidigung der persönlichen Würde des Menschen und seiner Freiheit, in der Dämpfung des Egoismus, der Tyrannis und der Kriege, im Kampf gegen die Entartung von Regierungen und Staaten. Die Religionen teilen auch das gemeinsame Fragen angesichts der Fragwürdigkeit und Vorläufigkeit dieser Welt, ihrer Ungerechtigkeiten, Leiden und Grauen. Sie teilen die Sehnsucht, das alles zu überwinden. Sie fragen gemeinsam danach, warum der Mensch geboren wird und stirbt, warum überhaupt etwas ist und nicht vielmehr nichts ist. Sie fragen nach dem Guten und Bösen, der Ordnung und Pflicht der einzelnen und der Gesellschaft, nach dem sittlichen Bewußtsein, der menschlichen Abhängigkeit und der Zukunft der Welt. Indem sie diese Gemeinsamkeiten aller

glaubenden Menschen, den jeweils ganz verschiedenen Perspektiven der damit verbundenen Fragen und Antworten bis in die letzten Winkel hinein zu durchleuchten sucht, vermittelt die Religionswissenschaft der Missionswissenschaft die Voraussetzungen für jenes sachgemäße Verstehen, ohne das deren Arbeit keine wissenschaftliche wäre. Denn zur wissenschaftlichen Arbeit der Missionswissenschaft gehört die Erkenntnis, daß jeder „Herrschaftswechsel" über den Menschen sich in dessen Gewissen nur auf dem Hintergrunde des Bisherigen und nur im Rahmen der unmittelbaren Umgebung entfalten kann. Deshalb muß durch Brücken der Kommunikation die geistige und geistliche Möglichkeit eines spontanen Zeugnisses für Christus vorbereitet werden. Das ist weder zu verwechseln mit Taktik noch Rezept, denn die Mission bleibt dabei „Sendung" als gesamtkirchliche Unternehmung, der einzelne Missionar aber zugleich Prediger, Diakon, „Zeuge" und Mitmensch in einem.

Eine Brücke der Kommunikation besteht auch zwischen Religionswissenschaft auf der einen und Missionswissenschaft (und Ökumenischer Theologie) auf der anderen Seite selber, nämlich in Form einer ihr eigenes gegenseitiges Verhältnis bestimmenden wissenschaftlichen Offenheit. Nur eine vor Selbstsicherheit und Selbstgerechtigkeit bewahrte Missionswissenschaft kann ihrerseits ein hilfreicher Partner für die Religionswissenschaft sein. Das bedeutet nicht den Willen zur Verführung zu Indifferentismus. Bei allem Überzeugtsein von der Wahrheit der biblisch-apostolischen Verkündigung, das sie voraussetzt, kann die Missionswissenschaft offen bleiben für jene nicht aufgehobene andere Wahrheit, daß auch die biblische „Offenbarung" noch „verhüllte" Offenbarung bleibt, die nicht alle Rätsel gelöst hat. Insoweit muß sie mindestens damit rechnen, daß Gott sich außerhalb des Christentums offenbaren kann, wenn er will. Daher vermag die Missionswissenschaft zu einem dynamischen Faktor an der Grenze von Theologie und Religionswissenschaft zu werden. Die Religionswissenschaft erwartet von der Missionswissenschaft ein gewisses Maß von Toleranz.

7. Letzteres bedeutet keineswegs eine Verwischung unaufhebbarer Grenzen, Begünstigung synkretistischer Illusionen oder phantastische Zielsetzungen („Welt-Einheitsreligion"!). Aus der Ökumene der Christenheit kann niemals eine „Ökumene der Religionen" werden. Das verbietet das Ringen in der Wahrheitsfrage und das Selbstverständnis des biblischen Sendungsauftrags, wonach die Mission ein eschatologisches Christusgeschehen und Sammlung des Gottesvolks bedeutet. Gerade durch die Ernstnahme der Wahrheitsfrage und Zurückhaltung gegenüber jedem

Pragmatismus, durch Betonung der Mission als Hingabe im Glauben, kann die Missionswissenschaft ihrerseits der Religionswissenschaft den überaus wichtigen Dienst leisten, sie daran zu erinnern, daß letzten Endes kein Wissenschaftler, auch der Religionswissenschaftler nicht, die Wahrheitsfrage umgehen kann. Die Religionswissenschaft kann von der Missionswissenschaft lernen, mindestens fragen zu sollen, ob sie nicht auch phänomenologisch an die Wahrheitsfrage heranzugehen hat, weil es doch nur *eine* Wahrheit und nur einen Kosmos gibt und die Wissenschaft daher letzten Endes ein Ganzes sein muß. Hier könnte der Religionswissenschaft von der innerhalb der Missionswissenschaft (viel zuwenig!) betriebenen „Evangelischen Religionskunde" (G. Rosenkranz)[11] eine beständige, heilsame Erinnerung zukommen. Hier handelt es sich um eine der Wahrheitsfrage nicht ausweichende, aber auf alle veralteten Methoden apologetischer und dogmatischer Art verzichtende, aber trotzdem theologisch gegründete Sicht und Kenntnis der Religionen.

Dazu ist nicht außer Betracht zu lassen, wie sehr sich Religions- und Missionswissenschaft auch in der Weise befruchten können, daß sie gemeinsam dartun, daß die Geschichte nicht nur von einer konstruktiven, sondern auch von einer destruktiven Macht der Religion zu berichten weiß. Die Wahrheit gebietet es, nicht außer acht zu lassen, daß durch Verkehrungen und Pervertierungen des eigentlichen religiösen Nervs und seiner wertvollen Gehalte es vielfach auch durch die Institutionen und Trabanten der Religionen zu deren Schuld am Menschen kam. Es kam zu Anrichtung von Zerstörung, Unrecht und Leid, damit aber zur Verkehrung von Wahrheit. Es gehört zu den gemeinsamen Aufgaben moderner Wissenschaften, gemeinsame Überlegungen darüber anzustellen, wie dem zu begegnen sei und wie sehr die Erkenntnis der Wahrheit frei macht.

8. Das leitet über zur Frage nach neuen Möglichkeiten fruchtbarer Fragestellungen und künftiger Aufgaben. Von der Missionswissenschaft her gesehen wäre auf seiten der Religionswissenschaft vor allem eine Konzentrierung auf das bessere phänomenologische Verstehen hin erwünscht. Die Religionswissenschaft sollte mehr über die bloßen historisch-philologischen Textinterpretationen hinaus — so wichtig diese auch bleiben! — im Sinne einer Hermeneutik der Religionen etwas von deren Existenzverständnis (nicht nur der Statik ihrer Lehren), vom personalen Glauben der

---

[11] G. Rosenkranz: Religionswissenschaft und Theologie. Aufsätze zur Evang. Religionskunde, München 1964.

Menschen im aktuellen Lebensvollzug (ihrem „proprium", z. B. des Buddhisten, Hinduisten, Primitiven usw.) erhellen. Zu solcher Hermeneutik der Religionen, d. h. der Herausarbeitung ihres Lebensnervs im personalen Glauben, gehört als religionswissenschaftliche Aufgabe das eidetische Prinzip. Die Religionswissenschaft sollte über alle Historie und Philologie hinaus das „Eidos" als Ziel der Forschung setzen, d. h. die Erkenntnis des wesentlichen Gehalts des religiösen Phänomens, dazu seinen Logos als Struktur. Das soll heißen, daß die Religionswissenschaft nicht nur Übersetzungs-, sondern Deutungswissenschaft sein sollte. Sie sollte nicht *nur* die historisch-vordergründigen Erscheinungen der Religionsgeschichte, sondern die Hintergründe des von den einzelnen religiösen Phänomenen in den urtümlich gewachsenen Religionen Gemeinten zu erhellen suchen und ihre Funde an die Missionswissenschaft weitergeben. Dabei könnte sie mehr als bisher danach suchen, wo in den Religionen eine existentielle Deutung des menschlichen Seins vom Ursprung her, von der Gestalt der Urwirklichkeit und Urwahrheit des lebendigen Gottes zu finden ist. Mit anderen Worten: Die Religionswissenschaft sollte in ihren verschiedenen Zweigen durch Gruppenarbeit von Spezialisten das irrationale Leben des Forschungsobjekts „Religion" mehr als bisher zu erhellen suchen und damit zu einem Symbolverstehen werden, das — auf die Fakten der Historie gestützt und diese nie aus den Augen lassend — nicht rational, sondern kongenial unter Aufdeckung der Real- und Symbolschichten zum eigentlichen und gemeinten Sinn der religiösen Phänomene vorstößt.

Mit Hilfe solcher „Religionswissenschaft" könnte dann eigentlich erst recht jener „Dialog" gedeihen, der heute von Mission, Missionswissenschaft und auch innerhalb des Aufgabenbereichs der Ökumenischen Theologie gegenüber den Fremdreligionen gefordert wird. Den „Ökumenikern" wäre insoweit geholfen, als sie dann ihre mit Recht geforderte Beachtung der Frage nach den gesellschaftlichen Strukturelementen tief genug anzusetzen in der Lage wären. Nicht weniger könnten aber auch die „Evangelikalen" in der Missionswissenschaft von solcher Religionswissenschaft profitieren, weil sie vollmächtig bezeugen wollen, das aber nur können, wo die Botschaft auf den ganzen Menschen zielt und ihn auch erreicht.

Aufgabe und Wesen der Religionswissenschaft als Deutungswissenschaft bezieht sich aber natürlich auch auf das Christentum, d. h., sie macht vor diesem nicht halt. Das gilt durchaus auch für die außerhalb der theologischen Fakultäten betriebene „philosophische" Religionswissenschaft. Beide

Sparten der Religionswissenschaft, die „theologische" wie auch die in den philosophischen Fakultäten betriebene, könnten gerade in der gegenwärtigen Lage der Missionswissenschaft als Helfer in Grundsatzfragen erwachsen, nämlich dort, wo eine einseitig an Fragen der soziologischen Strukturen interessierte, an sozialethischer Weltverbesserung orientierte und in die sozialdiakonische Dimension der Mission abgleitende Theologie am Werke wäre und — in die Missionswissenschaft hineinwirkend — tatsächlich eine Grundlagenkrise der Missionsarbeit heraufbeschwören würde.

Es hat sich bereits von der Theologie her einwirkend eine gewisse Schwergewichtsverlagerung in Missionswissenschaft und Ökumenischer Theologie eingestellt: eine gewisse Verlagerung der Missionsziele hin auf ein soziales Wirken in der pluralistischen Gesellschaft, deren Institutionen und Triebkräfte im Zusammenhang mit den religiösen Überzeugungen. Dadurch kann die Arbeit der Mission selbst in eine bedenkliche Lage kommen. In dieser Situation könnte die Missionswissenschaft heute in einer bisher kaum für möglich gehaltenen Weise Unterstützung von seiten der Religionswissenschaft her erhalten. Denn eine moderne Religionswissenschaft, die zum Sinn der religiösen Phänomene vorstößt, dabei auch vor dem Christentum nicht halt macht und eine tiefgreifende Mytheninterpretation sowie ein echtes Symbolverstehen zum Ziele ihrer Arbeit machen würde, könnte sich hier als hilfreicher erweisen als eine sich am Rande anthropologisch-innerweltlicher Diktionen bewegende Theologie. Eine solche Religionswissenschaft müßte von ihrer Sicht der Lebensmitte des Christenglaubens aus jene Theologie der Kritik unterziehen, die zwar an der Bejahung Christi und seiner Menschlichkeit festhalten will, zugleich aber den Gottesbegriff entschwinden läßt und die christliche Lehre dem Leistungsdenken anzupassen in der Gefahr ist. Solche Religionswissenschaft müßte der Theologie sagen, daß der Nerv des christlichen Glaubens verlassen wird, wo nicht mehr die Sinnfrage des Lebens und der Welt und die Überwindung der inneren Unheilssituation des Menschen im Vordergrund steht, sondern alles in eine Sozialtheologie und Religion der (immanenten) Weltverbesserung umzuschlagen droht. Die Religionswissenschaft hätte das mindestens einer bestimmten Richtung innerhalb der christlichen Theologie ebenso deutlich zu machen wie etwa jenen Buddhisten in Ceylon (und anderswo), denen das eigentliche Numinosum des historischen Gautama Buddha entschwindet, während sie in ihrem Tempel in seinem Namen eine politisch-soziale Revolte veranstalten.

So könnte also die hier gemeinte Religionswissenschaft als Deutungs-
wissenschaft durchaus in der Lage sein, aus ihrer tiefen, verstehenden
Betrachtungsweise heraus zu erkennen, was einer sich voreilig an modische
Erscheinungen bindenden Missionswissenschaft zu entschwinden droht:
Daß in Jesus Christus die Lösung der Sinnfrage des Lebens und der Welt
beschlossen liegt, er den Menschen in dessen Individualität zum höchsten
Wert erklärt und nur die Person des durch Buße und Vergebung hindurch-
gegangenen und veränderten einzelnen einen Beitrag zur Veränderung der
Gesellschaft leisten kann. Daß ferner auch in der besten Gesellschaft alle
peinigenden Irrationalitäten und Aporien des Lebens (Egoismus, Macht-
streben, Krankheit, Tod usw.) bleiben und nur die Gnade als göttliche
Rechtfertigung des Lebens Ruhe für den Menschen geben kann.

Damit wird die Religionswissenschaft keineswegs zu einer „ancilla
theologiae" erklärt. Gemeint ist, daß sie nie in der Weise „neutral" sein
könne, daß ihr Interesse nur antiquarisch oder ein Ergebnis intellektueller
Neugier sei. Dem echten Religionswissenschaftler eignet vielmehr in der
Beschäftigung mit seiner Wissenschaft ein beständiges Horchen auf den
objektiven Charakter der letzten Wirklichkeit, wobei das Wort „objektiv"
nicht dinglich-statisch zu pressen ist. Es handelt sich um dasjenige „Objektive", das uns in unserer Existenz bindet, indem wir als Menschen „darin"
sind, das uns in der ständigen Präsenz dessen, was uns als abhängige
Wesen „angeht", nie losläßt. In diesem Sinne sieht die Religionswissenschaft — obwohl fern davon, einen eigenen Katechismus erstellen zu
wollen — doch sehr wohl etwas von dem abgründigen Zwiespalt des
Menschen zwischen Gut und Böse, Gott und Abgott. Sie erkennt sehr wohl
das Wesen des Menschen als eines „Entwurfs", der ständig unterwegs und
im Grunde heimatlos ist, immer nach einem „anderen Reiche" strebend,
das nicht „von dieser Welt" ist. Sie kennt die Grenzsituation, in der der
Mensch beständig den Absprung zur Transzendenz zu wagen hat und seine
Hand nach der Wahrheit ausstreckt. Sie (die Religionswissenschaft) kann
zwar keine Bürgschaft dafür geben, daß die Sehnsucht und Hoffnung
der Jahrtausende nicht nur Fiktion bleibt, sondern daß es dafür eine Erfüllung gibt. Das könnte tatsächlich nur die Theologie. Aber das ständige
Horchen und Fragen der Religionswissenschaft danach, worin sich das
Subjekt-Sein des Menschen (das immer nur als Moment einer Handlung
existiert) sich als menschliche Handlung von den biologischen Handlungen
der Tiere und Pflanzen unterscheidet — dieses beständige Mitdenken und
Mitfragen der Religionswissenschaft im Blick auf die letzten Antriebe

und Motivationen der Religionen —, das bringt sie fast an die Grenze zur Doxologie.

Daher ist sie durchaus in der Lage, notfalls auch die von fragwürdigen Spielarten neu auftauchender Theologien im Stich gelassene Missionswissenschaft in ihrem Selbstbewußtsein zu festigen. Die Missionswissenschaft hat die Religionswissenschaft nicht gegen sich, sondern durchaus *für* sich, wo es darauf ankommt, daß bei aller Wichtigkeit gesellschaftspolitisch-sozialethischer Zielsetzungen die christliche Mission immer nur eine solche sein kann, die vom Zentrum ihrer Sache her wirkt. Heute könnte sich das konkret so ausnehmen, daß die Religionswissenschaft als Wissenschaft dazu berufen wäre zu zeigen, wie leicht jede Einschränkung des Interesses auf den Menschen und seine Gesellschaft letzten Endes zum Atheismus führen kann. Andererseits besteht für sie durchaus die Möglichkeit des Aufweises des Christentums als der absoluten Religion.[12] Freilich wird sich die Missionswissenschaft schwerlich auf eine Christologie der Religionsgeschichte einlassen können, weil sie es primär nicht mit einem „kosmischen" Christus, sondern mit dem („kontingenten") Gekreuzigten und Auferstandenen zu tun hat, der sein Volk sammelt, bis das Reich Gottes kommt.

Ohne die Religionswissenschaft zu einem theologischen Vorspann machen zu wollen, kann zusammenfassend gesagt werden, daß sich ihre Anstrengungen mit denen der Missionswissenschaft in produktiver Weise gerade in jenen Grenzbereichen menschlicher Erfahrung verbinden, in die sich die Missionswissenschaft hineinbegeben muß, um die Menschen anderer Religionen auf deren Sein hin, also auf Erwiderung hin, anzusprechen. Daß das nur geschehen kann in einer Haltung des „Mirari", also des Staunens, lernt die Missionswissenschaft heute nicht mehr allein oder nur noch teilweise von der Theologie. Es erhebt sich die kühne Frage, ob sie das jetzt und in Zukunft nicht teilweise besser auch von der Religionswissenschaft lernen könnte. Diese kann und will zwar niemandem die letzte Glaubensentscheidung abnehmen, aber sehr wohl die gründenden Wahrheiten des menschlichen Seins aus der Religionswelt (und auch aus dem Christenglauben) heraushören, um auf Grund dieser fundamentalen Vernahme die Richtung zur radikal neuen Fundierung des Daseins besser zu weisen als eine Art säkularisierter „Theologie".

[12] Vgl. U. Mann: Das Christentum als absolute Religion, Darmstadt 1970 (²1971).

REGISTER

Anmerkung: Die Stellenangaben des Registers beziehen sich auf eingehendere Darlegungen zu den genannten Namen und Sachen.

BIOGRAPHISCHES ÜBER DIE VERFASSER DER BEITRÄGE

BETZ, Otto: geb. 8. 6. 1917 in Herrentierbach, Kr. Crailsheim (Württemberg), 1959 Dr. theol. (Tübingen), 1954 Repetent am Tübinger Stift, 1961 Privatdozent für Neues Testament in Tübingen, 1964 full professor am Chicago Theological Seminary in Chicago/USA, 1968 apl. Professor in Tübingen.

DAMMANN, Ernst: geb. 6. 5. 1904 in Pinneberg, 1929 Dr. phil. (Kiel), 1939 Dr. phil habil. (Hamburg), 1968 Dr. theol. h. c. (Heidelberg), 1939 Habilitation für afrikanische Sprachen in Hamburg, 1957 Professor mit Lehrstuhl in Berlin, 1962 o. Professor für Religionsgeschichte in Marburg.

HARTMAN, Sven S.: geb. 22. 6. 1917 in Högbo (Schweden), 1953 Privatdozent für Religionsgeschichte mit Religionspsychologie in Uppsala, 1965 o. Professor in Abo (Finnland), 1969 in Lund (Schweden).

HUMMEL, Gert: geb. 8. 3. 1933 in Sindelfingen (Württemberg), 1961 Dr. phil. (Tübingen), 1961 Lic. theol. (Lund), 1962 Pfarrer für Religionsunterricht in Stuttgart, 1964 wissenschaftlicher Assistent in Saarbrücken, 1969 Privatdozent, 1971 Professor für Systematische Theologie in Saarbrücken.

KAISER, Otto: geb. 30. 11. 1924 in Prenzlau (Uckermark), 1956 Dr. theol. (Tübingen), 1958 Dozent für Altes Testament in Tübingen, 1961 a. o. und 1962 o. Professor in Marburg.

KÜMMEL, Hans Martin: geb. 31. 12. 1937 in Zürich (Schweiz), 1966 Dr. phil. (Marburg), 1967 wissenschaftlicher Assistent mit Lehrauftrag für Hethitisch in Tübingen.

MANN, Ulrich: geb. 11. 8. 1915 in Stuttgart, 1952 Dr. theol. (Tübingen), 1957 Dozent für Systematische Theologie in Tübingen, 1962 a. o. Professor in Tübingen, 1963 o. Professor in Saarbrücken.

MEINHOLD, Peter: geb. 20. 9. 1907 in Berlin-Wilmersdorf, 1934 Lic. theol. (Berlin), 1934 Habilitation, 1935 Dozent in Heidelberg, seit 1936 Inhaber des Lehrstuhls für Kirchen- und Dogmengeschichte in Kiel.

MENSCHING, Gustav: geb. 6. 5. 1901 in Hannover, 1924 Lic. theol. (Marburg), 1931 Dr. theol. (Riga), 1951 Dr. sc. rel. h. c. (Marburg), 1927

Privatdozent in der TH in Braunschweig, 1927 a. o. Professor an der Lettländischen Staatsuniversität in Riga, 1942 a. o. Professor für Vergleichende Religionswissenschaft in Bonn, 1955 o. Professor in Bonn, 1969 emeritiert.

MICHEL, Otto: geb. 28. 8. 1903 in Wuppertal-Elberfeld, 1928 Lic. theol. (Halle), 1949 D. theol. (Mainz), 1929 Habilitation (Halle), 1939 Vertr. ntl. Professor in Halle, 1940 Tübingen, 1946 o. Professor Tübingen, 1957 Direktor des Institutum Judaicum.

MORENZ, Siegfried: geb. 22. 11. 1914 in Leipzig, 1946 Habil., Dr. phil., D., 1952—1970 Professor mit Lehrstuhl und Direktor des Ägyptischen Instituts bzw. Seminars in Leipzig, 1961—1966 auch in Basel, Theol. Ehrendoktor Tübingen, gestorben 14. 1. 1970.

MÜLLER-SCHWEFE, Hans-Rudolf: geb. 26. 6. 1910 in Punschrau bei Naumburg an der Saale, 1934 Dr. theol. (Tübingen), 1938 Dr. habil., 1936—1939 Assistent in Tübingen, 1947 Leiter der Evangelischen Akademie Hofgeismar, 1955 o. Professor für Praktische Theologie in Hamburg.

NOUGAYROL, Jean: geb. 14. 2. 1900 in Toulouse (Frankreich), Dr. h. c., 1938—1970 Professor für Assyrisch-Babylonische Religion in Paris (École pratique des Hautes Études), 1968 ordentl. Mitglied der Académie des Inscriptions et Belles-Lettres.

OBERHUBER, Karl: geb. 31. 10. 1915 in Innsbruck, 1941 Dr. phil. (Innsbruck), 1954 Privatdozent (Wien) für Altsemitische Philologie mit besonderer Berücksichtigung der Keilschriftforschung in Innsbruck, 1961 tit. a. o. Professor in Innsbruck.

PARET, Rudi: geb. 3. 4. 1901 in Wittendorf, Kr. Freudenstadt, 1924 Dr. phil. (Tübingen), 1926 Privatdozent für Semitistik und Islamkunde in Tübingen, 1930 in Heidelberg, 1935 a. o. Professor in Heidelberg, 1941 o. Professor in Bonn, 1951 in Tübingen, 1968 emeritiert.

QUISPEL, Gilles: geb. 30. 5. 1916, 1943 Dr. Class. Litt. (Utrecht), seit 1952 Professor of the History of the Early Church in Utrecht, zugleich seit 1969 Professor of the Hellenistic Background of the New Testament in Louvain, 1964/65 Visiting Professor der Harvard University (USA).

RATSCHOW, Carl Heinz: geb. 22. 7. 1911 in Rostock, 1937 Dr. theol. (Rostock), 1938 Dr. theol. habil. (Göttingen), 1941 Dr. phil. (Göttingen), 1951 Ehrendoktor der Universität Rostock, 1968 Ehrendoktor der Universität Lund, 1938 Dozent in Göttingen, 1947 o. Professor in Münster, 1962 in Marburg.

RÖLLIG, Wolfgang: geb. 6. 2. 1932 in Dresden, 1960 Dr. phil. (Berlin), 1966 o. Professor für Altorientalistik in Tübingen.

SCHILLING, Werner: geb. 20. 12. 1910 in Naumburg an der Saale, 1948 Dr. phil. (Leipzig), 1966 Dr. theol. (Erlangen), 1964—1969 Lehrbeauftragter für Religions- und Missionswissenschaft in Erlangen, z. Z. zeitlich i. R.

SCHMID, Herbert: geb. 17. 7. 1927 in Augsburg, 1954 Dr. theol. (Mainz), 1951 Vikar, 1955 Pfarrer, 1956 Studienrat, 1962 Dozent und 1965 Professor an einer Pädagogischen Hochschule, 1968 zusätzlich Privatdozent für Altes Testament in Mainz, 1969 o. Professor an der Erziehungswissenschaftlichen Hochschule Rheinland-Pfalz, Abt. Landau, und Professor für Altes Testament in Mainz.

SPEYER, Wolfgang: geb. 1. 6. 1933 in Köln, 1959 Dr. phil. (Köln), 1963 Wissenschaftlicher Mitarbeiter am F.-J.-Dölger-Institut, Universität Bonn, 1972 Universitäts-Dozent für Klassische Philologie in Salzburg.

STEITZ, Heinrich: geb. 24. 1. 1907 in Fürfeld (Rheinhessen), 1936 Lic. theol. (Gießen), 1938 Dr. phil. (Gießen), 1962 D. theol. (Marburg), 1932 Pfarrer, 1950 Lehrauftrag für Hessische Kirchengeschichte in Mainz, 1964 Habilitation, 1968 Professor für Kirchengeschichte in Mainz.